Baker · Rom

Simon Baker

ROM

Aufstieg und Untergang
einer Weltmacht

Vorwort von Mary Beard

Aus dem Englischen übersetzt von
Ursula Blank-Sangmeister
unter Mitarbeit von Anna Raupach

Philipp Reclam jun. Stuttgart

Titel der englischen Originalausgabe:
Simon Baker: Ancient Rome. The Rise and Fall of an Empire.
London: BBC Books, 2006

Für Patsy, James und alle meine Angehörigen

Du aber, Römer, gedenke die Völker der Welt
zu beherrschen,
Darin liegt deine Kunst, und schaffe Gesittung
und Frieden,
Schone die Unterworfnen und ringe die
Trotzigen nieder.

Vergil, *Aeneis* 6,851–853

So griff mit dem Anwachsen der Macht eine Habgier um sich, die maßlos und unersättlich war; sie entweihte und zerstörte alles, vor nichts hatte sie Achtung, nichts war ihr heilig, bis sie sich selbst ins Verderben stürzte.

Sallust, *Der Jugurthinische Krieg* 41

Inhalt

Vorwort

Mary Beard

Die Geschichte der Stadt Rom beginnt mit einem Mord. Im Jahre 753 v. Chr. hoben die Zwillingsbrüder Romulus und Remus zusammen mit einer kleinen Gruppe von Verbannten und Aussteigern einen Graben aus, um ein kleines Dorf zu schützen, die künftige Hauptstadt eines Reiches, das sich von Schottland bis jenseits der Sahara erstrecken sollte. Doch aus der Begeisterung wurde schnell eine Tragödie. Die Zwillinge gerieten in Streit und Romulus tötete seinen Bruder.

Neue Probleme ließen nicht lange auf sich warten. Romulus hatte nur wenige Gefolgsleute – wer also sollten die Bürger der neuen Stadt sein? Die Antwort lautete: Jedermann war willkommen. Romulus erklärte Rom zu einer Freistätte und nahm alle, die sich hier niederlassen wollten – Verbannte, Flüchtlinge, entlaufene Sklaven und Verbrecher –, mit offenen Armen auf. In Rom lebten ausschließlich (im antiken Sinne des Wortes, der sich von dem unseren nicht sehr unterscheidet) Asylanten.

Damit war für ausreichend Männer gesorgt. Aber wo waren die Frauen, die künftigen Gattinnen und Mütter der neuen Bürgerschaft, zu finden? Nun griff Romulus zu einem miesen Trick. Er lud einige Völker aus der Nachbarschaft zu einem religiösen Fest, und auf ein Zeichen hin stürzten sich seine Kumpane auf die jungen weiblichen Gäste und suchten mit ihnen das Weite. Sex and Crime, nüchternes politisches Kalkül: Dieser sogenannte »Raub der Sabinerinnen« übt seitdem auf Schriftsteller und Künstler immer wieder eine große Faszination aus.

Was an dieser reißerischen Geschichte wahr ist, entzieht sich unserer Kenntnis. Mehr als 500 Jahre später haben römische Gelehrte, die ebenso wie ihre modernen Kollegen herausfinden wollten, wann die Geschichte Roms ihren Anfang nahm, die Gründung der Stadt auf das Jahr 753 datiert. Ihre komplizierte Berechnung ist – offen gesagt – nicht eben vertrauenswürdig, dennoch passt diese Jahreszahl in etwa zu den archäologischen Funden aus der frühesten Phase der Stadt. Romulus selbst ist als historische Figur genauso wahrscheinlich oder unwahrscheinlich wie König Artus von Britannien.

Ob die Jahreszahl nun stimmt oder nicht – an diesem Ursprungsmythos haben die Römer in den nächsten mehr als 1000 Jahren ihrer Geschichte festgehalten. Sie erkannten in dieser Sage viele Probleme, die ihr politisches Leben fortwährend bestimmen sollten und die auch noch in der heutigen Zeit durchaus aktuell sind. In diesem Buch geht es um brisante Fragen: Wie soll ein Staat regiert werden? Kann Gewalt ein legitimes Mittel der Politik sein? Wer hat einen rechtmäßigen Anspruch auf die Staatsbürgerschaft und die damit verbundenen Privilegien?

Wenn die Römer über die Bürgerkriege nachdachten, die bisweilen tiefe Wunden in ihr politisches Leben rissen, blickten sie auf den Streit zwischen Romulus und Remus und glaubten zu wissen, dass ihre Stadt von Beginn an zu internen Machtkämpfen der schlimmsten Art verurteilt war. Auch Romulus' Tod bot Stoff zur Reflexion. Es gab zwei konkurrierende Möglichkeiten: Wurde er am Ende seines Lebens von den gnädigen Göttern in den Himmel aufgenommen oder aber von seinen wütenden Mitbürgern in Stücke gerissen? Über eine vergleichbare Frage wurde nach der Ermordung Julius Caesars im Jahre 44 v. Chr. (vgl. Kapitel II) sogar noch heftiger diskutiert – seine Feinde hatten ihn wegen seines autokratischen Regimes im Namen der Freiheit umgebracht, doch seine Anhänger verherrlichten ihn als Gott und ehrten ihn mit einem eigenen Tempel im Zentrum der Stadt.

Sechs entscheidende Augenblicke, die zwischen dem 2. Jahrhundert v. Chr. und dem 5. Jahrhundert n. Chr. die römische Geschichte prägten – Zeiten dramatischer, manchmal revolutionärer Umwälzungen –, werden in diesem Buch geschildert. In diesen Jahrhunderten stieg Rom zu einer Großmacht auf, deren Einfluss weit über den Mittelmeerraum hinausreichte (es gibt Anzeichen dafür, dass römische Kaufleute sogar bis nach Indien gekommen sind). Eine mehr oder weniger demokratische Republik entwickelte sich zu einem autokratischen Imperium. Schließlich – und das war vermutlich die einschneidendste Veränderung – wurde der heidnische Staat durch einen christlichen ersetzt.

Konstantin (vgl. Kapitel V), der sich erst im Jahre 337 auf seinem Totenbett offiziell taufen ließ, war der erste römische Kaiser, der das Christentum öffentlich förderte. Er stiftete mehrere Kirchen und Kathedralen, die das an Sakralbauten reiche Stadtbild des heutigen Roms noch immer prägen. Zu diesen Bauten gehörte auch die ursprüngliche Basilika über dem Grab des Apostels Petrus, an deren Stelle sich heute der Petersdom erhebt.

In jeder dieser entscheidenden Epochen geht es um gewichtige politische Kontroversen und Veränderungen. Bei Tiberius Gracchus und seinen umstrittenen Bemühungen, die verarmten Bauern wieder mit Land zu versorgen (vgl. Kapitel I), wird die Kluft zwischen Arm und Reich ebenso angeschnitten wie die Frage, wem die Segnungen eines reichen Staates zugute kommen sollen. Die Geschichte Neros (vgl. Kapitel III) beleuchtet die Auswirkungen einer völlig aus dem Ruder laufenden Autokratie. Die hier beschriebenen Umbruchzeiten wurden noch aus einem anderen Grund ausgewählt: Sie lassen einige der wichtigsten Persönlichkeiten der römischen Geschichte lebendig werden. Wir erfahren etwas über ihre unterschiedlichen Charaktere, ihre jeweiligen Beweggründe, ihre politischen Konflikte und über ihre Versuche, die Welt, in der sie lebten, zu verändern.

Moderne Historiker betonen gern, wie wenig wir über die römische Welt eigentlich wissen. Es ist wahr, dass wir hinsichtlich der Daseinsbedingungen der städtischen Slumbewohner oder der Bauern, die auf dem Lande um ihren Lebensunterhalt kämpften, ziemlich im Dunkeln tappen (obwohl wir uns natürlich eine gewisse Vorstellung machen können). Und nicht viel besser ergeht es uns, wenn wir die Gefühle von Frauen und Sklaven oder auch die Zahlungsbilanz des Römischen Reiches verstehen wollen. Wir wissen nicht genau, was die Römer unter ihren Togen trugen oder wie sie ihre Abwässer entsorgten (die Wunder der römischen Kanalisation werden, fürchte ich, heftig übertrieben). Aber in vielen anderen Bereichen sind wir über Rom vermutlich besser informiert als über jede andere Gesellschaft vor dem 15. Jahrhundert. Wir haben einen direkten Zugang zu den Schriften, Gedanken und Gefühlen römischer Politiker, Dichter, Philosophen, Kritiker und Kommentatoren.

Nehmen wir z. B. Julius Caesar und seinen Marsch auf Rom – mit dieser Entscheidung löste er den Bürgerkrieg aus, der die Demokratie faktisch beendete und zur Alleinherrschaft der Kaiser führte (vgl. Kapitel II). Sein autobiographischer Bericht über diese Ereignisse, veröffentlicht in seinen mehrbändigen Memoiren mit dem Titel *Über den Bürgerkrieg* (*De bello civili*), ist der Nachwelt überliefert. Bisweilen mutet die Lektüre etwas merkwürdig an. So schreibt er von sich selbst immer in der dritten Person: »Caesar beschloss«, nicht: »Ich beschloss«. Ansonsten ist es eine packende Geschichte und eine sehr geschickte Rechtfertigung seiner Aktionen.

Doch das ist nicht unsere einzige Quelle. Aus der Zeit vor und während des Krieges haben wir eine Reihe privater Briefe, die von einem der (wie er sich wohl selbst gerne sah) bedeutendsten römischen Politiker verfasst wurden. Daneben sind auch einige an ihn gerichtete Schreiben erhalten. Die Rede ist von Marcus Tullius Cicero, der auch ein berühmter Philosoph und Redner war und Pompeius, Caesars Rivalen, unterstützte. Es ist noch immer etwas rätselhaft, wie diese Briefe gesammelt und publiziert werden konnten. Wie dem auch sei, wir verdanken ihnen einen außergewöhnlich intimen Einblick in einen Mann, der, mit Zweifeln und Bedenken kämpfend, nicht wusste, wem er sich anschließen sollte, und der sich, als er sich auf der Seite des Verlierers wiederfand, fragte, wie er das Beste aus dieser Situation machen könne. Auch kommen immer wieder Alltagsprobleme zur Sprache: entlaufene Sklaven, Scheidung, der Tod der Tochter und zwielichtige Grundstücksgeschäfte.

Caesar sollte sich Cicero gegenüber äußerst großzügig erweisen. Auch wenn er politisch sehr rücksichtslos vorgehen konnte, hatte er doch auch »Milde« auf seine Fahnen geschrieben. Nach Caesars Ermordung ließ dessen Apparatschik Mark Anton (dem Shakespeare jene berühmte Rede in den Mund legt, die mit den Worten beginnt: »Freunde, Römer, Mitbürger«) Cicero allerdings unverzüglich »beseitigen«. Angeblich wurden seine Hände und Zunge (die wirkungsvollsten politischen Waffen des Autors und Redners) auf dem römischen Forum ausgestellt, und Mark Antons Frau soll ein besonderes Vergnügen daran gefunden haben, sie mit ihren Haarnadeln zu durchstechen. Diese Geschichte gibt sowohl Aufschluss über das römische Frauenbild wie auch über den Hass, den Mark Anton und seine Gemahlin Cicero entgegenbrachten.

Natürlich ist alles etwas komplizierter, als es zunächst erscheint. Caesars Memoiren und Ciceros Korrespondenz sind nicht verlässlicher als die entsprechenden Schriften moderner Politiker. Auch wenn wir sie nicht für bare Münze nehmen können, so führen sie uns doch ins Herz der römischen Geschichte und Politik. Und diese Quellen stehen nicht allein. Die ausführlichsten und anschaulichsten Informationen über den gescheiterten jüdischen Aufstand gegen die Römer, der mit der Zerstörung des Tempels von Jerusalem im Jahre 70 n. Chr. endete (vgl. Kapitel IV), verdanken wir dem Bericht eines Mannes, der die Ereignisse persönlich miterlebte: Josephus war ein jüdischer Widerständler, der bekanntlich die Seite wechselte und schließlich, protegiert von Kaiser Vespasian, in Rom sehr komfortabel leben konnte. Die meisten Darstellungen erfolgloser Erhebungen sind von den Siegern verfasst. Vor der Moderne ist Josephus' Schrift die einzige, die aus der Sicht eines Rebellen die Auflehnung gegen eine imperiale Macht so detailliert beschreibt.

Zwar sind keine längeren Zitate aus den Reden oder Werken des Kaisers Nero überliefert, doch wir besitzen einige außergewöhnliche Schriften von Mitgliedern seines Hofstaates, die während seines berüchtigten Regimes eine wichtige politische Rolle spielten. So haben wir z. B. einen Nero gewidmeten philosophischen Traktat, in dem Seneca seinem Schüler klare und vernünftige Ratschläge darüber erteilt, wie man ein guter Kaiser wird. Wie Caesar gezeigt habe, erreiche man, so die allgemeine Leitlinie, im Allgemeinen mehr mit Milde als mit Grausamkeit. Wie wir noch sehen werden, ließ Nero bei seinem früheren Erzieher Seneca jedoch keine Milde walten, sondern zwang ihn zu einem sich lange hinziehenden, qualvollen Tod.

Ein geistreicher Sketch über Neros Vorgänger, den unter die Götter versetzten Kaiser Claudius, ist vermutlich ebenfalls ein Werk Senecas und stammt aus der Zeit, als er noch Neros Gunst genoss. Nach römischen Maßstäben war Claudius natürlich nicht eben ein aussichtsreicher Anwärter auf die Unsterblichkeit (er hinkte, stotterte und galt als Trottel). Die Satire, deutsch: *Die Verkürbissung des Kaisers Claudius*, deren Titel mit dem Begriff »Vergöttlichung« spielt, macht sich auf grausame, aber auch sehr witzige Weise über insbesondere diesen Kaiser lustig, verspottet aber auch die übliche römische Praxis, »gute« Kaiser (und manchmal auch nicht so gute) in den Rang von Göttern zu erheben. Einer der hier auftretenden Protagonisten ist der erste Kaiser Augustus, an dem alle künftigen Herrscher gemessen wurden. Er wurde nach seinem Tod im Jahre 14 n. Chr. vergöttlicht, doch noch Jahrzehnte später hat er sich, wie Seneca witzelt, nicht dazu überwinden können, im himmlischen Senat seine Jungfernrede zu halten, da ihm all die »wirklichen« Gottheiten zu viel Ehrfurcht einflößten. Dieser Text ist eine der wenigen antiken Komödien, über die man noch heute laut lachen kann. Normalerweise lässt sich Humor nur schwer von einer Kultur in eine andere übertragen, aber zumindest für mich ist die *Verkürbissung* sehr erheiternd.

Über die in diesem Buch diskutierten Ereignisse gibt es neben der großen Zahl wertvoller verschiedenartigster Zeugnisse, die von bedeutenden Persönlichkeiten verfasst wurden, auch ausführliche Darstellungen von späteren römischen Historikern. Zu nennen ist hier vor allem Tacitus, ein römischer Senator, der um die Wende vom 1. zum 2. Jahrhundert n. Chr. lebte. In seinen *Annalen* und *Historien* unterzieht er die Anfangsjahre des römischen Kaiserreichs einer zynischen Analyse. Sein Werk ist sowohl eine Reflexion über Korruption und Machtmissbrauch wie auch eine historische Abhandlung. Es enthält z. B. den schaurigen Bericht von Neros Muttermord, mit dem das Kapitel III beginnt. Nach einem gescheiterten Versuch, Agrippina durch ein fingiertes Schiffsunglück ums Leben zu bringen, hetzt der Kaiser einen bewaffneten Schlägertrupp auf sie. Dieser eiskalte Muttermord stellt sogar den Brudermord, mit dem die Geschichte Roms ihren Anfang nahm, in den Schatten.

Tacitus ist nicht der Einzige, der uns den Zugang zur römischen Antike ermöglicht. Etwa aus derselben Zeit stammen einige z. T. recht pikante Herrscherbiographien Suetons (*De vita Caesarum libri*; deutsch: *Leben der Caesaren*). Der Verfasser arbeitete eine Weile in der Palastverwaltung und hatte offenbar Einblick in die kaiserlichen Aktenschränke bzw. ihre antiken Entsprechungen. Dann gibt es die stärker moralisierenden Lebensbeschreibungen Plutarchs, eines im Römischen Reich lebenden Griechen, der die Biographien einiger berühmter Römer, angefangen bei Romulus, nachzeichnete. Die meisten sind in Parallele gesetzt zu einer passenden Persönlichkeit aus der Welt der Griechen. So erscheint z. B. Julius Caesar als der biographische Zwilling von Alexander dem Großen, dem erfolgreichsten Eroberer, den die Welt je gesehen hatte und dem ein ähnlich tragisches Ende beschieden war – dass er ebenfalls ermordet wurde, ist allerdings ein bloßer Verdacht.

In diesem Zusammenhang sollten die mittelalterlichen Mönche nicht unerwähnt bleiben. Wir sind ihnen zu großem Dank verpflichtet, da sie in einer seit der Antike ungebrochenen Tradition diese uralten Texte in mühsamer Arbeit abgeschrieben und damit vor dem Vergessen bewahrt haben. Seit der Wiederentdeckung dieser Manuskripte in der Renaissance sind sie bis heute immer wieder neu ausgelegt worden.

Mit Hilfe diese wertvollen römischen Quellen ist es der BBC mit ihrer Fernsehserie gelungen, einige der wichtigsten Wendepunkte in der Geschichte Roms auf eindrucksvolle und dramatische Weise mit neuem Leben zu erfüllen. Natürlich wird uns für immer verschlossen bleiben, wie es damals tatsächlich zuging, und wir können auch nicht all die vielschichtigen Motive und Ziele der handelnden Personen rekonstruieren. Außerdem müssen wir uns bewusst sein, dass die antiken Schriftsteller, auf denen unsere Kenntnisse weitgehend beruhen, manchmal auch selbst ihren Phantasien und Vermutungen freien Lauf ließen. Denn wie sollte Tacitus z. B. gewusst haben, was bei dem geheimen Mord an Neros Mutter in Wahrheit passiert war? Trotzdem haben wir genug Material, um uns in die Köpfe der Römer hineinzuversetzen und die Probleme, Schwierigkeiten und Konflikte aus ihrer Sicht zu betrachten. Wir können uns wirklich ein sehr gutes – und historisch fundiertes – Bild von ihnen machen.

Das Buch ergänzt nicht nur die Fernsehserie, sondern ist auch für sich allein eine wunderbare Lektüre. Simon Baker konzentriert sich auf dieselben zentralen Momente wie die TV-Sendung und stellt sie in einen größeren Zusammenhang. Er schildert den jeweiligen historischen Hintergrund und befasst sich mit einigen der faszinierenden Probleme des Materials, auf dem die dramatischen Rekonstruktionen basieren. Manchmal liegen uns für ein und dasselbe Ereignis widersprüchliche Zeugnisse vor. Für welche Version soll man sich entscheiden? Bisweilen ist die Überlieferung auch einfach lückenhaft. Dann sind wir, so wie Tacitus und alle Historiographen, auf sinnvolle Vermutungen und auf unsere Phantasie angewiesen. Das Ergebnis ist eine Geschichte Roms, in der eine lebendige Darstellung und eine fesselnde Story mit einem ausgeprägten Problembewusstsein für umfassendere historische Fragen verbunden sind. Dem Autor ist es gelungen, die verschiedenartigen, teilweise komplizierten und äußerst vielschichtigen antiken Quellen in eine klare Erzählstruktur zu bringen.

Seit der Antike haben die Menschen des Westens die Geschichte Roms immer wieder erzählt und sie für ihre Zwecke adaptiert – sei es in der fiktionalen Literatur, der Malerei und Oper und später auch im Film und Fernsehen. Es gibt immer gute und schlechte Fassungen – billige Klischees ebenso wie eindrucksvolle, faszinierende Bilder und Erzählungen. Insbesondere die Gestalt Julius Caesars stellt immer wieder eine Herausforderung dar und ist seit Jahrhunderten der Auslöser für scharfsinnige Analysen der Wesensmerkmale von Autokratie oder Freiheit, und sie wirft eine bis heute ungelöste Frage auf: Gibt es eine Rechtfertigung für politischen Mord?

William Shakespeares *Julius Caesar*, dessen Fabel sich an eine Übersetzung von Plutarchs Caesar-Biographie anlehnt, ist nur eines von vielen Dramen, die das Für und Wider seiner Ermordung thematisieren. Das Interesse der Zuschauer gilt zum einen dem Titelhelden, der bereits im 3. Akt getötet wird, und zum anderen dem Schicksal seiner Mörder, dem der restliche Teil gewidmet ist. Ergreifen wir Partei für Caesar, einen legitimen Herrscher, der wider Recht und Gesetz umgebracht wird, oder sehen wir in Brutus einen Helden, weil er bereit ist, für die Freiheit des Volkes sogar einen Freund zu morden? Inwieweit können uns Vaterlandsliebe und politische Prinzipien dazu verpflichten, uns über das Gesetz hinwegzusetzen und persönliche Freundschaften und Loyalitäten mit Füßen zu treten?

Wie nicht anders zu erwarten, waren die Antworten auf diese speziellen historischen und literarischen Probleme insbesondere zur Zeit

der Französischen Revolution besonders einseitig geprägt. Voltaire
z. B., der eine Tragödie über Caesars Tod verfasste, hatte unzweifelhaft
die Hinrichtung der französischen Königsfamilie mit im Auge, als er
die Tat der Verschwörer klar und eindeutig als ehrenhaften Akt darstellte. Auch der Politik des 20. Jahrhunderts liefern die mit den Iden
des März 44 v. Chr. verbundenen Konflikte Stoff zum Nachdenken.
Orson Welles' erste Produktion am berühmten Mercury Theatre in
New York im Jahre 1937 war eine Aufführung des *Julius Caesar* (mit
modern gewandeten Schauspielern – ein damals gewagtes Experi-
ment), bei der er die Anhänger Caesars in der Uniform von Mussolinis
faschistischen Schlägern auftreten ließ.

Nicht allen der in diesem Buch behandelten Personen war ein solch
langes Nachleben beschieden. So kann heutzutage kaum noch jemand
etwas mit dem Namen Tiberius Gracchus anfangen. Außerhalb der
Alten Geschichte als akademischer Disziplin ist seine Mutter Cornelia
weitaus bekannter. Als Modell einer hingebungsvollen (und ehrgeizigen) Mutter hat sie angeblich beim Anblick von wertvollen Edelsteinen,
die ihr von einer Freundin gezeigt wurden, die Nase gerümpft, auf ihre
Söhne gedeutet und diese als ihre »Kleinode« bezeichnet. In der Rolle
der abgöttisch liebenden Mutter erscheint sie auf einer ganzen Reihe
von Gemälden des 18. Jahrhunderts, üblicherweise mit zwei (für uns)
ziemlich affektierten Knaben an der Seite, und schaut ausgesprochen
hochmütig auf die vor ihr ausgebreiteten Perlenketten und ähnlich
verächtlichen Tand. Und ebenfalls als Mutter wird ihrer neben anderen
westlichen Heroen, angefangen beim griechischen Tragödienautor So-
phokles über Kaiser Karl den Großen bis zu Christoph Kolumbus, auf
dem berühmten aus dem 19. Jahrhundert stammenden Farbglasfenster
der Universität Harvard gedacht. Doch auch Tiberius hat neuerdings
wieder eine gewisse Berühmtheit erlangt, da hin und wieder moderne
Politiker (wie der Venezolaner Hugo Chávez), die als radikale oder
revolutionäre Reformer bekannt sind, mit ihm verglichen werden.

Demgegenüber hat Kaiser Nero in der westlichen Kultur ein fast
genauso reges Nachleben wie Caesar. Eine der frühesten und bedeutendsten italienischen Opern, Monteverdis *Die Krönung der Poppäa*
(1642), befasst sich mit der intensiven Beziehung zwischen dem Kaiser

und seiner Geliebten Poppaea. In dieser meisterlichen Studie über List und Tücke, Manipulation und die Macht der leidenschaftlichen Liebe beseitigt Poppaea voller Zynismus alle Hindernisse, die einer Heirat mit dem Kaiser im Weg stehen – den moralisierenden, rechtschaffenen Seneca eingeschlossen. Die Oper endet mit ihrer glanzvollen Krönung zur Kaiserin von Rom. Ein gebildetes Publikum weiß natürlich schon, dass dieses Glück nicht lange währen wird, da Poppaea bald darauf durch einen Fußtritt Neros ums Leben kommt (diese Episode ist in der BBC-Serie eindrucksvoll inszeniert). Monteverdi erkundet auf zeitlos gültige Weise die Schauder erregenden Abgründe menschlicher Leidenschaft, Brutalität und moralischer Verkommenheit.

Noch häufiger stand die aufgemotzte Figur Neros im Rampenlicht der modernen Popkultur, insbesondere im Film. Als die klassische Verkörperung eines luxusliebenden, dekadenten Kaisers hat er (das übliche Klischee von den römischen Ernährungsgewohnheiten bedienend) unzählige Male höchst sonderbare Nahrungsmittel (Haselmäuse und niedliche kleine Singvögel) verspeist, mit Weinlaub bekränzt Orgien gefeiert, über seine größenwahnsinnigen Pläne, nach dem großen Brand des Jahres 64 ein neues Rom zu erbauen, schwadroniert und »während Rom in Flammen aufging, herumgefiedelt«.

Vieles davon ist das Werk moderner Phantasien – für alle unsere Stereotype über römische Ausschweifungen scheint sich die Gestalt Neros als Projektionsfläche anzubieten. Doch das »Herumfiedeln« (d. h. »das Schlagen der Kithara«, nicht wie es heute oft aufgefasst wird, »das Malträtieren der Geige«) geht auf eine alte Geschichte zurück: Als Rom brannte, stieg der Kaiser, um das Feuer besser sehen zu können, auf einen Turm und sang ein Lied über den Untergang der legendären Stadt Troja. Ob die Episode wahr ist oder nicht, der Kaiser sollte hier zweifellos als egozentrischer Künstler porträtiert werden, der den Kontakt mit der Realität völlig verloren hatte. In Wirklichkeit hat der Kaiser, wie in Kapitel III geschildert, ungeachtet seiner künstlerischen Ambitionen höchst vernünftige Maßnahmen zur Behebung der Brandfolgen eingeleitet.

Angeblich soll er auch bei der Suche nach Sündenböcken, denen er den Ausbruch des Feuers zur Last legen konnte, die frühchristliche Gemeinde Roms für die Katastrophe verantwortlich gemacht haben – da die Christen das Ende der Welt nahe glaubten, erschien die Anklage vielleicht etwas glaubwürdiger. Um an ihnen ein Exempel zu statuieren, ließ der Kaiser sie, laut Tacitus, ans Kreuz schlagen oder bei lebendigem Leib in Brand stecken (um sie, wie es heißt, als nächtliche Fackeln zu verwenden). Dieser allerersten »Christenverfolgung« könnte auch der Apostel Petrus zum Opfer gefallen sein.

Dies hat die modernen Darstellungen Neros um ein weiteres charakteristisches Thema bereichert. Der Film und die fiktionale Literatur haben sich in anrührender, aber völlig unrealistischer Weise in Phantasien von christlichem Heldentum angesichts Neros Tyrannei ergangen und das Ganze oft noch durch eine Nebenhandlung aufgepeppt: Eine hübsche junge Christin bekehrt ihren jungen heidnischen Freund und erleidet mit ihm einen ruhmvollen, aber blutrünstigen Tod (meist unter der Beteiligung von Löwen). Viele dieser Geschichten gehen auf den Bestseller *Quo vadis?*, einen Roman des Polen Henryk Sienkiewicz, zurück, der im 19. Jahrhundert veröffentlicht und in kurzer Zeit in fast alle europäischen Sprachen übersetzt wurde (der Romantitel »Wohin gehst du?« zitiert eine Frage, die Petrus an Jesus stellte).

Die berühmteste Verfilmung dieses Buches stammt aus dem Jahre 1951. Peter Ustinov in der Rolle des Schurken Nero spricht ein gepflegtes Oberschicht-Englisch, während die »Guten« alle einen amerikanischen Akzent haben. Aber auch als Bösewicht verbreitet Nero wie immer eine glamouröse Aura. Die Produktionsfirma Metro-Goldwyn-Mayer brachte zum Film eine Reihe von Produkten, wie grellbunte Boxershorts und Schlafanzüge, heraus, für die mit dem Slogan »Make like Nero!« (»Mach's wie Nero!«) geworben wurde. Christenverfolger hin oder her – so lautete die unterschwellige Botschaft –, es macht trotzdem Spaß, dieselbe Unterwäschemarke wie Nero zu tragen und sich als Herrscher der Welt zu fühlen.

Im Rückblick wird uns die Art und Weise, wie frühere Generationen (und selbst solche, die uns relativ nah sind) die Römer und die römische Geschichte bisweilen dargestellt haben, seltsam, befremdlich oder schlichtweg lächerlich vorkommen. Wir können uns kaum vorstellen, dass die Schauspieler Shakespeares, die in ihren zeitgenössischen elisabethanischen Kleidern auf der Bühne agierten, als Römer überzeugen konnten – hingegen können wir mit Orson Welles' faschistischen Schlägern (auch wenn sie vielleicht ebenso unpassend sind) vermutlich schon eher etwas anfangen. Es fällt uns auch schwer, jene hölzernen Tugendbolde zahlreicher Hollywoodfilme ernst zu nehmen, die, in weiße Tücher gewandt, hochtrabende Reden schwingen – wie wenn sie geradewegs dem House of Commons des 19. Jahrhunderts oder einem lateinischen Schulbuch entstiegen wären.

Und dennoch haben wir ein gewisses Faible für die herrlichen Bilder römischer Ausschweifungen und Grausamkeiten, die uns vor der Kulisse luxuriöser Bäder, üppiger Gelage oder des Amphitheaters vor Augen geführt werden. Wie Ridley Scott z. B. in seinem Film *Gladiator* die Abschlachtungen und massendynamischen Prozesse im Colosseum inszeniert, ist wirklich bewegend. Interessanterweise ließ er sich dabei aber nicht von den antiken Ruinen inspirieren, sondern von Gemälden aus dem 19. Jahrhundert (die Scott überzeugender und eindrucksvoller fand als den Originalschauplatz). Wir können auch jenen fiktionalen Darstellungen des römischen Lebens »aus der Dienstbotenperspektive« etwas abgewinnen wie z. B. dem klassischen Musical *A Funny Thing Happened on the Way to the Forum* (das 1962 auf dem Broadway uraufgeführt, 1966 verfilmt und im Londoner National Theatre 2004 neu inszeniert wurde). Das Stück greift auf die Traditionen der römischen Komödie zurück, bezieht aber einen beträchtlichen Teil seines Reizes daraus, dass es erahnen lässt, was alles jenseits der prachtvollen Marmorfassade der Stadt passiert sein könnte.

Dass uns einige dieser älteren Darstellungen Roms jetzt so unglaubwürdig vorkommen, liegt z. T. an unserem mittlerweile gewandelten Verständnis der römischen Geschichte und Kultur. Immer wieder kommt es zu neuen Entdeckungen. So können wir uns jetzt beispielsweise ein viel besseres Bild vom Leben in einem römischen Heerlager machen: Im Kastell Vindolanda in Nordengland wurden erst kürzlich Privatbriefe und andere Dokumente (u. a. die berühmte Geburtstagseinladung, die eine Offiziersgattin an eine andere richtet) zu Tage gefördert. In Italien wurde bei Oplontis, unweit von Pompeji, ein großes Landhaus ausgegraben. Die Villa, einer der eindrucksvollsten archäologischen Funde des 20. Jahrhunderts, gehörte vermutlich der Familie von

Neros Frau Poppaea und gibt uns zuverlässige Einblicke in ihren Background. Und erst seit der Mitte des 19. Jahrhunderts kennen wir den vollständigen, authentischen Text von Augustus' Autobiographie: Sein *Tatenbericht* wurde als Inschrift an der Mauer eines römischen (dem vergöttlichten Augustus geweihten) Tempels in Ankara wiederentdeckt.

Nicht weniger aufschlussreich sind Neuinterpretationen bekannter Sachverhalte. So konzentriert sich z. B. eine Diskussion, die für unser Bild von Tiberius Gracchus und Julius Caesar höchst relevant ist, auf die Beweggründe römischer Politiker insbesondere in den rund 100 Jahren vor Caesars Machtergreifung. Nach einer Auffassung, die fast das ganze letzte Jahrhundert beherrschte, gab es zwischen den sich bekämpfenden führenden Politikern kaum ideologische Unterschiede. Angeblich ging es ihnen mehr oder weniger nur um die persönliche Macht. Wenn sich jemand (wie Gracchus oder Caesar) lieber auf die Unterstützung des Volkes als auf die des aristokratischen Senates verließ, dann nur deshalb, weil er auf diese Weise seine machtpolitischen Ziele leichter erreichen konnte. Einer neuen Generation von Wissenschaftlern (so wie bereits unseren Vorgängern im 18. und 19. Jahrhundert) scheint es zunehmend inadäquat, die Debatten und politischen Auseinandersetzungen der damaligen Zeit auf diese Weise zu deuten. Es ist schwierig, sich die heftigen Meinungsverschiedenheiten im Zusammenhang mit Tiberius Gracchus' Politik sinnvoll zu erklären, wenn man nicht davon ausgeht, dass ihnen ein bedeutsamer Konflikt – die Verteilung des Wohlstandes im Staat – zugrunde liegt. Dieser Sicht haben sich die Fernsehserie und das vorliegende Buch angeschlossen.

In vielerlei Hinsicht hängen die sich wandelnden Bilder Roms damit zusammen, dass jede Generation von Wissenschaftlern an die römische Geschichte andere Fragen stellt. Selbstverständlich bleibt manches auch völlig konstant. So werden wir wohl kaum jemals unsere Vorstellung über Bord werfen, dass die Kultur der Römer im Guten wie im Bösen alle Dimensionen sprengt. Dafür sorgen allein schon die Ausdehnung des Imperiums und seine grandiosen Bauwerke wie etwa das Colosseum. Moderne Historiker haben jedoch versucht, einige Aspekte Roms näher zu beleuchten, die von ihren Vorgängern kaum wahrgenommen wurden.

So haben sie beispielsweise einen Blick hinter das monumentale Zentrum der Stadt geworfen. Seit der Zeit des Augustus war zwar das Herz von Rom voll von Tempeln, Theatern und öffentlichen Gebäuden aller Art, die nicht nur aus weißem Marmor, sondern auch aus wertvollem farbigen Marmor, verziert mit Gold und bisweilen auch mit Edelsteinen, gebaut waren. Für jeden Besucher aus eher »barbarischen« Provinzen wie Britannien oder Germanien muss dies ein atemberaubender Anblick gewesen sein. Aber es gab immer auch eine schäbigere Seite. Dabei handelte es sich nicht nur um die arme Welt der Hinterhöfe, die *A Funny Thing …* einzufangen versuchte. Auch vor der Epoche des Augustus (der sich rühmte, eine Stadt aus Ziegelsteinen vorgefunden und eine Stadt aus Marmor hinterlassen zu haben) war Rom längst nicht so strahlend und großartig, wie man es sich vielleicht vorstellt, und es gab noch nicht diese zahlreichen planmäßig angelegten urbanen Plätze, Promenaden und Säulenhallen. Kurzum, das damalige Rom glich, mit Ausnahme von einem oder zwei Vierteln, vermutlich eher einer Stadt wie Kabul als einer Metropole wie New York. Und es ging dort ähnlich gefährlich zu.

Diese veränderte Sichtweise hängt im Wesentlichen damit zusammen, dass wir uns zunehmend von der Vorstellung verabschieden, die alten Römer seien uns (bzw. unseren imperialistischen Vorfahren der Viktorianischen Zeit) mehr oder weniger ähnlich und anders nur insofern, als sie Togen trugen und – auf malerische, aber zweifellos unbequeme Weise – ihr Abendessen im Liegen zu sich nahmen. Moderne Historiker neigen dazu, den Reiz, den die Römer auch auf sie ausüben, damit zu erklären, dass diese sowohl fremd wie auch angenehm vertraut seien. Doch ihre sexuellen, geschlechtsspezifischen und ethnischen Normen sind mit den heutigen überhaupt nicht zu vergleichen. Zudem lebten sie in einer (wie es ein Historiker kürzlich ausdrückte) »von Göttern beherrschten« Welt, und die besseren Kreise ließen sich von Heerscharen von Sklaven bedienen, einer untergeordneten Klasse von Menschen, die abseits der für römische Bürger geltenden Rechte und Privilegien in Unfreiheit lebten. Das vorliegende Buch und die Fernsehserie versuchen, die Unterschiede zwischen den alten Römern und uns ins Bewusstsein zu rücken.

Natürlich haben Interpretationen immer nur vorläufigen Charakter.
Die sich verändernden Bewertungen der römischen Kultur (und sie
werden sich zwangsläufig weiter verändern) haben zur Folge, dass unser eigenes Rombild, mag es auch historisch fundiert sein, in 100 Jahren vermutlich genauso seltsam und antiquiert erscheint wie die Interpretationen des 19. Jahrhunderts jetzt für uns.

Warum soll man sich überhaupt mit den Römern beschäftigen?
Zum einen deswegen, weil sie, zumindest in Europa, noch immer ge-
genwärtig sind. Ihre wertvollen Schätze und Kunstwerke, ihr Nippes
und Kitsch füllen unsere Museen. Die Monumente, die von einigen
der in diesem Buch auftretenden Protagonisten gestiftet wurden, sind
noch immer prominente Wahrzeichen Roms: Der Titus- und der
Konstantinsbogen sind die bekanntesten Triumphbögen der Stadt; das
Colosseum, errichtet aus der Beute des jüdischen Krieges, wird jedes
Jahr von Millionen Touristen besucht; Neros extravagantes Goldenes
Haus ist heute ein unterirdisches Museum. Darüber hinaus haben die
Römer überall in ihrem Reich ihre Spuren hinterlassen – in unserem
Straßennetz, unseren Stadtplänen und Ortsnamen (es ist so gut wie si-
cher, dass britische Städte und Dörfer mit »-chester« in der Namens-
endung direkt auf einem römischen Lager, lat. *castra*, errichtet wurden).
Und dann gibt es natürlich noch die auf die Nachwelt gekommene
Literatur – sie reicht von der eleganten Liebeslyrik bis zum wortgewaltigen Epos, von der sachlichen Geschichtsschreibung bis zu den ego-
zentrischen Memoiren; sie ist so eindrucksvoll, so intelligent und pro-
vokativ, dass sie es mit jeder Literatur der Welt aufnehmen kann. Sie
verdient unsere ganze Aufmerksamkeit.

Außerdem können wir von den Römern vieles lernen. Ich meine
dies nicht im Sinne einer Eins-zu-eins-Umsetzung. So interessant der
Vergleich auch sein mag: Zwischen Hugo Chávez, dem Präsidenten
Venezuelas, und Tiberius Gracchus gibt es weitaus mehr Unterschiede
als Parallelen. Dennoch teilen wir mit den Römern viele fundamentale
politische Probleme und können von ihrem Ringen um Lösungen
profitieren. Sie gehörten immerhin zu den Allerersten, die sich fragten,
wie sich die Bürgerschaftsmodelle sowie die politischen Rechte und
Pflichten angemessen übertragen ließen auf Gemeinwesen, die sehr

viel größer waren als eine Kleinstadt, in der jeder jeden kennt. Im 1. Jahrhundert v. Chr. belief sich allein die Bevölkerung der Stadt Rom – ohne Italien und die entfernteren Reichsgebiete – auf etwa eine Million.

Die Alleinherrschaft, ausgeübt von guten oder schlechten Kaisern, war nur einer ihrer Lösungsversuche – allerdings der bekannteste und der für uns inakzeptabelste. Viel wichtiger: Sie entwickelten eine neue Vorstellung von Staatsbürgerschaft, und zwar im Hinblick auf einen globalen Staat bzw. ein Staatengebilde, das im Denken der antiken Welt einem globalen Staat am ehesten entsprach. Während im antiken Athen z. B. das Bürgerrecht exklusiv gehandhabt wurde und auf waschechte Athener beschränkt war, einte Rom sein riesiges Reich, indem es seine Untertanen an seinen politischen Rechten teilhaben ließ. Sklaven, die von ihren Herren freigelassen wurden – und das betraf viele –, wurden zu Bürgern mit politischen Rechten. Das Bürgerrecht wurde immer mehr Menschen überall im Imperium verliehen, bis es im Jahre 212 von Kaiser Caracalla allen freien Reichsbewohnern gewährt wurde. Mit anderen Worten: Rom war der erste multikulturelle Megastaat.

Von dieser Vorstellung ließen sich auch jene Männer und Frauen inspirieren, die für die Gestaltung der politischen Welt, in der wir heute leben, auf direktere Weise verantwortlich sind. Für die Gründungsväter der USA hatte die republikanische Politik Roms vor dem Aufkommen der Autokratie Modellcharakter. Deshalb heißen die amerikanischen Abgeordneten »Senatoren« und das Kongressgebäude »Kapitol« (benannt nach dem Kapitolinischen Hügel in Rom). Im Kampf des römischen Volkes gegen die aristokratischen Konservativen erkannte die britische Arbeiterbewegung ihre eigenen Konflikte mit den Großgrundbesitzern und der industriellen Aristokratie wieder. Daher gibt es die linksgerichtete Zeitung *Tribune* (benannt nach dem von Tiberius Gracchus und anderen radikalen Politikern bekleideten Amt des Volkstribunen) sowie die »Tribune Group« der Unterhaus-Abgeordneten der Labour-Partei. Um unsere Welt zu verstehen, müssen wir wissen, wie sie in Rom verwurzelt ist.

Rom, an dessen Anfang ein Brudermord stand, hat ein großes Vermächtnis hinterlassen. Dieses Vermächtnis prägt uns bis heute.

Rom, die Stadt der sieben Hügel

Um das Jahr 350 v. Chr. erfanden die Römer ihre Gründungssage. In ihr wollten sie ihre frühesten Ursprünge bis in die Zeit vor Romulus und Remus zurückverfolgen. Rom war damals ein mächtiger Stadtstaat Italiens, hatte sich aber auch schon auf der internationalen Bühne der Mittelmeerwelt hervorgetan. Insbesondere mit einer Zivilisation kamen die Römer in immer engeren Kontakt – mit der der Griechen im Osten. Diese lebten in einer faszinierenden alten Welt, geprägt von Mythen und einer langen Geschichte; sie waren hoch kultiviert, wohlhabend und einflussreich. An diese Welt wollten die Römer Anschluss finden, zu ihr wollten sie gehören und sich an ihr messen lassen. Sie erreichten dies u. a. durch die Übernahme einer Sage, mit der sie als Römer an dieser älteren griechischen Zivilisation Anteil haben konnten. Es war die Geschichte des Trojaners Aeneas. Später, zur Blütezeit des römischen Imperiums, sollten einige hier den Augenblick sehen, in dem die antike Welt der Griechen in die neue Ordnung der Römer überging.

Aeneas war ein Held des Trojanischen Krieges. Nach dem Sieg der Griechen konnte er aus seiner brennenden Heimatstadt Troja (an der Nordwestküste der heutigen Türkei) fliehen. Er war nicht allein: Auf dem Rücken trug er seinen gebrechlichen Vater, an der Hand führte er seinen Sohn. Außerdem wurde er von einigen Trojanern, die den Untergang der Stadt überlebt hatten, begleitet. Nach jahrelangen Irrfahrten übers Mittelmeer schreckte er eines Nachts aus dem Schlaf auf. Vor ihm erschien der Gott Merkur und übermittelte ihm eine ernste Botschaft Jupiters: Es sei Aeneas' Schicksal, die Stadt zu gründen, aus der später Rom hervorgehen werde. Nach der Zerstörung seiner alten Heimat Troja sollte er nun in göttlichem Auftrag eine neue Stadt errichten. Die Trojaner setzten ihren Weg fort und erreichten schließlich Italien. Sie segelten flussaufwärts, und als ihre Schiffe mit den geölten Planken aus Pinienholz sanft über das Wasser glitten, erblickten

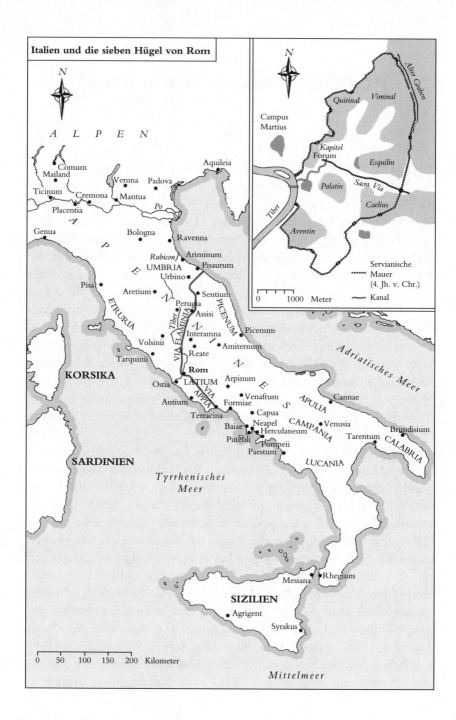

Italien und die sieben Hügel von Rom

N

ALPEN

Comum
Mailand
Ticinum
Cremona
Mantua
Placentia
Verona
Padova
Po
Aquileia

Genua
Bologna
Ravenna

A
P
E
N
N
I
N
E
S

Rubicon
Ariminum
UMBRIA
Pisaurum
Urbino
Pisa
Aretium
Sentium
ETRURIA
Perugia
Assisi
VIA FLAMINIA
Tiber
Interamna
Volsinii
Reate
Amiternum
PICENUM
Picenum

Tarquinii

KORSIKA

Rom
Ostia
LATIUM
Arpinum
Antium
VIA APPIA
Venafrum
Formiae
Terracina
Capua
Baiae
Neapel
Puteoli
Herculaneum
Pompeii
Paestum
CAMPANIA
Venusia
APULIA
Cannae
LUCANIA

Adriatisches Meer

Tarentum
Brundisium
CALABRIA

SARDINIEN

Tyrrhenisches
Meer

Messana
Rhegium
SIZILIEN
Agrigent
Syrakus

Mittelmeer

0 50 100 150 200 Kilometer

N

Campus
Martius

Quirinal
Viminal
Alter Graben

Kapitol
Forum
Esquilin
Palatin
Sacra Via
Caelius
Tiber
Aventin

Servianische
Mauer
(4. Jh. v. Chr.)
Kanal

0   1000 Meter

sie den Ort, an dem sich ihre neue Stadt erheben sollte. Sie befanden sich in der ländlichen Idylle einer Gegend namens Latium. Das ruhige Grün der Wälder kontrastierte mit den leuchtenden Farben ihrer Boote und dem Glanz ihrer funkelnden Waffen. Bald aber überschlugen sich in diesem kleinen Paradies die Ereignisse. Die trojanischen Siedler, die sich fromm und friedlich genähert hatten, entpuppten sich rasch als Eindringlinge, begannen einen blutigen Krieg und erschlugen die einheimische Bevölkerung.

Obwohl diese Sage in einer überaus fernen Vergangenheit verankert ist, trifft sie den Kern der römischen Frühgeschichte: Kampf und italische Ländlichkeit. Es sollte nicht das erste und einzige Mal sein, dass der Frieden des bäuerlichen Italiens durch einen blutigen Krieg gestört wurde. Im Jahr 350 v. Chr., der Entstehungszeit des Mythos, sollten diese beiden Sphären des römischen Lebens schnell miteinander verschmelzen. Die frühen römischen Bürger waren sowohl Bauern als auch Soldaten. Im Krieg wie in der Landwirtschaft wandten sich die Römer in frommer Demut an die althergebrachten Götter und baten sie um Unterstützung bei ihren Unternehmungen und um Erfolg für sich und ihre Familien. Die Zyklen des bäuerlichen Jahres und des Kriegsdienstes stimmten ebenfalls überein: Während der März (der Monat des Kriegsgottes Mars) die Zeit der größten Aktivitäten einläutete, wurden im Oktober die Geräte der Bauern und die Waffen der Soldaten für die Dauer des Winters beiseite gelegt.

Vor allem aber waren es soldatische und bäuerliche Charakterzüge, die bei den Römern eine Synthese eingegangen waren. Die Eigenschaften eines guten Landwirts waren dieselben wie die eines guten Kriegers. Patriotismus, Selbstlosigkeit, Fleiß und die Fähigkeit, allen Widrigkeiten mit zäher Beharrlichkeit standzuhalten, steigerten nicht nur die Produktivität eines Bauernhofes oder einer landwirtschaftlichen Parzelle, sondern bildeten auch die Grundlage für die Errichtung des größten Reiches der Antike. So jedenfalls sahen sich die Römer gerne selbst. Damit beruhigten sie ihr Gewissen. Der Dichter Vergil, der ein Epos über Roms Stammvater Aeneas verfasste, entwarf dazu ein prägnantes Bild. Die römischen Bauernsoldaten seien, so schreibt er, wie die Bienen. Sie seien keine Individuen, sondern eine straff organisierte, einem höheren Ziel verpflichtete Gemeinschaft. Wie Aeneas seien diese »kleinen Römer« harte und pflichtbewusste Arbeiter und ordneten als gute Patrioten ihre privaten Wünsche den Bedürfnissen der Gruppe unter. Zwar würden manche die Strapazen, die sie auf sich nähmen, nicht überleben, aber das Volk als solches blühe und gedeihe. Und was sei mit dem leuchtenden lauteren Honig, den sie produzierten? Er sei reines Gold, das Produkt eines goldenen Zeitalters, und mache den Reichtum eines ganzen Reiches aus.[1]

Doch ähnlich wie bei Aeneas' gewaltsam ausgetragenem Kampf für ein künftiges Rom hält das ländliche Idealbild von den Bienen der Realität nicht stand. Fern des Bienenstocks, so Vergils Beobachtung, sind die Bienen durchaus bereit, Fremde erbittert zu bekämpfen. Doch diese Fremden sind nicht ihre einzigen Feinde. Mit schillernden Flügeln, geschärften Stacheln und großer Kampfbereitschaft tragen sie ihre heftigsten Angriffe im Inneren des Bienenkorbes aus und bekriegen auf mörderische Weise sich selbst.[2] Hinter den ländlichen Tugenden des zähen Bauern, hinter seiner Ehre und seiner Standhaftigkeit lauern, so Vergil, das Chaos der Leidenschaften, die Irrationalität des Kriegs und, schlimmer noch, die schmutzige Brutalität des Bürgerkrieges. Dies war die Problematik bei der Gründung Roms und sollte die gesamte Geschichte des Imperiums, das sich aus dem Stadtstaat entwickeln würde, durchziehen. Sie sollte die frühesten Anfänge und den unglaublichen Aufstieg Roms genauso prägen wie später seinen Untergang.

Die Stelle, die der legendäre Aeneas für die Gründung der Stadt ins Auge fasste, lag 24 km von der Küste entfernt in der Nähe eines Flusses, des Tibers. Aus heutiger Sicht erscheint das Gelände, bestehend aus sieben dicht nebeneinanderliegenden Hügeln, als zu klein und zu unattraktiv für die Hauptstadt eines Imperiums, das die gesamte bekannte Welt beherrschen sollte. Es gab keinen nahe gelegenen Hafen, somit auch keinen Zugang zu den Seehandelswegen. Die Sümpfe am Fuße der Hügel, die immer wieder vom Tiber überschwemmt wurden, mussten erst trockengelegt werden, bevor man sich hier niederlassen konnte. Dennoch hatten sich zu Beginn der Eisenzeit um das Jahr 1000 v. Chr. auf dem Palatin, dem Hügel, auf dem später die Kaiser residieren würden, einige Hirten niedergelassen, die dort in Hütten aus Stein

oder Holz ihr Leben fristeten. Seitdem war der Palatin ständig besie-
delt. Bis zum 7. Jahrhundert v. Chr. schlossen sich die Bewohner des
Palatins mit denen des Quirinals, Aventins und Caelius zusammen.
Bald darauf wurden auch der Esquilin und der Viminal für weitere
Siedler gerodet, planiert und terrassiert. Der Kapitolinische Hügel, der
dem Fluss am nächsten lag, wurde zur Stadtburg ausgebaut. Hier stand
auch der Tempel des Jupiter Optimus Maximus, des höchsten Gottes
der Hirten. Das Gebiet am Fuße der Hügel, auf dem einst die Herden
weideten, wurde trockengelegt und aufgefüllt, und der Markt, das römische Forum, entwickelte sich rasch zum Mittelpunkt der Stadt.

Dass ausgerechnet hier die Hauptstadt des künftigen Römischen
Reiches gegründet wurde, mag überraschen, doch ihre geographische
Lage wies im Hinblick auf die spätere Expansion viele Vorteile auf.
Jene Hügel boten nämlich einen natürlichen Schutz vor Angreifern,
während sich das Tibertal zu der fruchtbaren Ebene Latiums hin öffnete. Rom lag außerdem an der Schnittstelle zwischen Latium (von
dort gelangte man zu den griechischen Kolonien Süditaliens) und der
im Norden gelegenen Landschaft Etrurien. Die Sandwichposition zwischen diesen beiden Kulturen schlug sich in der Sprache der Römer
nieder: Sie sprachen einen Dialekt der Latiner, übernahmen aber von
den Etruskern, die ihrerseits von den Griechen beeinflusst waren, das
Alphabet. Die Römer hatten den Etruskern aber noch sehr viel mehr
als nur die Schrift zu verdanken: Auch einige ihrer frühen Herrscher
kamen aus Etrurien.

Zwischen 753 und 510 v. Chr. wurde Rom von Königen regiert.
Die letzten drei waren Etrusker. Der Legende nach war Romulus der
erste König, und sein Schicksal berührt sich mit dem seines antiken
Vorfahren Aeneas: Beide waren entwurzelt und suchten den Kampf.
Romulus und sein Zwillingsbruder Remus waren Söhne des Kriegsgottes Mars. Sie wurden von ihrem eifersüchtigen Großonkel verstoßen und am Tiberufer ausgesetzt, überlebten aber, weil sie von einer
Wölfin, einem Tier, das seit alters die Wildheit symbolisierte, gesäugt
wurden. Später wurden die Brüder von Hirten versorgt und aufgezogen. Diese harten Anfangsjahre machten die Zwillinge stark, aber auch
gnadenlos. Als Erwachsene konnten sie sich nicht einigen, wer von

ihnen die Stadt, die sie gründen wollten, regieren solle. Im Verlaufe dieses Streits tötete Romulus seinen Bruder und wurde der erste König Roms. Obwohl die Römer annahmen, dass es nach ihm noch sechs weitere Könige gegeben habe, dürften nur die letzten drei (Tarquinius Priscus, Servius Tullius und Tarquinius Superbus) tatsächlich gelebt haben. Unter diesen etruskischen Königen wurden die wichtigsten Grundlagen für das politische System des frühen Roms gelegt, die dann die gesamte Geschichte der Stadt prägen sollten.

Eines der politischen Prinzipien hatte seinen Ursprung in einem Loyalitätskonflikt innerhalb der aristokratischen Elite. Die Adligen, deren Familien alle von einem gemeinsamen Vorfahren abstammten, waren der Ansicht, dass sie in erster Linie ihrem Geschlecht, nicht aber dem Staat oder der größeren Gemeinschaft gegenüber zur Treue verpflichtet seien. In der Stadt pflegten sie sich in der Gesellschaft ihrer Kollegen, Verwandten und Gefolgsleute zu bewegen. Die Gefolgsleute hießen »Klienten«, und das informelle Netzwerk, dem sie angehörten, entschied über die politische Macht, über den Status und Einfluss in der Gesellschaft. Dies spiegelte sich, damals genauso wie in späteren Zeiten, in den römischen Namen wieder.[3] Appius Claudius z. B. war in den 30er Jahren des 2. Jahrhunderts v. Chr. einer der führenden Politiker. Sein Gentilname Claudius – Appius ist der Vorname – zeigt, dass er seine Herkunft auf Attus Clausus, den Begründer des Geschlechts, zurückführen konnte. Die Claudier sollten nicht nur in der gesamten römischen Republik die prominentesten Staatsmänner stellen, sondern bildeten als Julio-Claudier auch einen Zweig der ersten Kaiserdynastie Roms.

Es waren nicht nur die uralten Namen mit ihrem seit der etruskischen Königszeit hohen Prestige, die den künftigen Jahrhunderten ihren Stempel aufdrücken sollten. Die Autorität der Könige war das wichtigste Vermächtnis der Etrusker und wurde zum Grundpfeiler der römischen Herrschaftsideologie. Die Römer bezeichneten die exekutive Gewalt der Könige als *imperium*. Aufgrund dieses *imperium* waren sie befugt, den Bürgern Befehle zu erteilen und auf deren Einhaltung zu bestehen. Außerdem konnten sie Sanktionen verhängen und Ungehorsam mit dem Tode bestrafen. Mit dem *imperium* verband sich auch

– und dies ist von entscheidender Bedeutung – das Recht, Truppen auszuheben und außerhalb von Rom gegen diejenigen Krieg zu führen, die diese ihre Autorität in Frage stellten. Das Machtsymbol des Imperiumsträgers war ein Rutenbündel, das ebenfalls etruskischen Ursprungs war. Diese *fasces* bestanden aus Ulmen- oder Birkenzweigen von 1,5 m Länge, die eine Axt umschlossen und mit roten Lederbändern zusammengehalten waren. Der durch diese Ruten zum Ausdruck gebrachte Autoritarismus lebt heute in unserem Wort »Faschismus« weiter.

Der mit dem *imperium* verbundene Machtanspruch war mit dem Niedergang der etruskischen Könige nicht erloschen. In den Augen der Römer war mit ihm ihre Eroberungspolitik vollauf legitimiert. Ob es sich um die Annexion Galliens durch Julius Caesar oder um die Invasion Dakiens durch den Kaiser Trajan handelte: Das *imperium* machte sie zu ehrenwerten Männern, die der Gerechtigkeit zum Sieg verhalfen. Der erste römische Kaiser Augustus war auch der Erste, der den Titel *imperator* trug, von dem das englische Wort *emperor* (›Kaiser‹) abgeleitet ist. Damit wird der Mann bezeichnet, dem diese Autorität anhaftet.

Mit dem *imperium* waren jedoch auch sehr selbstsüchtige Motive verbunden: Nicht nur in Italien, sondern im gesamten Mittelmeerraum flossen Ströme von Blut. Wie es den Römern gelang, die etruskischen Könige zu vertreiben und selbst an die Macht zu kommen, ist das zentrale Thema der ersten großen Revolution in der römischen Geschichte: Sie führte um das Jahr 509 v. Chr. zur Gründung der römischen Republik.

Die Entstehung der Republik

Über die Hintergründe der großen Revolution, die in Rom ein neues politisches System hervorbrachte, gibt eine berühmte Geschichte Auskunft. Sextus, der Sohn des Königs Tarquinius Superbus (Tarquinius der Hochmütige), machte Lucretia, der Frau eines Adligen, sexuelle Avancen. Als sie sich widersetzte, drohte er, er werde sie und einen ihrer Sklaven töten und behaupten, er habe sie beide beim Ehebruch überrascht. Daraufhin gab Lucretia nach. Unfähig, mit dieser Schande zu leben, beging sie kurz danach Selbstmord. Die persönliche Tragödie löste schnell einen allgemeinen Aufstand aus. Voller Erbitterung über den Tod, dessen Zeuge er gerade geworden war, fühlte sich ein Adliger namens Lucius Junius Brutus dazu aufgerufen, gegen die Tarquinier vorzugehen. Zusammen mit einigen Aristokraten trieb er Tarquinius Superbus und Sextus aus der Stadt. Die Einzelheiten der Geschichte mögen wohl eher romantische Erfindungen sein, fest steht aber, dass der römische Adel gegen Ende des 6. Jahrhunderts v. Chr. den letzten etruskischen König mittels eines Staatsstreichs absetzte und so eine entscheidende Veränderung der politischen Verhältnisse herbeiführte. Diese Revolution war der größte Wendepunkt in der römischen Frühgeschichte und prägte die römische Mentalität: Verlangen nach politischer Freiheit und Hass auf die Herrschaft eines Einzelnen.

Die Römer lösten das Problem der Monarchie durch die Schaffung der Republik. Das Wort ist nicht gleichbedeutend mit ›Demokratie‹ (obwohl die Republik auch demokratische Elemente aufwies), sondern bedeutet wörtlich ›Sache des Volkes‹, ›Staatswohl‹, ›Staat‹ oder ›Gemeinwesen‹. Die Republik war ein Regierungssystem, das über einen langen Zeitraum hin allmählich Gestalt annahm und in der Ära, in der Rom in Italien und im Mittelmeerraum immer mehr Macht und Einfluss gewann, ständig kleineren oder größeren Korrekturen unterworfen wurde. Die wichtigste Neuerung war, dass das *imperium*, die oberste Befehlsgewalt, nicht mehr von Königen, sondern von zwei für jeweils ein Jahr gewählten Magistraten, den sogenannten Konsuln, ausgeübt wurde. Unter der Führung dieser Männer, die sich auf ihr einflussreiches Klienten-Netzwerk stützen konnten, sollte der kleine Stadtstaat der römischen Republik ein Weltreich errichten.

Das Amt des Konsuls entspricht in etwa dem eines modernen Premierministers oder Staatspräsidenten, natürlich abgesehen davon, dass das Amt, anders als heutzutage, immer doppelt besetzt war. Diese Doppelbesetzung bedeutete, dass sich die Konsuln gegenseitig Grenzen setzen konnten. Sie wurden von der Volksversammlung gewählt und regierten für die Dauer eines Jahres. Wenn sie offiziellen Geschäften nachgingen, trugen sie wie andere Magistrate eine mit einem Purpurstreifen gesäumte Toga aus leichter Wolle. Nach Ablauf ihrer Amtszeit mussten sie gegenüber ihren aristokratischen Kollegen Rechenschaft ablegen. Die Grundlage ihrer Autorität, das *imperium*, war mit genauso viel persönlicher Macht verbunden wie ehedem das Königtum. So wurden z. B. die Konsuln als Angehörige der Aristokratie überall von zwölf Amtsdienern begleitet. Wie unter den etruskischen Königen fungierten diese Liktoren quasi als Leibwache, als Herolde und Polizisten gleichzeitig; sie trugen das Rutenbündel mit der Axt, die Amtsinsignien der Konsuln, und bahnten den Konsuln den Weg durch die Menge. Jetzt allerdings waren die Machtbefugnisse des *imperium* durch die genau definierten Aufgaben des Amtes eingeschränkt.

Obwohl die römischen Aristokraten, die die Republik begründeten, die Monarchie abschaffen wollten, waren sie darauf bedacht, die Herrschaft eines Einzelnen nicht gänzlich auszuschließen. So wurde für besondere Notzeiten das Amt des Diktators geschaffen. Dieser wurde von den Konsuln berufen und hatte die Aufgabe, die staatliche Ordnung wiederherzustellen. War dies gelungen, ging die Macht wieder an die gewählten Konsuln über. Da die amtlichen Verpflichtungen der beiden Konsuln im 5. und 4. Jahrhundert ständig zunahmen, wollten die führenden Staatsmänner die Last dieses Amtes auf mehrere Schultern verteilen und schufen untergeordnete Magistrate mit speziellen Zuständigkeitsbereichen. Die Ursprünge dieser Ämter liegen im Dunklen, doch bildete sich im Laufe der Zeit eine klar definierte Hierarchie heraus.

Zu diesen Ämtern gehörte der Posten des Prätors, der vielleicht geschaffen wurde, um die Konsuln von ihren juristischen Pflichten zu entlasten – zuerst bei den Zivilprozessen in Rom, später aber auch bei von Römern angestrengten Gerichtsverfahren in Italien und im Ausland. Die Prätoren wurden wie die Konsuln von (allerdings nur sechs) Amtsdienern begleitet, waren ebenfalls Imperiumsträger und durften die Götter befragen – in der Ämterhierarchie standen sie eine Stufe unter den beiden Staatsspitzen. Später, als das Reich expandierte, wurde die Prätur von Befehlshabern der Armee und den Statthaltern der auswärtigen römischen Provinzen bekleidet.

Es gab noch mehrere andere wichtige Ämter, die dafür sorgten, dass der Staat reibungslos funktionierte. Die ursprüngliche Aufgabe des

Quästors bestand darin, in Gerichtsverfahren den Konsul bei der Anhö-
rung und Entscheidung zu unterstützen. (*Quaestor* bedeutet wörtlich
›Untersuchungsrichter‹.) Später änderte sich der Charakter des Amtes:
Der Quästor war in der Finanzverwaltung tätig, man könnte ihn also mit
dem Finanzminister eines modernen Staates vergleichen. Ein Ädil wiederum hatte die Aufsicht über die städtischen Märkte. Sein modernes
Äquivalent wäre vielleicht ein Beamter im Wirtschaftsministerium.

Der Zensor schließlich war für den alle fünf Jahre vorgenommenen
Zensus, die Volkszählung und die Vermögenseinschätzung der römi-
schen Bürger, zuständig. Dieses Amt war viel wichtiger, als es seine
Kompetenzen vermuten lassen, insbesondere in militärischer Hinsicht.
In der römischen Armee dienten damals keine Berufssoldaten, sondern
einfache Bürger, die für ihre Ausrüstung selbst aufkommen mussten.
Die Bürgerlisten und die vom Zensor festgestellten Vermögensverhältnisse bestimmten darüber, welche militärischen Verpflichtungen die
Römer dem Staat gegenüber zu erfüllen hatten. Die Wohlhabenderen
konnten in der Republik mehr Einfluss ausüben, da sie der Armee zu
einer besseren Ausstattung und damit zu höherem Ansehen verhalfen.

Alle diese Amtsträger zusammen bildeten ein sehr wichtiges Gremi-
um der Republik: den römischen Senat, in dem die amtierenden Konsuln den Vorsitz führten. Er war eine Diskussionskammer und die
Stimme der politischen Elite. Der Senat hatte allerdings nichts mit
einem heutigen Parlament, etwa dem US-Senat, gemein. In ihm saßen
nicht die Vertreter der römischen Bürger, sondern nur ehemalige Magistrate. Die Senatoren verabschiedeten keine Gesetze und hatten keine rechtlichen Befugnisse. Wie wir noch sehen werden, lag die höchste
Staatsgewalt nicht beim Senat, sondern bei den erwachsenen männlichen Bürgern: Sie wählten in den Volksversammlungen die Amtsträger und stimmten über die Gesetze ab.

Die Senatoren hingegen hatten eher beratende Funktion. Obwohl
ihre Beschlüsse den amtierenden Magistraten lediglich als Entschei-
dungshilfe dienten, tat dies der Bedeutung und Autorität des Senats
keinen Abbruch. Alle ehemaligen und künftigen Amtsträger waren
von der Zustimmung ihrer Kollegen in der herrschenden Klasse der
Aristokratie abhängig und brauchten deren Unterstützung, wenn sie

politisch Einfluss nehmen und bei Wahlen erfolgreich sein wollten. Da die Magistrate der römischen Republik meistens aus dem Senat kamen und nach Ende ihrer Amtszeit in ihn zurückkehrten, mussten sie die Wünsche ihrer Senatskollegen berücksichtigen, wenn sie ihre spätere politische Karriere nicht aufs Spiel setzen wollten.

Das also war die Grundstruktur des römischen Staates. Der griechische Historiker Polybios hat eine kluge Analyse dieses politischen Systems vorgelegt. Sie basiert auf den Kenntnissen, die er sich erwarb, als er in der Mitte des 2. Jahrhunderts v. Chr. in Rom als Geisel lebte. Wie er, die griechische Begrifflichkeit verwendend, ausführt, enthält die römische Verfassung Elemente der Demokratie (Wahlen und die Verabschiedung von Gesetzen in der Volksversammlung), der Oligarchie (Senat) und der Monarchie (Konsuln). Das ausgewogene Verhältnis zwischen diesen drei Komponenten sei die Quelle der Leistungsfähigkeit des Staates, seiner beispiellosen Kraft und Dynamik. Wenn die drei Elemente zusammenwirkten, könne Rom alles erreichen und alle noch so großen Schwierigkeiten überwinden. Allerdings blieben noch zwei äußerst wichtige Fragen offen: Wer konnte in die politischen Ämter gewählt werden – nur die aristokratischen Häupter der führenden römischen Geschlechter oder auch die einfachen Bürger? Und wie wurden sie gewählt? Diese Fragen zu beantworten sollte Sache der nächsten großen Revolution in der Geschichte des römischen Staates sein.

Der Konflikt zwischen Patriziern und Plebejern

In der frühesten Phase der Republik bekleideten die alten römischen Adelsfamilien sämtliche Ämter. Diese Männer nannten sich selbst »Patrizier«, und es gibt ein typisches Argument, mit dem sie ihr umfassendes Machtmonopol rechtfertigten. Seit der Zeit der etruskischen Könige, so ihre Erklärung, hatten sie alle alten Priesterämter bekleidet. Ihre einzigartige Kenntnis der Götter prädestiniere sie geradezu zu politischen Entscheidungsträgern, denn nur dieses Wissen garantiere, dass die Götter ihre Gunst auch künftig den Römern schenkten. Da das

Heil des Staates, wie man glaubte, vom Wohlwollen der Götter ab-
hing, kam der römischen Religion eine immense Bedeutung zu, damals ebenso wie in der gesamten Geschichte Roms. In der frühen Republik hatten, laut eigener Aussage, die Patrizier den alleinigen Zugang
zu den Göttern, und deshalb sollten auch nur sie an der Macht sein.

Die führenden reichen Plebejer (d. h. die Nicht-Patrizier, die den
Rest des Volkes, der sogenannten *plebs*, ausmachten) setzten sich gegen
diesen Anspruch aufs Heftigste zur Wehr. In der Mitte des 5. Jahrhunderts v. Chr. organisierten sie sich und kämpften für Reformen. Obwohl sie vorgaben, die ökonomischen Probleme der Ärmsten der Armen lindern zu wollen, sah die Wirklichkeit anders aus: Auch sie
wollten an die Schalthebel der Macht. Im Jahr 366 v. Chr. konnten sie
einen durchschlagenden Erfolg verzeichnen: Einer der beiden Konsuln
musste Plebejer sein. 172 v. Chr. wurde das Konsulamt zum ersten Mal
von zwei Plebejern bekleidet. Doch die Reform war nicht ganz so
radikal und meritokratisch, wie es auf den ersten Blick erscheinen
mochte.

Um ein politisches Amt bekleiden zu können, musste man reich
sein. Wenn sie ihre Wahl sicherstellen, politische Bündnisse schließen
und die Unterstützung sowohl des Volkes wie auch des Adels gewinnen wollten, brauchten die potentiellen Kandidaten sehr viel Geld.
Infolgedessen erreichten nur die wohlhabendsten 2 % der erwachsenen
männlichen Römer je das Konsulat. Die Chancen schienen sich dadurch, dass nun auch reiche Plebejer kandidieren konnten, weiter zu
verschlechtern, da diese schnell zu den Patriziern aufschlossen und eine
neue Nobilität begründeten, zu der nicht jedermann Zutritt hatte. Das
war jedenfalls die Ansicht der römischen Oberschicht. Moderne Wissenschaftler haben jedoch nachgewiesen, dass die neue Elite viel offener war, als die Römer dachten. Für diese Offenheit sorgte nicht
zuletzt die Reform der Zulassungsbedingungen zum Konsulamt. Dass
die Plebejer nunmehr zum Konsulat und anderen politischen Ämtern
befugt waren, hatte noch andere Auswirkungen, die von den Römern
aber nicht sofort erkannt wurden und die erst in fernerer Zukunft zum
Tragen kommen sollten. Im Verlaufe der späteren Entwicklung, als
Rom seine Herrschaft über Italien und den ganzen Mittelmeerraum

ausdehnte, würden sich auch Männer aus den römischen Eliten in Italien und in den Provinzen des Reiches um die staatlichen Spitzenpositionen bewerben können. Noch später sollten aus dieser Oberschicht der Provinzialen sogar die römischen Kaiser hervorgehen.

Es hatte fast 100 Jahre gedauert, bis sich die begüterten Plebejer die obersten Ämter des römischen Staates mit den Patriziern teilen konnten. Der Kampf des einfachen Volkes um politische Mitsprache begann ebenfalls im 5. Jahrhundert v. Chr. Um die Macht der patrizischen Elite zu brechen, griff man zu dem einzigen sich bietenden Mittel, nämlich dem altbewährten Streik. Als im Jahre 494 v. Chr. Roms Sicherheit durch fremde Invasoren bedroht war, legte die Masse der Bürger einfach ihre Waffen nieder, verschanzte sich auf dem Aventin und verweigerte den Kampf. Der Auszug der Plebejer aus Rom führte vorübergehend zur Bildung eines Staates innerhalb des Staates. Anstatt von der reichen Nobilität ein politisches Amt zu fordern, das ihnen die Wahrnehmung ihrer Interessen ermöglichte, schufen sich die römischen Bürger, die sich unter Protest auf ihrem Berg eingeigelt hatten, kurzerhand ihre eigenen Magistrate, die sogenannten »Volkstribunen«. Erst als dieses Amt von den Patriziern als Teil der Verfassung offiziell anerkannt wurde, fanden die Auseinandersetzungen, die als »Ständekampf« in die Geschichte eingingen, ein Ende.

Das neue Amt sollte die Geschichte der Republik wesentlich beeinflussen und eine radikale Veränderung im Machtgleichgewicht zwischen der politischen Senatselite und dem Volk herbeiführen. Jedes Jahr wurden – ausschließlich vom Volk – zehn Tribunen gewählt, die die Plebs vor Machtmissbrauch vonseiten der Amtsträger, vor allem der über *imperium* verfügenden Konsuln und Prätoren, schützen sollten. Falls ein Bürger zu Unrecht bestraft oder unter Druck gesetzt wurde, war ein Tribun rechtlich befugt, Abhilfe zu schaffen und nötigenfalls körperlich einzugreifen. Man kann es gar nicht oft genug betonen: Während in den modernen Staaten die politischen Rollen und Aufgaben spezifiziert und auf mehrere Leute verteilt sind, wurden sie im antiken Rom von einer einzigen Person wahrgenommen. Ein Konsul war zugleich Heerführer, Premierminister, Kanzler und Bischof, während ein Tribun die Rolle eines Parlamentsmitglieds oder US-Senators mit der eines Strafverteidigers, Polizisten und Gewerkschaftsvertreters in sich vereinigte. Obwohl das neue Volkstribunat vom Volk erkämpft worden war, wurde es im Laufe der Geschichte auch von Lakaien der aristokratischen Elite bekleidet. Wie dem auch sei: In der Mitte des 4. Jahrhunderts v. Chr. konnte sich das Volk endlich politisch artikulieren. Und jetzt wurde seine Stimme auch gehört.

Die zweite weitreichende Folge des großen Streiks war die Stärkung der Tributskomitien (*comitia tributa*), die sich aus den informellen Versammlungen der Bevölkerung Roms während des Auszugs der Plebejer entwickelt hatten. Vor der Besetzung des Aventins waren die sogenannten Zenturiatskomitien (*comitia centuriata*) die wichtigste Volksversammlung, bei der es aber nicht sehr demokratisch zuging. Diese Komitien beruhten auf den militärischen Abteilungen, den sogenannten Zenturien, in die das Heer gegliedert war. Da die militärischen Verpflichtungen und die Zuweisung zu einer Zenturie vom Vermögen des einzelnen Bürgers abhingen, wurde die Versammlung von den Wohlhabenden dominiert. Eine relativ geringe Zahl von Bürgern der ersten Soldatenklasse kontrollierte über die Hälfte der 193 Zenturien, während die große Masse der besitzlosen Bürger in nur einer Zenturie zusammengefasst war. Da jede Zenturie bloß eine Stimme hatte, konnten die ärmeren Bürger gewissermaßen nur flüstern.

Nach dem Ständekampf wuchs die Bedeutung der Tributskomitien. Hier waren die Bürger nach ihren Wohnorten in sogenannten »Tribus« eingeteilt. Somit gab es in jeder Tribus sowohl Reiche wie auch Arme. Aufgrund des Wahlsystems, das jeder Tribus jeweils eine Stimme zuwies, konnten diese Versammlungen die Bevölkerung viel besser repräsentieren. Als Rom seinen Herrschaftsbereich weiter über ganz Italien ausdehnte, kamen zu den ursprünglichen vier städtischen Tribus weitere 31 ländliche hinzu. Die neu geschaffenen Tributskomitien wurden von hochrangigen aristokratischen Magistraten (z. B. einem Konsul) einberufen und konnten sowohl von Patriziern wie auch Plebejern besucht werden. Die Versammlungen der Plebs (*concilia plebis tributa*), an denen nur Plebejer teilnehmen durften, wurden von einem Volkstribun anberaumt und entwickelten sich zum zentralen Ort der Gesetzgebung. Anfangs waren die Voten dieser Volksversammlungen lediglich Plebiszite – sie ermöglichten der Elite, sich über die Meinung der Mehrheit der römischen Bürger ein Bild zu machen. Im Jahre 287 v. Chr. hatten die Entscheidungen der Tributskomitien – ob es sich um Wahlergebnisse oder die Verabschiedung von Gesetzen handelte – Gesetzeskraft und waren für sämtliche Römer bindend.

Aus der Tatsache, dass die römische Republik Volkstribune und jetzt auch starke Volksversammlungen hatte, resultierte das große Paradox der »zwei Häupter«: Das eine Haupt war der Senat (die kollektive Stimme der aristokratischen, wohlhabenden politischen Elite), das andere das römische Volk. Heutzutage kann man nur rätseln, wie ein System, in dem die Macht sowohl bei einer aristokratischen Elite wie auch ausdrücklich in den Händen des Volkes liegt, funktionieren soll. Doch in der Antike gab es diese effiziente Partnerschaft. Seinen Ausdruck fand das Konzept in dem Kürzel SPQR (*Senatus Populusque Romanus* – ›der Senat und das Volk von Rom‹), der als Logo die Feldzeichen der Römer zierte. Es diente auch als Slogan, mit dem die Römer dann ihren Einmarsch in die Gebiete ihres künftigen Imperiums rechtfertigen würden. Diese Eroberung fremder Territorien hatte im 5. Jahrhundert vor den Ständekämpfen ihren Anfang genommen. Es war der Beginn einer außerordentlich aggressiven Expansionspolitik, deren Hintergründe einer Erklärung bedürfen.

Die Eroberung Italiens

Klar ist indessen das Ziel jener Expansionsbestrebungen. Zwischen 500 und 275 v. Chr. brachten die Bürgerheere der römischen Republik sowohl mit kriegerischen wie auch diplomatischen Mitteln zuerst Latium und dann den Rest der italischen Halbinsel unter ihre Kontrolle. Ursprünglich ging es bei diesen Kriegen wohl um Land. Da die Bauernhöfe der meisten Bürger zu klein waren, um eine große Familie zu ernähren, schauten sich die Römer der frühen Republik nach neuen Siedlungsgebieten um. Doch die ersten gezielten Feldzüge dienten vermutlich mehr der Verteidigung der eigenen Ländereien als der Eroberung neuer Territorien. Im Jahre 493 v. Chr. trat Rom einer Alli-

anz latinischer Bürgerschaften, dem sogenannten Latinerbund, bei, um
sein geliebtes Latium, das von den zentralitalischen Bergstämmen der
Volsker, Sabiner und Äquer überfallen wurde, zu schützen. Dieser
Krieg, der durch fremde Aggressoren ausgelöst wurde, sollte dem Staat
eine sehr willkommene und nützliche Rechtfertigung für alle künftigen
Kriege innerhalb und außerhalb Italiens an die Hand geben. Um sich für
ihre Militäraktionen das Wohlwollen der Götter zu sichern, waren die
Römer z. B. darauf bedacht, ihre Unternehmen als Maßnahme der
»Selbstverteidigung« darzustellen und sie durch den Mythos des »gerechten Krieges« zu legitimieren. Die angebliche Rechtmäßigkeit wurde durch die komplizierten religiösen Zeremonien gestützt, mit denen
die Römer den Krieg formal erklärten. Diese exzentrischen Demons-
trationen ihres Gerechtigkeitsempfindens sollten zu einem Ritual werden, dem Roms italische Nachbarn nun ständig begegnen würden.

Nachdem die Angriffe der Bergvölker zurückgeschlagen waren,
richteten die Römer und ihre latinischen Verbündeten ihre Aufmerksamkeit auf das im Norden gelegene Etrurien. Da die einzelnen
Familien der römischen Prominenz etruskische Wurzeln hatten, gab
es vermutlich zahlreiche alte Freundschaften und Fehden, mit denen
sich sowohl neue Allianzen wie auch Kriegserklärungen rechtfertigen
ließen. Während sich einige etruskische Städte sofort mit Rom ar-
rangierten, wurden andere auf dem Schlachtfeld besiegt und dann
annektiert. Nachdem die latinischen Partner den Römern Arroganz
vorgeworfen hatten – diese behaupteten nämlich, sie hätten die
Hauptlast der Kämpfe getragen –, ging Rom nun gegen die Latiner
vor. Der ständig mächtiger werdende Stadtstaat führte 340 v. Chr.
Krieg gegen den Latinerbund, besiegte ihn und löste ihn zwei Jahre
später auf. Dann kamen die Samniten, die wahrscheinlich stärksten
Gegner in Italien, an die Reihe. Bei diesen handelte es sich um einen mächtigen und gut organisierten Zusammenschluss mehrerer
Völker im Süden Latiums. Sie waren so kühn und zäh, dass später
einer der vier Gladiatorentypen in der römischen Arena die Bezeichnung »Samnite« trug. In drei bis zum Jahr 290 v. Chr. dauernden
Kriegen, in denen Erfolg und Misserfolg wechselten, kamen schließlich riesige Landstriche des samnitischen Territoriums unter römische

Kontrolle. Der einst winzige Stadtstaat dehnte sich nun bis an die Grenzen der griechischen Kolonien Süditaliens.

Diese Kriege führten nicht alle zum gleichen Ergebnis. Manchmal wurde das eroberte Gebiet zu einer römischen Kolonie: Grund und Boden wurden annektiert, aufgeteilt und römischen Bürgern zugewiesen. Manchmal schloss Rom ein Bündnis mit autonomen italischen Gemeinden, wobei sich beide Seiten zu gegenseitiger Militärhilfe verpflichteten. Bisweilen verlieh Rom das Bürgerrecht (entweder mit oder ohne Wahlrecht); in dem Fall besaßen die Gemeinden zwei Staatsbürgerschaften und wurden ebenfalls dem römischen Staat einverleibt. Auf diese Weise wurden die Sprache, die Sitten und die Kultur der Römer allmählich überall in Italien verbreitet.

Alle diese Formen der Eroberung dienten einem Ziel: »Bündnistreue zu Rom«. Als sie ihr Reich über die Grenzen Italiens hinaus ausdehnten, sollte dieses Bündnissystem zum größten Trumpf der Römer werden – dank seiner verfügten sie über eine unbegrenzte Reserve an Bürgern und Bundesgenossen und damit über eine unerschöpfliche Reserve an Soldaten. Bei der Analyse der Überlegenheit der römischen Bürgermiliz gegenüber den anderen Armeen des Mittelmeerraumes schreibt der griechische Historiker Polybios: »Wenn nun die Römer zu Beginn eines Krieges auch einmal unterliegen, so gleichen sie die Niederlage durch neue Kampfeskraft am Ende wieder vollständig aus […] da sie für ihr Vaterland und ihre Kinder kämpfen, läßt ihre Beharrlichkeit niemals nach, sondern sie kämpfen weiter auf Leben und Tod, bis sie ihre Gegner überwunden haben.«[4]

Diese leidenschaftlich geführten Eroberungskriege prägten die kämpferische Mentalität und die Wehrhaftigkeit des überaus robusten römischen Bauernsoldaten. Die römischen Konsuln, die über *imperium* verfügten und die Feldzüge leiteten, strebten nach Ruhm und wollten den alten Familiennamen ihrer weniger erlauchten Vorfahren, der Hirten und Bauern von Etrurien und Latium, alle Ehre machen. In der römischen Einstellung diesen Kriegen gegenüber spiegelte sich vor allem der Charakter des zähen, unerschütterlichen Bauern, der sich bei seiner Arbeit Bequemlichkeit und Disziplinlosigkeit nicht leisten konnte. Die Konflikte wurden, wie sie selbst gerne glauben wollten, in frommer Ehrfurcht vor den Göttern und im Geist der Rechtschaffenheit, der Ehre und vor allem der Gerechtigkeit ausgetragen.

Der Krieg, der die Eroberung Südtaliens vollendete, begann im Jahre 280 v. Chr. Die griechische Stadt Tarent an der Ferse Italiens hatte
Rom herausgefordert. Da die Griechen Tarents einen römischen Überfall auf ihr Gebiet befürchteten, hatten sie um ausländische Militärhilfe
gebeten, und Pyrrhos, der griechische König von Epirus (Nordgriechenland), war ihrem Ruf gefolgt. Er wollte ein eigenes westgriechisches
Reich begründen.

Aus Zorn über die respektlosen Unverschämtheiten der Tarentiner
forderte Rom für die ihm zugefügten »Beleidigungen« Wiedergutmachung. Nun bot sich erneut die Gelegenheit, zur »Selbstverteidigung«
zu schreiten und – die Römer hielten dies für ihr gutes Recht – Vergeltung zu üben. Ein neuer und sehr realer Trojanischer Krieg kündigte sich an. Diesmal aber standen sich nicht Aeneas, der trojanische Held
aus dem Mythos, und die legendären Könige Agamemnon und Menelaos gegenüber, sondern ihre Nachfahren, die »trojanischen« Römer
und die griechische Armee des Königs Pyrrhos.

Die römischen Priester konnten jetzt die akribischen Rituale, die der
Sitte gemäß den Beginn der Feindseligkeiten markierten, nicht durchführen – dafür war Tarent zu weit von Rom entfernt. So war z. B.
keine Zeit für einen priesterlichen Herold, sich den Grenzen der Feinde
zu nähern, sich Wollbinden um den Kopf zu schlingen, Jupiter zum
Zeugen dafür anzurufen, dass er in gerechter und frommer Absicht
komme, und anzukündigen, dass die »schuldige« Seite 33 Tage habe,
um sich zu ergeben. Es war auch keine Zeit, sich durch einen Lanzenwurf ins feindliche Gebiet das Wohlwollen der Götter zu sichern.[5]
Doch für dieses Problem fanden die Römer eine probate Lösung. Sie
zwangen einen in Gefangenschaft geratenen Soldaten des Pyrrhos, in
Rom etwas Land zu kaufen: Nun konnten die Priester ihre Lanze symbolisch auf dieses Grundstück schleudern.

Zu Beginn der Kriegssaison des Jahres 280 v. Chr. drang Pyrrhos in
Italien ein und konnte die Römer in zwei brutalen blutigen Schlachten
besiegen. Angesichts der hohen Zahl von Opfern, die ihm sein Erfolg
gekostet hatte, soll der griechische König gesagt haben: »Noch so ein

Sieg, und wir sind verloren.« (Auf diesen Ausspruch geht der moderne Begriff »Pyrrhossieg« zurück.) Bis zum Jahr 275 v. Chr. hatten die Römer das Blatt zu ihren Gunsten gewendet. Sie schlugen Pyrrhos bei Benevent unweit von Neapel, zwangen sein Invasionsheer, Italien zu verlassen, und hatten nun freie Hand, ihre Macht im restlichen Süditalien zu festigen.

Die Niederlage des ehrgeizigen griechischen Königs Pyrrhos rüttelte die anderen Mittelmeerländer auf und weckte ihre Aufmerksamkeit. Ein neuer Akteur war auf der Bühne erschienen. Aeneas' Römer hatten ihre sieben Hügel hinter sich gelassen und näherten sich fremden Küsten. Rom war zur Großmacht aufgestiegen.

Revolution

Im Jahre 154 v. Chr. wurde Tiberius Sempronius Gracchus, ein Held der römischen Republik, mit allen staatlichen Ehren bestattet. Sein Leichnam wurde in der mit silbernen Sternen durchwirkten purpurnen Toga eines triumphierenden Generals auf das Forum gebracht. Mit den Ruten und Beilen waren dem Toten auch die Amtsinsignien beigegeben, die seine glänzende Karriere geziemend bezeugten. Die Angehörigen der Nobilität, die an dem Trauerzug teilnahmen, waren, um ihren Respekt zu bezeugen, unrasiert und schwarz gekleidet. Sie hatten ihre Köpfe verhüllt. Die Frauen schlugen sich an die Brust, rauften ihr gelöstes Haar und zerkratzen sich voller Trauer mit den Fingernägeln die Wangen. Daneben gab es berufsmäßige Klageweiber sowie Tänzer und Schauspieler, die den Verstorbenen darstellten und mit übertriebenen Gesten nachahmten. Am eindrücklichsten waren jedoch die Totenmasken, die von zahlreichen Prozessionsteilnehmern getragen wurden. Sie waren aus Bienenwachs geformt und wiesen in Form und Farbe eine gespenstische Ähnlichkeit mit den Gesichtszügen des Gracchus und seiner Vorfahren auf. So glichen die Männer, die diese Masken trugen, auf eindrucksvolle Weise dem Verstorbenen, der nun vor den Augen Roms auf der Rednerbühne, den sogenannten Rostren, auf dem Forum aufgebahrt wurde.

Als die Repräsentanten der Ahnen der Familie auf ihren elfenbeinernen Sitzen auf den Rostren Platz genommen hatten, hielt einer von ihnen eine Rede, in der die Lebensleistungen des Verstorbenen gewürdigt wurden. Es gab viel Denkwürdiges zu berichten: Gracchus hatte zweimal das höchste Amt der Republik, das Konsulat, sowie das angesehene und einflussreiche Amt gewesener Konsuln, die Zensur, bekleidet. Als Soldat hatte er für den Staat erfolgreiche Feldzüge in Spanien und Sardinien unternommen, für die er beide Male mit einem Triumph ausgezeichnet wurde. Dabei handelt es sich um eine feierliche Prozession, bei der ein siegreicher Feldherr, die geheiligten Stadtgrenzen überschreitend, in Rom Einzug hält und ins Privatleben zurückkehrt. Bei all den Leistungen, die ihn auf den Gipfel des Ruhmes brachten, stand Gracchus nicht in Verdacht, den eigenen Erfolg gesucht zu haben. Sein Begräbnis war die öffentliche Feier einer ganz besonderen Tugend: Die Römer sahen in ihm einen Mann, der seine persönlichen Ambitionen den Interessen des Staates untergeordnet hatte und dessen erstes und wichtigstes Leitmotiv das Wohl des römischen Volkes gewesen war. Die Leichenrede hatte deshalb denselben Effekt wie die Wachsmasken: »Indem auf solche Weise die Erinnerung an die Tapferkeit edler Männer stets von neuem aufgefrischt wird, so wird dadurch der Ruhm derer, die eine herrliche Tat verrichtet haben, verewigt, und der Name derer, welche Wohltäter des Vaterlandes geworden sind, wird der Menge bekannt und gelangt auf die Nachwelt.«[1]

Doch die Erinnerung an Gracchus' Leistungen sowohl durch die Masken seiner Familie wie auch durch die Leichenrede hatte noch eine weitere, ganz spezifische Funktion. Sie sollte seine Söhne, dann seine Enkel und künftigen Nachfahren gemahnen, sich seiner Taten würdig zu erweisen. Der Wunsch, das Ansehen des Vaters zu ehren, indem man seinen Erfolgen nacheiferte, die er im Dienste des Staates als Soldat und Politiker sowie bei der Ausweitung des Imperiums gefeiert hatte, war für die aristokratische Elite der römischen Republik eine der wichtigsten Triebfedern. Man kann sich leicht vorstellen, dass dieses Verlangen nirgends stärker brannte als im Herzen eines neunjährigen Knaben, Gracchus' Sohn. Auch er hieß Tiberius Sempronius Gracchus.

Der Junge stand neben seiner Mutter und den führenden aristokratischen Senatoren am lodernden Scheiterhaufen. Hier, vor den Toren Roms, wurde nach den Leichenreden der Körper seines Vaters verbrannt. Während er beobachtete, wie sich die Feierlichkeiten dem Ende zuneigten, verspürte er vermutlich den Wunsch, alle Mühen und sogar den Tod auf sich zu nehmen, um sich eine ähnliche Lobrede wie die seines Vaters zu verdienen. Er stand nun in der Verantwortung, den Namen und den Ruhm seines Vaters weiterzutragen. Diese Last wurde nur von der Verpflichtung übertroffen, das

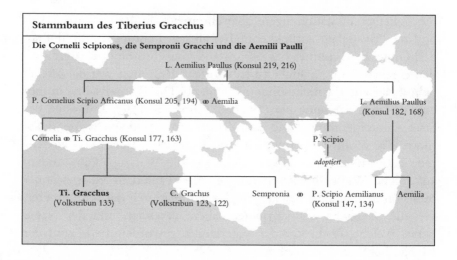

Stammbaum des Tiberius Gracchus

Die Cornelii Scipiones, die Sempronii Gracchi und die Aemilii Paulli

L. Aemilius Paullus (Konsul 219, 216)

P. Cornelius Scipio Africanus (Konsul 205, 194) ∞ Aemilia

L. Aemilius Paullus (Konsul 182, 168)

Cornelia ∞ Ti. Gracchus (Konsul 177, 163)

P. Scipio

adoptiert

Ti. Gracchus (Volkstribun 133)

C. Grachus (Volkstribun 123, 122)

Sempronia ∞ P. Scipio Aemilianus (Konsul 147, 134)

Aemilia

Ansehen einer anderen Familie in Ehren zu halten – das der Familie seiner Mutter Cornelia.

Sowohl durch seine Mutter wie durch seinen Vater war der junge Tiberius Sempronius Gracchus mit den drei großen Adelsgeschlechtern der römischen Republik verbunden. In weniger als 150 Jahren war es diesen Familien gemeinsam gelungen, den römischen Staat, der Italien beherrschte, zu einer Großmacht aufsteigen zu lassen, die das gesamte Mittelmeer kontrollierte. Weil die Römer dieses Meer und die Anrainerländer unangefochten dominierten, bezeichneten sie es zur Zeit der Bestattung des älteren Gracchus als *mare nostrum*, ›unser Meer‹.

Und doch sollte sich der Lebensweg des Knaben radikal von dem Vorbild, das durch seine Familie vorgegeben war, unterscheiden. Der jüngere Gracchus würde, anders als sein Vater, selbst kein Staatsbegräbnis erhalten. Genau 22 Jahre später würde man seinen verstümmelten Körper kurzerhand einfach in den Tiber werfen. Er würde nicht durch auswärtige Feinde Roms auf dem Schlachtfeld umkommen, sondern durch dieselben aristokratischen Senatoren, die damals, als er auf den brennenden Scheiterhaufen seines Vaters blickte, hinter ihm standen. Denn das kurze, umstrittene Leben des Gracchus fiel in eine Zeit der

Krise, die einen entscheidenden Wendepunkt in der Geschichte der römischen Republik darstellte. Diese Krise konzentrierte sich auf die Frage, wer aus dem von Rom so rasch erschaffenen Imperium Nutzen ziehen könne: die Reichen oder die Armen? Die aristokratischen Architekten des Römischen Reiches oder die einfachen Bürgersoldaten, mit deren Hilfe es erbaut worden war? Dieses Problem sollte der Anlass dafür sein, dass man sich sehr ernsthaft mit dem Wesen des römischen Imperiums befasste und analysierte, wie sich dessen Errichtung auf den moralischen Charakter und die Wertvorstellungen der Römer ausgewirkt hatte. Auffälligerweise würde der junge Tiberius in dieser Krise nicht für seine eigene Familie und die aristokratische Elite Partei ergreifen, sondern sich auf die Seite der Armen stellen.

Nach der Bestattungszeremonie wurden die Wachsmasken von Gracchus' Vater und Ahnen in einem Schrein im Hause der Familie verwahrt. »Ein schöneres Schauspiel gibt es nicht leicht für einen ruhmliebenden und edlen Jüngling. Denn wen sollte es nicht anfeuern, die Bilder von Männern, die um ihrer Tapferkeit willen so hoch gefeiert sind, alle zusammen gleichsam lebend und beseelt zu sehen, und welches Schauspiel erschiene herrlicher als dieses?«[2] Doch im Jahre 154 v. Chr. hätte sich niemand träumen lassen, welch revolutionären Weg der junge Gracchus einschlagen würde, um dem Vorbild, das jene Masken verkörperten, zu entsprechen, und wie sein Verhalten Rom für immer verändern würde.

Die große Erschütterung in der römischen Historie, die sich in Tiberius' Karriere widerspiegelt, hat viel mit Moral zu tun. Indem Rom zur Supermacht aufstieg, ging es – so heißt es immer – gerade der Werte verlustig, denen es seine Überlegenheit zu verdanken hatte. Auf dem Gipfel des Ruhms versagten die Tugenden, die die römische Republik so erfolgreich gemacht hatten, und waren für immer verloren. Um diesen kritischen Höhepunkt in seiner ganzen Tragweite erfassen zu können, müssen wir zunächst aufzeigen, wie Rom dorthin gelangt war.

Die Eroberung des Mittelmeerraums

Der griechische Historiker Polybios, der zwischen 163 und 150 v. Chr.
als Kriegsgefangener in Rom lebte, verfasste ein Geschichtswerk, das
den Römern helfen sollte, auf diese eine Frage eine Antwort zu finden:
Wie konnte Rom innerhalb von nur 52 Jahren (219–167 v. Chr.) die
Vorherrschaft im Mittelmeerraum erringen?[3] Obwohl seine Bücher
zur römischen Mythen- und Legendenbildung für diese historische
Periode beitrugen, sollte dies die außerordentlichen Erfolge Roms
nicht schmälern. Die Römer beherrschten das Mittelmeer so unangefochten, dass der Senat bis 167 v. Chr. die direkten Steuern in Italien
abschaffen und sie durch die Einnahmen des Staates aus seinen auswärtigen Provinzen ersetzen konnte.

Die führenden Politiker in Rom, die diese große Leistung vollbracht
hatten, entstammten einer kleinen Gruppe aristokratischer Familien.
Zwar schotteten sich diese Familien nicht ganz so stark ab, wie die Römer gerne behaupteten – es gab beispielsweise die Adoption –, doch
zwischen 509 und 133 v. Chr. kamen angeblich 75 % der Konsuln, der
höchsten – für jeweils ein Jahr gewählten – Amtsträger der Republik,
aus genau 26 Familien, wobei gerade einmal zehn von ihnen die Hälfte der Konsuln stellten. Der junge Tiberius Sempronius Gracchus stand
mit den drei miteinander verwandten Geschlechtern in Beziehung, die
während der großen Zeit der römischen Expansion Pionierarbeit geleistet hatten. Es waren väterlicherseits die Sempronii Gracchi und
mütterlicherseits zum einen die Cornelii Scipiones und zum anderen
die Aemilii Paulli (vgl. Stammbaum, S. 46). Wenn wir den historischen
Ablauf der römischen Eroberung des Mittelmeerraums nachskizzieren,
sehen wir, dass alle Verwandten des jungen Tiberius in führender
Funktion an diesem Expansionsprozess beteiligt waren. Diese ungewöhnliche Geschichte beginnt in Nordafrika. Am Anfang steht die
Herausforderung durch eine rivalisierende Macht.

Im Jahre 265 v. Chr. war die alte Stadt Karthago die bedeutendste
Macht im Mittelmeerraum. Sie war um 800 v. Chr. von Phöniziern aus
dem heutigen Libanon gegründet worden. Diese waren hervorragende
Seefahrer, und in dem gezielten Bemühen, die Handelswege des west-

lichen Mittelmeeres zu kontrollieren, war Karthago bis zum Jahre 265 v. Chr. zur reichsten und kulturell höchststehenden Stadt der gesamten Region aufgestiegen. Ihre Handelsniederlassungen erstreckten sich von den Küsten Spaniens und Frankreichs bis nach Sizilien und Sardinien und von dort weiter südlich bis über ganz Nordafrika. Während Karthago bei der Errichtung dieser Handelswege mit anderen Küstenvölkern, insbesondere mit den Griechen, in Konflikt geraten war, blieben seine Beziehungen mit dem Stadtstaat Rom und den seefahrenden Völkern Italiens freundlich. 509 und 348 v. Chr. wurden mit den Römern Verträge zum Schutz der Handelswege Karthagos geschlossen. Nun jedoch, im Jahre 265 v. Chr., sollte sich das alles ändern, wenngleich dies anfangs noch niemand ahnen konnte.

Roms erster großer Krieg mit Karthago, der als der Erste Punische Krieg in die Geschichte einging (»punisch« ist die lateinische Bezeichnung für »phönizisch«), begann im Jahre 264 v. Chr., als Rom anlässlich eines unbedeutenden Konflikts auf der Insel Sizilien, einer karthagischen Provinz (vgl. Karte, S. 50), um Hilfe gebeten wurde. Die Stadt Messina, die von Söldnern aus dem italischen Kampanien beherrscht wurde, sah sich von Soldaten der Stadt Syrakus bedroht. Rom stellte sich auf die Seite Messinas, während Karthago für die Syrakusaner Partei ergriff. Nachdem es dem Konsul an der Spitze des römischen Heeres nicht nur gelungen war, Messina zu befreien, sondern er auch Syrakus dazu gebracht hatte, seine günstigen Bedingungen anzunehmen, von Karthago abzufallen und sich mit den Römern zu verbünden, führte der Stellvertreterkrieg zu einer direkten Konfrontation zwischen Rom und Karthago. Aus Furcht um die Sicherheit seiner Provinz führte Karthago nun ernsthaft Krieg und entsandte 262 v. Chr. ein großes Heer auf die Insel. So begann ein Krieg, der mehr als 20 Jahre lang dauern sollte. Es ging um die Vorherrschaft in Sizilien.

Als der Konflikt eskalierte, wurden auch die römischen Kriegsziele immer ehrgeiziger. Rom war sich bewusst, dass man, wollte man den Krieg gewinnen, die Karthager ganz aus Sizilien vertreiben und zu diesem Zweck die Position Karthagos in den Gewässern um Sizilien schwächen müsse. Das war keine Kleinigkeit, da es die Entwicklung einer Waffengattung erforderte, die Rom noch nie eingesetzt, ge-

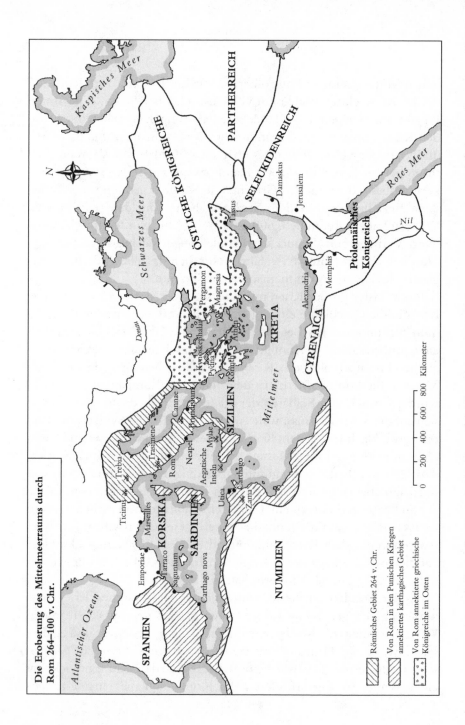

Die Eroberung des Mittelmeerraums durch
Rom 264–100 v. Chr.

Atlantischer Ozean

SPANIEN

Emporiae
Tarraco
Saguntum
Carthago nova

KORSIKA

SARDINIEN

Marseilles
Ticinus
Trebia
Trasimene
Rom
Neapel
Aegatische
Inseln
Mylae
Utica
Carthago
Zama
Cannae
Brundisium

NUMIDIEN

SIZILIEN

Kroton

Aphea
Korinth
Pydna
Kynoskephalä
Pergamon
Magnesia

ÖSTLICHE KÖNIGREICHE

Schwarzes Meer

Kaspisches Meer

N

Donau

PARTHERREICH

SELEUKIDENREICH

Tarsus
Damaskus
Jerusalem

Memphis
Alexandria

KRETA

CYRENAICA

Mittelmeer

Rotes Meer

Nil

Ptolemäisches
Königreich

Römisches Gebiet 264 v. Chr.

Von Rom in den Punischen Kriegen
annektiertes karthagisches Gebiet

Von Rom annektierte griechische
Königreiche im Osten

0   200   400   600   800   Kilometer

schweige denn besessen hatte – einer Flotte. Laut Polybios ergriffen die
Römer zum ersten Mal in ihrer Geschichte die Gelegenheit, eine
Kriegsflotte zu bauen, als ein Schiff der Karthager, das ein Übersetzen
römischer Truppen nach Sizilien verhindern wollte, vor der Küste Süditaliens auf Grund lief.[4] Die Römer brachten es in ihre Gewalt, kopierten seine Bauweise und stellten innerhalb eines Jahres eine Flotte
von 100 mit Rudern betriebenen Kriegsschiffen auf die Beine. Sie
nutzten sogar die Chance, die Kampfkraft der Schiffe zu steigern, indem sie sie mit einer Geheimwaffe versahen: einer drehbaren, mit Ei-
senhaken versehenen Enterbrücke. Auf diese Weise gerüstet, gewannen die Römer im Jahre 260 v. Chr. unter Führung ihres Admirals
Gaius Dulius bei Mylae ihre erste Seeschlacht.

Obwohl man einige beträchtliche Rückschläge erlitt – eine schlecht
geplante Invasion Nordafrikas scheiterte, die römische Flotte wurde
nicht weniger als dreimal durch Stürme vernichtet, und man stand am
Rande eines finanziellen Ruins – reagierten die Römer auf diese Widrigkeiten auf eine für sie typische Weise: Sie bauten einfach neue
Schiffe. Vor allem verschafften ihnen die Karthager eine dringend benötigte Atempause, als sich diese 247 v. Chr. dazu entschieden, nicht
die Römer zu bekämpfen, sondern erst einmal die Loyalität der im Inneren Nordafrikas angesiedelten Numider und Libyer, die mit Rom
sympathisierten, zurückzugewinnen. Als sie am 10. März 241 v. Chr.
bei den Aegatischen Inseln nördlich von Sizilien einen entscheidenden
Sieg über eine karthagische Entlastungsflotte errangen, hatten die Römer schließlich ihre Vormacht zur See sichergestellt. Zu der Zeit führte
der karthagische General Hamilkar gerade einen erfolgreichen Guerilla-
krieg gegen das römische Heer in Sizilien. Obwohl er persönlich keine
Niederlage erlitten hatte, wurde er von den politischen Führern in
Karthago aufgefordert, mit den Römern Frieden zu schließen.

Dass sich der unbesiegte General den Römern unterwarf, ist ein
deutlicher Hinweis darauf, dass der erste Krieg noch keine Lösung gebracht hatte. Der Abschluss des Friedensvertrages wurmte die karthagischen Anführer, doch sie hatten noch bitterere Pillen zu schlucken.
Unmittelbar nach dem Krieg verließen die Punier Sizilien, und die Insel wurde, mit Ausnahme des Königreichs Syrakus, das mit Karthago

verbündet blieb, Roms erste überseeische Provinz. Den Puniern wurden harte Bedingungen auferlegt, zu denen vor allem Reparationen gehörten: Innerhalb von zehn Jahren mussten 3200 Talente Silber, das entsprach etwa 80 t, an Rom gezahlt werden. Die Römer nutzten sodann die Schwäche Karthagos und verjagten die Punier kurzerhand sowohl aus Sardinien wie auch aus Korsika. Innerhalb weniger Jahre war es Rom gelungen, seine frühere Position nahtlos durch eine neue zu ersetzen: Während es anfangs darum ging, die Verbündeten vor Ort zu schützen, indem man die Karthager aus den »italischen« Gewässern vertrieb, konnte man sich nun durch die Ausbeutung dieser drei wohlhabenden Inseln selbst bereichern. Von den Inseln strömten Korn und andere Reichtümer nach Rom. Aber trotz dieses ganz offen zur Schau getragenen Imperialismus war die Frage, wer den Mittelmeerraum beherrschte, noch nicht beantwortet.

Nun wurde Spanien zum Zankapfel zwischen dem fest etablierten karthagischen Imperium und dem nach Übersee expandierenden Römischen Reich. Der Feldherr Hamilkar stellte eine Expeditionstruppe auf und traf im Jahre 238 v. Chr. dort mit der erklärten Absicht ein, ein neues Reich zu errichten, um die Verluste von Sizilien, Sardinien und Korsika auszugleichen. Spanien hatte reiche Gold- und Silberminen, unter den dortigen einheimischen Völkerschaften konnte ein neues Heer ausgehoben werden und mit den Getreideerträgen des Landes ließ sich der Verlust der sardinischen Lieferungen wieder wettmachen. Mittels einer Kombination aus Feldzügen, Verträgen und Bündnissen dehnten Hamilkar und seine Söhne ihre Herrschaft in Spanien aus, während Karthago seine Expeditionstruppe weiterhin mit Offizieren, Elefanten und Kolonisten versorgte, die die neu zu gründenden Städte besiedeln sollten. Nervös über die wachsende Machtbasis, die sich Karthago in Spanien schuf, schickte Rom im Jahre 226 v. Chr. Gesandte nach Neu-Karthago (heute Cartagena) und forderten die Karthager auf, den Ebro als Grenze ihres Herrschaftsgebietes anzuerkennen (vgl. Karte, S. 50). Diese erklärten sich einverstanden, doch der Friede war nur von kurzer Dauer, weil die Römer dann aus strategischen Gründen ein Bündnis mit der nördlich von Neu-Karthago am Mittelmeer gelegenen unabhängigen Stadt Sagunt schlossen. Indem sie sich mit einer

Stadt am Rande des sich ausweitenden spanischen Herrschaftsgebietes Karthagos verbündeten, konnte Rom schließlich erneut einen Krieg rechtfertigen, diesmal mit der Behauptung, man wolle Sagunt verteidigen. Die Zeitbombe tickte: Dass es zum Krieg kommen würde, war unausweichlich.

Der Mann, der bereit war, es ein zweites Mal mit Rom aufzunehmen, und versuchen wollte, die Entscheidung des ersten Krieges rückgängig zu machen, war Hamilkars jüngerer Sohn Hannibal. 221 v. Chr. hatte er das Kommando über die karthagischen Truppen in Spanien übernommen. Nach einer bekannten Geschichte hatte Hamilkar angeblich die Hand des Knaben, als dieser neun Jahre alt war, in das Blut eines Opfertieres getaucht und ihn ewigen Hass auf Rom schwören lassen. Jetzt hatte der 27-jährige General seine Rechtfertigung, diesem Hass freien Lauf zu lassen. In seinen Augen stellte die Stadt Sagunt, die begonnen hatte, die benachbarten punischen Städte zu schikanieren, eine Bedrohung dar. Sie erschwerte die Kontrolle über Spanien und gefährdete die Sicherheit des westlichen Reiches. Und so überquerte Hannibal mit Zustimmung der karthagischen Regierung den Ebro, nahm Sagunt im Sturm und erklärte auf diese Weise den Krieg.

Die Römer glaubten, dass der Zweite Punische Krieg in Spanien ausgetragen werden würde. Doch sie wurden sehr schnell eines Besseren belehrt. Dieser von 218 bis 201 v. Chr. andauernde Konflikt, der größte Krieg zwischen den beiden rivalisierenden Mächten, ist aufgrund einer unerwarteten Entscheidung zur Legende geworden: Hannibal beschloss, in Italien einzurücken und die Stadt Rom anzugreifen. Im Frühjahr 218 v. Chr. begann er mit 12 000 Berittenen, 90 000 Fußsoldaten und 37 Kriegselefanten seinen 1600 km langen Marsch durch feindliches Territorium. Eine solche Tat verlangte Mut und Einfallsreichtum: An der 500 m breiten Rhone wurden die Elefanten, da sie den Fluss nicht durchwaten konnten, von ihren Treibern auf Flöße gelockt, die man mit Erdreich bedeckt hatte, damit sie wie fester Boden wirkten. Und tatsächlich ließen sich die Tiere täuschen. Sobald zwei Elefantenkühe übergesetzt worden waren, überwanden die anderen, auch wenn es zu einigen Verlusten kam, ihre Panik und folgten. Für Hannibal bestand die größte Herausforderung jedoch nicht in der

Überquerung eines Flusses, sondern in der Überwindung der schnee-
bedeckten Gipfel der Alpen.

Überfälle aus dem Hinterhalt, Steinschlag und abrutschendes Geröll,
steile, glitschige Pfade, knappe Verpflegung und Temperaturen unter
dem Gefrierpunkt: Bei all diesen Widrigkeiten erwies sich Hannibal
auf dem Marsch über die engen Pässe als genialer und begnadeter Führer. Wenn seine Männer froren, verbrachte er mit ihnen die Nacht
unter freiem Himmel. War eine Straße durch einen Bergrutsch blo-
ckiert, sammelte er seine Leute, ließ sie erhitzten Essig über das Gestein
gießen und so den Weg frei sprengen. Wenn seine Soldaten vor Erschöpfung fast zusammenbrachen, weckte er ihre Lebensgeister, indem
er ihnen den bevorstehenden Ruhm und die Aussicht auf reiche Beute ins Gedächtnis rief. »Sie würden«, ermunterte er sie, »jetzt nicht nur
die Mauern Italiens übersteigen, sondern auch die der Stadt Rom.«[5]
Nachdem das gesamte Gebirgsmassiv innerhalb von vier Wochen
überwunden war, zog Hannibal mit (bei niedrigster Schätzung) 20 000
Fußsoldaten, 6000 Berittenen und einer stark reduzierten Zahl von
Elefanten in Italien ein. Die Infanterie war vielleicht sogar doppelt so
groß. Er gönnte seinen Männern eine zweiwöchige Erholungspause,
bevor er sich anschickte, seiner ersten Großtat – er hatte Italien erreicht – eine weitere folgen zu lassen, nämlich alle römischen Truppen,
denen er dort begegnen würde, zu vernichten.

Zwischen dem Winter 218 v. Chr. und dem Sommer 216 v. Chr.
war der junge General Hannibal in den Schlachten am Ticinus, an der
Trebia und am Trasumenischen See (vgl. Karte, S. 50) den Römern an
militärischem Sachverstand, strategischem Denken und Wagemut so
deutlich überlegen, dass er immer wieder zahlenmäßig weitaus stärkere
Armeen in die Knie zwang. Höhepunkt dieses italischen Feldzugs war
indes die Schlacht bei Cannae, die zum Synonym für eine römische
Tragödie wurde. Bei dieser Auseinandersetzung in Apulien gelang es
Hannibal, ein Heer, das doppelt so groß war wie sein eigenes, mit den
beiden Flügeln seiner überlegenen afrikanischen Kavallerie einzu-
schließen. Als sich die Karthager und ihre Verbündeten um den Feind
zusammenzogen, kam es zu einem erbitterten Gemetzel, dem 45 500
Fußsoldaten, Römer und Bundesgenossen, sowie 2700 Reiter zum

Opfer fielen. Die Schlacht dezimierte ebenfalls das Offizierscorps der aristokratischen Elite: Nicht weniger als 80 Senatoren ließen auf dem Schlachtfeld ihr Leben. Vermutlich hatte vor oder nach Cannae keine westliche Armee an einem einzigen Kampftag so hohe Verluste zu beklagen wie damals die Römer. Die Niederlage löste im südlichen Italien tiefe Erschütterung aus, und zahlreiche römische Verbündete und Kolonien liefen nun zu den Puniern über. Genau das hatte Hannibal immer beabsichtigt, jetzt war er am Ziel. Rom, das noch junge, aufstrebende Imperium, schien dem Untergang geweiht.

Und doch legte schon unmittelbar nach der Schlacht bei Cannae ein Mann den unbeirrbaren und ungebrochenen Kampfgeist an den Tag, der es Rom ermöglichen sollte, das Blatt wieder zu wenden. Dieser Mann – Publius Cornelius Scipio – war der spätere Großvater des Tiberius Sempronius Gracchus. Obwohl dieser damals 19-jährige Militärtribun gerade mit angesehen hatte, wie sein Schwiegervater auf dem Schlachtfeld umgekommen war, versammelte er die überlebenden Offiziere. Scipios Energie und Autorität zwang die Soldaten, die schon voller Panik die Flucht ergreifen wollten, zum Bleiben. Nun rissen sie sich aus Furcht vor ihm sofort zusammen und schworen einen Treueid auf den römischen Staat. Dieselbe Unerschütterlichkeit zeigte sich auch an den Toren Roms: In der Erwartung, dass der Feind jetzt aufgeben werde, hatte der siegreiche Hannibal eine Delegation entsandt, die über die Kapitulationsbedingungen verhandeln sollte. Die Reaktion der Römer bestand darin, dass sie den Karthagern nicht einmal erlaubten, die Stadt zu betreten. Als Hannibal daraufhin persönlich seine Armee vor den Stadtmauern Roms aufmarschieren ließ, stand, so ist überliefert, zufällig das Grundstück, auf dem die Karthager ihr Lager hatten, zum Verkauf an. Das Selbstvertrauen der Römer war so groß, dass sich bereits vor dem Abzug Hannibals und seines Heeres ein Käufer dafür fand.[6] Die Botschaft war klar: Die Römer waren zum Kampf entschlossen, und sie fochten um den Sieg.

Der Mann, der zwischen 216 und 202 v. Chr. ihr Comeback einleiten sollte, war Publius Cornelius Scipio. Dass sich die Römer doch noch gegen Hannibal durchsetzen konnten, verdankten sie der Tatsache, dass sie auf eine anscheinend unbegrenzte Menge gut ausgebildeter Soldaten zurückgreifen konnten. Obwohl viele süditalische Bundesgenossen Roms zu Hannibal übergelaufen waren, waren viele auch loyal geblieben. Dort und in anderen verbündeten Bürgerschaften überall in Italien rekrutierten die Römer neue Heere. Auf sie gestützt schlugen die Römer nun eine völlig neue Taktik ein. Sie ließen Hannibal freie Hand bei seinem Versuch, sich in Süditalien neue Bündnispartner zu suchen, und machten sich zwischenzeitlich daran, die Karthager in Spanien zu bekämpfen. Auf diese Weise wollten sie einer zweiten Invasion zuvorkommen und gleichzeitig Hannibal daran hindern, sich aus dem Ausland die dringend notwendigen Verstärkungen zu verschaffen. Im Alter von gerade einmal 26 Jahren eroberte Scipio Neu-Karthago, brachte zahlreiche spanische Völkerschaften auf seine Seite und sorgte dafür, dass sämtliche Karthager Spanien verlassen mussten. Der charismatische und hochmotivierte junge General genoss eine solche Popularität, dass er gegen den Widerstand des römischen Senats dann sogar in der Lage war, ein weiteres Freiwilligenheer aufzustellen. Er wollte alles daransetzen, die eine Ruhmestat zu vollbringen, die den Römern im Ersten Punischen Krieg nicht gelungen war: eine Invasion Nordafrikas.

Nachdem Hannibal und sein Heer nach Karthago zurückgerufen worden waren, um sich an der Verteidigung des Landes zu beteiligen, begegnete Scipio schließlich im Jahre 202 v. Chr. bei Zama, etwa 120 km von Karthago entfernt, dem bedeutenden karthagischen General von Angesicht zu Angesicht. Bei einem Treffen mit seinem Kontrahenten versuchte Hannibal, einen Friedensvertrag auszuhandeln. Scipio lehnte ab. Der Römer war sich seiner Überlegenheit bewusst. Als die Schlachtreihen Aufstellung bezogen, war er ebenso wie seine Soldaten gut darüber informiert, wie die Karthager alle ihre Gefechte führten: Als Hannibal z. B. seine Elefanten in Bewegung setzte, wichen die Römer, wie von Scipio befohlen, nicht von der Stelle und ließen, deutliche Gassen bildend, die Tiere durch ihre Schlachtlinie hindurchziehen. Als dann beide Seiten den Kampf aufnahmen, griff man wieder zur Umklammerungstaktik, wobei diesmal jedoch Hannibal und die punische Armee eingekesselt wurden. Die Karthager hatten etwa 20000 Tote, die Römer aber nur 1500 Verluste zu beklagen: Die

Schlacht bei Zama endete mit einem überwältigenden Sieg der Römer und bedeutete das völlig überraschende Ende des Zweiten Punischen Krieges. Roms triumphales Comeback wurde durch die im Friedensvertrag ausgehandelten Bedingungen noch gekrönt. Die Karthager durften die afrikanischen Gebiete, die sie vor dem Krieg besessen hatten, behalten, doch die überseeischen Territorien wurden ihnen für immer genommen. Sie mussten ihre Flotte und ihre Elefanten ausliefern, 10 000 Talente Silber (245 t) Kriegsentschädigung zahlen und, was am wichtigsten war, sich – ähnlich wie bei einem heutigen Atomwaffensperrvertrag – damit einverstanden erklären, ohne die Erlaubnis Roms niemals mehr aufzurüsten oder von sich aus einen Krieg zu beginnen.

Zama bedeutete einen Wendepunkt: Denn während Karthago ein Reich im westlichen Mittelmeer verlor, gewann Rom, das nun die beiden spanischen Provinzen kontrollierte und die einzige Großmacht in diesem Gebiet darstellte, ein neues Reich. Wegen seiner herausragenden Führungsqualitäten und seiner brillanten Kriegführung wurde Publius Cornelius Scipio mit dem Beinamen »Africanus« geehrt. Er war aber nicht der Einzige, der sich nun im Ruhm sonnen konnte. Dank ihrer maßgeblichen Rolle bei der Eroberung des Westens schnellten die alten aristokratischen Familien der Cornelii Scipiones und Sempronii Gracchi an die Spitze der römischen Elite. Doch es war ein weiterer Ahnherr des Tiberius Sempronius Gracchus, der es mit der Eroberung des westlichen Mittelmeerraumes aufnehmen konnte. Er würde die Eroberung des griechischen Ostens zum Abschluss bringen.

Die Strategie, mit der die Römer zwischen 197 und 168 v. Chr. die Vorherrschaft im Osten errangen, unterschied sich ein wenig von der, die sie im Westen angewendet hatten. Nach den Punischen Kriegen bezeugten die Römer offen ihre imperiale Macht: Überall in Sizilien, Sardinien, Korsika und Spanien gab es römische Garnisonen und stehende Heere. In diesen Provinzen wurden Steuern erhoben, und die für ein Jahr gewählten römischen Statthalter, denen die Leitung dieser Provinzen zugelost worden war, machten sich sofort daran, die reichen Bodenschätze zugunsten Roms auszubeuten.

Im Osten aber ging der römische Senat etwas subtiler, differenzierter und diplomatischer vor, um die Dominanz Roms durchzusetzen und zu behaupten.

Im östlichen Mittelmeerraum gab es zu jener Zeit eine Reihe von Königreichen, die sogenannten Diadochenstaaten Alexanders des Großen: Die Dynastien, die diese Staaten regierten, waren von den Generälen Alexanders begründet worden, als der große Eroberer starb und sein riesiges, aber kurzlebiges Reich zusammenbrach. Einer dieser Könige, Philipp V. von Makedonien, hatte sich bereits den Zorn Roms zugezogen, weil er, die Schwäche des Staates nach Cannae ausnutzend, sich mit Karthago verbündet hatte. Im Jahre 197 v. Chr. war Rom, nach der Unterwerfung Karthagos, stark genug, Philipp formell den Krieg zu erklären. Man rechtfertigte dies mit der üblichen Begründung, dem Schutz der griechischen Freunde, die von ihm tyrannisiert wurden. Noch im selben Jahr wurde Philipp in der Schlacht bei Kynoskephalai geschlagen und Rom hatte jetzt das Recht, nach Belieben über sein Königreich zu verfügen. Anstatt Makedonien zu einer Provinz zu machen, erschien der dortige römische Kommandant bei den Isthmischen Spielen von Korinth, wurde genauso stürmisch begrüßt wie sonst die griechischen Könige und verkündete sehr geschickt, dass die griechischen Staaten von nun an »frei« seien. Daraufhin zog er seine Armee aus Griechenland ab.

Wenig später bot sich den Römern erneut die Gelegenheit, ihre Großzügigkeit unter Beweis zu stellen. Als mit Antiochos von Syrien ein anderer griechischer König sein Seleukidenreich ausdehnen wollte und Kleinasien (die heutige Türkei) und das nördliche Griechenland überfiel, kam es zu einer ähnlichen Situation: Die römische Armee kehrte zurück, wiederum in der erklärten Absicht, den bedrohten griechischen Poleis Hilfe zu leisten. Antiochos wurde in der Schlacht bei Magnesia im Jahre 190 v. Chr. besiegt, sein Reich wieder auf sein früheres Gebiet reduziert. Die von ihm annektierten griechischen Gebiete wurden den Verbündeten, die Rom militärisch die Treue gehalten hatten, zugeordnet. Auch damals zogen die Römer ihre Truppen wieder ab. Obwohl diese beiden kurzen Kriege den Eindruck hervorrufen, dass die griechischen Stadtstaaten des Ostens frei und autonom geblieben seien, sah die Wirklichkeit ganz anders aus. Infolge der römischen Intervention waren sie nun – unausgesprochen – den Römern verpflichtet: Zum Dank für ihre »Freiheit« mussten sich die griechischen Staaten des Ostens Rom gegenüber loyal verhalten.[7]

Das Vorgehen eines Königs sollte Rom jedoch dazu veranlassen, die freundliche Maske seiner Ostpolitik fallen zu lassen. Nach seiner Thronbesteigung versuchte Perseus, der Sohn Philipps V., das Ansehen und die Autorität des makedonischen Königtums in der Region wieder herzustellen. Indem er sich in die lokalen Kriege Griechenlands einmischte, gewann er immer größeren Einfluss und fand bei den griechischen Stadtstaaten überall breite Unterstützung. Dass dies auf Kosten Roms geschah, war für den römischen Senat nicht hinnehmbar. Also suchte man wieder nach der Rechtfertigung für einen »gerechten Krieg« und erklärte Perseus 171 v. Chr. den Krieg.

Die Makedonen hatten einige Anfangserfolge zu verzeichnen. Doch im Juni 168 v. Chr. schlug ihre Phalanx, die kompakte Schlachtformation des Fußvolks, die unter Alexander dem Großen die damals bekannte Welt erobert hatte, ihre letzte Schlacht. Bei Pydna an der Nordostküste Griechenlands errangen die Legionen des Lucius Aemilius Paullus einen überwältigenden Sieg: 20 000 Makedonen wurden getötet, 11 000 gefangen genommen. Das einst so mächtige Königreich wurde zerschlagen und in vier romtreue Staaten aufgeteilt. Es war nur noch eine Frage der Zeit, bis Makedonien eine eigenständige römische Provinz werden sollte. König Perseus, der letzte königliche Nachfahre Alexanders, wurde als Gefangener nach Rom gebracht, wo er im Triumphzug des Lucius Aemilius Paullus als Trophäe und Beweis für die römische Vormachtstellung im östlichen Mittelmeerraum zur Schau gestellt wurde. Der Feldherr, der hier seinen Triumph feierte, war der künftige Großonkel des Tiberius Sempronius Gracchus des Jüngeren.

Aufgrund seiner Heldentaten – er war an der römischen Eroberung des Mittelmeerraums maßgeblich beteiligt, hatte erfolgreich Krieg geführt und sehr viele Feinde ausgelöscht – schloss das Geschlecht der Aemilii Paulli zu den Cornelii Scipiones auf und bildeten mit ihnen die Spitze der römischen Elite. Tiberius Sempronius Gracchus der Ältere

sorgte dafür, dass auch seine Familie es an Ruhm und Ansehen mit ihnen aufnehmen konnte. Sein Vater war seinerseits Konsul gewesen und
hatte sich im Krieg gegen Hannibal als Held hervorgetan. Jetzt ließ
auch er den Namen seiner Familie in neuem Glanz erstrahlen.
180 v. Chr. bezwang der ältere Gracchus Nordspanien und warf drei
Jahre später auf Sardinen 80 000 Rebellen nieder. Angesichts dieser
Leistungen galt er als würdig, Cornelia, die begehrteste Frau in der römischen Oberschicht, zu ehelichen: In ihr, der Tochter des Scipio
Africanus und Nichte des Lucius Aemilius Paullus, kamen die drei
erlauchten Adelsgeschlechter zusammen. Auf sie konnte Cornelias
Sohn, Tiberius Sempronius Gracchus der Jüngere, seine Herkunft zurückführen, und sie waren es, die sich bei der Bestattung des Gracchus
im Jahre 154 v. Chr. versammelten. Doch trotz der illustren Taten, die
diese drei Familien bei der Eroberung des Mittelmeerraumes vollbracht
hatten, warfen ihre Erfolge etliche Fragen auf.

Im Mittelpunkt stand die Ungewissheit darüber, welche Konsequenzen das von ihnen errichtete Imperium für Rom hatte. Waren
die von ihnen geführten Kriege, wie viele behaupteten, tatsächlich
Verteidigungskriege und gerecht, oder aber wollte sich die Oberschicht – ganz ungeschminkt – einfach nur bereichern? Denn wem
kamen diese Profite wirklich zugute, dem römischen Staat in seiner
Gesamtheit oder lediglich ein paar Aristokraten, die in Ausübung
eines Amtes reich geworden waren? Welchen Einfluss hatte vor
allem der Gewinn eines Imperiums auf den moralischen Charakter
Roms? Wurden die Soldaten und politischen Führer zu mehr Tüchtigkeit ermutigt oder wurden sie nur immer gieriger und korrupter?
Stellte man jetzt sogar den persönlichen Ehrgeiz und das Streben
nach Ruhm über die Interessen des Staates und des römischen
Volkes? Dies war die große Debatte, die durch die Eroberung des
Mittelmeerraumes entfacht worden war. Ein besonderes Ereignis des
Jahres 146 v. Chr. sollte die Flammen dieser Debatte zu einem stür-
mischen Feuer auflodern lassen.

Die Wendemarke: Die Zerstörung Karthagos

Bis zum Ende des Jahres 148 v. Chr. nahm der Dritte Punische Krieg
für die Römer keinen günstigen Verlauf. Die Konsuln, die den Angriff
auf Karthago und die umliegende Gegend leiteten, hatten unbeson-
nene Vorstöße unternommen, die mit Niederlagen und Misserfolgen
endeten. Die Soldaten selbst wurden träge, gierig und selbstsüchtig.[8]
Von den drei Kriegen gegen Karthago war der dritte der umstrittenste,
und nach Meinung vieler Leute in der Hauptstadt mussten die Römer
nun für ihre Kriegslust einen hohen Preis bezahlen. Der Historiker Polybios, der die späteren Phasen dieses Krieges als Augenzeuge miterlebte, äußerte sich über den Inhalt dieser Kontroverse. Wie er schrieb,
war man in der mittelmeerischen Welt über die Entscheidung der Römer, ein drittes Mal gegen ihren alten Rivalen Krieg zu führen, geteil-
ter Ansicht:

»Manche billigten das Verhalten der Römer: sie hätten klug und
verständig ihre Machtinteressen wahrgenommen. Daß sie der ständigen Bedrohung ein Ende machten [...] zeuge von politischer Vernunft und Weitblick. Andere nahmen den entgegengesetzten Standpunkt ein: Sie hätten nicht an den Grundsätzen festgehalten, mit denen
sie die Hegemonie errungen hätten, und wären mehr und mehr zu der
Herrschsucht der Athener und Spartaner entartet, hätten zwar lang-
samer diesen Weg beschritten, seien aber [...] am selben Ziel ange-
langt.«[9]

Der Krieg war gleich von Beginn an heftig umstritten. Bevor man
beschloss, Krieg zu führen, entzweite eine hitzige Debatte den Senat.
Auf der einen Seite standen die »Tauben«: Sie plädierten mit Nachdruck für eine Verschonung des Gegners, da Rom im Mittelmeerraum
auf Karthago als Korrektiv und ausgleichende Macht angewiesen sei.
In dieser Funktion könne Karthago, so ihre Begründung, Rom davor
bewahren, so allmächtig zu werden, dass der »Habgier«, die »die Ver-
lässlichkeit, die Rechtschaffenheit und die anderen guten Eigenschaften«[10] zerstöre, Tür und Tor geöffnet werde. Die »Falken« begegneten
dieser Art der Argumentation, indem sie die alten Ängste Roms heraufbeschworen: Karthago sei wieder erstarkt und zu Wohlstand gelangt

und werde bis zu seiner völligen Vernichtung eine ständige Bedrohung darstellen. Angeführt vom älteren Cato, schmückte diese Fraktion ihre Position mit rhetorischen Gemeinplätzen kräftig aus: Die Karthager seien treulos und verweichlicht und würden sogar Kinder opfern. Genau genommen seien sie gar keine richtigen Menschen und müssten entsprechend behandelt werden. Cato sorgte dafür, dass die Kriegsfrage stets oben auf der Tagesordnung stand, und beendete jede Rede, die er, gleichgültig zu welchem Thema, im Senat hielt, mit der Feststellung *delenda est Carthago*: »Karthago muss zerstört werden.«[11] Auf diese Weise zermürbte er die Opposition, und schließlich brachten die »Falken« die Mehrheit des Senats dazu, einem Krieg zuzustimmen. Was die Senatoren jetzt noch brauchten, war lediglich eine Rechtfertigung. Die Suche danach sollte jedoch eine noch heftigere Kontroverse auslösen.

Ein Vorwand war schnell gefunden. Nach einer Inspektion der Stadt Karthago und ihres Umlandes informierte eine römische Gesandtschaft den Senat über eine »riesige Menge von Materialien für den Schiffsbau« und behauptete, die Karthager hätten ihre Flotte stärker aufgerüstet, als es das nach dem Zweiten Punischen Krieg geschlossene Abkommen vertragsrechtlich erlaube.[12] Es gibt allerdings bis heute keine eindeutigen archäologischen und historischen Beweise für die Entwicklung dieser antiken Massenvernichtungswaffen. Selbst als die Punier eines Tages ganz offenkundig den Vertrag brachen – sie begannen ohne die Erlaubnis Roms einen Krieg gegen das benachbarte Numidien –, war dies schon deswegen kein überzeugender Kriegsgrund, weil Rom hinter den Kulissen intrigiert und den numidischen Angriff auf Karthago überhaupt erst provoziert hatte. Der Zynismus der Römer trat bald auch in ihrer Diplomatie zutage und heizte die Diskussion über die römische Kriegsentscheidung noch weiter an. Die römischen Senatoren waren im Begriff, sich über eine der ältesten und heiligsten Tugenden des Staates hinwegzusetzen: die *fides*, ›Vertrauenswürdigkeit‹, die Eigenschaft, in politischen Angelegenheiten zu seinem Wort zu stehen.

Als sich die römische Kriegsmaschinerie in Bewegung setzte, als die Schiffe zwischen Italien und Nordafrika hin- und herfuhren und das Aufgebot an Infanterie und Kavallerie auf über 80 000 Mann anschwoll, schickten die Karthager im Jahre 149 v. Chr. nicht weniger als drei Delegationen zu den Römern. Immer boten sie ihre Kapitulation an und versuchten verzweifelt, den Krieg doch noch zu verhindern. Beim ersten Mal gab der römische Konsul dem Friedensgesuch statt und gewährte Karthago die Freiheit unter römischer Vorherrschaft, unter allerdings einer Bedingung: Sie mussten 300 Geiseln stellen, und zwar die Söhne aus ihrem Hochadel. Gutgläubig ließen sich die Karthager darauf ein und taten, wie ihnen befohlen. Als dann die Blüte der punischen Elite nach Rom gesegelt war, stellte der römische Konsul in Afrika, Lucius Marcius Censorinus, eine weitere Bedingung und verlangte die Auslieferung von 200 000 Rüstungen und 2000 Katapulten. Tief bestürzt kehrten die Gesandten nach Karthago zurück und überwachten das massenhafte Einsammeln der Waffen und deren Transport ins römische Lager. Doch der gerissene Censorinus zauberte ein weiteres Ass aus dem Ärmel.

Vor dem Abschluss eines Friedensabkommens sei noch eine letzte Bedingung zu erfüllen: Die Stadt Karthago müsse von der Küste 16 km weiter ins Inland verlegt werden. Seine Begründung war an Heuchelei nicht zu überbieten. Wie er sagte, habe das Meer, weil es den Handel ermögliche, die Karthager verdorben und in ihnen die »Raffgier« geweckt. Karthago müsse sich Rom zum Vorbild nehmen: »Fester gegründet, ihr Karthager, ist nämlich«, so stellte er fest, »das Leben auf dem Festland, das sich der Landwirtschaft und Stille erfreut.«[13] Den Gesandten verschlug es die Sprache und sie vergossen Tränen der Trauer und Verzweiflung. Sie konnten sich unmöglich auf diese Bedingung einlassen, wenn sie nicht ihre Stadt für immer zerstören wollten. Jetzt dämmerte es ihnen, dass die Römer an einer Einigung niemals ernsthaft interessiert gewesen waren. Sie hatten lediglich versucht, sich einen Vorteil in einem Krieg zu verschaffen, der jetzt unvermeidlich war – und der niemals verhindert werden sollte.

In der hinterhältigen Taktik der Römer zu Beginn des Krieges sahen viele Leute zwei Jahre später den Grund für ihre mangelnden Erfolge. Bei der Errichtung seines Imperiums achtete das römische Volk sehr auf die Rechtmäßigkeit seiner Kriege, denn »ein Kriegsbeginn, der gerechtfertigt scheint«, so wurde argumentiert, »vergrößert die Siegesaus-

sichten und verringert die Gefahr von Misserfolgen; ist die Sache
schlecht und moralisch nicht zu vertreten, tritt die entgegengesetzte
Wirkung ein.«[14] Dies erwies sich am Ende des Jahres 148 v. Chr. noch
als zutreffend. Doch im Frühjahr des folgenden Jahres sollte mit der
Ankunft eines neuen erfolgversprechenden Generals in Afrika alles anders werden.

Das Volk und der Senat von Rom hatten einen jungen Aristokraten
damit beauftragt, dem zermürbenden Stillstand in Karthago ein Ende
zu setzen. Publius Cornelius Scipio Aemilianus hatte beste Referenzen:
Er kam aus der patrizischen Familie der Cornelii Scipiones. Er war der
Enkel des in der Schlacht bei Cannae gefallenen Konsuls, durch Adoption zudem der Enkel des Scipio Africanus, des Siegers des Zweiten
Punischen Krieges, und er war der Sohn des Lucius Aemilius Paullus,
der im Makedonischen Krieg Perseus bezwungen hatte (vgl. Stammbaum, S. 46). In den frühen Phasen des Krieges gegen Karthago hatte
Aemilianus seine persönlichen Fähigkeiten unter Beweis gestellt. Als
Kommandant der vierten Legion war er der einzige Offizier, der nam-
hafte Siege errungen hatte. Obwohl ihm mit seinen 37 Jahren am offiziell festgelegten Mindestalter für das Konsulamt noch fünf Jahre
fehlten, war der Wunsch des römischen Volkes, ihn in dieses Amt zu
wählen, so übermächtig, dass der Senat schließlich bereit war, sich ausnahmsweise über die althergebrachten Gesetze hinwegzusetzen und
seine Kandidatur zu akzeptieren. Der Auftrag an den frisch gewählten
Konsuls war schlicht und einfach: Scipio solle Karthago bekämpfen
und den Krieg gewinnen.

Mit diesem Ziel im Hinterkopf kehrte Aemilianus nach Nordafrika
zurück, stellte die Disziplin in der Armee wieder her und griff zu einer
neuen Strategie der Kriegführung: Er gab den Befehl, die römischen
Feldzüge ins Landesinnere einzustellen. Alle römischen Abteilungen
sollten sich jetzt auf die Eroberung Karthagos konzentrieren, das es erst
zu belagern und dann zu bestürmen galt. Im Sommer des Jahres
147 v. Chr. wurde die Stadt hermetisch abgeriegelt, um jeglichen
Nachschub an Verstärkungstruppen und Lebensmitteln zu unterbin-
den. Den Zugang vom Festland sperrte er durch einen doppelten Erdwall, den er innerhalb von nur 20 Tagen auf dem Isthmus errichten

ließ. Auf der Seite des Hafens war er nicht weniger ehrgeizig: Um die Hafenzufahrt zu blockieren, veranlasste er den Bau einer Mole, für die 15 000 m³ Stein und Geröll bewegt wurden. Auf ihr wurden dann Belagerungsmaschinen in Stellung gebracht. Obwohl sich die Karthager tapfer wehrten und einige Angriffe wagten, war die Stadt im Winter 147 praktisch von der Außenwelt abgeschnitten. Aemilianus verbrachte die nächsten Monate damit, Widerstandsnester auf dem Lande auszuheben, und im Frühjahr 146 v. Chr. waren er und sein Heer zum Angriff auf die Stadt bereit. Aus Italien landeten frisch ausgehobene Truppen, die ihn dabei unterstützen sollten. Unter diesen Neuankömmlingen befand sich auch Scipios 17-jähriger Vetter Tiberius Sempronius Gracchus.

Als naher Verwandter teilte Tiberius mit Aemilianus Tisch und Zelt. Der junge Mann war übrigens nicht nur Aemilianus' Vetter, sondern auch sein Schwager – Aemilianus hatte Tiberius' ältere Schwester Sempronia geheiratet. Aber die beiden Männer hatten mehr als nur die Familie gemeinsam. Der Krieg bot beiden die einzigartige Gelegenheit, sich zu beweisen. Das auf ein Jahr verliehene Konsulamt setzte Aemilianus einen zeitlich begrenzten Rahmen, um seine Kritiker zum Schweigen zu bringen. In seiner Jugend hatte er nicht die übliche Laufbahn eingeschlagen, um sich politisch zu profilieren, und einmal hatte er seinen Freund und Tutor, den Historiker Polybios, ins Vertrauen gezogen: »Bei den Leuten soll die Rede gehen, ich sei schlaff und träge und ganz aus der römischen Richte und Lebensart geschlagen, weil es mir nicht gefällt, Prozeßreden zu halten. Und sie sagen, das Haus, aus dem ich hervorgehe, verlange nicht ein solches Haupt, sondern eins von ganz anderer Art; das kränkt mich am meisten.«[15] Dieses eine Jahr, das er als Konsul und kriegführender General in Karthago verbringen sollte, war seine einzigartige Möglichkeit, seine sich im Leben nur einmal bietende Chance, sich seiner Familie würdig zu erweisen und dem Ansehen der Cornelii Scipiones zu neuem Glanz zu verhelfen. Wenn er dem auf ihm lastenden Erwartungsdruck standhalten konnte, war der Ruhm zum Greifen nahe.

Auch von seinem Vetter wurde viel erwartet. Seit dem Tode des Vaters waren Tiberius, seine Schwester und sein jüngerer Bruder von ihrer berühmten Mutter Cornelia, der Tochter des Scipio Africanus, erzogen worden. Sie hatte Tiberius den besten Rhetorik- und Philosophie-Unterricht nach griechischem Muster zukommen lassen. Dies war die für den intelligenten, großmütigen und idealistisch eingestellten jungen Mann die angemessene Ausbildung. Doch Cornelia hatte auch seinen Ehrgeiz angespornt: Er träumte von einer ruhmreichen Karriere und hoffte, sich in den römischen Tugenden der Selbstdisziplin und Tapferkeit auszeichnen zu können. So war der junge Tiberius, obwohl sanft, nachdenklich und kein geborener Kämpfer wie sein Vetter Aemilianus, ebenfalls zu allem entschlossen.[16] Diese Entschlossenheit sollte sich während seines Sommers in Karthago als Aktivposten herausstellen.

Tiberius schloss sich Aemilianus' Stab an, um von ihm das Kriegshandwerk zu erlernen, seine Vorgehensweise zu studieren und sich an ihm ein Beispiel zu nehmen. Doch dieser Krieg ermöglichte es ihm auch, den Fuß auf die politische Karriereleiter zu setzen und den sogenannten *cursus honorum* zu beschreiten. Der erste Schritt auf diesem Wege war die Kandidatur für eines der jährlich zu vergebenden Ehrenämter. Da im antiken Rom anders als heutzutage politische und militärische Laufbahnen identisch waren, mussten ehrgeizige junge Männer in zahlreichen Feldzügen gedient haben, bevor sie sich auch nur um die niedrigen Posten in der Ämterhierarchie bewerben konnten. Aber für den Aufbau einer politischen Karriere bedurfte es mehr als nur der Teilnahme an einer Militäroperation nach der anderen. Wie Aemilianus bekanntlich selbst einmal feststellte, begann der politische Aufstieg in Rom damit, dass man sich den Ruf der Rechtschaffenheit erwarb. Dann folgt ein antiker aristokratischer Ehrenkodex: »Aus der Rechtschaffenheit«, erklärt Aemilianus, »folgt Würde, aus der Würde das Ehrenamt, aus dem Amt höchste Autorität und aus der höchsten Autorität Freiheit.«[17] Die Freiheit, tun und lassen zu können, was man will, war für einen römischen Aristokraten der höchste Wert, die Essenz der freien Republik. Wie jedoch ließ sich ein so schwieriger politischer Weg beschreiten? Wie konnte man die erforderlichen Eigenschaften erwerben? Wie war es möglich, seinen Vorfahren nachzueifern? Als Aemilianus und seine Offiziere die letzten Vorbereitungen für die Bestürmung Karthagos trafen, erfuhr Tiberius, was er zu tun hatte.

Es ist nicht überliefert, was Aemilius vor der Schlacht zu seinen Offizieren sagte, aber vermutlich verbreitete er sich über ein altes Thema. Die bevorstehende Schlacht bot die große Gelegenheit, der Freiheit und der Gerechtigkeit zum Sieg über die Tyrannei zu verhelfen. Zur Sprache kamen die altbewährten römischen Werte, die über die Heimtücke und Verlogenheit der Karthager triumphieren würden. Kurzum, es ging um den Sieg der Sittlichkeit über Entartung und Korruption. Mit dem alles entscheidenden Angriff auf Karthago würden 120 Jahre Krieg, Hass und Argwohn ein Ende nehmen, und die Frage, wer die antike Welt beherrsche und wie sie regiert werden solle, wäre endlich eindeutig beantwortet. Um seine Offiziere angesichts eines Konfliktes von solcher Tragweite zu mehr Tapferkeit anzuspornen, erinnerte Aemilianus sie vielleicht an die üblichen Auszeichnungen. Die alten Römer vergaben für besondere militärische Verdienste keine Ordensmedaillen, sondern in erster Linie Kronen, Armringe, Halsketten und Miniaturspeere. Die Namen und Formen dieser Kronen richteten sich nach der Art der Leistung. Manche waren aus Gras, andere aus Eichenlaub, wieder andere aus Gold. Für diese entscheidende Situation jetzt, den Sturm auf Karthago, gab es nur eine adäquate Auszeichnung, die Mauerkrone, mit der derjenige geehrt würde, der als Erster die Stadtmauer erstiegen hätte.

Vielleicht dachte Tiberius daran, als er zusammen mit seiner Einheit bereits in aller Frühe auf das Hornsignal wartete. Nun, da er zum ersten Mal mit dem Krieg in Berührung kommen sollte, war er zwischen seinem Ehrgeiz und seinen Ängsten hin und her gerissen. Dann ertönte das Signal: Die Römer brachen aus der Deckung hervor, rückten in aller Eile mit Balken, Gerüsten und Belagerungsmaschinen gegen die Stadtmauer und nahmen mit den 30 000 punischen Verteidigern den Kampf auf. Obwohl Pfeile und Speere auf sie niederhagelten und sich die Kletterer immer wieder in den mit Gewichten beschwerten Netzen, die die Karthager auf sie warfen, verfingen, begann Tiberius' Einheit den langen Aufstieg auf die etwa 9 m breite und 18 m hohe Mauer. Die Männer neben ihm stürzten reihenweise von den Leitern, dennoch gelang Tiberius das scheinbar Unmögliche: Er führte als Erster seine Abteilung auf die Mauer Karthagos hinauf. Doch kaum hatten sie die andere Seite erreicht, ging es, wie sie feststellen mussten, erst richtig los, und im blindwütigen Kampf Mann gegen Mann kam es zu einem furchtbaren Gemetzel. Im Augenblick seines großen Triumphes fand sich Tiberius direkt in der Hölle wieder.

Sechs Tage und Nächte wurde erbittert gekämpft. In der Stadt zogen Todesschwadronen von Haus zu Haus und von einer Gasse zur nächsten, schlugen sich, alles niederhauend, in drei Straßen den Weg vom Forum frei und zwangen die Karthager, sich in die Zitadelle auf dem Byrsa-Hügel zurückzuziehen. In ihrem Kampf ums Überleben waren die Karthager nun zu allem entschlossen und begannen damit, die Römer von den Dächern ihrer dicht aneinandergebauten Häuser zu beschießen. Daraufhin stürmten die Römer in die erstbesten Wohnungen, ermordeten, wen sie fanden, und stiegen ebenfalls auf die Dächer. Sie legten Bretter über die schmalen Durchgangsstraßen, kämpften sich über die Dächer weiter vor, hinterließen eine Spur verstümmelter Körper oder stießen ihre Angreifer auf die Straßen hinunter. Die Menschen schrien, brüllten und stöhnten wie Tiere, doch Aemilianus steigerte noch die Brutalität des Gemetzels, indem er in den Straßen Brände legen ließ. Der zunehmende Lärm führte zu einem immer größeren Chaos. Die Häuser krachten zusammen, und die Alten und Verwundeten, die Frauen und Kinder, sahen sich gezwungen, aus ihren Verstecken hervorzukriechen.[18]

Römische »Reinigungskommandos« versuchten nun Ordnung in die hektischen Aktivitäten zu bringen, die nach dem Brand der Häuser einsetzten. Sie räumten die Körper der Toten und Verwundeten beiseite und warfen sie zusammen mit dem Schutt in Erdlöcher, um den vorstürmenden Kohorten des Fußvolks und der Kavallerie freie Bahn zu verschaffen. Die Pferde trampelten über die zerstückelten Gliedmaßen und abgeschlagenen Köpfe, die liegen geblieben waren, einfach hinweg. Diese Art der Kriegführung war weit entfernt von den blutigen Gefechten eines Hannibal oder von den erbittert geführten Seeschlachten während des Ersten Punischen Krieges. Dies war eine neue Stufe des Horrors. Doch die Römer mussten ihre Befehle, koste es, was

es wolle, befolgen. Während Aemilianus die Truppen regelmäßig aus-
wechseln ließ, um die Angriffe mit unverminderter Heftigkeit fortsetzen zu können, nahm er selbst nur hastig ein paar Bissen zu sich, gönnte
sich hin und wieder etwas Schlaf und war ansonsten rund um die Uhr
im Einsatz.[19]

Am siebten Tag hatten sich die Anstrengungen der Römer bezahlt
gemacht: 50 000 ausgehungerte, erschöpfte Karthager kamen mit Girlanden des Heilgottes Asklepios zu Aemilianus, um ihm zu bedeuten,
dass sie sich gegen Zusicherung ihres Lebens ergeben wollten. Dieser
nahm ihr Angebot an. Nach dieser kurzen Unterbrechung der Kampfhandlungen richtete die römische Armee ihren ganzen Zorn gegen den
heiligen Tempel von Eschmun, der sich auf der Spitze der Zitadelle
befand. Dort hatte sich Hasdrubal, der punische General, mit einer 900
Mann starken Widerstandstruppe verschanzt. Die Römer umstellten
den Tempel und waren zunächst nicht in der Lage, in den durch seine
natürliche Lage geschützten Bezirk einzudringen. Zermürbt von den
Strapazen des Krieges – Erschöpfung, Hunger und Angst –, flüchteten
sich die Karthager schließlich auf das Tempeldach. Es gab kein Zurück.
Als Hasdrubal erkannte, dass ihr Schicksal besiegelt war, und sich heimlich aus dem Staub machen wollte, nutzte Aemilianus die Situation sofort für sich aus. Die Rebellen mussten mit ansehen, wie sich ihr feiger
Anführer dem römischen Feldherrn ergab. Nach diesem demoralisieren-
den Schauspiel war es nur noch eine Frage der Zeit, bis die Rebellen,
unter ihnen Hasdrubals Frau und Kinder, alle Hoffnung fahren ließen
und sich todesmutig in den brennenden Tempel hinabstürzten.[20]

Die Römer hatten einen überwältigenden Sieg errungen. Nach der
brutalen Eroberung Karthagos zeigte Aemilianus jedoch eine sehr
überraschende Reaktion. Für ihn war der Untergang der Stadt kein
Anlass, ausgelassen und stürmisch zu feiern, ihn plagten vielmehr düs-
tere Gedanken, Zweifel, ja sogar Schuldgefühle. Wie wir von Polybios, einem Augenzeugen dieser Ereignisse, der von Aemilianus ins
Vertrauen gezogen wurde, wissen, stieg Aemilianus auf einen Hügel,
von dem aus er die immense Verwüstung der Stadt überblicken konnte, und brach in Tränen aus. Er zitierte sogar einige Verse aus der *Ilias*,
einem Epos des altgriechischen Dichters Homer:

Einst wird kommen der Tag, da die heilige Ilion hinsinkt,
Priamos selbst und das Volk des lanzenkundigen Königs.[21]

Auf Polybios' Frage, was er damit meine, antwortete er, dass Rom
eines Tages dasselbe Schicksal wie Troja und seinen König Priamos
ereilen werde. Die alte Stadt Karthago, das Zentrum eines Imperiums,
hatte 700 Jahre Bestand gehabt und »über so viel Land, Inseln und
Meer geherrscht [...], reich an Waffen, Schiffen, Elefanten und Geld
wie die gewaltigsten Reiche«.[22] Nun aber lag alles in Trümmern. Es ist
verwunderlich, dass ein römischer Feldherr so ganz anders als seine
großartigen Vorfahren reagierte. Aemilianus dachte nicht an den Ruhm
Roms, nicht an den Erfolg eines gerechten und freien Staates, sondern
daran, dass dieser Staat irgendwann nicht mehr existieren würde. Die
Erinnerung an Homers Epos war noch in anderer Hinsicht schmerzlich. Der Untergang Trojas war die Ursache für die Flucht des Trojaners Aeneas, die wiederum zur legendären Gründung Roms geführt
hatte. Die »trojanischen« Römer würden, wie Aemilianus erklärte,
nicht nur das Schicksal der Karthager, sondern auch das ihrer fernen
Ahnen teilen müssen.

In den darauf folgenden Tagen ließ Aemilianus große Mengen Gold
und Silber sowie die Kultgegenstände der Stadt für den römischen Staat
beschlagnahmen. Er sorgte zudem dafür, dass sich keiner seiner Freunde
oder Gefährten an irgendwelchen Plünderungen beteiligte, damit weder er noch sie von ihren politischen Gegnern in Rom beschuldigt
werden könnten, sie hätten sich am Krieg persönlich bereichert. Ein
solches Verhalten wäre nämlich höchst unehrenhaft und würde bedeuten, dass sie ihre privaten Interessen über die des Staates stellten. Erst
nachdem er die wertvollsten Beutestücke für Rom gesichert hatte, gab
er die Stadt seinen Soldaten zum Plündern frei.

Kurz darauf trafen zehn Gesandte aus Rom ein und erteilten dem
großen Eroberer einen letzten Auftrag: Karthago solle für immer von
der Erdoberfläche verschwinden. Daher brannte die römische Armee
die Stadt in zehn Tagen nieder und zerschlug Stein für Stein, Ziegel
für Ziegel – es war die umfassendste und radikalste Auslöschung einer
Stadt und ihrer Kultur in der gesamten Geschichte der Antike. Noch

heute gibt es archäologische Beweise für den Brand und die Schleifung der Stadt. Von der etwa einen Million Einwohnern überlebten 50 000 und wurden als Sklaven verkauft. Die Städte, die Karthago unterstützt hatten, wurden ebenfalls zerstört, während diejenigen, die sich für Rom entschieden hatten, eine Belohnung erhielten. Nordafrika wurde als neue römische Provinz etabliert. Es war kaum mehr zu erkennen, wo jene altehrwürdigen Tugenden der Frömmigkeit, Gerechtigkeit und Ehrbarkeit noch zum Tragen kamen, ja, ob sie überhaupt noch eine Rolle spielten.

In dem Jahr, in dem Karthago dem Erdboden gleichgemacht wurde, wurde auch die reiche griechische Stadt Korinth von Grund auf zerstört. Sie wurde von den Römern bestraft, weil sie deren Macht wiederholt herausgefordert hatte. Aufgrund dieser beiden nur durch wenige Monate getrennten Ereignisse wurde das Jahr 146 v. Chr. zu einer bedeutenden Wendemarke in der Geschichte Roms. Die Römer beherrschten jetzt das Mittelmeer von der Atlantikküste Spaniens bis an die Grenze Griechenlands zu Kleinasien. Sie konnten, ohne Repressalien befürchten zu müssen, nach Belieben schalten und walten. Sie mussten nicht einmal zu ihrem Wort stehen: Im Krieg mit Karthago hatte Rom gegen das altehrwürdige Prinzip der *fides* verstoßen und war dennoch weiterhin siegreich. Die römischen Götter schienen noch immer wohlwollend zu lächeln und ihre Schützlinge von Erfolg zu Erfolg zu führen.

Vor seiner Abreise aus Nordafrika kam Aemilianus noch einer letzten Verpflichtung nach. Tiberius war bei den Soldaten beliebt und geschätzt. Nun wurden seine militärischen Leistungen dadurch gekrönt, dass er von seinem Vetter für den Mut, mit dem er als Erster die Mauern Karthagos erstiegen hatte, mit der Mauerkrone ausgezeichnet wurde.[23] Die Konsequenzen der endgültigen Vernichtung Karthagos, dieser römischen Gräueltat, sollten in den kommenden Jahren diejenigen zu tragen haben, die an diesem Sieg beteiligt waren, der zweifelnde Feldherr ebenso wie der 17-jährige hochdekorierte Soldat. Die Bande zwischen den beiden Vettern würden zerreißen.

Krise in Rom

Nach seiner Rückkehr nach Rom wurde Tiberius berühmt. Mit der
goldenen Mauerkrone auf dem Haupt nahm der junge Idealist als einer
unter vielen an einer großen Prozession teil, die durch die Hauptstra-
ßen Roms führte. Alle städtischen Tempel, mit Girlanden geschmückt
und von Weihrauch erfüllt, hatten ihre Türen geöffnet. Sonnenbe-
schienene Rosenblätter regneten von den Dächern, und die Amtsdie-
ner der Magistrate gaben sich alle Mühe, die Wogen der Menge im
Zaum zu halten. Denn das römische Volk strömte in Massen in die
Straßen, man jauchzte, lachte und nahm sich gegenseitig in die Arme.[24]
All diese Aufregung und all dieser Jubel galten einem bedeutenden Ereignis: Aemilianus' illustrem Triumphzug, den der Senat dem Feldherrn für seinen Sieg über Karthago bewilligt hatte.

An der Spitze marschierten die Trompeter und bliesen dieselbe mar-
tialische Musik, mit der sie vorher die Soldaten zum Kampf aufgerufen
hatten. Auch Ochsen mit vergoldeten Hörnern und geschmückt mit
Girlanden waren zu sehen. Einige Soldaten in Paraderüstung präsentierten Modelle, Pläne und Bilder der von ihnen eroberten Stadt sowie
Darstellungen kriegsentscheidender Szenen. Hinter ihnen trugen andere eine unübersehbare Menge an Schildern, beschriftet mit den
fremdländischen Namen der jetzt unterworfenen Orte. Hinter der Kolonne der karthagischen Gefangenen und hinter der in der Stadt gemachten Beute und den Massen von Rüstungen kam Aemilianus in
seinem Triumphwagen. Er trug eine mit silbernen Sternen durch-
wirkte purpurfarbene Toga, sein Gesicht war rot geschminkt. In diesem Aufzug war er die Personifikation Jupiters, der höchsten der göttlichen Schutzmächte Roms. Dennoch kam niemand auf den Gedanken, in dem Eroberer einen Gott zu sehen: Der hinter ihm stehende
Staatssklave mochte zwar einen schweren goldenen Lorbeerkranz über
Aemilianus' Haupt halten, doch immer wenn die Menge jubelte, flüsterte er dem Feldherrn zu: »Bedenke, dass du nur ein Mensch bist.«

Die Prozession endete mit einer Zeremonie am Jupiter-Tempel auf
dem Kapitol, von wo Aemilianus im Jahr zuvor zu seinem Feldzug
aufgebrochen war. Die angesehensten Gefangenen der Karthager wur-

den zu dem Gefängnis am Fuße des Hügels geschleppt und dort hingerichtet. Nachdem ihr Tod festgestellt war, brachte Aemilianus das rituelle Opfer dar. Er stieg die Tempelstufen hinauf, goss dem Ochsen Wein über die Stirn, bestreute seinen Rücken mit gesalzenem Mehl und führte dann langsam ein Messer am Rückgrat des Tieres entlang. Danach zog er sich – um den bereitstehenden Sklaven zu verstehen zu geben, dass sie nun dem Tier die Kehle durchschneiden sollten – nach Art eines Priesters eine Falte der Toga über den Hinterkopf. Jetzt wurde das Tier dem Ritus gemäß getötet. Mit dem Opfer wollte der Feldherr vielleicht Jupiter für seinen Erfolg in Afrika danken – so wie er es vor seiner Abreise aus Rom versprochen hatte. Mit der Einlösung dieses Versprechens war der Triumphzug beendet. Feierliche Bankette und Festessen schlossen sich an.

Nun, da Tiberius wohlbehalten nach Rom zurückgekehrt war, forderte Cornelia ihren heldenhaften Sohn dazu auf, sie zu den Gastmahlen und Gesellschaften der Elite zu begleiten. Um seine Karriere voranzutreiben, musste der junge Mann jetzt eifrig Kontakte knüpfen, weitere militärische Erfahrungen im Dienste großer Feldherrn wie beispielsweise seines Vetters Aemilianus sammeln und die Mauerkrone, die er sich in Karthago verdient hatte, prestigeträchtig nutzen. Für einen jungen Aristokraten, der in der römischen Republik des 2. Jahrhunderts v. Chr. politisch »Karriere« machen wollte, war, verglichen mit heute, vieles ganz anders. Das Amt war nicht besoldet. Es gab keine regelmäßige Arbeitszeit von 9 bis 17 Uhr und keine Fünf-Tage-Woche. Für einen römischen Aristokraten hing aller Erfolg in der Politik davon ab, dass er eine relativ kleine Chance nutzen konnte: Er musste für eines der jährlichen Ämter kandidieren und die Wahl gewinnen.

Für den, der sich einmal in einer solchen Funktion bewährt hatte, winkte reicher Lohn: Ruhm, Ehre, Prestige und die Möglichkeit, sehr reich zu werden. Infolgedessen gab es einen erbitterten Konkurrenzkampf und er wurde immer härter geführt, da die in der Ämterhierarchie höher angesiedelten Posten spärlich gesät und folglich schwieriger zu ergattern waren. Aemilianus hatte die Spitze erreicht. Nun war Tiberius an der Reihe. Cornelia war dafür bekannt, dass sie ihren beiden Söhnen vorwarf, sie werde noch immer als »Scipio Aemilianus' Schwie-

germutter« und nicht als »Mutter der Gracchen« bezeichnet.[25] Doch
während sie an die Pflege von Kontakten und die beginnende politische Karriere ihres Sohnes dachte, gab es in der vornehmen römischen Gesellschaft eine Diskussion, die den jungen Tiberius weitaus
mehr interessiert haben dürfte. Dabei ging es um den gewaltigen
Reichtum, der nun vor aller Augen in Rom Einzug hielt.

Die Beute aus den beiden Städten Karthago und Korinth, die Tributzahlungen aus den neuen Provinzen Sizilien und Sardinien und die
Erträge aus den Bergwerken Spaniens brachten der Stadt einen enor-
men Wohlstand und führten zu einer wirtschaftlichen Blütezeit. Allenthalben herrschte emsiges Treiben, und es wurden große Investiti-
onen getätigt: Man baute neue Hafenanlagen und Märkte, der Bestand
an Wasserleitungen wurde verdoppelt, und große Bauten schossen aus
dem Boden. Der neu erworbene Wohlstand Roms kam allerdings
nicht allen Schichten der Gesellschaft zugute. Die Stadt, die Tiberius
bei seiner Rückkehr vorfand, zeigte eine immer tiefer werdende Kluft
zwischen Arm und Reich.

Zu jener Zeit war Rom noch nicht die prachtvolle, aus Marmor er-
baute Stadt der Hohen Republik, geschmückt mit öffentlichen Anla-
gen und schattigen Säulenhallen. Es war eine Stadt geprägt von Extremen und Gegensätzen. Sobald Tiberius sich vom Forum, von den
Tempeln und öffentlichen Versammlungsplätzen entfernte und die
Hauptverkehrsadern, die Via Sacra und die Via Nova, hinter sich ließ,
konnte er sich in dem Gewirr chaotischer und klaustrophobisch schma-
ler Straßen leicht verlaufen. Diese Gassen waren so schmal, dass sich
die Balkone und oberen Stockwerke der Häuser fast berührten. Die
Leute pflegten ihren Müll und ihre Abwässer einfach aus dem Fenster
zu kippen. In sehr armen Vierteln wie auf dem Esquilin waren die aus
Lehm und Flechtwerk gebauten Häuser so wenig stabil, dass sie oft nur
deshalb stehen blieben, weil sie sich gegenseitig stützten. Infolgedessen
stürzten sie regelmäßig ein oder brannten, da ein Feuer rasch von
einem Gebäude auf das andere übergriff, immer wieder ab. Der Anblick einer verkohlten Hausruine neben dem von einem wohlhabenden Aristokraten prächtig restaurierten Tempel war nichts Ungewöhnliches.

Trotz der schlechten Bausubstanz waren die Häuser in mehrere Wohnungen aufgeteilt: Die Mieter drängten sich zuhauf in Dachgeschossen und Kellern, und manche lebten sogar in Hütten, die auf den flachen Dächern errichtet waren. Römische Mietshausbesitzer schrieben »Zu vermieten« an die Gebäude, und die von ihnen geforderten Preise stiegen ständig. Wer dieses Geld nicht aufbringen konnte, suchte sich in den Ecken und Winkeln öffentlicher Gebäude, unter Treppen oder sogar in größeren Grabstätten eine Bleibe. Da es in den billigen Mietskasernen keine Küchen gab, verlagerte sich das geschäftige Treiben der armen Bürger und Sklaven Roms auf die Straßen und in die zahlreichen überfüllten Kneipen und Gaststätten. Dies alles war von einem chaotischen, nie abreißenden Verkehrslärm begleitet – Karren, Wagen, Sänften und Pferde verstopften die Straßen. Am Ende des 2. Jahrhunderts war Rom wirklich eine Stadt, die niemals zum Schlafen kam.

In dieser pulsierenden Metropole drängte sich die Mehrzahl der fast eine Million Römer dicht an dicht zusammen. Die aristokratische Elite, in deren Kreisen Tiberius sich bewegte, erlebte Rom allerdings ganz anders. Während man in den überfüllten und verschmutzten tiefer gelegenen Straßen erstickte, war die Luft auf dem exklusiven Palatin frisch und rein. Auf seinen Hängen lagen die luxuriösen Villen und mit Säulengängen geschmückten Gärten, in die sich, in Sänften getragen, die Wohlhabenden und die sozialen Aufsteiger zurückzogen. Diese neuen Residenzen der Oberschicht fielen außerdem durch ihren innovativen Stil ins Auge. Die Elite hatte nämlich bei der Errichtung des Imperiums nicht nur viel Geld verdient, sondern war auch mit fremden Einflüssen in Kontakt gekommen. Das höchste Prestige genoss der griechische Stil, da die römischen Aristokraten Griechenlands uralte, hochentwickelte Kultur und feine Lebensart sehr bewunderten.

Wie es sich für Roms Lage im Herzen des neuen Imperiums geziemte, wurde die Stadt nun zum Dreh- und Angelpunkt für die Verbreitung und zunehmende Popularität der griechischen Kunst und Kultur. Die erfolgreichen Aristokraten verschönerten nun nicht nur die Stadt, sondern auch ihre Häuser mit griechisch beeinflussten Monumenten, Tempeln und Säulengängen. Mit den Fabiern, Claudiern oder anderen aristokratischen Familien konnte man nur mithalten, wenn man ein exotisches, hellenistisch inspiriertes Wandgemälde oder eine schicke Marmorstatue aus Griechenland für alle sichtbar zur Schau stellte. Es erregte erhebliches Aufsehen, als Tiberius' Mutter, Cornelia, von ihrem Onkel Lucius Aemilius Paullus, dem Eroberer Makedoniens, Roms größte Bibliothek griechischer Handschriften erbte.

Diese demonstrative Zurschaustellung von Vermögen und Erfolg diente einem gefährlichen Zweck, da sie nicht nur das Prestige und den politischen Rang eines Adligen betonte, sondern auch die anderen Aristokraten anspornte und enorm unter Druck setzte. Wenn z. B. jemand wie Aemilianus von einem siegreichen Unternehmen im Ausland zurückkehrte, konnte er seinen neuen Reichtum für ein bedeutendes Denkmal oder ein teures Kunstwerk ausgeben. Oder er konnte ihn nutzen, um seine politischen Kollegen zu beeinflussen und das römische Volk zu umwerben. Damit war ein neuer Maßstab gesetzt. Jetzt mussten die anderen Patrizier, wenn sie ihr Ansehen wahren wollten, versuchen, es ihm gleichzutun. Die einzige Möglichkeit bestand darin, sich der Wahl zu stellen und einen weiteren Posten zu bekleiden. Das Amt des Prätors bot z. B. die Chance, sich durch die Verwaltung einer Provinz persönlich zu bereichern. Mit dem Konsulat hatte man natürlich das große Los gezogen. Als Konsul konnte man die staatlichen Armeen befehligen und sich durch Eroberungsfeldzüge sanieren. Nur mit Hilfe solcher Posten konnte sich ein Aristokrat Hoffnungen machen, an die Erfolge seiner Rivalen heranzureichen und seiner Familie wieder zu einem gleich hohen Ansehen zu verhelfen. Wenn sich also die Geschlechter der Cornelii Scipiones, der Aemilii Paulli oder der Sempronii Gracchi durch besondere Leistungen hervorgetan hatten, mussten die aristokratischen Konkurrenten ihrem Beispiel folgen.[26] Nach Ansicht vieler fügte dieser auf die eigenen Interessen bedachte Wettstreit in den 40er Jahren des 2. Jahrhunderts v. Chr. der Republik großen Schaden zu.

Da die Belohnungen, die das Imperium zu vergeben hatte, immer gigantischer wurden, kam es innerhalb der Elite zu einem immer heftigeren Konkurrenzkampf um Ämter und Prestige. Je mehr die Adligen ausschließlich ihren eigenen Vorteil verfolgten, desto blinder wurden sie für die zunehmende Armut in Rom. Die Kluft zwischen Arm und Reich vertiefte sich weiter, da die Gewinne des Imperiums sehr ungleich verteilt waren. Einige fürchteten, dass die Oberschicht immer selbstsüchtiger und raffgieriger werden und der römische Mob, enttäuscht über seine missliche Situation und empört über die Habgier der Reichen, den Aufstand proben könne.[27] Mit anderen Worten: Der große, noble »freie« Staat stand am Abgrund und lief Gefahr, sich selbst in Stücke zu zerreißen. Wie hatte es dazu kommen können?

Das eine große Problem, das die Gemüter erhitzte und die Meinungsverschiedenheiten zwischen den Reichen und den Armen ständig vergrößerte, war die Landverteilung. Im zweiten Jahrhundert war die römische Armee, anders als mittlerweile die modernen Streitkräfte, noch kein stehendes Berufsheer, das vom Staat bezahlt wurde, sondern eine auf begrenzte Zeit aufgestellte Bürgerwehr, in der römische Bürger und Verbündete aus italischen Gemeinden überall auf der Halbinsel ihren Dienst versahen. Der Militärdienst war die wichtigste Obliegenheit eines römischen Bürgers, und als Rom Italien eroberte, nahm es auch die Italiker mit in die Pflicht. Um im Heer dienen zu können, musste ein Bürger ein bestimmtes Mindestvermögen nachweisen. Dahinter stand die Überlegung, dass man, wenn man Grund und Boden besaß, am Wohlergehen des Staates interessiert war, den man als frei geborener Bürger durch den Militärdienst zu schützen verpflichtet war. Infolgedessen bestand das Heer hauptsächlich aus Kleinbauern.

Solange Rom nur kurze und örtlich begrenzte Kriege in Italien führte, funktionierte das System der Bürgersoldaten reibungslos, da die Soldaten in regelmäßigen Abständen auf ihre Höfe zurückkehren konnten. Doch mit der Eroberung des Mittelmeerraumes mussten die römischen Heere lange Dienstzeiten in Spanien, Afrika oder im Osten auf sich nehmen. Die Heerführer verschärften noch das Problem, indem sie immer wieder die erfahrensten Soldaten verpflichteten. Somit blieben diese Männer Jahr für Jahr unter den Fahnen. Manche kehrten irgendwann auf ihr Landgut zurück, andere nie. Die negativen Auswirkungen auf die landwirtschaftlichen Betriebe waren unausweichlich: Die Felder wurden nicht mehr bestellt und verwahrlosten, und die noch auf den Höfen verbliebenen Familienmitglieder sahen sich wachsenden Schulden ausgesetzt und mussten Hunger leiden. Um dem zu entgehen, waren die Kleinbauern oder ihre Angehörigen gezwungen, ihren Grund und Boden zu verkaufen oder aufzugeben.

Von den Verlusten der kleinen Landbesitzer profitierten die Aristokraten. In der römischen Republik war Grundbesitz die sicherste Kapitalanlage. Die Oberschicht war durch die bei den Eroberungen angefallene Beute reich geworden. Hinzu kamen Einkünfte aus Geschäften, die mit der Errichtung und Verwaltung des Imperiums verbunden waren (dazu gehörten z. B. staatliche Aufträge für den Straßenbau, für Abwasseranlagen, Gebäude und Aquädukte, für die Produktion von Waffen, die Versorgung des Heeres und der Flotte sowie die Nutzung von Bergwerken und Steinbrüchen). Die Aristokraten verwendeten ihren Reichtum, um die verzweifelten Kleinbauern übers Ohr zu hauen und ihr Land in Besitz zu nehmen, »teils durch Kauf unter gütlichem Zureden, teils durch gewaltsame Wegnahme. So konnten sie statt kleiner Güter ausgedehnte Latifundien bebauen.«[28] Mit der Expansion des Imperiums verschärften sich die Probleme der Landbevölkerung noch mehr: Für die Elite war es finanziell vorteilhaft, wenn sie als Hirten und Landarbeiter Sklaven beschäftigte, die aus allen Teilen des Mittelmeerraumes herangeschafft wurden. Damit war den frei geborenen Kleinbauern jetzt sogar die Möglichkeit verschlossen, auf den Latifundien als Tagelöhner zu arbeiten.

Entwurzelt und verarmt konnten sich einige Bauern auf unrentablen Parzellen halten. Sie schlugen sich durch mit dem, was sie produzierten, und indem sie sich als Saisonarbeiter, z. B. bei der Ernte, verdingten. Andere jedoch, angezogen von der Aussicht auf eine Beschäftigung in einer Waffenfabrik, im Bauwesen oder auf einer Werft, zogen dorthin, wo, wie sie glaubten, die Straßen mit Gold gepflastert waren: nach Rom. Die Enttäuschung sollte nicht lange auf sich warten lassen. Die Industriebetriebe waren nicht groß genug, um den riesigen Strom von Bauern aufzunehmen, aber diese Menschen konnten auch keine anderen Jobs übernehmen: Die spezifische Arbeit eines Töpfers, Webers und Handwerkers wurde besser von Fachleuchten verrichtet, von Sklaven also, die aus den entwickelten, kulturell hochstehenden Ländern des Ostens stammten und den römischen Konsumentenmarkt auf billige Weise mit allem, was modern und begehrt war, versorgen konnten. Aus diesen Gründen wurde das Heer der Arbeitslosen immer größer. Das eigentliche Problem war jedoch, wie Tiberius nach seiner Rückkehr rasch herausfinden sollte, ein anderes: In der Frage, wie die wachsende Krise überwunden werden könne, war die aristokratische Oberschicht völlig zerstritten.

Da gab es beispielsweise Scipio Nasica, einen Vetter sowohl des Scipio Aemilianus wie auch des Tiberius, einen scharfzüngigen, arroganten, politisch höchst versierten Mann. Er war damals in den Fünfzigern und einer der angesehensten Senatoren seiner Zeit. Zu den reichsten Grundbesitzern der römischen Oberschicht zählend, war er an der Aufrechterhaltung des Status quo sehr interessiert. Er vertrat einen klaren Standpunkt. Die niederen Stände erhielten wie eh und je materielle Unterstützung und profitierten von dem Wohlwollen und dem großzügigen Mäzenatentum der Oberschicht. Das traditionelle System funktionierte bestens.[29] Aristokratische Patrone, so seine Argumentation, ließen den niederen Ständen hohe Geldspenden für die Errichtung öffentlicher Gebäude zukommen, finanzierten Lebensmittelprogramme und sorgten für ihre Unterhaltung etwa in Form von Gladiatorenkämpfen und Wagenrennen. Was konnten sie sich noch mehr wünschen?

Andere waren genau entgegengesetzter Meinung. Wenn man das Problem lösen wolle, dürften, wie sie sagten, die Konservativen im Senat den Dingen nicht einfach freien Lauf lassen. Die Krise müsse durch aktive Reformen und neue Gesetze überwunden werden. Ein Vertreter dieser Position war der Senator Appius Claudius Pulcher, ein leidenschaftlicher, philosophisch gebildeter und ambitionierter erfahrener Staatsmann, dazu ein Angehöriger eines der ältesten Patriziergeschlechter Roms. Der Staat, so seine Worte, beruhe auf der Eintracht zwischen den Ständen, dem Einvernehmen zwischen Senat und Volk. Die Frage der Bodenreform sei im Begriff, diese Eintracht zu zerstören, daher müsse man nun umgehend handeln. 140 v. Chr. kam es zwischen diesen beiden Fraktionen zum heftigen Streit. Ein Senator namens Gaius Laelius war für dieses Jahr zum Konsul ernannt worden und schlug in dieser Funktion eine Bodenreform vor, die der Unzufriedenheit der wachsenden Zahl von landlosen Bauern Abhilfe schaffen sollte. Doch

als er seinen Gesetzesantrag dem Senat vorlegte, stieß er bei der Mehrheit, die ihre Interessen bedroht sah, auf eine solche Entrüstung, dass
er sein Gesetz wieder zurückzog. Für diese Entscheidung nannte man
ihn Laelius den Weisen.

Nasicas konservative Parteigänger hatten die von Pulcher angeführten Reformer ausmanövriert, und bis ins Jahr 138 v. Chr. gab es
keine Anzeichen dafür, dass sich die Frage der Bodenreform von allei-
ne lösen werde. Im Gegenteil: Alles wurde noch viel schlimmer. In
Sizilien kam es zu einem Aufstand von 200 000 Sklaven, in dessen Gefolge – die römische Armee war andernorts aufgeboten und kämpfte
mit vollem Einsatz – die Lebensmittel in Rom knapp wurden. Im selben Jahr verließen zudem römische Truppen, die in Spanien Krieg
führten, aus Ärger über die Länge ihrer Dienstzeit und die lange Abwesenheit von zu Hause, in Scharen ihre Fahnen. Viele wurden aufgegriffen und von Nasica persönlich bestraft: Sie wurden öffentlich
ausgepeitscht und für den demütigenden Preis von nur einem Sesterz
als Sklaven verkauft.[30] Es sollte indes nicht mehr lange dauern, bis sich
ein anderer Mann aus nächster Nähe ein Bild von der Krise machen
konnte. Tiberius sollte bald mit eigenen Augen sehen, wie sehr sich die
Lage verschlimmert hatte.

138 v. Chr. war zwar für Rom ein politisch chaotisches Jahr, doch
für Tiberius bedeutete es den Beginn seiner politischen Karriere. Im
Sommer wurde er in sein erstes niedriges Amt gewählt, die Quästur,
einen Posten, der hauptsächlich mit der staatlichen Finanzverwaltung
verbunden war. Seine Verpflichtungen sollten ihn freilich nicht in der
Hauptstadt festhalten, sondern ihn noch einmal an einem Krieg teilnehmen lassen, dieses Mal in Spanien. Im Nordosten der iberischen
Provinz hatte der Staat einige Jahre gekämpft, um den Widerstand der
halbunabhängigen Numantiner, einer keltiberischen Völkerschaft, zu
brechen. Die spanischen Soldaten hatten eine erstaunlich gute körperliche Verfassung und wilde Entschlossenheit an den Tag gelegt. Die
geographischen Gegebenheiten des gebirgigen Landes waren gewissermaßen eine Metapher für die Schwierigkeiten, denen sich die Römer
ausgesetzt sahen: Immer mussten sie in gefährlichen Schluchten, Eng-
pässen oder Hohlwegen kämpfen. Infolgedessen war es mehreren rö-

mischen Kommandanten hintereinander nicht gelungen, Fortschritte zu erzielen und diesen hartnäckigen und zermürbenden Krieg zu beenden. Gaius Hostilius Mancinus, der Konsul des Jahres 137 v. Chr., war entschlossen, die Rebellen in einem neuen Feldzug ein für alle Mal niederzuwerfen. Als Finanzoffizier nahm er den 25-jährigen Tiberius mit auf die Expedition.

Mit der Quästur, der ersten Stufe der politischen Ämterlaufbahn, wurde Tiberius den Erwartungen gerecht, die aufgrund der ruhmreichen Karriere seines Vaters in ihn gesetzt waren. Auf dem Weg zum Kriegsschauplatz sah er jedoch etwas, was zu seinem eigentlichen politischen Schlüsselerlebnis werden sollte. Es sollte auch die Tiberius-Legende entscheidend prägen. Als seine Abteilung durch Etrurien marschierte, die italische Landschaft im Norden Roms, konnte er mit eigenen Augen sehen, wie das Land durch die römische Expansionspolitik zugrunde gerichtet worden war. Was sich seinen Blicken bot, waren keine einzelnen Bauernhöfe geschäftiger römischer Bürger, sondern große Landgüter, die von ausländischen Sklaven bewirtschaftet wurden.[31] Vielleicht traf er unterwegs sogar auf Bauern, die durch den Tod ihrer männlichen Familienangehörigen gezwungen waren, ihren Grund und Boden zu verlassen, oder deren Höfe verwahrlost waren und infolge fehlender Hilfskräfte nicht mehr bewirtschaftet werden konnten. Die antiken Quellen lassen jedenfalls keinen Zweifel daran aufkommen, dass Tiberius' Erfahrungen in Etrurien für den dramatischen Verlauf, den sein Leben nach seiner Rückkehr nach Rom nehmen sollte, verantwortlich waren. Die sich anschließenden Ereignisse in Spanien sollten der Auslöser sein.

In Ungnade

Mancinus' Feldzug stand von Anfang an unter keinem glücklichen Stern. Die Hühner, die er den Göttern opfern wollte, flohen aus ihren Käfigen. Später beim Betreten des Schiffes, das ihn nach Spanien bringen sollte, hörte er eine unheimliche Stimme, die ihm zurief: *Mane, Mancine* (»Bleibe, Mancinus!«). Nachdem er das Schiff gewechselt und

beschlossen hatte, von einem anderen Hafen aus in See zu stechen, traf
den unglücklichen General ein erneutes Unheil: An Bord des Schiffes
sah er eine Schlange, die, bevor man sie einfangen konnte, eilig die
Flucht ergriff.

Wie die Expedition begonnen hatte, so setzte sie sich fort: In Spanien verlor Mancinus gegen die Numantiner ein Gefecht nach dem
anderen. Der einzige Hoffnungsträger war sein junger Quästor: »Umso
mehr zeichnete sich Tiberius bei plötzlich auftretenden Ereignissen
und bei widrigem Geschick durch Umsicht und Tapferkeit aus.«[32] Außerdem bewies der junge Aristokrat Charakterstärke, indem er seinem
Feldherrn trotz dessen Misserfolge stets »ehrfurchtsvolle Achtung« ent-
gegenbrachte. Vor allem eine Katastrophe sollte sich jedoch für sie beide als besonderer Testfall erweisen.

Eines Nachts wurde Mancinus durch eine Falschmeldung alarmiert:
Beträchtliche Verstärkungstruppen aus benachbarten spanischen Stämmen wollten sich angeblich den Numantinern anschließen. Voller Panik beschloss der römische General, im Schutz der Dunkelheit das Lager abzubrechen und sein Heer in günstigeres Gelände zu verlegen. Als
die Feuer im Lager gelöscht waren und der lautlose Abzug begann, erfuhren die Numantiner von seinem Plan und reagierten blitzschnell:
Sie eroberten das römische Lager und attackierten die fliehende Armee. Die Nachhut hatte die meisten Opfer zu beklagen, doch es sollte
noch schlimmer kommen. Die 20 000 römischen Soldaten saßen bald
darauf in unwegsamem Gelände in der Falle und wurden von einer
feindlichen Streitmacht, deren Mannstärke nur ein Viertel der eigenen
betrug, eingekesselt. Nun gab es kein Entrinnen mehr.

Mancinus hatte keine Wahl: Er entsandte eine Delegation, die mit
den Numantinern Friedensverhandlungen führen sollte. Der spanische
Feind ließ ausrichten, er wolle nur mit Tiberius verhandeln. Wegen
dessen persönlichen Qualitäten und wegen der Wertschätzung, die sie
Tiberius' Vater entgegenbrächten, komme nur er als Unterhändler in
Frage. Der Grund für diese Forderung war, dass Tiberius' Vater im
Jahre 178 v. Chr. mit den Numantinern ein Friedensabkommen geschlossen hatte: Er hatte sie in seine Obhut genommen, ihre Interessen
in Rom vertreten und sich mit seinem Namen und seiner Ehre für den

Frieden verbürgt. Vor allem aber hatte Tiberius Sempronius Gracchus
der Ältere immer dafür gesorgt, dass das römische Volk den Frieden
»treu und unverbrüchlich« einhielt. Getragen vom Ansehen seiner Familie verhandelte der junge Tiberius nun also mit den numantinischen
Führern, und nachdem er in einigen Punkten nachgegeben und in anderen Zugeständnisse verlangt hatte, stimmte er einem Waffenstillstand
»unter gleichen Bedingungen für Römer und Numantiner« zu.[33] Der
Frieden wurden durch einen Eid feierlich bekräftigt.

Mit dieser Aktion rettete Tiberius 20 000 römischen Soldaten sowie
ihren zahlreichen Sklaven und Trossangehörigen das Leben. Das Heer
erhielt freien Abzug und wurde nach Rom zurückgeschickt, allerdings
erst, nachdem die Numantiner den Römern die Waffen und sonstigen
Besitztümer abgenommen und auch Mancinus aufgefordert hatten, einen Eid auf den Frieden zu leisten. Nach dem Abzug des Heeres zeigte
Tiberius indes, wie gewissenhaft er seinen Pflichten als Quästor nachkam. Er begab sich allein nach Numantia und bat um die Rückgabe
seiner konfiszierten Rechnungsbücher. Die dortigen Führer waren
hocherfreut, ihn wiederzusehen, luden ihn in ihre Stadt ein und versi-
cherten ihm, dass er auf ihre Freundschaft vertrauen könne. Nach
einem gemeinsamen Essen machte sich Tiberius, nachdem er seine
Kontobücher zurückerhalten hatte, ebenfalls auf den Weg nach Rom.
Angesichts seiner Erfolge träumte er vielleicht davon, dort als Held
willkommen geheißen zu werden. Aber die Wirklichkeit konnte ent-
täuschender nicht sein.

Im Senat stieß der römische Vertrag mit den Numantinern auf Hass
und Verachtung und löste eine heftige Debatte aus. Nasica, ein Vetter
von Tiberius und Aemilianus, vertrat den Standpunkt der »Falken«, die
unter den Senatoren die Mehrheit bildeten: Dies sei kein Frieden, sondern eine erbärmliche und schmachvolle Kapitulation. Die Numantiner seien keine »gleichberechtigten Partner«, sondern Feinde, die eines
Friedensvertrages unwürdig seien. Es handele sich lediglich um Rebellen, die in einer römischen Provinz den Aufstand probten und,
koste es, was es wolle, in die Knie gezwungen werden müssten. Mancinus wurde vor Gericht gestellt. Er verteidigte sich, so gut er konnte:
Hatte er nicht Leben gerettet? Mochte der Vertrag in letzter Konse-

quenz auch keinen Erfolg darstellen, so war er unter den gegebenen Umständen doch gewiss positiv zu bewerten. Tiberius, der neben Mancinus stand, schaltete sich in die Debatte ein und setzte alle seine rhetorischen Kenntnisse und Fähigkeiten ein, um seinen Heerführer zu verteidigen. Aber der Senat ließ sich in seinem Glauben an die römische Unbesiegbarkeit überhaupt nicht erschüttern. Seit der Zerstörung Karthagos waren die Römer nun die einzige Supermacht, sie waren die Herren des Mittelmeers und konnten nach Belieben schalten und walten. Wenn die Niederschlagung der numantinischen Rebellen mit dem Heldentod von 20 000 für den Staat kämpfenden Soldaten bezahlt werden müsse, dann sei dieser Preis eben zu zahlen!

Daraufhin bat Mancinus den Senat, den schlechten Standard seines spanischen Heeres zu berücksichtigen: Man habe unerfahrene, undisziplinierte und schlecht ausgerüstete Soldaten ausgehoben, und dem früheren Oberbefehlshaber in Spanien, Quintus Pompeius, sei es nicht gelungen, die Qualität der Truppe anzuheben. Doch auch diese Rechtfertigung reichte nicht aus, um Mancinus' Situation zu verbessern, nicht zuletzt deshalb, weil Pompeius im Senat mächtige Freunde hatte, während die Familie des Mancinus sehr viel weniger Ansehen und politischen Einfluss besaß. Man ernannte eine Kommission, angeführt von Aemilianus und seinen Freunden, die die Sache gründlich untersuchen sollte. Danach riss der Senat, zum Entsetzen von Mancinus und Tiberius, den Vertrag in Stücke.

Die Ablehnung des Vertrages war nicht grundsätzlich illegal, da alle Abkommen, die von einem Feldherrn geschlossen wurden, vom Senat in Rom ratifiziert werden mussten. Das Problem war eher moralischer Natur. Die Zurückweisung eines Vertrages kam einem Rufmord gleich, da der römische Staat für seine *fides* berühmt war, seine Vertrauenswürdigkeit und Treue gegenüber dem unter Eid gegebenen Wort. Eine solche Eidbrüchigkeit würde mit Sicherheit den Zorn der Götter heraufbeschwören. Daher legte die Kommission, um das Unrecht zu sühnen, dem römischen Volk zwei Vorschläge zur Abstimmung vor: Entweder solle Mancinus als der für Spanien verantwortliche General oder aber sein Stab an die Numantiner ausgeliefert werden. Nun stieg Aemilianus in den Ring und nutzte seine einflussreiche

Stellung im Senat, um seinem Vetter zu helfen. Dank seiner fand der erste Vorschlag die Zustimmung der Senatoren und wurde vom römischen Volk bestätigt. So wurde per Dekret nur Mancinus mit der Strafe belegt. Im Rückgriff auf eine alte militärische Sitte wurde der frühere Konsul seiner Insignien entkleidet, in Ketten gelegt, mit einer römischen Eskorte nach Spanien gebracht und den Numantinern übergeben. Die Keltiberer weigerten sich jedoch, das Angebot anzunehmen, und so musste Mancinus mit Scham und Schande wieder nach Rom zurückkehren.

Tiberius war zwar einer Verurteilung entkommen, doch das war ein schwacher Trost. Denn nun sah der junge Mann sein Leben in Trümmern liegen. Der erste Schlag hatte ihn persönlich tief getroffen: Aemilianus, sein eigener Vetter und Schwager, der Mann, der in Karthago sein großes Vorbild gewesen war, hatte nicht nur Mancinus seine Hilfe versagt, sondern er trug auch die Hauptverantwortung dafür, dass Tiberius' Vertrag zu Fall gebracht worden war. So waren die freundschaftlichen und familiären Bande zwischen den beiden Vettern nun zerrissen. Was blieb, waren Zorn und gegenseitige Schuldzuweisungen.

Der zweite Schlag traf ihn noch härter: Da der Senat seinen Vertrag nicht anerkannt hatte, war Tiberius' Karriere praktisch ruiniert. Er hatte sich nicht nur mit seiner eigenen persönlichen Integrität und Ehre, sondern auch mit dem Ansehen seines verstorbenen Vaters für den Vertrag verbürgt. Man hatte nicht nur das Vertrauen der Numantiner übel missbraucht. Die Zurückweisung des Friedensvertrages durch die Senatoren hatte zudem weitreichende persönliche Folgen: Tiberius hatte dem Renommee seiner Familie, seines Vaters wie auch seinem eigenen unwiderruflich Schaden zugefügt. In der römischen Republik entschied seit jeher das Prestige eines Bewerbers über dessen politische Karriere und war die Voraussetzung für das Erreichen einer Spitzenposition. Die alten Adelsgeschlechter hatten über Jahrhunderte hinweg dank der Söhne, die ihren aristokratischen Vätern in nichts nachstehen wollten, immer mehr Ansehen gewonnen. Jetzt hatte man Tiberius für alle Zukunft der Möglichkeit beraubt, sich die Achtung und Loyalität von Bundesgenossen und Kampfgefährten sowie des römischen Volkes zu erwerben. Zumindest hatte es den Anschein.

Das Schicksal des jüngeren Tiberius Sempronius Gracchus hätte nur
als Fußnote in die Geschichte eingehen können. Wahrscheinlich gibt
es Dutzende von »Tiberiussen«, brillante junge Aristokraten, die ihre
Fähigkeiten niemals unter Beweis stellten und von denen wir daher gar
nichts wissen. Eine einfache Tatsache veränderte Tiberius' Leben auf
dramatische Weise: Sein persönliches Waterloo fiel mit der römischen
Staatskrise zusammen. Diese Koinzidenz führte zur bis dato größten
Aufstandsbewegung in Roms langer Geschichte. Beinahe im Allein-
gang kämpfte Tiberius gegen den Senat, gegen die Freunde und Verbündeten seiner Familie und Vorfahren und sicherte seinem Namen
einen Platz in den Geschichtsbüchern. Eine ehrbare, glanzvolle Karriere nach Art seiner väterlichen und mütterlichen Ahnen kam nun nicht
mehr in Frage. Dieser Weg zum Ruhm war ihm zwar verschlossen,
doch es tat sich eine andere Möglichkeit auf.

Als Tiberius, in Ungnade gefallen, das Senatsgebäude verließ, bereitete ihm das römische Volk einen ganz anderen Empfang: Die Frauen,
Mütter, Väter, Kinder und Großeltern der 20000 römischen Bürger,
denen er in Spanien das Leben gerettet hatte, drängten sich auf dem
Forum, ließen ihn hochleben und feierten ihn als Helden. Eher unbe-
absichtigt hatte Tiberius die Liebe und den Respekt der Plebs, des einfachen Volkes, gewonnen. Vielleicht wurde in diesem Augenblick eine
neue Idee geboren: Um Ansehen zu gewinnen, um sich ein Betäti-
gungsfeld für seine Intelligenz, seinen Idealismus und seine politischen
Fähigkeiten zu verschaffen und sich der Leistungen seines Vaters würdig zu erweisen, brauchte er nicht den Senat – er würde sich für »die
Sache des einfachen Volkes« einsetzen.[34] Sein aristokratischer Ehrgeiz
hatte ein anderes Ventil gefunden.

Zwischen dem Sommer 136 und dem Sommer 133 v. Chr. überschlugen sich die Ereignisse. Unter einem beispiellosen Bruch der
Verfassung wurde Aemilianus in sein zweites Konsulat gewählt. Er
sollte die Kämpfe in Spanien wieder aufnehmen, da nach der festen
Überzeugung des römischen Volkes nur er in der Lage war, diesen
verfahrenen Krieg siegreich zu beenden. Deshalb gab der Senat dem
massiven Druck der Bevölkerung nach und setzte sich ein weiteres
Mal über die verfassungsmäßigen Hindernisse hinweg. So wurde

Aemilianus zum zweiten Male Konsul und reiste 134 v. Chr. nach Spanien. Dort zeigte er dieselbe militärische Genialität, Disziplin und erbitterte Entschlossenheit wie zuvor in Karthago, und ein Jahr später war Numantia nach einer wiederum brutalen Belagerung bezwungen. Der Kampf um die Stadt dauerte elf Monate, und von den Numantinern überlebte nur eine Handvoll (viele hatten den Freitod der Kapitulation vorzogen). Schließlich wurde auch diese Stadt dem Erdboden gleichgemacht.

Zur selben Zeit nahm das Leben seines Vetters in Rom eine ganz neue Wendung. Zum ersten Mal offenkundig wurde Tiberius' Richtungswechsel am Tage seiner Hochzeit. Der junge Mann heiratete die Tochter des Pulcher und gab damit zu erkennen, dass er mit der Fraktion seiner Vettern Aemilianus und Nasica, die Pulcher erbittert bekämpften, nichts mehr zu tun haben wollte und sich den Reformern unter den Senatoren zuwandte. Zu diesen gehörten ein hervorragender Jurist und das angesehene Haupt eines Priesterkollegiums: Publius Mucius Scaevola und Publius Licinius Crassus. Tiberius war über die Allianz mit diesen neuen, äußerst einflussreichen Verbündeten sehr glücklich, da sie in dieser Krise, die er bewältigen wollte, seinen politischen Plänen entgegenkam. Was er auf seinem Marsch durch Etrurien gesehen hatte, war zu seinem politischen Schlüsselerlebnis geworden. Jetzt, katalysiert durch die Schmach von Numantia, kam ihm das alles wieder zu Bewusstsein. Nach dem Zeugnis Plutarchs war es vor allem die Not des landlosen Mobs in Rom, die Tiberius dazu veranlasste, sich mit Pulcher zu verbünden. Denn das niedere Volk »stachelte seinen Ehrgeiz und seinen Unternehmungsgeist an. Durch Inschriften an Mauern, an Hausnummern und Denkmälern forderte es ihn auf, der armen Bevölkerung den Staatsgrund zurückzugeben.«[35] Die Reformer aber sahen sich mit der Frage konfrontiert, wie sie das Los dieser Menschen verbessern könnten.

Tiberius' Plan war einfach: Er wollte sich um den Posten des Volkstribunen bewerben. Dieses Amt sollte seit der frühen Republik die Interessen der Plebejer schützen. Vor allem berechtigte es den Tribunen, der Volksversammlung – einem souveränen Verfassungsorgan, in dem die Plebs zur Wahl ging – Gesetzesvorschläge zu unterbreiten.

Die Strategie, die Tiberius nach erfolgreicher Wahl im Sinn hatte, war ebenfalls einfach. Die Reformer sollten ein neues Gesetz einbringen: Eine neu einzusetzende Kommission sollte herausfinden, wo Grundbesitzer sich mehr als die rechtlich zulässigen 120 Hektar (300 Morgen) Staatsland angeeignet hatten. Dieser Ausschuss sollte außerdem befugt sein, dieses Land zu verlosen und an die römischen Bürger ohne Grundbesitz zu verteilen. Der Gesetzesvorschlag war insofern fair und gerecht, als lediglich eine alte Regelung wieder in Kraft treten sollte, die dieselbe Grenze festsetzte, aber über Jahrhunderte missachtet worden war. Um seinen Plan in die Tat umzusetzen, musste Tiberius nur bei den Wahlen Erfolg haben. Nach einem engagiert und leidenschaftlich geführten Wahlkampf wurde er als einer der zehn Volkstribunen für das Jahr 133 v. Chr. gewählt.

Die konservative Fraktion des Senats witterte schnell die Gefahr. Viele von ihnen waren Großgrundbesitzer, die mehr Staatsland besaßen, als legal war. Doch der Mann, der durch das von Tiberius vorgelegte Ackergesetz am meisten zu verlieren hatte, war Nasica persönlich. Unter seiner Führung schlossen sich die konservativen Senatoren zusammen und rüsteten zum Gegenschlag: Sie stellten sicher, dass bei denselben Tribunenwahlen auch ihr eigener Mann kandidierte, der dann in der Volksversammlung ihre Interessen vertreten sollte. Marcus Octavius, ein Freund des Tiberius aus Kindertagen, hatte es zunächst abgelehnt, Nasicas Fraktion durch seine Bewerbung zu unterstützen. Es hätte eines stärkeren und mutigeren Charakters bedurft, um sich dem Druck so vieler Aristokraten zu widersetzen. Vielleicht musste man Octavius lediglich klarmachen, dass seine politische Karriere in Rom beendet sei, wenn er nicht tue, was man ihm sage. Jedenfalls erklärte auch er seine Kandidatur und wurde ebenfalls gewählt.

Als beide Männer zu Beginn des Jahres 133 v. Chr. ihr Amt antraten, wartete auf Rom der größte politische Showdown in der Geschichte der Republik. Zum ersten Mal würde man auf dem Forum Dolche zu Gesicht bekommen.

Mord in Rom

Zu Beginn des Jahres 133 v. Chr. musste man den Eindruck haben, dass der wunderbare Reichtum, der nach dem dreizehn Jahre zurückliegenden Sieg über Karthago nach Rom geströmt war, der Vergangenheit angehörte. Die Bauprojekte der Aristokraten, mit denen sie ihre militärischen Siege feierten, kamen zum Stillstand. Der bereits aufs Zweifache gestiegene Getreidepreis verdoppelte sich ein weiteres Mal, und der kostspielige Krieg in Spanien, der noch immer nicht beendet war, hatte die Staatskasse völlig erschöpft. Währenddessen nahm, weil die Zahl der Menschen ohne Grundbesitz weiter anwuchs, die Arbeitslosigkeit in der Stadt stetig zu.

Mitten in diese aufgeheizte, angespannte Atmosphäre platzte das Ackergesetz des Volkstribunen Tiberius Sempronius Gracchus. Es war auf einem geweißten Brett auf dem Forum von Rom nachzulesen. Ein Tag für die Wahlen wurde anberaumt, und zum festgesetzten Termin mussten die 35 Tribus der Plebs (politische Verwaltungsbezirke, die getrennt abstimmten) ihre Stimmen abgeben. Vier Tribus repräsentierten die stadtrömische Plebs, sieben die Außenbezirke der Stadt und 24 die Landbevölkerung. Während die Senatselite durch ihr soziales Ansehen, durch Geld und Verbindungen einigen Einfluss auf die stadtrömische Plebs ausüben konnte, war Tiberius, um sein Gesetz durchzubringen, darauf angewiesen, dass möglichst viele ländliche Wahlberechtigte in die Stadt kämen.

Die Stimmabgabe verlief so, dass man sein Votum entweder einem Offiziellen mündlich mitteilte oder aber auf ein mit Wachs überzogenes Holztäfelchen schrieb, das man bei dem den Vorsitz führenden Magistrat, der auf einem hohen hölzernen Podium saß, abgab – dieses System sollte die Wähler vor von außen kommenden Stör- und Einschüchterungsmanövern abschirmen. Die eigentliche Volksversammlung fand auf dem Hang nördlich des Forums statt. Dort gab es konzentrisch angeordnete Stufen aus Stein, die oben an das Senatsgebäude angrenzten. Von dort aus hatten die Senatoren einen sehr guten Blick auf das, was sich bei der Plebs abspielte, und konnten es mit Beifallsrufen oder Hohngelächter kommentieren.

Dazu sollten sie bald die Gelegenheit haben. Vor dem angesetzten
Wahltermin wurden einige öffentliche Versammlungen organisiert, in
denen Tiberius das Ackergesetz erläuterte und mit den Zuhörern dis-
kutierte. Gleich nachdem er die Rostren bestiegen hatte, wurde der
aufrührerische Geist dieses Gesetzes offenkundig: Tiberius kehrte dem
Senat den Rücken zu und legte sein Gesetzesvorhaben dem versammelten Volk direkt zur Abstimmung vor. Dies bedeutete einen demons-
trativen Bruch mit den republikanischen Traditionen, denn normalerweise konsultierte man erst den Senat und bemühte sich um seine Zustimmung zu jedem Gesetzesartikel, bevor man darüber abstimmen
ließ. Und doch gab Tiberius diese Missachtung des üblichen Gesetz-
gebungsverfahrens äußerlich durch nichts zu erkennen. Er war völlig
gelassen, stand ganz ruhig da, wählte sorgfältig seine Worte und sprach
dann beredt und in höflichem Ton. »Die wilden Tiere, die Italien be-
völkern, haben ihre Höhlen und kennen ihre Lagerstätte, ihren Schlupf-
winkel. Die Männer aber, die für Italien kämpfen und sterben, haben
nichts als Luft und Licht; unstet, ohne Haus und Heim, ziehen sie mit
Weib und Kind im Land umher. Die Feldherren lügen, wenn sie in
der Schlacht die Soldaten aufrufen, Gräber und Heiligtümer gegen die
Feinde zu verteidigen. Denn keiner von diesen armen Römern hat einen Altar von seinen Vätern geerbt, kein Grabmal seiner Ahnen. Für
Wohlleben und Reichtum anderer setzen sie im Krieg ihr Leben ein.
Herren der Welt werden sie genannt: in Wirklichkeit gehört kein
Krümchen Erde ihnen zu eigen.«[36]

Tiberius' mitreißende Rede steigerte sich zu einem durchdrin-
genden, leidenschaftlichen Crescendo, als er die eine einfache Frage
stellte: Wer sollte Nutznießer des römischen Imperiums sein? »Ob man
denn nicht mit mehr Recht«, wollte er wissen, »den Gemeinbesitz allgemein aufteilen solle, ob nicht jederzeit der Bürger edler als der Sklave, der Soldat nützlicher als ein vom Wehrdienst Ferngehaltener, der
Besitzer eines Landstücks den öffentlichen Aufgaben gegenüber aufge-
schlossener sei.«[37] Die Stärke des Applauses und der Jubel der Plebs
übertönten die gehässigen Zwischenrufe der konservativen Senatoren,
die diese Szene von oben beobachteten. Tiberius hatte eine politische
Zeitbombe gezündet.

Für die Kleinbauern in der Versammlung lagen die Vorteile, die sich aus Tiberius' Gesetzesvorschlag für den römischen Staat ergaben, klar auf der Hand: Durch das Ackergesetz würde, wenn das Staatsland neu zugewiesen wäre, nicht nur der Wohlstand gerechter verteilt werden. Vor allem könnten die Plebejer wieder zur Wahl gehen, endlich wieder Soldaten stellen und der römischen Armee zu neuer Stärke verhelfen. Und wie klein war der Preis, den die reichen Grundbesitzer dafür zu zahlen hätten! Sie mussten nicht das Land, das ihnen privat gehörte, abgeben, sondern nur das Staatsland, sofern es die Grenze von 125 Hektar überstieg, Land, das sie innerhalb der letzten Jahrhunderte in Besitz genommen hatten. Und doch wollte der harte Kern der aristokratischen Großgrundbesitzer davon nichts wissen und erhob lautstark Protest.

Dieser unverschämte Revolutionär wolle aufgrund persönlicher Animositäten, so sprachen sie untereinander, die Grundfesten des Staates erschüttern. Wenn man sie von dem Land, das sie schon so lange bewirtschafteten, vertriebe und ihnen ihren Wohlstand nähme, würde man den Staat seiner vorzüglichsten Verteidiger und Heerführer berauben. Andere wiederum brachten vor, dass sie und ihre Vorväter sehr viel in das Staatsland investiert hätten. Der größte Teil sei, so behaupteten sie, im Zweiten Punischen Krieg verheert worden, und doch hätten sie in harter, mühevoller Arbeit, mit Ausdauer und Fleiß – von Geld ganz zu schweigen – das Land wieder urbar gemacht. Auf diesem Grund und Boden ständen die Häuser ihrer Ahnen, dort befänden sich die Grabstätten, in denen ihre erlauchten Väter zur Ruhe gebettet seien.[38] Die bittere Wahrheit freilich, der die Senatoren ins Gesicht schauen mussten, war die Souveränität des römischen Volkes. Nur das Volk konnte in der Volksversammlung Gesetze beschließen. Jetzt hatte es einen Tribun gefunden, der bereit war, auf die übliche Zusammenarbeit zwischen dem Senat und dem Volk zu verzichten, der den Aristokraten trotzte und die Interessen des Volkes an die erste Stelle setzte. Die Senatoren waren gekränkt, konnten aber an der Situation nichts ändern. Oder konnten sie es doch?

Am Tag der Abstimmung griffen die Senatoren zu ihrer Geheimwaffe: Marcus Octavius. Vor Tagesanbruch holte der Wahlleiter die

Auspizien ein, um sich zu vergewissern, dass die Götter dem Verfahren
günstig geneigt seien. Dann zogen die Herolde durch die Straßen bis
zur Stadtmauer und riefen mit ihren Trompetensignalen die Masse der
Wahlberechtigten, die zu Tausenden nach Rom geströmt waren, zur
Wahl. Schließlich bestiegen die Tribunen die Rostren, die Aufregung
wuchs und der die Wahl leitende Magistrat eröffnete die Abstimmung.
Doch als das Ackergesetz aufgerufen wurde, erhob sich Octavius und
rief: »Veto!« Die Menge murrte und bekundete ihr Missfallen. Tiberius wusste ganz genau, dass sein Gesetz einzig und allein durch das Vetorecht eines der zehn Volkstribunen zu Fall gebracht werden konnte.
Er hätte sich jedoch nicht träumen lassen, dass irgendein Tribun Einspruch erheben würde gegen eine Regelung, die ganz offenkundig den
Interessen eben des Volkes diente, zu dessen Vertreter er gewählt war.
Dennoch ließ sich Octavius nicht beirren, und so wurde die Abstimmung vorübergehend ausgesetzt.

In der Folge kam es zwischen den beiden alten Freunden, die nun
zu Gegnern geworden waren, zu einer Pattsituation. Tag für Tag wurde die Wahlversammlung einberufen, und Tiberius versuchte immer
wieder, seinen Kontrahenten auf seine Seite zu bringen. Doch unter
den drohenden Blicken der Konservativen auf den Stufen des Senatsgebäudes blieb der Tribun bei seinem Veto. Die Senatoren hatten ihren Mann klug gewählt: Octavius war Ende zwanzig, entstammte einer
unbedeutenden Familie, die sich im Senat einen Namen machen
wollte, und besaß selbst sehr viel Staatsland. So drohte ihm, einem im
Grunde besonnenen und gutmütigen Charakter, nicht nur der Verlust
einiger Ländereien, sondern er lief auch Gefahr – sofern er die in ihn
gesetzten Erwartungen nicht erfüllte –, sich seine Karriere innerhalb
der Oberschicht, der er sich gerade erst angeschlossen hatte, für immer
zu verbauen.

Die öffentliche Auseinandersetzung zwischen den beiden Tribunen
erreichte ihren Höhepunkt, als Tiberius zum Entzücken der Menge
Octavius das Angebot machte, für dessen Verluste an Grund und Boden aus eigener Tasche aufzukommen. Bei anderer Gelegenheit verzichtete Tiberius auf Zuckerbrot und Peitsche und untersagte allen
Magistraten, ihren Amtsgeschäften nachzugehen, solange über das

Ackergesetz nicht abgestimmt sei. Daraufhin kam in der Stadt alles zum Stillstand. Gerichtsverhandlungen waren verboten, die Märkte gesperrt und die Staatskasse geschlossen. Die Anhänger des Tiberius, die vor Wut kochten, waren nur allzu bereit, durch Drohungen und Einschüchterungen dafür zu sorgen, dass diese zeitweilige Aussetzung aller öffentlichen Geschäfte eingehalten wurde. Dennoch kam man aus der Sackgasse nicht heraus. Der Mob wurde immer erregter und wütender, Tiberius umso verbitterter und verzweifelter. Als er schon fast keinen Ausweg mehr sah, kam ihm plötzlich die rettende Idee, wie sich das Veto des Octavius verhindern lasse. Seine Lösung des Problems sollte die Atmosphäre in Rom jedoch weiter aufheizen.

Als die aufgebrachte Volksmenge beim nächsten Mal zusammenkam und Octavius wieder Einspruch erhob, legte Tiberius einen bisher noch nie da gewesenen Antrag vor: Er stieg auf die Rednertribüne und forderte die Leute in aller Ruhe auf, sofort darüber abzustimmen, ob Octavius seines Amtes enthoben werden solle, weil er nämlich seinen Pflichten als Volkstribun nicht nachkomme. Die Menge wollte Blut sehen, klatschte laut Beifall und schritt sofort zur Stimmabgabe. Eine Tribus nach der anderen sprach sich für Octavius' Amtsenthebung aus. Der vorsitzende Magistrat verkündete: »Die Tribus Palatina stimmt ab – gegen Octavius. Die Tribus Fabia stimmt ab – gegen Octavius«, usw. Tiberius merkte schnell, dass nach den Wochen zunehmender Spannungen der Siedepunkt fast erreicht war. Wenn sich die Situation weiter aufheizte, würde es zu schweren Ausschreitungen des Mobs kommen.

In aller Eile ließ er daher die Abstimmung unterbrechen und sprach noch einmal sehr ernsthaft und eindringlich mit seinem alten Freund. Er umarmte und küsste Octavius und bat ihn, einzulenken und dem Volk zu geben, was ihm von Rechts wegen zustehe. »Tränen füllten seine Augen und lange stand [der junge Tribun] schweigend da.«[39] Doch als er zu Nasica und dessen Fraktion, die von den Stufen des Senatsgebäudes die Szene beobachteten, hinaufsah, übermannte ihn die Furcht, ihr Wohlwollen zu verlieren. Dieses Gefühl war so übermächtig, dass er ein letztes Mal bei seinem Veto blieb. So wurde die Abstimmung zu Ende geführt. Da Tiberius ahnte, was kommen würde, wandte er sich, kurz bevor die letzte Tribus ihr Votum abgab, an seine neben

ihm stehenden Anhänger und forderte sie auf, Octavius von den
Rostren zu führen und zu beschützen. Und in der Tat: Nachdem die
Abstimmung beendet und Octavius seines Amtes enthoben war, stürzte
sich der aufgebrachte Mob auf den ehemaligen Volkstribun. Seine
Freunde vermochten es nicht, die Masse zurückzudrängen. Dennoch
konnte er sich, von einem Leibwächter abgeschirmt, in Sicherheit
bringen. Sein Sklave hatte weniger Glück: Ihm wurden die Augen ausgestochen.

Noch am selben Tag wurde das Ackergesetz mit überwältigender
Zustimmung angenommen und trat nun endlich in Kraft. Es sah die
sofortige Ernennung einer Dreierkommission vor, die die staatlichen
Ländereien erfassen, beschlagnahmen und neu zuweisen sollte. Bei den
drei Männern handelte es sich um Tiberius, seinen jüngeren Bruder
Gaius und seinen Schwiegervater Appius Claudius Pulcher. Doch die
Hochstimmung über das Inkrafttreten ihres Gesetzes war rasch verflo-
gen: Den Reformern wurden von Beginn an Steine in den Weg gelegt.
Die Auseinandersetzung mit Octavius hatte die aristokratische Fraktion
nur noch härter und unnachgiebiger werden lassen. Immer wenn die
Kommission Gelder für ihr Projekt beantragte, sabotierte der Senat den
Fortgang der Arbeit, indem er die Finanzierung verweigerte. Mögli-
cherweise hatte sogar Tiberius' Anhängerschaft den Eindruck, dass er
in der Ausübung seiner tribunizischen Macht zu weit gegangen war.

Die Empörung in der Kurie griff auf die Straßen Roms über, und es
kam nun zu einer groß angelegten Verleumdungskampagne: Tiberius
sei am römischen Volk gar nicht interessiert, es gehe ihm nur um die
Macht. Er benutze das Volk lediglich, um seinen persönlichen Ehrgeiz
zu befriedigen und die Kontrolle über den Staatsapparat zu gewinnen.
Er sei also, so warf man ihm vor, nichts als ein Tyrann, der König werden wolle. Das gewalttätige Vorgehen, mit dem er Octavius aus dem
sakrosankten Tribunenamt entfernt habe, sei dafür ein schlagender Beweis![40] Als sich die Gerüchte bereits überschlugen, goss Tiberius, auf
dem Gipfel der Popularität und berauscht von den Möglichkeiten der
direkten Aktion, Wasser auf die Mühlen seiner Feinde. Im Frühjahr
133 v. Chr. verstarb Attalos III., der letzte König von Pergamon, einer
wohlhabenden, treu zu Rom stehenden griechischen Stadt in Klein-

asien. In seinem letzten Willen setzte er die Römer als Erben ein. Mit
einem Schlag kam Rom in den Besitz eines reichen und hoch entwickelten Wirtschaftsraumes. Tiberius aber nahm die Nachricht ganz anders auf. Für ihn war das Testament ein unverhoffter Glücksfall, genau
die Finanzspritze, die seine Ackerkommission so dringend benötigte.
Er legte der Volksversammlung sofort ein neues Gesetz vor, in dem er
beantragte, den Königsschatz von Pergamon für die Finanzierung seiner Landreform zu verwenden. Da das römische Volk zu Attalos' Erbe
bestimmt sei, müsse es, so argumentierte Tiberius, auch frei über das
Geld verfügen dürfen.

Auch dieses Gesetz trieb Nasica und die konservativen Senatoren zur
Weißglut: Die Regelung der auswärtigen sowie der wirtschaftlichen
Angelegenheiten fiel seit jeher, und zwar ausschließlich, in die Zuständigkeit des Senats. Tiberius' Feinde werteten sein Verhalten als weiteren Beweis für sein unverhohlenes Streben nach der absoluten Macht.
Im Senat erhob sich ein Anhänger Nasicas, ein Mann namens Pompeius, und goss Öl in die Flammen. Als Tiberius' Nachbar habe er, so
seine Worte, mit eigenen Augen gesehen, wie Gesandte aus Pergamon
den Tribunen besucht hätten. Sie hätten »ihm als dem zukünftigen König von Rom ein königliches Diadem und einen Purpurmantel überreicht.«[41] Die Senatoren waren entsetzt. Tiberius' umstrittener Gesetzesantrag hatte allerdings noch aus einem anderen Grund den Feinden in die Hände gespielt: Er bot ihnen die Gelegenheit für eine
strafrechtliche Verfolgung. Während seiner Amtszeit konnte ein Magistrat nicht angeklagt werden, aber Tiberius' Zeit als Volkstribun
neigte sich dem Ende zu. Endlich, so glaubten die Senatoren, würden
sie den Mann zu fassen kriegen.

Da er ständig um sein Leben fürchtete, ließ sich Tiberius damals
überall von Leibwächtern begleiten. Morddrohungen und Gerüchte
von geplanten Attentaten hatten ihn so verunsichert, dass seine
Freunde und Anhänger von nun an auf seinem Grundstück kam-
pierten und das Haus Tag und Nacht bewachten. Im Schutz der eigenen vier Wände holte Tiberius ihren Rat ein. Ihrer Ansicht nach
gab es nur eine Möglichkeit, einer Anklage zu entgehen: Er musste
im Amt bleiben. Warum sollte er also nicht noch einmal als Volks-

tribun kandidieren? Es war zwar ungesetzlich, dasselbe Amt zwei
Jahre hintereinander zu bekleiden, aber eine Wiederwahl in der
Volksversammlung würde einen neuen Präzedenzfall schaffen. Tiberius, von seinen engsten Freunden ermutigt, war von dieser Vorstellung begeistert. Daher entwickelte er sogleich ehrgeizige Ideen für
ein neues Wahlkampfmanifest und entwarf weitere Gesetzesvorlagen,
die die Macht des Senats sogar noch stärker beschneiden sollten.[42]
Mehr und mehr schienen die Gerüchte und Verleumdungen, die
gegen ihn und seine Motive im Umlauf waren, der Wahrheit zu
entsprechen. Ging es ihm wirklich um persönliche Macht? Unternahm er einen Rachefeldzug gegen die Männer, die ihn so schwer
gedemütigt hatten? Wollte er letzten Endes etwas, was gar nicht mit
den Wünschen des Volkes im Einklang stand?

Es muss Anzeichen dafür gegeben haben, dass sich seine eigene Fraktion im Senat von ihm abwandte, da sich die antiken Quellen immer
seltener über die Rolle der führenden Politiker äußern, die ihm einst
den Rücken gestärkt hatten. Außerdem waren die ländlichen Wähler,
die zur Verabschiedung des Ackergesetzes entscheidend beigetragen
hatten, für die Ernte aufs Land zurückgekehrt. Man konnte von ihnen
nicht erwarten, dass sie jetzt wieder nach Rom kämen, um über Tiberius' Wiederwahl abzustimmen. Dennoch setzte der junge Mann seinen Kreuzzug fort und ging das größte Wagnis seines Lebens ein. Diese Entscheidung sollte zum ultimativen Zusammenprall zwischen Tiberius und dem Senat führen.

Am Wahltag wurden in aller Frühe die Auspizien eingeholt. Sie versprachen nichts Gutes. Die Hühner wollten, selbst als man sie mit Fut-
ter lockte, ihren Käfig nicht verlassen. Andere ungünstige Vorzeichen
folgten: Als Tiberius sein Haus verließ, stieß er sich so heftig an der
Türschwelle, dass er sich den Nagel des großen Zehs abriss. Dann stieß
vom Dach eines der Häuser, an denen er auf seinem Weg zum Forum
vorbeikam, ein Rabe einen Stein hinunter, der ihm auf den Fuß fiel.
Diese Omina verunsicherten Tiberius so sehr, dass er daran dachte, auf
die Wahl zu verzichten. Aber einer seiner griechischen Lehrer, der sein
politisches Denken von Jugend an entscheidend mit geprägt hatte,
sagte zu ihm, »es sei Sünde und Schande, wenn Tiberius, der Sohn des

Gracchus und Enkel des Scipio Africanus, der Führer des römisches
Volkes, aus Furcht vor einem Raben dem Rufe des Volkes nicht folgen
wolle.«[43]

Als Tiberius das Forum erreichte und den kapitolinischen Hügel hin-
aufstieg, erwarteten ihn chaotische Verhältnisse. Inmitten des Jubels
und der ihm geltenden Beifallsbekundungen waren die Anhänger des
Volktribun mit denen der aristokratischen Elite aneinandergeraten und
versuchten, sich gegenseitig wegzudrängen. Nach Beginn der Abstimmung warf sich ein Senator, der treu zu Tiberius stand, in das Gewühl,
und kämpfte sich zu ihm durch, um ihn zu warnen: Der Senat tage
gerade, so teilte er ihm mit, und Nasica und seine Fraktion seien in
eben diesem Augenblick dabei, ihre Kollegen zusammenzutrommeln,
um Tiberius umzubringen. Tiberius war sehr beunruhigt und gab diese Nachricht an seine bei ihm stehenden Anhänger weiter, die sich
daraufhin sofort auf einen Kampf vorbereiteten. Einige jedoch, die von
den Menschenmassen abgedrängt worden waren, konnten seine Worte
nicht verstehen. Deshalb gab Tiberius ihnen, indem er sich mit der
Hand an den Kopf fasste, zu verstehen, dass sein Leben in Gefahr sei.
Diese Geste wurde von seinen Feinden ganz anders interpretiert. Sie
stürzten die Stufen des Senatsgebäudes hinauf und verkündeten, Tiberius verlange die Königskrone.[44]

In der Kurie nutzte Nasica diese Mitteilung, um Nägel mit Köpfen
zu machen. Er forderte den Konsul auf, den Staat zu retten und den
Tyrannen zu vernichten. Der Konsul blieb jedoch gelassen und berief
sich auf das Prinzip der Gerechtigkeit, auf das sich der Staat gründe: Er
werde weder zulassen, dass man in der Politik Gewalt anwende noch
dass man einen Mann ohne Gerichtsurteil töte. In diesem Moment
sprang Nasica voller Wut und Ärger auf und rief den Staatsnotstand
aus: »Da es nun so steht, daß der höchste Beamte Roms an der Stadt
zum Verräter wird, so folgt mir alle, die ihr Hüter und Wahrer der
Gesetze sein wollt.« Und wie ein Priester vor einem Opfer zog sich
Nasica die Toga über den Hinterkopf und verließ das Senatsgebäude.[45]

Begleitet von ihren Sklaven und Freunden, die mit Knüppeln gekommen waren, schlugen die Senatoren, die Nasica in Massen folgten,

ihre Togen um den linken Arm, damit sie ihnen nicht im Wege waren, bewaffneten sich mit allem, was sie unterwegs finden konnten – z.B. mit Stücken und Beinen von den Senatssesseln, die das zurückweichende Volk zerschlagen hatte – und zogen in Richtung Kapitol. Viele in der Menge machten ihnen aus Respekt vor ihrer hohen Stellung und ihrem würdevollen Alter Platz und bekamen es beim Anblick so vieler Patrizier, die nur eines im Sinn hatten, nämlich Gewalt anzuwenden, mit der Angst. Andere, auch Tiberius' Anhänger, gerieten in Panik, wollten fliehen und trampelten übereinander her. Angesichts dieses chaotischen Durcheinanders suchte Tiberius ebenfalls sein Heil in der Flucht. Zuerst hielt ihn jemand an der Toga fest, deshalb ließ er sie fallen. Dann versuchte er, nur noch mit der Tunika bekleidet, ein weiteres Mal zu entkommen. Doch er stolperte über einige im Weg liegende Leichen. Er kam zu Fall und wurde sofort zu Tode geknüppelt.

Nicht weniger als 300 seiner Anhänger kamen so ums Leben: nicht auf ehrenhafte Weise durch das Schwert, sondern schändlich und brutal durch Knüppel, Stöcke und Steine. Später bat Gaius, Tiberius' jüngerer Bruder, darum, ihm den Leichnam des Erschlagenen zu überlassen. Doch die aristokratischen Senatoren verweigerten Tiberius eine würdige Bestattung und warfen noch in derselben Nacht seinen geschundenen Körper ebenso wie die Leichen seiner Anhänger und Freunde in den Tiber. Zum ersten Mal in der Geschichte der römischen Republik endete ein politischer Konflikt mit einem Mord.

Epilog

In den 150 Jahren zwischen 275 und 132 v. Chr. hatte die aristokratische Elite Roms in auswärtigen Kriegen, Feldzügen und Schlachten den Staat überall im Mittelmeerraum von Sieg zu Sieg geführt. Dabei waren die Adligen selbst ebenso wie der Staat zu unermesslichem Reichtum gekommen. Sie hatten ein Imperium geschaffen und Rom war zu einer Supermacht geworden. Aber der Preis, den sie dafür bezahlten, war, wie ein damals lebender konservativer Senator vielleicht gesagt hätte, der Verlust von Gerechtigkeit, Anstand und Ehre, der Verlust eben jener Grundsätze, mit denen sie ihre Eroberungspolitik gerechtfertigt hatten und denen es in erster Linie zu verdanken war, dass der Staat so mächtig werden konnte.

Nach der Zerstörung Karthagos führte das Streben der Patrizier nach militärischem Erfolg, Reichtum und Prestige nur zu einer vermehrten Rivalität zwischen den Adelsgeschlechtern im Kampf um die einflussreichen Posten. Infolgedessen beschäftigten sie sich bloß noch mit sich selbst, und in ihrer Gier und ihrem Egoismus nahmen sie die zunehmenden sozialen und wirtschaftlichen Probleme, die die Errichtung des Imperiums verursacht hatte, nicht zur Kenntnis. Deshalb brachten sie viele Schichten der Gesellschaft gegen sich auf, Schichten, auf die sich in den 130er Jahren v. Chr. Tiberius und seine Anhänger stützen konnten, um ihre Reformvorhaben durchzusetzen.

Obwohl Tiberius einen politisch umstrittenen Kurs einschlug, um der Sache des Volkes gegen die Interessen seines eigenen Standes, der aristokratischen Elite, zum Sieg zu verhelfen, war sein Ziel durchaus konservativ: Er wollte den Staat retten, indem er sich der Probleme der Notleidenden annahm. Außerdem bewegte er sich im Rahmen der Verfassung, als er von seinen Rechten als Volkstribun Gebrauch machte, sein Ackergesetz ohne vorherige Billigung durch den Senat zur Abstimmung stellte und später Octavius seines Amtes enthob. Doch indem er das Volk in eine so direkte Konfrontation mit dem Senat brachte, beschädigte er den Respekt, der, wie die Elite gerne glaubte, die Beziehung seit alters prägte. Tiberius' Verhalten stellte für den Adel eine tiefe Kränkung dar. Seit der Vertreibung der römischen Könige hatte jenes zentrale Prinzip – Eintracht und Zusammenarbeit zwischen den politischen Ständen – stets als ein Grundpfeiler der Republik gegolten, als der einzigartige Quell ihrer Stärke, Macht und Dynamik. Allein aus diesem Grund war es für seine Feinde wie beispielsweise Nasica ein Leichtes, Tiberius als Revolutionär hinzustellen, die Römer an einem empfindlichen Nerv – ihrer Furcht vor der Alleinherrschaft eines Einzelnen – zu treffen und zu behaupten, dass er das Volk für seine persönlichen Ziele instrumentalisiere.

Mit seinem Ackergesetz wollte Tiberius in Wahrheit nur einen Zustand wieder herstellen, der vor Jahrhunderten, bevor Rom im Ausland
reich geworden war, gegolten hatte. Dieses Ziel wurde auch nach seinem Tod nicht aufgegeben. Die Ackerkommission arbeitete noch weitere drei Jahre. 123 v. Chr., sechs Jahre später, übernahm Gaius, Tiberius' stolzer jüngerer Bruder, den Staffelstab, wurde ebenfalls zum
Volkstribun gewählt und legte ein noch ehrgeizigeres und umfas-
senderes Reformprogramm vor. Auch er wurde von den Konservativen im Senat als Staatsfeind gebrandmarkt und umgebracht. Sie hatten für sein Anliegen ebenso wie für das seines Bruders nur Verachtung
übrig. Für die Masse des römischen Volkes waren Tiberius und Gaius
jedoch Helden. Zumindest in ihren Augen hatten die beiden Söhne
des Tiberius Sempronius Gracchus des Älteren und der Cornelia den
Totenmasken ihres Vaters und ihrer aristokratischen Vorfahren alle
Ehre gemacht. Diese gespenstischen Masken waren in besonderen Nischen im Atrium ihres Familiensitzes ausgestellt. Die ruhmreiche Erinnerung an die Männer, die sie repräsentierten, war zu neuem Leben
erweckt worden.

Über Tiberius' und Gaius' wahre Motive – Ideologie oder lediglich
persönlicher Ehrgeiz – kann man endlos streiten. Es steht aber fest, dass
es bei all den Verleumdungen und blutig geführten politischen Auseinandersetzungen um eine ganz prinzipielle Frage ging – wer war Nutznießer des Imperiums, die Reichen oder die Armen? – und dass Tiberius dieses Problem auf höchst leidenschaftliche und explosive Weise
zu lösen versuchte. Niemand (und schon gar nicht einer, der zu den
»Unseren« gehörte) hatte jemals die politische Elite dermaßen gegen
sich aufgebracht oder so beherzt ihre Heuchelei aufgedeckt. Dabei ging
er nicht nur bis an die äußersten Grenzen der Verfassung des Staates,
sondern setzte auch das Potential einer bis dato nicht genutzten und
höchst brisanten politischen Macht frei – die Macht des Mobs. Der
schlafende Riese der römischen Republik war erwacht.

Tiberius konnte idealistisch und liebenswürdig, aber auch starr-
köpfig und ehrgeizig sein. Doch um die Macht des Volkes mit letzter logischer Konsequenz auszunutzen, brauchte es jemanden, der
insgesamt berechnender, skrupelloser und kaltblütiger war. Dieser

Mann sollte sich nicht mehr nur des Volkes bedienen, um sich mit
den Konservativen im Senat anzulegen, sondern würde sich unter
Ausschaltung des legalen staatlichen Machtapparats zum Alleinherrscher aufschwingen. Dieser Mann sollte sich nicht des Volkes bedienen, um eine Agrarreform durchzusetzen, sondern um in der römischen Welt die alleinige Macht an sich zu reißen. Die Rede ist
von Gaius Julius Caesar.

Caesar

Im Jahre 46 v. Chr., zwei Jahre vor seiner Ermordung, wurden Caesar vom Senat der römischen Republik einige außerordentliche Auszeichnungen zuerkannt. Er erhielt den Titel *Liberator* (Befreier), und man beschloss, ihm zu Ehren einen Libertas-Tempel zu errichten.[1] Und doch war der Mann, der das römische Volk befreit hatte, jetzt sein Diktator. Der Mann, der den Römern die Freiheit geschenkt hatte, war auch mitverantwortlich dafür, dass Tausende von ihnen in einem Bürgerkrieg ihr Leben lassen mussten. Tatsächlich hatte sich Caesar, der große Anwalt des Volkes, zu einem echten Autokraten entwickelt, der fast schon wie ein Gott verehrt wurde. Zwei Jahre nach den ihm im Jahre 46 v. Chr. erwiesenen Ehren sollte er sogar im Namen der Freiheit umgebracht werden. Wie hatte es dazu kommen können? Was war mit der ruhmreichen römischen Republik geschehen? Was war aus ihren hoch gelobten Freiheitsrechten geworden?

Im ersten vorchristlichen Jahrhundert wurde die Idee der Freiheit in Rom heftig diskutiert. In dieser Debatte prallten zwei Vorstellungen immer wieder aufeinander: die Freiheit der aristokratischen Elite und die Freiheit des Volkes. Diese beiden unterschiedlichen Konzepte liefen auf zwei unterschiedliche Staatsauffassungen hinaus. Der daraus resultierende Konflikt sollte Julius Caesar und seinen Kontrahenten Pompeius den Großen ein Leben lang begleiten und die gesamte römische Welt in ihren Grundfesten erschüttern.

Die Auseinandersetzung um die Frage, welcher Freiheit der Vorrang gebühre, sollte die römische Republik in einen blutigen Bürgerkrieg stürzen und letztlich zugrunde richten. Das alte System – demokratische Wahlen, auf ein Jahr begrenzte Ämter, eine gemeinsame Regierung durch den Senat und das Volk von Rom – würde zusammenbrechen und schließlich durch eine Diktatur, die Herrschaft eines Einzelnen, ersetzt werden. Zwar wurden auch noch unter Caesar Wahlen abgehalten, aber sie waren nicht mehr frei: Der Diktator nahm Einfluss, er hatte das letzte Wort. Seine Alleinherrschaft sollte sich als einer der markantesten Wendepunkte in der gesamten römischen Geschichte erweisen.

Doch der Zusammenbruch der römischen Republik war nicht die Folge eines Ideenkonflikts. Was diese ideologische Freiheitsdebatte zu einer blutigen, gewaltsamen und schmutzigen Revolution werden ließ, war ein Persönlichkeitsideal, das in der Werteordnung der römischen Aristokraten eine zentrale Rolle spielte: *dignitas*, ›Würde‹. Für einen Patrizier besaßen Ehre und Ansehen sowie der politische Rang höchste Priorität – nichts war ihm wichtiger. Ausgerechnet diese Vorstellung von *dignitas* sollte Caesar – welch eine Ironie des Schicksals – dazu bewegen, einen Bürgerkrieg zu beginnen und die diesem Ideal verpflichtete korrupte Aristokratie zu zerschlagen. In den letzten Jahren der Republik sollte ebendiese Wertvorstellung die gigantischen innerrömischen Machtkämpfe weiter anheizen. Sie war der Grund für den völligen Zusammenbruch der Republik.

Politik für das Volk

Der gewaltsame Tod der Volkstribunen Tiberius und Gaius Gracchus führte in der ausgehenden römischen Republik zu einer verhängnisvollen politischen Spaltung. Ihre Mutter Cornelia erklärte das Forum von Rom, auf dem beide Männer von der konservativen Fraktion der aristokratischen Oberschicht umgebracht worden waren, für heilig. So wurde ausgerechnet das Herz der Stadt zu einer öffentlichen Gedenkstätte für die Gracchen, und dort entwickelte sich der Kult des populären Politikers. In den nächsten 100 Jahren hatten ehrgeizige junge Männer, die Karriere machen wollten, nun die Wahl: Sie konnten ihr politisches Amt nutzen, um die Interessen der konservativen Elite zu vertreten, oder aber sie konnten dem Vorbild der Gracchus-Brüder folgen und Gesetze einbringen, die die Macht des römischen Volkes stärkten. Es gab also zwei Möglichkeiten: Entweder setzte man sich dafür ein, dass die adligen Senatoren weiterhin den Reichtum des ständig expandierenden Imperiums kontrollierten und wie eh und je an den Schalthebeln der Politik saßen, oder man konnte versuchen, die Macht- und Vermögensverhältnisse zugunsten des Volkes zu reformieren.

Der Schriftsteller Varro, ein römischer Autor des 1. Jahrhunderts v. Chr., bezeichnete diese zwei Parteien als die »beiden Häupter« der Republik. Das Bild ist stimmig, denn in ihrem Zermürbungskrieg, der die letzten Jahrzehnte der Republik prägte, gab es markante Gemeinsamkeiten. So hatten beispielsweise beide Seiten die Verteidigung der Republik auf ihre Fahnen geschrieben. Andererseits waren sie in der Frage, was denn verteidigt werden müsse, völlig unterschiedlicher Ansicht. Die konservativen Republikaner, die sich selbst als Optimaten, »die Besten«, bezeichneten, behaupteten, die Republik vor den Angriffen revolutionärer Staatsfeinde zu schützen, während die Popularen nach ihrer Darstellung die Republik vor einer korrupten und selbstsüchtigen aristokratischen Elite bewahren wollten.

Außerdem hatten die beiden Fraktionen dieselbe politische Parole ausgegeben: »Freiheit«. Doch wie man sich denken kann, definierten sie diesen Begriff völlig unterschiedlich. Die Konstitutionalisten kämpften für ihre traditionelle Freiheit: Sie wollten, einander gleichberechtigt, ihre *dignitas* geltend machen und so verhindern, dass andere ihnen eine ruhmreiche Karriere streitig machten. Diese anderen, die sie fürchteten, waren Tyrannen, potentielle Könige und einflussreiche Individuen, die ihre eigenen Interessen über die des Staates stellten. Die Popularen auf der anderen Seite wollten das Volk von der Herrschaft der Oberschicht befreien und ihm die Möglichkeit eröffnen, sich seine eigenen Gesetze zu geben. Zwischen diesen beiden politischen Gruppierungen und ihren zunehmend verhärteten Positionen sollte das Pendel der Geschichte äußerst heftig hin- und herschwingen.

Die Auseinandersetzung wurde in der Volksversammlung ausgetragen. Die Waffe, mit der beide Seiten vorzugsweise kämpften, war die Stimme des Volkes. Die Gesetzgebung des Tiberius und des Gaius Gracchus wollte der Volksversammlung eine neue Rolle in der Republik zuweisen und ihre Position zum Nachteil des Senats stärken. Zwar hatte sie nun mehr Macht, ließ sich andererseits aber auch leichter manipulieren. Die meisten römischen Bürger der 31 von insgesamt 35

Tribus lebten fern der Hauptstadt; für sie war der Gang zur Wahl mit erheblichem Aufwand und hohen Kosten verbunden. Infolgedessen verzichtete die Mehrheit auf ihr Wahlrecht. Diejenigen, die es sich leisten konnten, ihre Höfe zu verlassen, gehörten meist zum Landadel, der eher mit der konservativen römischen Elite als mit den Bedürftigen sympathisierte. Nur der städtische Mob ging mehrheitlich wählen – und dieser ließ sich leicht dirigieren: So konnten die Armen durch die Geldspenden eines vermögenden Wohltäters in ihrer Meinung beeinflusst werden; kleine Geschäftsleute und Händler ließen sich von ihren aristokratischen Kunden bereden, während wiederum ehemalige Sklaven es möglicherweise für opportun hielten, sich ihren früheren Herren gegenüber loyal zu verhalten. Die Wähler konnten somit auf die eine oder andere Weise bestochen werden. Und da viel Geld aus dem Imperium nach Rom strömte, war der Korruption Tür und Tor geöffnet. Die Gracchen-Brüder hatten zwar gezeigt, dass sich die Macht des Volkes als politische Waffe verwenden ließ, doch in den letzten Jahrzehnten der Republik konnte sie von beiden Seiten für ihre jeweiligen Zwecke eingesetzt werden.[2]

Auf diesem Hintergrund trugen die Popularen und die konservativen Aristokraten im Senat ihre Kämpfe aus. Nach der Ermordung der beiden Gracchen suchten die Popularen Streit und landeten die ersten Treffer. Im zweiten Jahrzehnt des 2. Jahrhunderts v. Chr. wurden Anti-Korruptionsgesetze erlassen, die den Exzessen der Provinzstatthalter Einhalt geboten. Senatoren wurden vor Gericht gestellt und aus dem öffentlichen Leben verbannt. Zur selben Zeit gerieten die beiden Fraktionen wegen einer weiteren brandheißen Frage aneinander: Wer sollte die militärischen Kommandostellen vergeben, der Senat oder das Volk? Als sich die adligen Feldherren in den Kriegen Roms gegen nordafrikanische und gallische Feinde als Versager erwiesen, wurden die für ihre Ernennung verantwortlichen Senatoren vom Volk wegen ihrer Inkompetenz verklagt. Die Generäle wurden dann – nach dem Willen des Volkes, nicht des Senats – umgehend durch Männer ersetzt, die zwar keiner vornehmen Familie entstammten, wohl aber ihre Eignung nachgewiesen hatten. Auf dieser Basis wurde zwischen 108 und 90 v. Chr. der Oberbefehlshaber Gaius Marius, obwohl er keine senatorischen Vorfahren hatte, so oft wie niemand zuvor immer wieder zum Konsul gewählt.

Die Sache der Popularen mündete in einen Krieg an allen Fronten: Zwischen 90 und 89 v. Chr. kämpften die Heere der römischen Republik gegen ihre verärgerten italischen Verbündeten. Dieser blutige, brutale Krieg, der als Bundesgenossenkrieg in die Geschichte einging, fand ein Ende, als sich der Senat bereit erklärte, allen italischen Gemeinden südlich des Po das römische Bürgerrecht zu gewähren. Dieses brachte seinen Inhabern große Vorteile, da es sie vor Willkürmaßnahmen vonseiten der aristokratischen Magistrate in Schutz nahm. Damit konnten die Männer, die sich für die Freiheit des römischen Volkes einsetzten, einen weiteren Erfolg verbuchen.

In den 80er Jahren kam es zu einer Gegenbewegung. Als Rom mit König Mithridates VI. von Pontos, einem Rivalen um die Macht im Osten, zusammenprallte, betraute der Senat den erzkonservativen Lucius Cornelius Sulla, den Konsul des Jahres 88 v. Chr., mit der obersten Kriegsleitung. Der Feldzug versprach sowohl dem General wie auch den beteiligten Soldaten reiche Beute. Die Ernennung war jedoch nicht lange gültig: Ein Volkstribun legte gegen Sullas Kommando Veto ein und schlug stattdessen vor, den bedeutenden Feldherrn Marius zu reaktivieren und ihm noch einmal die Befehlsgewalt zu erteilen. Konservative Generäle pflegten, wenn sie auf diese Weise offiziell ihres Amtes enthoben wurden, sich dem souveränen Willen des Volkes zu beugen, selbst wenn sie noch so empört waren. Nicht so Sulla. Er holte zum Rundumschlag aus. Zuerst erwarb er sich die Loyalität des von ihm befehligten Heeres, indem er seinen Leuten klarmachte, dass, falls Marius berufen würde, dessen Soldaten, die Veteranen seiner früheren Feldzüge, nicht aber sie, die Truppen Sullas, die Früchte eines Sieges im Osten ernteten. Der Appell an die finanziellen Interessen der Soldaten war erfolgreich. Nachdem er sich auf diese Weise die unverbrüchliche Treue seiner Armee gesichert hatte, marschierte er nach Rom, tötete den für seine Absetzung verantwortlichen Tribunen, riss in einem blitzschnell durchgeführten Staatsstreich die Macht mit Gewalt an sich und ernannte sich selbst zum Diktator. Die Diktatur war ein altes republikanisches Amt, das bei einem Staatsnotstand einen Einzelnen für eine begrenzte Zeit mit absoluten Vollmachten ausstattete. Nach Sullas Willen aber sollte das Amt nur einem Zweck dienen: der Vernichtung seiner politischen Feinde.

Nachdem er schließlich Mithridates im Jahre 83 v. Chr. bezwungen und die östlichen Provinzen ausgeplündert hatte, kehrte Sulla nach Rom zurück, besiegte seine Gegner in einer Schlacht vor den Toren der Stadt und begann dann mit brutaler Gewalt an den Popularen Rache zu nehmen. Proskriptionslisten wurden auf dem Forum veröffentlicht und Sullas Soldaten und Anhänger hatten den Auftrag, seine Feinde zur Strecke zu bringen. In der Stadt wurden viele Menschen umgebracht oder zur Flucht gezwungen, ihr Eigentum wurde konfisziert. In seiner Position als Diktator erließ Sulla anschließend eine Reihe von durchweg reaktionären Gesetzen, die die Macht der Popularen eindämmen und die des Senats stärken sollten.

Unter den neuen Bestimmungen gab es ein Dekret, demzufolge bei der Bekleidung politischer Ämter die vorgegebene Hierarchie streng eingehalten werden musste. Auf diese Weise wurde verhindert, dass Emporkömmlinge unter den Popularen vom Volk direkt ins Konsulamt aufsteigen konnten. Außerdem wuchs der Senat durch die Aufnahme von Anhängern Sullas von 300 auf 600 Mitglieder. Die provokativsten Gesetze betrafen jedoch das Amt des Volkstribunen, dessen Befugnisse radikal beschnitten wurden: Keiner, der einmal Tribun gewesen war, durfte später für ein anderes Amt kandidieren (wodurch das Tribunat für ehrgeizige Männer jegliche Attraktivität verlor). Jeder Gesetzesantrag eines Tribunen musste vorher vom Senat gebilligt werden. Außerdem wurde das Vetorecht abgeschafft. Das Pendel war nun deutlich zugunsten der Konservativen und gegen die Popularen ausgeschlagen.

Nach Abschluss seines blutigen und mit kühler Sachlichkeit durchgeführten Reformwerks legte Sulla den Staat wieder in die Hände des Senats und zog sich 79 v. Chr. nach Puteoli zurück, um die Freuden des Privatlebens zu genießen. Es brauchte fast zehn Jahre, bis die Tribunen ihre früheren Rechte zurückerhielten und die Volksversammlungen wieder autonom waren. Über das Verhalten des Konsuls, der im Jahre 70 v. Chr. die letzte tribunizische Vollmacht wieder in Kraft setzte und dafür vom Volk hoch gepriesen wurde, waren viele Menschen überrascht. Dieser war damals Roms erfolgreichster General und hatte dies durch zwei Triumphe nachgewiesen, die dem nicht einmal 40-Jährigen bewilligt worden waren. Seinen Ruf hatte er jedoch in einer dunkleren blutigeren Zeit erworben: Er war einst der brutale Scherge Sullas. Der Feldherr hatte sich, als er aufseiten der konservativen Senatoren einen Großteil der 80er Jahre damit verbrachte, die seinerzeit führenden Popularen zu bekriegen, den Spitznamen »jugendlicher Henker« (*adulescentulus carnifex*) zugezogen. Sein wirklicher Name war Gnaeus Pompeius Magnus – Pompeius »der Große«.

Obwohl er, der Sohn eines Konsuls, das größte private Landgut in Italien geerbt hatte, darf man Pompeius nicht für einen eingefleischten Aristokraten halten. Er war ein karrieresüchtiger junger Mann, frei von jeder sentimentalen Anhänglichkeit an die politischen Traditionen der republikanischen Vergangenheit. Vor allem war er ein ganz ausgezeichneter Militär. Er war ehrgeizig, wagemutig und für seine blonde Mähne berühmt und hatte daher von seinen Soldaten (in Anlehnung an Alexander den Großen, den Helden seiner Kindheit) den Beinamen Magnus (»der Große«) erhalten. Diesen Namen hatte er durch seinen brillanten Feldzug, den er 80 v. Chr., im Alter von 26 Jahren, in Afrika geführt hatte, gerechtfertigt. Seine größte Gabe war jedoch sein sicheres Gespür für die Gelegenheiten, bei denen er seinen Ruhm mehren konnte. Als Konsul des Jahres 70 v. Chr. nutzte er wieder eine solche Chance, wechselte die Seite und schloss sich den Popularen an. Er gab nicht nur den Volkstribunen ihre früheren Vollmachten zurück, sondern reformierte auch die Gerichtshöfe, sodass sie nicht länger die Senatoren begünstigen konnten. Außerdem sorgte er dafür, dass 64 zweitklassige Senatoren, allesamt Anhänger Sullas, aus der Zensusliste gestrichen wurden. Das Volk lag ihm zu Füßen. Zwar stellten sich zahlreiche Senatoren gegen Pompeius, doch der große General konnte mit der Unterstützung eines jungen Senators rechnen: Gaius Julius Caesar.

Mit Pompeius' und Caesars Eintritt in die römische Politik im Jahre 70 v. Chr. sollte das Pendel der Geschichte wieder zugunsten der Popularen zurückschwingen, diesmal jedoch auf eine höchst spektakuläre

Art und Weise. Dafür gab es einen einfachen Grund: Sich am Vorbild
des rücksichtslosen Sulla orientierend, sollten Pompeius und Caesar in
den nächsten beiden Jahrzehnten mehr Macht auf sich vereinen und
mehr persönlichen Einfluss gewinnen als jeder andere römische Politiker vor ihnen. Anders als Sulla wollten sie allerdings nicht die Macht
des Senats, sondern die der Popularen stärken. Nicht von ungefähr hatten sie die Volkstribunen wieder in ihre früheren Rechte eingesetzt –
sie würden sie nämlich brauchen, um sich ihre entsprechende Machtposition aufzubauen.

Pompeius, Caesar und Cato

Pompeius leistete die Pionierarbeit. Im Jahre 67 v. Chr. legte ein Tribun der Volksversammlung folgenden Antrag vor: Der Volksheld solle,
auch wenn er zurzeit kein Amt innehabe, mit einem Sonderkomman-
do betraut werden und das Mittelmeer von den Piraten säubern, die
damals das Chaos, das die zahlreichen Eroberungskriege der Römer
mit sich brachten, ausnutzten. Die Situation hatte sich gefährlich zuge-
spitzt, da die Tatsache, dass die Seeräuber das Mittelmeer kontrollierten, in Rom bereits zu Versorgungsengpässen geführt hatte. Es war
enorm schwierig, die Schiffe der Piraten in einem so ausgedehnten
Gebiet aufzuspüren und erfolgreich zu bekämpfen. Für diese Aufgabe
würde Pompeius mehr Schiffe, mehr Soldaten und mehr Zeit brauchen, als jedem Feldherrn vor ihm zugestanden worden waren.

Im Senat schrillten die Alarmglocken: Die Machtfülle, über die
Pompeius verfügen sollte – 500 Schiffe, 120 000 Soldaten und ein drei-
jähriges Kommando –, würde der angeblichen Gleichheit der Optimaten Hohn sprechen. Wenn man ihm diese Macht einräumte, wäre
das so, wie wenn man in der Republik einen Monarchen einsetzte,
dem nur der entsprechende Titel fehlte. Dennoch nahm das Volk den
Gesetzesvorschlag an und Pompeius machte sich ans Werk. Seine Erfolge versetzten jedermann in Erstaunen. Es gelang ihm nicht nur, die
Seeräuber zu besiegen, sondern er brauchte dafür nicht einmal mehr
als drei Monate. Dann nutzte er die restliche Zeit seines Oberbefehls,

um diese Leistung noch zu überbieten und im Osten die bisher größten römischen Gebietsgewinne zu erzielen. Diese Tat konnte es mit der großen Eroberung Griechenlands im 2. Jahrhundert v. Chr. ohne weiteres aufnehmen. Der General schwamm auf einer riesigen Erfolgswelle und wurde mit einem weiteren Kommando belohnt. Auch diesmal legte ein Tribun dem Volk ein Gesetz vor, das Pompeius den militärischen Oberbefehl erteilte: Er sollte in Asien König Mithridates endgültig in die Knie zwingen.

Auch bei dieser Aufgabe zeigte Pompeius denselben Ehrgeiz – und seine Erfolge waren sogar noch spektakulärer. Innerhalb der nächsten drei Jahre besiegte er nicht nur Mithridates, sondern befriedete mit diplomatischen sowie militärischen Mitteln auch die beiden von ihm neu geschaffenen römischen Provinzen Syrien und Judäa. Daher konnte sich Pompeius nach seinen beiden Feldzügen damit brüsten, dass er 1000 Festungen, 900 Städte und 800 Piratenschiffe in seine Gewalt gebracht habe. Er hatte 39 Städte gegründet, und abgesehen von den 20 000 Talenten, die die Staatskasse zusätzlich füllten, hatten sich die staatlichen Steuereinnahmen im Osten nahezu verdoppelt – alles dank Pompeius. Die Senatoren in Rom waren abwechselnd entzückt, verwundert und entsetzt. Pompeius hatte hier einen König eingesetzt, dort einen Friedensvertrag abgeschlossen oder eine ausländische Stadt eingenommen – man hätte tatsächlich an einen neuen allmächtigen Alexander glauben können. Eines aber vor allem beunruhigte die Senatoren: Würde Pompeius nach seiner Rückkehr nach Rom zusammen mit seiner Armee die absolute Macht an sich reißen?

Doch als Pompeius wieder in Italien war, entließ er seine Truppen und unterstellte sich dem Senat. Damit gab er zu verstehen, dass seine Popularität und Macht nicht gegen den Staat einsetzen wollte. Allerdings stellte er seine Bedingungen: Als Lohn für ihre Dienste sollten seine Soldaten auf italischem Boden Siedlungsland erhalten, und die Verträge, die er im Osten abgeschlossen hatte, mussten ratifiziert werden. Dies war für die Konservativen im Senat noch immer ein Grund zur Sorge: Wenn man sich auf diese Bedingungen einließe, würde man anerkennen, dass Pompeius der stärkste Mann im Staate war. Solche Zugeständnisse würden die Bindung des römischen Heeres an seine

Person sowie die ihm entgegengebrachte Loyalität der Könige, Potentaten und Völker im Osten des Reiches bekräftigen. Schließlich bewilligten die konservativen Senatoren dem Volkshelden einen – noch nie dagewesenen – dritten Triumph, weigerten sich aber, ihm seine sonstigen Wünsche zu erfüllen. Immer wieder zögerten sie ihre Entscheidung hinaus und zeigten dem Feldherrn die kalte Schulter. Daraufhin zog sich Pompeius der Große zunehmend verbittert zurück.

In den 60er Jahren des 1. Jahrhunderts v. Chr. legte auch Gaius Julius Caesar, der sechs Jahre jünger als Pompeius war, den Grundstein für seine persönliche Karriere. Anders als Pompeius entstammte er einer uralten Patrizierfamilie, die ihre Ursprünge bis auf den Trojaner Aeneas, den sagenhaften Ahnherrn Roms, zurückführte. Da Aeneas angeblich ein Sohn der Venus war, konnte Caesar auch eine göttliche Herkunft für sich beanspruchen. Darauf wies er bei jeder sich bietenden Gelegenheit auch gerne hin: Er war der blaublütigste Mann, den es im römischen Staat überhaupt geben konnte. Bei den pompösen, exklusiven Leichenfeiern seiner Tante und seiner ersten Frau machte er mit der ökonomischen Effektivität einer Werbeagentur die beiden Punkte deutlich, die seinem politischen Aufstieg förderlich sein sollten: Er pries die göttlichen Ahnen seiner Tante (und damit indirekt auch seine eigenen) und zeigte nicht durch Worte, sondern durch Taten, wen er politisch favorisierte. Da seine Tante mit dem bedeutenden General Marius verheiratet gewesen war, ließ er die Wachsmasken ihres Ehemanns zur Schau stellen und bekundete auf diese Weise seine Zugehörigkeit zu den Popularen. Dieselbe Extravaganz spiegelte sich auch in seiner Kleidung. Caesar stand im Ruf eines Dandys: Wegen seiner Glatze »pflegte er seine Haare vom Scheitel nach vorn zu bürsten« und trug die Tunika mit einem flotten losen Gürtel.[3] Solche Koketterien empörten die konservativen Senatoren. Sie ahnten ja nicht, dass es noch viel schlimmer kommen sollte.

Als er zu Beginn der 70er Jahre zwei Aristokraten, die korrupten Statthalter von Makedonien und Griechenland, vor Gericht brachte, offenbarte Caesar seine politischen Sympathien. Obwohl er die Prozesse verlor, war er beim Volk nun sehr beliebt: Durch seine rhetorischen Fähigkeiten, seinen selbstsicheren Charme und seine freundlichen Umgangsformen konnte er die Menschen leicht für sich einnehmen.[4] Doch eines war ihm klar: Um mit Unterstützung des römischen Volkes in die höchsten Staatsämter aufsteigen zu können, musste er noch sehr viel mehr Aufsehen erregen. Daher bekleidete Caesar ein Amt nach dem anderen, um seinem ehrgeizigen Ziel näher zu kommen.

In die Zuständigkeit eines kurulischen Ädils fiel es beispielsweise, an bestimmten staatlichen Feiertagen öffentliche Spiele auszurichten. Nach seiner Wahl in dieses Amt nutzte Caesar 65 v. Chr. die Gelegenheit, das römische Volk durch die Veranstaltung der spektakulärsten Gladiatorenkämpfe, die die Stadt je gesehen hatte, zu beeindrucken: Nicht weniger als 320 Gladiatorenpaare in glänzenden silbernen Rüstungen bereiteten sich darauf vor, um Ruhm und Ehre zu fechten und die Zuschauer in Entzücken zu versetzen. Dies war für die Römer eine solche Sensation, dass die Konservativen im Senat umgehend ein Gesetz einbrachten, das die Zahl der Gladiatoren begrenzte, die sich ein Bürger in der Stadt halten durfte.[5] Damit wollten sie den Politiker daran hindern, sich auf eine derart schamlose Weise die Gunst des Volkes zu erkaufen. Bei den Spielen mussten sich die Leute dann mit einer bescheideneren Show begnügen, aber Caesars Ankündigung hatte ihre Wirkung nicht verfehlt.

Solch aufwändige Schauspiele erforderten Geld, viel Geld. Um seine massiven Schulden begleichen zu können, wollte sich Caesar als Nächstes einen Posten in der Provinzverwaltung verschaffen, seinen Amtsbezirk ausplündern und nach seiner Rückkehr seine Gläubiger auszahlen. Seine Rechnung ging auf: Nach seiner Prätur ging er 61 v. Chr. als Statthalter ins jenseitige Spanien. Er vernachlässigte seine normalen Gouverneurspflichten und bekriegte die unabhängigen Völkerschaften Nordportugals. Während er sich in Rom als höflicher und freundlicher Popular ausgezeichnet hatte, bewies er nun im Ausland als Feldherr seine kämpferischen Qualitäten. Er war so erfolgreich, dass er einen Triumph beantragen wollte – das, wie der junge General glaubte, beste Sprungbrett für seine Bewerbung auf das höchste Staatsamt: das Konsulat. Doch nach seiner Rückkehr nach Rom verlief nicht alles nach Plan.

Der Mann, der Caesars steilen Aufstieg ins Konsulamt unbedingt verhindern wollte, war der Erzrepublikaner Marcus Porcius Cato. Unbeugsam, humorlos und sich viel älter gebend als er war (er war 35), wollte er durch seine Lebensführung dem Ideal der strengen altrepublikanischen Virtus ein Denkmal setzen. Sein Haar war zerzaust wie das eines Bauern, sein Bart struppig und ungepflegt. Um gegen die modebewussten Gecken in der Oberschicht zu protestieren, die sich in kostbare Purpurgewänder kleideten, trug Cato nur schwarz. Sein Zeitgenosse Cicero sagte von ihm: »Er stellt Anträge, als ob er sich in Platos Idealstaat und nicht in Romulus' Schweinestall befände.«[6] Ein Dinner im Hause Catos entsprach nicht dem, was sich ein Senator, der auf sich hielt, unter einem vergnüglichen Abend vorstellte. Tatsächlich zeigte Cato nach Caesars Rückkehr, wie sehr er von der Verfassung des Staates durchdrungen war und wie entschlossen er die Gesetze nutzen wollte, um die Popularen nicht an die Macht kommen zu lassen.

Vor den Mauern der Stadt stellte Caesar beim Senat den förmlichen Antrag auf einen Triumph, mit dem seine Siege in Spanien anerkannt werden sollten. Er gab auch bekannt, dass er bei den im Juli anstehenden Konsulwahlen kandidieren wolle. Catos Antwort war unmissverständlich: Gemäß Gesetz sei beides zugleich unmöglich. Caesar sah sich in einem Dilemma: Wenn er einen Triumph feiern wollte, durfte er Rom vor dem Tag des Triumphzugs nicht betreten. Wenn er jedoch für das Konsulat kandidieren wollte, musste er sich sofort in die Stadt begeben und seine Bewerbung persönlich einreichen. Caesar habe, so Cato, die Wahl: Entweder die Ehre einer grandiosen Prozession durch die Straßen Roms oder aber die Kandidatur für ein staatliches Spitzenamt.[7]

Caesar bewarb sich um das Konsulat. Wie wir noch sehen werden, sollte diese Entscheidung den Lauf der römischen Geschichte für immer verändern. Doch es war ungewiss, wie die Wahl ausgehen würde. Um seinen Erfolg sicherzustellen und das Volk, dessen Gunst er durch den Verzicht auf den Triumph verloren hatte, wieder auf seine Seite zu bringen, brauchte er nun dringend zweierlei: Geld und Einfluss. Der einzige Mann im Staate, der gewillt und in der Lage war, ihm beides zu verschaffen, war niemand anders als der schmollende Pompeius. Die beiden damals bedeutendsten Popularen trafen ein Abkommen: Pompeius würde Caesar bei seiner Bewerbung um das Konsulamt finanziell und politisch unterstützen, und Caesar seinerseits würde nach erfolgter Wahl Pompeius das geben, was ihm am meisten am Herzen lag, und eben die Gesetze einbringen, denen sich die ängstlichen Senatoren so lange verweigert hatten – die Ansiedlung von Pompeius' Veteranen und die Ratifizierung seiner im Osten geschlossenen Verträge.

Das Bündnis zwischen den beiden Männern schien so mächtig und bedrohlich, dass die von Cato angeführten Konservativen bei den Konsulwahlen im Sommer 60 v. Chr. nichts unversucht ließen, um sich Caesar und Pompeius in den Weg zu stellen. Wieder kam es zwischen den beiden Fraktionen, den Optimaten und Popularen, zum Kampf. Vor den Wahlen im Juli 60 v. Chr. sorgten die prall gefüllten Geldbörsen des Pompeius und seines wohlhabenden Partners Marcus Licinius Crassus dafür, dass sich das Volk auf dem Campus Martius, wo die Konsulwahlen abgehalten wurden, manipulieren ließ. Selbst der überaus gesetzestreue Cato griff zur Bestechung, um einen konservativen Kandidaten, seinen Schwiegersohn Marcus Bibulus, zu unterstützen.[8] Da Cato und seine konservativen Parteigänger in ihrer Verzweiflung wenigstens einen Mann als Konsul durchsetzen wollten, dem sie vertrauen konnten und der Caesar Einhalt gebieten würde, waren sie bereit, es genauso übel zu treiben wie der hinter Caesar, Pompeius und Crassus stehende Block der Popularen. Caesar gewann die Wahl mit überwältigender Mehrheit, doch Cato konnte ebenfalls einen Erfolg verbuchen: Neben Caesar wurde auch Bibulus ganz knapp zum Konsul gewählt. Die Schlacht hatte allerdings gerade erst begonnen.

Caesars Konsulat war die logische Folge des langwierigen Streits zwischen den Popularen und Optimaten. Es zeigte vor allem, dass die Popularen nun klar die Oberhand gewonnen hatten. Eines war nämlich im Jahre 59 v. Chr. ganz neu: Der jetzt führende Popular, der Mann, der bereit war, sich über die Tradition und den Willen des Senats hinwegzusetzen, war kein Volkstribun, sondern jemand, der mit dem Konsulat eines der mächtigsten politischen Ämter innehatte. Die radikalen Methoden der Volkstribunen wurden nun von einem Konsul angewendet. Als Caesar Pompeius' Siedlungsgesetz vorlegte, traf er auf den erbitterten Widerstand einer von Cato organisierten Opposition. Doch statt sich wie andere Konsuln dem kollektiven Willen seiner Senatskollegen zu beugen, verließ er einfach die Kurie, wandte sich direkt an die Volksversammlung und brachte das Gesetz auf diese Weise durch. Doch Caesar sollte zu noch extremeren Maßnahmen greifen. Bei Abstimmungen über Caesars und Pompeius' Programme versuchte der andere Konsul Bibulus wiederholt die Amtsgeschäfte zu blockieren, indem er auf ungünstige Vorzeichen verwies. Caesar jedoch beachtete ihn gar nicht und machte stur weiter. War Caesar ein Gesetzesbrecher? In Catos Augen gewiss.

In der fieberhaft gespannten Atmosphäre des Jahres 59 setzten Caesar und Pompeius ihre »Gesetzesverstöße« durch, indem sie ein weiteres Mal zu dem unheilvollen Mittel griffen, das beide Parteien in ihrem Krieg um die Politik der Popularen eingesetzt hatten: nackte Gewalt. Als Cato im Senat eine Aussprache über das Ackergesetz verhindern wollte, ließ Caesar den Senator von seinen Liktoren festnehmen und ins Gefängnis abführen. Doch dies war erst ein kleiner Vorgeschmack von dem, was noch kommen sollte. Jetzt drohten Pompeius' Veteranen, Tausende ehemaliger, ihm treu ergebener Soldaten, und marschierten nach Rom. Um die Annahme des Ackergesetzes sicherzustellen, zogen Pompeius' Schlägertrupps am Tag der Abstimmung einfach auf das Forum und vertrieben alle, die dem Gesetz ihre Zustimmung versagten. Bei einer dieser Auseinandersetzungen wurden Cato und Bibulus weggeschleppt, die Bediensteten in ihrer Begleitung verprügelt und die Rutenbündel der Magistrate zerschlagen. Als letzte Kränkung stülpte man dem Konsul noch einen Eimer Mist über den Kopf.

Als Bibulus am nächsten Tag eine Senatssitzung einberief und sich über die brutale und gesetzeswidrige Behandlung beklagte, zeigten die Senatoren Verständnis, wussten sich aber keinen Rat. Den Rest des Jahres schloss sich Bibulus in ständiger Furcht um sein Leben in seinem Haus ein, während Caesar aktiv blieb, kurzerhand die Kurie boykottierte, sich über die normalen politischen Gepflogenheiten hinwegsetzte und – ohne auf Widerstand zu stoßen – alle seine popularen Gesetzesanträge der Volksversammlung direkt vorlegte. Es war ein außergewöhnliches Jahr, und es war noch nicht vorüber.

Nach Ablauf seines Amtsjahres übernahm ein Konsul üblicherweise
– dann im Range eines Prokonsuls – die Verwaltung einer vom Senat
bestimmten Provinz. In einem letzten verzweifelten Versuch, sich dem
ehrgeizigen und berechnenden Caesar in den Weg zu stellen, beschlossen Cato und die Konservativen, ihn in die friedlichen Fluren Italiens
zu entsenden, wo keine Kriege geführt werden mussten, wo es nichts
zu plündern gab und wo man kein Heer auf sich einschwören konnte.
Mit einem Wort, dieser Beschluss bedeutete das vorzeitige Ende für
Caesars ach so glänzende Karriere. Dieser aber hatte andere Pläne. Er
veranlasste einen treuen Volkstribun, der Volksversammlung ein neues
Gesetz vorzulegen, das ihm für die Dauer von fünf Jahren mit Gallia
Cisalpina (dem östlich der Alpen gelegenen Gallien, vgl. Karte, S. 119)
und Illyricum (der Küste Dalmatiens) zwei Provinzen zuwies, die bessere Aussichten boten. Es war ein außerordentlicher Glücksfall, dass im
Frühjahr 59 v. Chr. der Statthalter von Gallia Transalpina (dem westlich der Alpen gelegenen Gallien) starb, sodass auch diese Provinz dringend einen Kommandanten brauchte. Diese Gegend Galliens war das
Tor zu den von Rom unabhängigen Ländern. Hier lockten Krieg, militärischer Erfolg und reiche Beute.

Im Senat schlug Pompeius vor, Caesar mit dem neuen Kommando
in Illyricum und den gallischen Provinzen zu betrauen. Der gebrochene traurige Rest der aristokratischen Elite, der noch immer bereit
war, zu den Senatssitzungen zu erscheinen, war einverstanden. Hätten
sich die Männer geweigert, wäre ihm das Kommando auf jeden Fall
durch einen Volksbeschluss übertragen worden. Indem sie also selbst
Caesar die Statthalterschaft zusprachen, wahrten sie das Gesicht und
erweckten Anschein, als hätten sie noch immer Einfluss auf die Volksversammlung.[9]

Die Traditionalisten waren zwar gedrückter Stimmung, hatten aber
noch nicht alle Hoffnungen verloren. Als Caesar nach Gallien aufbrach, hatte er nicht nur den gesamten Senat, sondern auch einige Leute im Volk gegen sich aufgebracht. Seine Gesetzgebung war nicht allen
Gruppen der Plebejer zugute gekommen, und manche fragten sich

jetzt, ob seine Methoden nicht ebenso korrupt waren wie die der in Verruf geratenen Aristokraten, von denen er Rom angeblich befreien wollte. »Aber glaub' mir«, schrieb damals der Senator Cicero, »etwas so Schmachvolles, Schimpfliches, allen Geschlechtern, Ständen, Altersstufen gleichermaßen Verhaßtes hat es noch nie gegeben [...]. Selbst zurückhaltenden Leuten haben diese Popularen schon das Pfeifen beigebracht.«[10] Vor allem aber hatte sich Caesar einen äußerst erbitterten und unbeirrbaren Feind zugezogen: Cato.

Der strenge Senator wollte weiterhin mit aller Hartnäckigkeit verhindern, dass Caesar ständig mehr Macht an sich riss, und glaubte, eine Waffe in der Hand zu haben, mit der ihm dies gelingen könne. Cato versicherte seinen Kollegen, dass er nun Material genug habe, um ihn wegen der Gesetzeswidrigkeiten während seines Konsulats juristisch zu belangen. Solange Caesar noch im Amt war, konnte Cato ihm zwar nichts anhaben. Doch wenn er nach Ende seines Kommandos in Gallien nach Rom zurückkäme, würde ihm wie einem ganz gewöhnlichen Verbrecher der Prozess gemacht.

Dennoch waren Catos Rachepläne vorerst nur Zukunftsmusik. Als Caesar im Frühjahr 58 v. Chr. nach Gallien aufbrach, schienen er und sein Partner Pompeius unangreifbar. Die für jenes Jahr gewählten Konsuln und Tribunen waren ihnen treu ergeben. Auf diese Weise konnten sie sicher sein, dass keines der von ihnen verfügten Gesetze wieder aufgehoben würde. Die beiden Männer hatten zudem ihre Allianz auf eine altmodische und aristokratische Weise besiegelt: Caesar hatte Pompeius die Hand seiner einzigen Tochter Julia angeboten, und im Frühjahr 59 v. Chr. heiratete der alternde General seine charmante junge Braut.

Jetzt aber sollte das einzigartige Bündnis zwischen den beiden Männern einer äußersten Zerreißprobe ausgesetzt werden. Denn während Pompeius in Rom zurückblieb, umgeben von Feinden, die nach seinem Blut lechzten, sollte Caesar unvorstellbaren Ruhm erwerben. Und mit diesem Ruhm war eine unglaubliche Machtfülle verbunden.

Das Gleichgewicht der Kräfte

Der Status der kleinen römischen Provinz Gallia Transalpina, des heutigen Südfrankreichs, wird in seiner modernen Bezeichnung deutlich:
Provence (entstanden aus dem lateinischen Wort *provincia*). Die Römer
nannten das sich nördlich anschließende Gebiet Gallia Comata, »lang-
haariges Gallien«, weil es angeblich von schreckenerregenden Barbaren
mit wilder Haartracht bevölkert wurde. Obwohl der römische Senat
einige Fürsten der mächtigsten Völkerschaften offiziell zu »Freunden
des römischen Volkes« erklärt hatte und vom Pioniergeist beseelte römische Kaufleute bis an die Rhône und die Garonne vorgedrungen
waren, um einen schwunghaften Weinhandel zu betreiben, war es eine
schlichte Tatsache, dass die meisten zivilisierten Römer die feuchtkal-
ten Wälder des Nordens als fremd und bedrohlich empfanden. Schlimmer noch: Viele betrachteten diese Region als die größte Gefahren-
quelle für das römische Imperium.[11]
   Worauf war eine solche Furcht zurückzuführen? Wilden Krieger-
horden gallischer Barbaren war im Jahre 390 v. Chr. etwas gelungen,
was nicht einmal der große punische Feldherr Hannibal geschafft hatte:
Sie waren mit Feuer und Schwert durch Italien gezogen und hatten
schließlich sogar die Stadt Rom geplündert. In nicht so ferner Vergangenheit waren diese alten römischen Ängste wieder schmerzlich aufgebrochen, als Marius in den Jahren 102 und 101 v. Chr. drei gut trainierte, straff organisierte Legionen aufbieten musste, um Italien vor
einer weiteren gefährlichen Invasion gallischer und germanischer
Volksstämme zu bewahren. Doch Caesars Statthalterschaft sollte die
legendäre Furcht vor den Galliern für immer aus der Welt schaffen.
   Bei seiner Ankunft in Gallien hatte Caesar weder den Auftrag, Krieg
zu führen, noch war er rechtlich dazu befugt. Gerade im Vorjahr war
nämlich ein Gesetz erlassen worden, das den Willkürmaßnahmen römischer Provinzgouverneure Einhalt gebot. Caesar musste es bis in alle
Einzelheiten kennen, schließlich hatte er als Konsul dieses Gesetz
höchstpersönlich entworfen und eingebracht. Und nun suchte er, sorgfältig kalkulierend, nach einer geeigneten Gelegenheit, um seine eigenen popularen Gesetze zu brechen. Im Jahre 58 v. Chr. verließ das

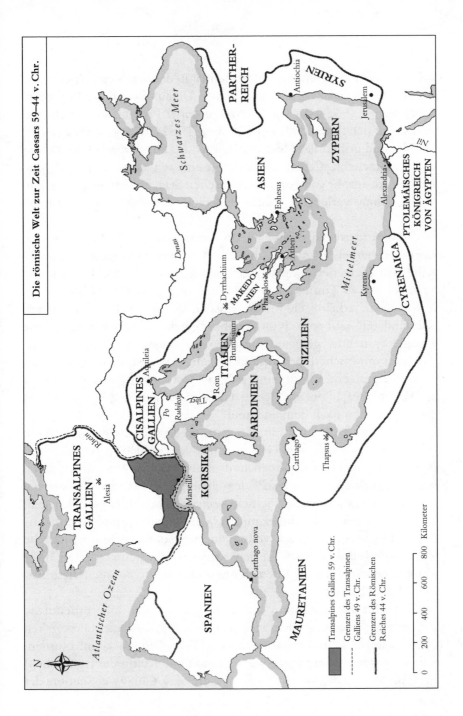

Die römische Welt zur Zeit Caesars 59–44 v. Chr.

Transalpines Gallien 59 v. Chr.

Grenzen des Transalpinen Galliens 49 v. Chr.

Grenzen des Römischen Reiches 44 v. Chr.

0   200   400   600   800   Kilometer

gallische Volk der Helvetier seine Heimat in der heutigen Schweiz und
streifte auf seinem Zug Caesars Provinz. Daraufhin ließ der Prokonsul
seine Armee 16 km vor der Grenze zu seiner Provinz aufmarschieren
und stellte sich ihnen direkt in den Weg. Die Helvetier tappten in diese Falle und griffen das Heer der Römer an. Für deren Feldherrn war
das ein Geschenk. Caesar nutzte sofort eine seit alters bestehende Ge-
setzeslücke aus: Er gab vor, den römischen Staat zu verteidigen, sich in
seiner *dignitas* verletzt zu fühlen und dieses Unrecht rächen zu müssen.[12]

Caesar orderte seine drei im norditalischen Aquileia stationierten
Legionen herbei, rekrutierte in Gallia Cisalpina zwei weitere und erteilte den Helvetiern auf dem Schlachtfeld eine bittere Lektion. Im
Senat kam es zu Tumulten, wobei Cato seine Stimme am lautesten erhob. Caesar, erklärte er, mache einfach, was er wolle: Er führe mit
selbständigen und von Rom unabhängigen Völkerschaften illegale
Kriege; er nehme gesetzeswidrige Aushebungen vor, ergänze seine
Truppen mit Nicht-Römern und verleihe ihnen unrechtmäßigerwei-
se das Bürgerrecht. Er schwinge sich, rief Cato, zu einem selbsternannten Richter auf, bilde sein eigenes Gericht und begehe gegen den Staat
ein Verbrechen nach dem anderen!

Tatsächlich hatte Caesar im Krieg gegen die Helvetier seine wahren
Absichten als Prokonsul in Gallien unmissverständlich zu verstehen gegeben. Aus welchen Gründen und unter welchen Vorwänden auch
immer, mochten sie noch so fadenscheinig sein, würde er zielstrebig
die gallischen Volksstämme jenseits seiner Provinz so lange bekriegen,
bis er ganz Gallien, die unbekannten Weiten dieses dunklen, unheimlichen Landes im Norden, vollständig befriedet und unter römische
Herrschaft gebracht hätte. In den nächsten acht Jahren setzte Caesar
mit anscheinend grenzenlosem Ehrgeiz und Selbstvertrauen diese Absicht in die Tat um.

57 v. Chr. demonstrierte er den Galliern die außerordentliche
Kampfkraft seiner Legionen, indem er die Belger besiegte. Diese galten
weithin als die kühnste und tapferste Völkerschaft, da sie im Norden,
»am weitesten entfernt von der Zivilisation und Kultur der [römischen]
Provinz« angesiedelt waren.[13] Als im Jahre 55 v. Chr. zwei Stämme der

Germanen, die Usipeter und Tenctherer, den Rhein überquerten und die Römer angriffen, führte Caesar sein Heer nicht nur in die Schlacht, um den über 400 000 Mann starken Feind vernichtend zu schlagen, sondern nutzte den Rückzug der Überlebenden nach Germanien auch zu seinem vielleicht gewagtesten Unternehmen.

Caesar befahl seinen Ingenieuren, über den 350 m breiten Rhein mit seinen reißenden Fluten eine Brücke zu bauen. Ein solch logistisches Meisterwerk hatte vor ihm noch niemand in Erwägung gezogen, geschweige denn versucht. Als die Römer mächtige Holzpfähle in das Flussbett trieben, schien es fast so, als könnten sie sogar Mutter Natur bezwingen. Nach Fertigstellung der Brücke überquerte Caesar mit seinem Heer den Fluss und marschierte in feindliches Territorium. Die germanischen Stämme der Sueben und Sugambrer, die noch nie eine Brücke gesehen hatten, waren von dem fremdartigen Bauwerk so beeindruckt und verschreckt, dass sie sich tief in den Wäldern versteckten. Caesar verbrannte und verheerte alsdann die nächstgelegenen Landstriche und ließ von denjenigen, die noch übrig geblieben waren, den germanischen Völkerschaften eine unmissverständliche Botschaft ausrichten: Sie dürften sich niemals mehr mit den Römern anlegen. Dann verschwand er mit seinen Truppen ebenso so schnell, wie er gekommen war, riss die Brücke wieder ab und kehrte zurück nach Gallien. Die gesamte Aktion hatte gerade einmal 28 Tage gedauert.

Caesars eigene Aufzeichnungen über die Kriege in Gallien geben Einblick in seine Motive. Er ließ eine Brücke bauen, weil er es für unter seiner »Würde« hielt, per Schiff über den Strom zu setzen.[14] *Dignitas* war die herausragende Eigenschaft eines römischen aristokratischen Politikers und beruhte auf historisch überkommenen Vorstellungen von Wert, Rang und Prestige. Je älter und vornehmer die römische Familie, desto größer ihre Würde und desto eifriger das Bemühen der Nachkommen, dieser Würde zu entsprechen. Caesars ausgeprägtes Bewusstsein von der eigenen *dignitas* lag seiner Jagd nach Posten in Rom zugrunde, hatte sein Verhalten im Amt des Konsuls bestimmt und veranlasste ihn nun zu noch größeren Ruhmestaten in Gallien. Um seine auswärtigen Erfolge zu krönen, rüstete Caesar 55 und 54 v. Chr. eine Flotte, setzte über den Ärmelkanal und marschierte in Britannien ein, in ein Land, dessen Existenz viele Römer gar nicht für möglich hielten. Bei seiner zweiten Invasion blieb er einen Sommer lang, kam bis zur Themse und verpflichtete etliche britannische Völkerschaften zu Tributzahlungen. Obwohl kein ständiger römischer Stützpunkt eingerichtet wurde, hatte Caesar ein weiteres Mal seinen Ehrgeiz eindrucksvoll unter Beweis gestellt.

Mit diesem Ehrgeiz verschaffte sich Caesar sowohl im Ausland wie auch zu Hause eine beispiellose Machtbasis. In Rom war die Bevölkerung von seinen Erfolgen fasziniert und entzückt: Sie boten Stoff für Märchen, Abenteuergeschichten und die Art von Mythen, mit denen römische Eltern ihre Kinder begeisterten und anspornten. Während Cato und seine Parteigänger weiter an Caesars völlig fehlgeleiteter Vorstellung von Würde herumkritisierten, sah das Volk nur, dass seine Aktionen dem römischen Staat ungeheuer viel Ruhm und Ehre einbrachten. In ihren Augen inszenierte Caesar das großartigste Schauspiel, das es auf Erden geben konnte, und Gallien war die Bühne: Barbaren, mit denen man seit Urzeiten verfeindet war, wurden geschlagen, und nicht einmal Ströme und Ozeane waren in der Lage, dem Ansturm der römischen Streitkräfte Einhalt zu gebieten. Am Ende des Jahres 53 v. Chr. konnte Caesar verkünden, dass ganz Gallien »befriedet« sei. Sein Ansehen war nicht nur wiederhergestellt – Caesar war jetzt auf dem Gipfel des Ruhmes.[15]

Aber er ruhte sich nicht auf den Lorbeeren seiner im Ausland errungenen Erfolge aus, sondern war weiterhin bestrebt, die Menschen für sich einzunehmen. Im Winter verlegte er sein Lager regelmäßig so dicht wie möglich an die Grenze zu Italien. Von dort ließ er dem römischen Volk eine Fülle weiterer außerordentlicher Geschenke und Wohltaten zukommen. Am spektakulärsten war seine Ankündigung, dass aus der gallischen Beute im Zentrum Roms ein prächtiges neues Forum errichtet werden solle.[16] Auch einzelne Personen wurden mit großzügigen Zuwendungen bedacht: Mit üppigen Schmiergeldern und Empfehlungsschreiben nahm Caesar Einfluss auf die Wahl von gleichgesinnten Magistraten, die bereit waren, ihn zu unterstützen und zu verteidigen. Der Verkehr floss auch in die entgegengesetzte Richtung. Ehrgeizige junge Römer, die nach Reichtum und militärischem

Erfolg strebten, drängten in immer größer werdender Zahl dorthin, wo wirklich etwas passierte: Sie wollten Caesar auf seinen gallischen Feldzügen begleiten. Zwar umwarb dieser sehr erfolgreich alles, was in der römischen Politik Rang und Namen hatte, doch Cato und seine Republikaner konnten sich damit beruhigen, dass sie ihre Gegner zumindest durchschauten. Seit Jahrzehnten kämpften sie auf dem Forum und im Senat gegen die Popularen. Nicht vorbereitet waren sie allerdings auf eine neue Situation, die ihre Interessen nun ernsthaft gefährdete: Caesar besaß eine Hausmacht außerhalb von Rom, die Armee.

Trotz aller Anstrengungen der popularen Politik war das Problem der römischen Bürgersoldaten – nach langen Kriegsjahren mussten sie feststellen, dass sie keinen Hof mehr hatten, auf den sie zurückkehren konnten – durch eine Landreform niemals zufriedenstellend gelöst worden. Pompeius' ausgediente Veteranen hatten zwar unter Caesars Konsulat Siedlungsland erhalten, doch bildeten sie eher die Ausnahme als die Regel. Tatsächlich hatten die Heeresreformen das Problem der entwurzelten Soldaten nur verschlimmert: Indem er 107 v. Chr. ein bestimmtes Mindestvermögen als Voraussetzung für den Militärdienst abschaffte, hatte der Feldherr Marius die Zahl der Rekruten erhöht, was aber dazu führte, dass in den Legionen auch völlig mittellose Bürger ihren Dienst versahen. Ihre einzige Möglichkeit, zu Geld zu kommen, waren Soldzahlungen und Anteile an einer möglichen Kriegsbeute. In Gallien konnte Caesar mit beidem reichlich dienen. Infolgedessen entwickelte sich zwischen dem Heerführer und seinen Männern eine neue und sehr gefährliche Abhängigkeitsbeziehung: Die Soldaten fühlten sich nicht länger der Republik und ihrer alten Freiheitsideologie verpflichtet. Ihre Treue galt nur noch dem Wohltäter, der sich ihrer Interessen annahm, mit anderen Worten: ihrem Feldherrn. Der Historiker Sallust brachte es auf den Punkt: »[...] weil überhaupt dem, der nach Macht strebt, arme Leute am willkommensten sind, die sich um Eigentum nicht zu kümmern brauchen, da sie ja keins haben, und alles für ehrenwert halten, was Geld einbringt.«[17]

Dies traf natürlich erst recht für die Germanen und Gallier zu, die Caesar für seine Armee aushob. Diese neuen Rekruten hatten niemals eine römische Provinz, geschweige denn Rom, betreten. Im Laufe der

Jahre war die ihm als Prokonsul bewilligte Zahl von drei Legionen auf schwindelerregende zehn angewachsen. Damit verfügte er über die gefährlichste Streitmacht, die es im Staat je gegeben hatte: ein stolzes Kontingent von nicht weniger als 50 000 kampferprobten Soldaten, die ihm allesamt treu ergeben waren. Kein Wunder, dass Cato und seine patrizischen Anhänger dieser Macht ein Ende setzen wollten. Doch selbst von seinem weit entfernten Außenposten in Gallien aus konnte Caesar ihren ersten Angriff parieren.

Im Jahre 56 v. Chr. verkündete ein Senator namens Lucius Domitius Ahenobarbus seine Kandidatur als Konsul, um im Falle seiner Wahl Caesar das gallische Kommando zu entziehen. Doch dieser hatte den Finger am Puls der römischen Politik und konnte, indem er sein Bündnis mit Pompeius erneuerte, die Bedrohung rasch neutralisieren. Bei einem Treffen in norditalischen Lucca forderte er Pompeius und ihren gemeinsamen Verbündeten Crassus auf, bei den Konsulwahlen zu kandidieren und Ahenobarbus auszuschalten. Sie seien dann auch in der Lage, Caesar zu unterstützen: Durch entsprechende Gesetzesanträge in der Volksversammlung könnten sie dafür sorgen, dass Caesars Kommando um weitere fünf Jahre verlängert werde. Dafür hätten Pompeius und Crassus dann die Möglichkeit, als Prokonsuln lukrative Posten im Ausland zu bekleiden und so ihre Position und ihre Unabhängigkeit vom Senat zu stärken. Auf diese Weise würden die Wünsche aller drei Männer in Erfüllung gehen.

Cato durchschaute Caesars und Pompeius' Taktik sofort. Er bedrängte nun Ahenobarbus, nicht aufzugeben, sondern seine Bewerbung umso hartnäckiger zu betreiben, denn »der Kampf gehe jetzt um die Freiheit gegen die Tyrannen, nicht mehr um das Amt«.[18] Am Wahltag verprügelten Pompeius' bewaffnete Veteranentrupps ein weiteres Mal Ahenobarbus und Cato, hinderten sie am Betreten des Campus Martius und vertrieben ihre Anhänger. So wurden Pompeius und Crassus erwartungsgemäß zu Konsuln des Jahres 55 v. Chr. gewählt, und Caesar konnte nichts mehr passieren. Sein Freundschaftsbund mit Pompeius hatte die Situation gerettet. Doch als Cato und seine Verbündeten das nächste Mal gegen Caesar vorgingen, sollte der General nicht so viel Glück haben.

Drei Jahre später, 52 v. Chr., kam es zu einem Wendepunkt in der
Beziehung zwischen Caesar und Pompeius, da sich jetzt Pompeius'
größter Charakterfehler bemerkbar machte. Das Verhältnis zwischen
ihnen beiden hatte sich bereits seit zwei Jahren verschlechtert. Pompeius' Frau Julia, die Tochter Caesars, war im Wochenbett gestorben
und auch das Baby hatte die Mutter nur um wenige Tage überlebt. Zu
ihrem Kummer mussten sich beide Männer eingestehen, dass das wichtigste Band, das ihre Beziehung über ein bloßes politisches Zweck-
bündnis hinausgehoben hatte, nun zerrissen war. Während Caesar in
Gallien trauerte, empfanden in Rom – es war nämlich allgemein bekannt, wie sehr Pompeius der Große Julia geliebt hatte – sogar Pompeius' konservative Feinde im Senat für kurze Zeit Mitleid mit dem
Witwer.[19]
Doch es musste zu einer noch größeren Katastrophe kommen, bevor die Konservativen den Mann, den sie so lange gefürchtet und beargwöhnt hatten, aktiv umwarben. Auslöser war die Ermordung des
Clodius, eines Verbündeten Caesars. Clodius, ein Volkstribun der
Popularen, hatte sich als Chefagitator und Wohltäter der römischen
Plebs profiliert. Er hatte den perfekten Zeitpunkt gewählt, um nach
der Macht zu greifen: In der Mitte der 50er Jahre gerieten die Senatoren, in einem Bestechungs- und Korruptionssumpf versinkend, zunehmend in Misskredit. Clodius' schillernde, umstrittene Karriere legte
den Schluss nahe, dass es dem Volk letztlich vielleicht gar nicht um die
Freiheit ging, sondern nur um faire und großzügige politische Führer.[20]
Sein Tod – Clodius wurde auf offener Straße bei einer Schlägerei mit
einer rivalisierenden Bande erstochen – versetzte viele Menschen in
Wut. Die ihm treu ergebenen Anhänger – ein bunter Haufen von La-
denbesitzern, Strolchen, Händlern und völlig mittellosen Leuten aus
den städtischen Elendsquartieren – strömten in ihrer gemeinsamen
Trauer zu Tausenden auf die Straßen Roms. Sie begaben sich auf das
Forum, um ihren Herrn und Meister auf einem Scheiterhaufen feierlich zu verbrennen. Ort der Handlung: die Kurie. Das Brennmaterial:
die hölzernen Bänke der Senatoren. Niemand konnte die Clodianer
aufhalten. Als das Senatsgebäude bis auf die Grundmauern nieder-
brannte, brachen überall in der Stadt Tumulte aus.

In der späten Republik gab es keine Polizei, deshalb wandten sich die Senatoren an den einzigen Mann, der ausreichend Autorität und genügend Leute besaß, um gegen die in Rom herrschenden Notstände vorzugehen und die Ordnung wiederherzustellen: Sie riefen nach Pompeius dem Großen, ausgerechnet dem Mann, dem die konservative Mehrheit so große Verachtung und so starkes Misstrauen entgegengebracht hatte. Da von der Kurie nur armselige verkohlte Mauerreste geblieben waren, trafen sich die Patrizier, ihren Stolz überwindend, in einem Gebäude neben einem prächtigen neuen Marmortheater, das Pompeius hatte errichten lassen. Dies war ein angemessener Rahmen für die Zusammenkunft, da der Senator Bibulus dort beantragte, den fähigsten Bürger des Staates, Pompeius den Großen, mit einem neuen Amt zu betrauen: Er sollte als *consul sine collega*, als – mit außerordentlichen Vollmachten ausgestatteter – alleiniger Konsul, der Anarchie, in der die Stadt zu versinken drohte, ein Ende machen. Nun erhob sich Cato, biss sich auf die Zunge und forderte in einer noch erstaunlicheren Kehrtwendung seine Kollegen auf, dem Antrag zuzustimmen. So machte er, der Anführer der Republikaner, notgedrungen seinem alten Feind ein Friedensangebot.[21]

Pompeius war über eine solche Einladung insgeheim entzückt. Obwohl er der Held des Volkes, Roms größter Feldherr und der Drahtzieher hinter Caesars Aufstieg gewesen war, hatte ihm das niemals ganz genügt. In Wahrheit hatte er sich immer auch nach der Akzeptanz durch die Senatoren gesehnt. Aber er wollte, dass sie dabei eine Bedingung erfüllten: Sie sollten seine außerordentlichen Fähigkeiten, seine herausragende Position im Staat, seine »Sonderstellung« anerkennen. Ein solches Zugeständnis ging jedoch jedem noblen Senator völlig gegen den Strich. Es widersprach seiner festen Überzeugung, dass in der römischen Elite alle gleich waren und dass die Macht per Wahl immer nur für ein Jahr verliehen wurde. Die Vorfahren der Senatoren hatten die Könige aus Rom vertrieben und die Republik gegründet. Warum in aller Welt sollten sie nun einen neuen König willkommen heißen? Sie hatten Pompeius immer links liegen gelassen. Jetzt endlich hatte sich die Tür einen Spalt breit geöffnet. Was würde der große Feldherr tun?

Während sich Pompeius bescheiden und zurückhaltend gab, wurde er von einem klugen Zeitgenossen bereits richtig eingeschätzt: »Er pflegt nämlich anders zu denken als zu reden, ist aber nicht intelligent genug, um seine wahren Absichten nicht doch zu erkennen zu geben.«[22] Pompeius übernahm sein neues Kommando und ließ seine Truppen prompt in Rom einmarschieren. Zehn Jahre nach seiner grandiosen triumphalen Rückkehr aus dem Osten begann Pompeius' Stern erneut zu leuchten. Würde er nun sogar den seines alten Verbündeten überstrahlen? Die Antwort sollte nicht lange auf sich warten lassen.

Alesia

Während Caesar in seinem Winterlager an der Grenze zu Italien gespannt darauf wartete, was Pompeius jetzt unternehmen werde, verbreitete sich in ganz Gallien die Nachricht von der in Rom herrschenden Anarchie wie ein Lauffeuer. Die Fürsten der gallischen Völkerschaften kamen in einem versteckten Waldgebiet zusammen. Sie schmückten die Gerüchte über den rasanten Niedergang Roms aus, bauschten sie auf und witterten eine Chance: Jetzt könnten sie Caesars Abwesenheit von seinen Truppen, die im Norden des Landes im Winterquartier lagen, ausnutzen und sich gegen ihre mittlerweile äußerst geschwächten römischen Unterdrücker erheben.[23] Man schritt sofort zur Tat. Die Carnuten verpflichteten sich per Eid, die Initiative zu ergreifen, und sie machten sich sogleich ans Werk. Sie zogen nach Cenabum und ermordeten die dort ansässigen römischen Bürger. Als andere Völkerschaften davon erfuhren, schlossen sie sich dem Aufstand umgehend an. Die Arverner zeichneten sich vor allen anderen gallischen Stämmen dadurch aus, dass sie von einem jungen Adligen befehligt wurden, der zum Anführer der gemeinsamen Rebellion werden sollte. Sein Name war Vercingetorix.

Vercingetorix schickte Gesandtschaften und gewann im Handumdrehen die Unterstützung der Senonen, Parisier, Pictonen, Cadurker, Turoner, Aulerker, Lemoviken, Anden und aller übrigen Gallier an der

Atlantikküste. Man beschaffte sich Gelder und stellte mehrere Heere von gallischen Kriegern auf. Vercingetorix bewies sogleich, dass er ein ebenso guter Organisator wie auch strenger und entschlossener Führer war. Um Zaudernde zu disziplinieren, ließ er ihnen ein Ohr abschneiden, ein Auge ausstechen oder ließ sie sogar durch Feuer töten. Voller Respekt stellte Caesar fest: »Als Kommandant verband er höchsten Eifer mit größter Strenge.«[24] Mit einem Wort, Vercingetorix bewies die Qualitäten, die Caesar persönlich am meisten bewunderte – die eines Römers. Vercingetorix wurde zum Kommandanten der gallischen Allianz berufen, und schon nach wenigen Wochen hatten sich die meisten Stämme Mittel- und Nordgalliens der Erhebung angeschlossen.

Caesar reagierte blitzschnell. Da ihm der Weg zu seinen Legionen im Norden versperrt war, eilte er durch feindliches Territorium nach Süden und sicherte seine Provinz vor einem unmittelbaren Angriff, bevor er in den Norden zurückkehrte, um sich wieder mit seinen beiden im Winterquartier liegenden Legionen zu verbinden. Dass er die Lage erfolgreich stabilisieren konnte, war umso bemerkenswerter, als tiefer Winter herrschte und Zentralgallien unter einer 2 m dicken Schneedecke versunken war.[25] Die Flüsse waren zugefroren und die Wälder zu undurchdringlichen Schneewüsten geworden. Wenn die bittere Kälte nachließ, strömte Schmelzwasser von den Bergen und verwandelte die sumpfigen Ebenen in Seen.[26] Nachdem Caesar alle seine Truppen wieder vereinigt hatte, erkannte er, dass der gallische Aufstand ihm trotz all dieser Widrigkeiten die einmalige Chance bot, die Widerstandsbewegung niederzuschlagen und Gallien für immer zu befrieden.

Mit diesem Gedanken im Hinterkopf fügte er Vercingetorix' Verbündeten eine Schlappe nach der anderen zu. Daraufhin änderte dieser seine Taktik und beschloss, Caesar nicht auf dem Schlachtfeld zu besiegen. Stattdessen wollte er, indem er die Lebensmittelvorräte in den romfreundlichen Städten vernichtete, die Römer aushungern und so aus dem Land treiben. Zur entscheidenden Begegnung im Willenskampf zwischen den beiden Männern kam es schließlich im Sommer 52 v. Chr., als sich Vercingetorix, nach einer Niederlage in einer offenen Feldschlacht, mit seinen Soldaten nach Alesia zurückgezogen hatte.

Alesia war zwar durch seine natürliche Lage auf einer hohen Bergkuppe bestens geschützt, dennoch ließ sich Caesar nicht davon abbringen, die Stadt zu belagern. Er umgab sie mit einer unüberwindlichen Ringmauer, deren Umfang schwindelerregende 18 km betrug. An ihr ließ er 23 Stützpunkte und acht Lager anlegen. An der Ostseite wurden außerdem drei Gräben von jeweils fast 6 m Breite und Tiefe ausgehoben. Caesar ließ den inneren fluten: Zu dem Zweck wurden die beiden Flüsse, die auf zwei Seiten die Stadt umspülten, umgeleitet. Obwohl seine gut gedrillten Soldaten nach sechs Jahren Krieg daran gewöhnt waren, Schanzarbeiten zu verrichten, Wälle aufzuwerfen und Wachtürme zu bauen, bleibt bis auf den heutigen Tag allein das schiere Ausmaß der ehrgeizigen Belagerungsanlagen höchst beeindruckend. Doch Caesar ging noch weiter. Als er von gallischen Überläufern erfuhr, dass Vercingetorix Verstärkung erwartete, befahl er einfach den Bau einer weiteren Mauer. Sie lief parallel zur ersten und sollte die römischen Belagerer vor Angriffen im Rücken schützen. Dieser äußere Mauerring hatte einen Umfang von nicht weniger als 22 km.

In der Stadt beschloss Vercingetorix, erst nach dem Eintreffen der Verstärkungstruppen in die Offensive zu gehen: Er war sich jedoch bewusst, dass ihm nicht mehr viel Zeit blieb. In Alesia reichte die Verpflegung noch für knapp 30 Tage.[27] Die Zuteilungen mussten im Laufe der Wochen ständig gekürzt werden. Als die Lebensmittel fast aufgebraucht waren und von den gallischen Hilfstruppen immer noch nichts zu sehen war, berief man einen Kriegsrat ein. Hier unterbreitete einer der Anführer einen entsetzlichen Lösungsvorschlag: Um zu überleben, solle man das Fleisch der Männer verzehren, die aus Altersgründen nicht mehr am Krieg teilnehmen könnten. Vercingetorix wies diesen Plan zwar zurück, doch nun stand er in der Pflicht, einen Ausweg zu finden – und er fand ihn. Die jetzt zu schlagende Schlacht werde, so legte er dar, das Schicksal Galliens für immer besiegeln. Eine Kapitulation bedeute nur eines: das Ende der gallischen Freiheit. Um im bevorstehenden Kampf erfolgreich zu sein, müssten sie alles, was in ihrer Macht stehe, tun und die noch vorhandenen Lebensmittel für diejenigen, die kämpfen könnten, aufsparen. Seine Lösung: Alle Frauen, Kinder und Alten sollten an die Römer ausgeliefert werden. Caesar wäre dann nämlich gezwungen, sie gefangen zu nehmen und zu verpflegen. Auf diese Weise würde er das römische Heer weiter schwächen.

Vercingetorix hatte allerdings nicht mit Caesars Brutalität und Unbeugsamkeit gerechnet. Als Tausende von Galliern aus den Stadttoren
getrieben wurden und die Römer um Aufnahme baten, standen sich
Caesar und Vercingetorix gleichsam Auge in Auge gegenüber. Keiner
von beiden zuckte auch nur mit der Wimper. Und so starben in den
nächsten Tagen alle diese Frauen, Kinder und Alten an Hunger und
Kälte, eingeschlossen zwischen dem römischen Belagerungswall und
den Mauern der Stadt, die sie verlassen hatten. Nach einer antiken
Quelle sollen bei Caesars Eroberung von Gallien eine Million Gallier
getötet und eine weitere Million in Gefangenschaft geraten sein.[28]
Heute halten die meisten Historiker diese Zahlen für übertrieben.
Dennoch lassen sie erahnen, mit welch entsetzlicher Gefühlskälte Caesar vor Alesia vorging. Zudem stützen sie die Vermutung, dass er im
Namen seiner Würde und der des römischen Volkes vor nichts zurückschreckte.

Schließlich trafen die gallischen Verstärkungstruppen, mehr als
200 000 Fußsoldaten und 8000 Berittene, doch noch ein und besetzten
die Anhöhen über der Ebene. An einem heißen Sommertag des Jahres
52 v. Chr. stürmten zwei furchterregende schlagkräftige Heere der
Gallier Hals über Kopf die Hügel hinunter, griffen die Römer an und
trieben sie in die Enge: Die Verbündeten attackierten die äußere Ringmauer, während Vercingetorix' Soldaten aus der Stadt hervorbrachen
und die inneren Befestigungsanlagen bestürmten. Innerhalb wie außerhalb der Mauern erschallten die Schlachtrufe und das Kriegsgeschrei
der Gallier und übertönten sich gegenseitig. Die Römer verteilten sich
an ihren Ringmauern und konnten sich an den ersten Kampftagen erstaunlich gut halten. Die römische Kavallerie geriet jedoch unter stärkeren Druck und konnte sich erst retten, als die Reiterei der Germanen
die Gallier in die Flucht schlug. Nach Einbruch der Nacht stürmten
die Gallier im Schutze der Dunkelheit ein weiteres Mal die Hügel hinunter und füllten die Gräben mit Erde auf. Im Morgengrauen versuchten sie erneut, eine Bresche in die römische Mauer zu schlagen,

um sich mit den in der Stadt eingeschlossenen Galliern zu vereinen. Diesmal wurden sie mit Schleuderkugeln, Pfundschleudern, Katapulten und Spitzpfählen, die die Römer auf den Schanzen gestapelt hatten, zurückgeschlagen. Am dritten Tag aber machten Kundschafter die Gallier auf eine Schwachstelle im – auf halber Höhe eines Hügels angelegten – römischen Lager aufmerksam.

Sofort sammelte sich die Verstärkung der gallischen Kavallerie auf dem Berg und griff von oben an, während Vercingetorix' Männer die Schanzmauer ein weiteres Mal von unten attackierten. Den Römern, erschreckt vom Lärm auf beiden Seiten der Front, schwanden die Kräfte, auch fehlte es ihnen an Soldaten und Waffen. Dies war der kritische Moment der Schlacht, und beide Parteien kämpften mit äußerstem Einsatz. Caesar ritt an den Befestigungsanlagen entlang, um seine Truppen persönlich zu unterstützen und anzuspornen. Er machte ihnen klar, dass die »Frucht aller früheren Kämpfe [...] von diesem Tage und dieser Stunde« abhänge.[29] Schließlich mobilisierte er seine Reiterreserve, um die Gallier von hinten anzugreifen, setzte sich an ihre Spitze und stürzte sich nun selbst in das wilde Kampfgetümmel.

Als man am purpurfarbenen Feldherrnmantel sein Eintreffen bemerkte, erhob sich von den römischen Verschanzungen lautes Geschrei. Das Blatt hatte sich gewendet: Jetzt waren die verbündeten Gallier auf beiden Seiten von den Römern eingeschlossen. Beim Anblick der heranreitenden römischen Kavallerie ergriffen sie die Flucht. Vor den Augen von Vercingetorix' Soldaten, die sich noch in Alesia befanden, wurde die riesige Armee der Gallier vernichtend geschlagen und war »wie ein Traum oder Spuk im Augenblick verweht«.[30] In der für ihn typischen Weise kommentiert Caesar das Ende der Schlacht ganz lakonisch: »Es setzte ein furchtbares Blutbad ein.«[31] Die römischen Soldaten waren zu erschöpft, um die fliehenden Feinde zu verfolgen und noch mehr von ihnen zu töten.

Mit einer zahlenmäßig hoffnungslos unterlegenen Armee hatte sich Caesar auf seinen Wagemut und seine strategische Brillanz, die Effizienz seiner beispiellosen Belagerungsanlagen und die Tapferkeit seiner Männer verlassen und nun einen der größten Siege in der gesamten Geschichte Roms errungen. Man musste zwar noch einige Widerstandsnester ausheben, aber Gallien war nun römisch – eine weitere Provinz innerhalb eines riesigen Reiches. Zu gegebener Zeit würden die Gallier Rom einen jährlichen Tribut von 40 Millionen Sesterzen entrichten.[32]

Die Eroberung Galliens trug auch dem Prokonsul persönlich unglaublichen Reichtum ein, dazu beispiellosen Ruhm in Rom und eine gleichsam private Armee, die aus zehn römischen Legionen bestand und bereit war, ihm jeden Wunsch zu erfüllen. Cato wusste das, seine Parteigänger im Senat wussten es auch, und selbst Pompeius war sich darüber im Klaren. Doch dieses Wissen erfüllte alle mit Unbehagen. Denn was Caesar nun am meisten beschäftigte, war die Frage, wie er erreichen könne, was noch keinem Römer – nicht einmal Pompeius dem Großen – gelungen war: Wie konnte er diese militärische Macht in politische Macht in Rom ummünzen?

Einen Tag nach dem Massaker an den Galliern bei Alesia wurden Caesar 74 gallische Feldzeichen übergeben. Der Stammesfürst Vercingetorix ritt im vollen Waffenschmuck der Gallier aus dem Stadttor: Er trug einen mit Tierdarstellungen verzierten Bronzehelm, seine eiserne Rüstung und einen vergoldeten Gürtel. Vor Caesar machte er Halt, legte seine Rüstung ab, reichte ihm seine Lanze und sein großes Breitschwert und warf sich ihm unterwürfig zu Füßen.[33] Caesars großer Gegner war besiegt. Und doch wusste Caesar bei diesem Anblick, dass der wirkliche Showdown nun erst beginnen sollte.

Der Gang über den Rubikon

Als Caesars Boten aus Gallien seinen Sieg in Rom meldeten, beschloss der Senat ein noch nie dagewesenes 20-tägiges Staatsfest. Auch Caesar lieferte dazu seinen Beitrag: Er finanzierte Gladiatorenkämpfe und gab zu Ehren seiner verstorbenen Tochter ein opulentes Festessen. Um zu zeigen, dass das Bankett sein spezielles Geschenk an das römische Volk war, ließ er einige der Gerichte in seinem eigenen Haus zubereiten. Er nutzte in der Tat jede Gelegenheit, seine Großzügigkeit unter Beweis zu stellen: Das Volk erhielt Getreidespenden »ohne Rücksicht auf das festgesetzte Maß«. Leute, die in Geldnot waren, bekamen zinsgünstige Darlehen. Verschuldete Senatoren und Ritter (sie standen in der gesellschaftlichen Rangordnung unter den Senatoren) profitierten von Caesars außergewöhnlicher Freigebigkeit ebenso wie die eines Verbrechens angeklagten Sklaven oder Freigelassenen.[34]

Später erfreute Caesar sein Publikum auch auf eine eher den Geist ansprechende Weise: Sein achtbändiges Werk mit dem Titel *Commentarii de bello Gallico*, im Jahre 50 v. Chr. veröffentlicht, verherrlicht seine strahlenden Erfolge, die im kollektiven Gedächtnis der Menschen sogar Pompeius' Eroberungen im Osten in den Schatten stellen. Da sie sich leicht kopieren und im Volk verteilen ließen, waren sie ein einzigartiger Werbecoup. Zudem zeigen sie Caesar nicht nur als hervorragenden Feldherrn, sondern auch als Meister der Literatur: Er besticht durch seine kristallklare, allgemein verständliche Sprache und seine geschliffenen Formulierungen. Caesars Darlegungen erinnerten jeden Leser an seine scharfe Intelligenz ebenso wie an seine militärische Tüchtigkeit. Er verfasste auch eine Schrift zur lateinischen Grammatik (*De analogia*). Doch *Der Gallische Krieg* bringt auch das damalige zentrale politische Prinzip, zu dem sich Caesar bekannte, zum Ausdruck. Er wusste, dass »alle Menschen aber ihrem angeborenen Wesen gemäß von Freiheitsliebe entflammt werden und Knechtschaft hassen«.[35] Dieser Gedanke – die Freiheit des Volkes, zumindest die des römischen – beschäftigte Caesar, als er die ersten Vorbereitungen traf, um nach Rom und zu seinen Feinden im Senat zurückzukehren.

Der alte Konflikt zwischen Caesar und Catos konservativen Anhängern brach nun angesichts einer brennenden Frage wieder auf: Wann würde Caesar sein Kommando niederlegen? Caesar wusste, dass er, sobald er wieder Privatmann wäre, von Cato angegriffen und wegen seiner angeblichen Verbrechen als Konsul in Rom und als Prokonsul in Gallien angeklagt werden würde. Doch es kam überhaupt nicht in Frage, dass er, Caesar, der Mann, der sein Letztes gegeben hatte, um Gallien zu Ehren und zum Wohle des Staates zu unterwerfen, sich wie ein kleiner Gauner behandeln ließ. Wer war denn dieser nörgelnde Cato, dass er einem Caesar Vorschriften machen wollte? Das wäre seiner völlig unwürdig.

Um Cato zu entrinnen, gab es nur eine Möglichkeit: eine erneute
Kandidatur für das Konsulamt. Dies aber war ein Verstoß gegen das
republikanische Prinzip der Machtverteilung, da man normalerweise
erst nach zehn Jahren wieder zum Konsul gewählt werden konnte.
Weil er sich trotzdem für das Jahr 49 v. Chr. bewerben wollte, mobilisierte Caesar also alle seine Anhänger in Rom. Sie sollten die Konservativen im Senat umgehen und ein Sondergesetz dem Volk unmittelbar vorlegen: Dieses sollte sein gallisches Kommando bis zum Jahre
49 v. Chr. verlängern und ihm dann eine Kandidatur gestatten, ohne
dass er vorher in Rom erscheinen müsste. Seine Feinde im Senat
fauchten, aber nach seinem Sieg über die Gallier war Caesars Popularität so groß, dass das Gesetz, das alle zehn Volkstribunen unterstützten,
im Jahre 52 v. Chr. verabschiedet wurde. Das war allerdings erst der
Beginn der Auseinandersetzung.

In den nächsten Monaten war Caesars Statthalterschaft das Ziel
immer neuer Angriffe. Aber immer wenn ein Senator das Gesetz
kassieren und Caesar seines Amtes entheben wollte, legte ein taktisch
klug ausgewählter Tribun jedesmal sein Veto ein. »Du weißt ja, wie
das läuft«, schrieb ein zeitgenössischer Beobachter. »Man will eine
Entscheidung über Gallien herbeiführen. Dann steht jemand auf und
beschwert sich. Alsdann erhebt sich ein anderer […] Und so zieht
sich die Sache dahin, ein langes, raffiniert ausgeklügeltes Spiel.«[36] Die
Mitglieder der römischen Elite sahen sich – quasi wie durch eine
Zentrifugalkraft – dazu gezwungen, für die eine oder die andere Seite Stellung zu beziehen. Eine wachsende Zahl ehrgeiziger junger
Männer, allesamt Anhänger Caesars, hielt ihn für den Stärkeren und
glaubte, dass der Staat und der korrupte, in Misskredit geratene Senat
unbedingt reformiert werden müssten. Vor allem aber waren sie
überzeugt, dass sie von Caesar politisch und finanziell mehr profitieren würden. In der Zwischenzeit versammelte Cato die traditionsbewussten Senatoren unter dem Banner der Verteidigung der republikanischen Verfassung. Sie kamen in Massen: Caesars beispiellose
Forderungen machten es Cato leicht, ihn als angehenden Tyrannen
zu stilisieren, als einen mit geradezu grotesker Habgier ausgestatteten
Ehrgeizling, der es darauf anlege, die Macht an sich zu reißen und

die Republik zu zerstören. Doch es gab noch jemanden, der in dem Parteienstreit jetzt Farbe bekennen musste.

Seit seiner Ernennung zum alleinigen Konsul war Pompeius' Verhalten seinem alten Verbündeten gegenüber höchst ambivalent. 52 v. Chr. hatte er in seinen letzten Amtsmonaten seinen Einfluss geltend gemacht, damit das von den zehn Volkstribunen vorgelegte Gesetz – Caesar durfte sich ausnahmsweise *in absentia* als Konsul bewerben – in Kraft treten konnte. Doch die freundlichen Angebote der aristokratischen Republikaner und die Tatsache, dass sie ihn zum alleinigen Konsul ernannt hatten, hatten ihn davon überzeugt, dass er nicht ausschließlich auf Caesar und dessen eigenwillige Methoden angewiesen war, um sich sowohl Macht wie auch Anerkennung zu verschaffen. Und so erteilte er Caesar, der ihm nach Julias Tod vorschlug, seine Großnichte Octavia zu heiraten, eine glatte Absage.

Die Frau, für die er sich stattdessen entschied, war schön und anmutig, dazu literarisch und philosophisch gebildet; außerdem war sie eine gute Musikerin und Mathematikerin. Die Verbindung rief einen ziemlichen Skandal hervor, da Pompeius' neue Frau halb so alt war wie er selbst. Doch mit Cornelia hatte er nicht nur eine Frau gefunden, die er liebte, sondern auch einen Platz in der High Society, da das Blut, das in ihren Adern floss, blauer nicht sein konnte. Sie war die Tochter von Metellus Scipio, einem Spross eines der bedeutendsten Patriziergeschlechter Roms, einer Familie, die sich rühmen konnte, Publius Scipio, den Bezwinger Hannibals, zu ihren Ahnen zu zählen, einer Familie also, die zum innersten Kreis der Senatsaristokratie gehörte.

Statt, wie sein Auftrag lautete, die anarchischen Zustände in Rom zu beenden, hatte Pompeius sich mit Blumenkränzen geschmückt und Cornelia geheiratet. Wie um zu demonstrieren, auf welch gutem Fuß er nun mit den Republikanern stand, trat Pompeius im August 52 v. Chr. – in Rom war wieder Frieden eingekehrt – freiwillig und vor der Zeit von seinem Amt als alleiniger Konsul zurück und forderte seinen neuen Schwiegervater Metellus Scipio auf, mit ihm zusammen die Regierungsgeschäfte zu übernehmen.[37] Der frühere Scherge Sullas tat jetzt so, als sei er ein Ausbund republikanischer Ehrenhaftigkeit.

Cato wusste, dass er Pompeius genau da hatte, wo er ihn haben wollte. Jetzt holte er zum letzten entscheidenden Schlag aus.

Er versuchte nun, endgültig einen Keil zwischen Caesar und Pompeius zu treiben, wobei er Letzteren massiv unter Druck setzte. Während die Konsuln des Jahres 51 v. Chr. Caesar im Senat öffentlich angriffen, weil er an seinem Kommando festhalte, versuchte Cato, auf Pompeius privat einzuwirken, und machte sich dabei die Unsicherheit des Feldherrn zunutze. Caesar sei jetzt, so argumentierte er, sehr viel mächtiger als Pompeius. Wolle sich Pompeius der Große einfach nur zurücklehnen und zuschauen, wie sein alter Verbündeter an der Spitze einer Armee nach Rom zurückkehre und jedermann Befehle erteile? Welches Recht habe Caesar, den Römern Vorschriften zu machen? Niemand dürfe seine persönliche Würde über die der Republik stellen. Catos hinterhältige Kritik zeigte rasch Wirkung: Im September 51 v. Chr. gab Pompeius bekannt, dass Caesar im nächsten Frühjahr von seinem Kommando zurücktreten und Platz für einen Nachfolger machen müsse. Pompeius fühlte sich in die Enge getrieben: Was wäre, wenn einer von Caesars Volkstribunen sein Veto einlegte? »Du kannst mich ebenso gut fragen, was ich täte, wenn mein Sohn den Knüppel gegen mich erhöbe.«[38] Mit diesen Worten gab Pompeius seine Neutralität auf und brach jegliche Verbindung zu Caesar ab.

Obwohl die konservativen Politiker jetzt ihren starken Mann gefunden hatten, musste das Volk ihm seine Liebe und Unterstützung erst deutlich demonstrieren, bevor sich Pompeius auch als ein solcher fühlte. Als er von einer schweren Krankheit, die er sich in Neapel zugezogen hatte, genesen war, bezeugten die römischen Bürger überall in Italien ihre Freude, indem sie Opfer darbrachten und Dankfeste feierten. Auf seinem Rückweg nach Rom wurde Pompeius von Menschen umdrängt, die ihn, mit Kränzen geschmückt und Fackeln in den Händen, begrüßten und ihm Blumen auf den Weg streuten. Dieser ungeheure Jubel der Bevölkerung versetzte ihn in einen Rausch, ja er ließ ihn sogar blind werden, denn »ihn packte der Stolz, der ihn in dem Übermaß der Freude den Blick für die Wirklichkeit verlieren ließ«.[39]

Pompeius' mangelnder Realitätssinn nahm nun noch weiter zu. Der Senat forderte sowohl von ihm wie auch von Caesar eine Legion zurück, um die an Roms Ostgrenze in Parthien ausgebrochenen Unruhen niederzuschlagen. Da sich Caesar eine zusätzliche Legion aus der staatlichen Armee hatte geben lassen, musste er nun allein beide Legionen abkommandieren. Die Forderung des Senats bot ihm die Möglichkeit, sich als Freund des Friedens zu beweisen, als der Mann, auf dessen Hilfe man sich bei der Bewältigung dieser Krise verlassen konnte. Deshalb stellte er bereitwillig die beiden Legionen zur Verfügung. Bei ihrer Ankunft in Italien äußerte sich einer der Offiziere namens Appius sehr abfällig über Caesars Heer und seine in Gallien vollbrachten Leistungen. Außer diesen beiden Legionen, so seine Worte, brauche Pompeius keine weiteren Truppen. Sie reichten völlig aus, um die von Caesar drohende Gefahr abzuwehren. Dessen Selbstüberschätzung stieg nun ins Maßlose. Er hatte, so dachte der große General, Caesar ohne Schwierigkeiten groß gemacht und könne ihn jetzt ebenso leicht auch wieder zu Fall bringen. Als er später von einem Senator, der über seine mangelhaften Vorbereitungen beunruhigt war, gefragt wurde, mit welchen Legionen er denn den Staat verteidigen wolle, falls Caesar nach Rom marschiere, antwortete er ganz gelassen, es gebe keinen Grund zur Sorge: »Denn wo ich in Italien mit meinem Fuß auf die Erde stampfe«, erklärte er, »da wachsen Soldaten und Reiter aus dem Boden.«[40]

Im Sommer des Jahres 50 v. Chr. stellte Marcus Caelius Rufus, ein für seinen ausschweifenden Lebenswandel bekannter Anhänger Caesars, fest, dass die freundschaftlichen Bande zwischen Pompeius und Caesar zerrissen seien.[41] Vom Sklaven bis zum Steuereinnehmer, vom Straßenjungen bis zum Senator – alle hatten nur ein Wort auf den Lippen: Bürgerkrieg. Doch als in der zweiten Jahreshälfte beide Seiten immer deutlicher auf eine direkte Konfrontation zusteuerten, versuchte die Mehrheit des Senats, das Schlimmste zu verhindern. Im November stimmten die Senatoren mit 370 zu 22 Stimmen für den Frieden.[42] Dies aber bedeutete nur eines: Man musste Caesars Wünschen nachgeben. Für Cato war das einfach unzumutbar.

Die Schwäche des Senats stärkte nun die Entschlossenheit Catos und die seiner engsten Verbündeten und veranlasste sogar die Erzrepublikaner zu ungesetzlichen Maßnahmen. Nach der Abstimmung rief Ga-

ius Claudius Metellus, der Konsul des Jahres 50 v. Chr.: »Siegt nur, um
in Caesar euren Herrn zu bekommen!« und stürmte aus dem Senat. Er
begab sich mit seinem Kollegen zu Pompeius' Haus am Stadtrand und
überreichte ihm – in einer höchst melodramatischen Szene – ein
Schwert. Damit solle er zum Schutz des Vaterlandes den Kampf gegen
Caesar aufnehmen. Sie unterstellten ihm die beiden in Italien stationierten Legionen und erteilten ihm das Recht zu weiteren Aushebungen. Pompeius gab sich alle Mühe, nicht als Aggressor zu erscheinen, und antwortete feierlich: »Wenn sich keine bessere Möglichkeit
ergibt.« In Wahrheit aber wollte auch er jetzt den Krieg.[43]

Vor dem eingeschüchterten Senat präsentierte sich Caesar am 1. Januar des Jahres 49 v. Chr. ein weiteres Mal als Advokat des Friedens.
Der neu gewählte Volkstribun Marcus Antonius, Caesars Sprachrohr
in Rom, verlas einen Brief des Prokonsuls: In Anerkennung seiner
zahlreichen Erfolge in Gallien habe ihm das römische Volk das Recht
eingeräumt, sich *in absentia* um das Konsulat zu bewerben. Bis zu Beginn seiner Amtszeit sei er bereit, die Waffen zu strecken, falls Pompeius dies ebenfalls tue.

Daraufhin hob einer der beiden neuen Konsuln, Lucius Cornelius
Lentulus, zu einer langen Rede an: Für Schwäche sei jetzt nicht die
Zeit, sagte er. Falls die Senatoren nachgäben, hätten die Konsuln keine
Wahl und müssten in jedem Fall Pompeius und sein Heer auf den Plan
rufen. Er sei der Garant für die Sicherheit des Staates. Wenn sie jetzt
nicht handelten, könnten sie später nicht mit Pompeius' Unterstützung
rechnen. Die meisten Senatoren ließen sich von diesen Drohungen so
beeindrucken, dass sie einem Antrag von Pompeius' Schwiegervater
Metellus Scipio zustimmten. Dieser hatte dafür plädiert, Caesar zum
Staatsfeind zu erklären, falls er nicht bis zu einem vom Senat festgesetzten Termin seine Waffen niedergelegt habe. Als die Volksversammlung
über diesen Antrag abstimmen sollte, legte Marcus Antonius sein Veto
ein. So blieb die Pattsituation weiter bestehen.[44]

Caesar gab nicht auf. Sollte der Senat das Kriegsbeil nicht begraben,
dann werde auch er nicht einfach auf sein Kommando verzichten und
sich ihnen ausliefern, um vor Gericht gestellt zu werden. Er sei jedoch
zu Zugeständnissen bereit: Er werde seine beiden gallischen Provinzen

und die dort stationierten zehn Legionen aufgeben, wenn er die Provinz Illyricum und die eine dort stehende Legion behalten könne. Dieser Vorschlag traf erneut auf den Widerstand des unbeugsamen Agitators Cato und seiner Fraktion. Caesar dürfe, so empörten sie sich, unter keinen Umständen dem Senat irgendwelche Bedingungen diktieren. Damit waren die politischen Verhandlungen jetzt endgültig in der Sackgasse, ein Krieg ließ sich nicht mehr vermeiden. Die Konsuln erwirkten einen »äußersten Senatsbeschluss« (*Senatus consultum ultimum*): Nun müsse man Maßnahmen ergreifen, um den Staat vor Schaden zu bewahren. Dann warf der Konsul Lentulus unter wüsten Drohungen und Beschimpfungen Marcus Antonius und dessen Anhänger aus dem Senat.[45]

In Rom waren Caesars Parteigänger nun in Lebensgefahr: Marcus Antonius, Caelius und der ehemalige Tribun Gaius Scribonius Curio hatten sechs Tage Zeit, Rom zu verlassen – danach würde man sie umbringen. Sie verkleideten sich als Sklaven und entkamen auf einem Mietwagen. Eine solch schändliche Vertreibung der Volkstribunen setzte einen passenden Schlusspunkt unter die festgefahrene Situation, da sie Caesar den endgültigen Beweis für die Ungerechtigkeit des Senats lieferte, eine letzte Möglichkeit der Propaganda: Die nichtswürdigen, korrupten, arroganten Senatoren hatten ein weiteres Mal die Freiheit des römischen Volkes beleidigt, indem sie die Tribunen bedrohten und die Unverletzlichkeit ihrer Person mit Füßen traten. Um dies deutlich zu machen, ließ Caesar seine gedemütigten Freunde in der Sklaventracht, in der sie gekommen waren, vor seine Soldaten treten.[46]

Jetzt verlagerte sich die Auseinandersetzung weiter nach Süden. Der Rubikon ist ein kleiner Fluss, der einst die Grenze zwischen Gallien und Italien markierte. Es war römischen Feldherrn gesetzlich verboten, die Truppen aus ihrer Provinz abzuziehen und nach Italien zu führen. Der Entschluss, mit seinen Soldaten über den Fluss zu gehen, kam daher unweigerlich einer Kriegserklärung gleich. Dennoch schickte Caesar, nachdem man ihn über die Lage in Rom informiert hatte, am 10. Januar 49 v. Chr. eine Abteilung seiner tapfersten Soldaten an den Rubikon. Diese Entscheidung war für ihn typisch. Er wollte nicht die volle Streitmacht seiner zehn Legionen von der anderen Seite der Alpen aufmarschieren lassen, denn »viel wichtiger schien es ihm, mit einem gewagten, kühnen Schlag die Gegner zu überraschen«.[47] Am Nachmittag des Tages, an dem er das Lager verlassen und sich dem Vortrupp anschließen wollte, schaute Caesar dem Training einiger Gladiatoren zu. Dann nahm er ein Bad, legte standesgemäß seine Toga an und unterhielt sich beim Abendessen höflich mit seinen Freunden. Offenbar hatte er keine Angst. Bei Einbruch der Dunkelheit verabschiedete er sich in aller Ruhe von seinen Gästen und stahl sich davon.

Heutzutage weiß niemand mehr, wo der Rubikon fließt und ob es ihn überhaupt noch gibt. Was das Mysterium noch erhöht: Der Fluss wird in Caesars Darstellung des Bürgerkrieges nicht einmal erwähnt. Dennoch haben alle anderen griechischen und römischen Historiker den Moment vor der Überquerung des Rubikons ausführlich geschildert. Von diesem Ereignis immer wieder fasziniert, wollten die antiken Autoren herausfinden, was in diesem kritischen Augenblick in Caesar vorgegangen sein könnte. Manche erzählen, er habe gezögert und fast die Nerven verloren, gelähmt von dem Gedanken, dass er gegen seine Mitbürger Krieg führen werde.[48] Nach anderen Berichten hat sich der Geist eines Mannes gezeigt, der einem Soldaten Caesars die Trompete weggenommen, das Signal zum Angriff geblasen und den Fluss überquert habe. Caesar soll darin ein göttliches Zeichen gesehen haben und ihm daraufhin gefolgt sein.[49] In einem Punkt stimmen sämtliche Quellen allerdings überein: Caesar sagte »Der Würfel ist gefallen« – und ging über den Rubikon.

Das Schicksal der Republik und ihres altbewährten Systems, das sich auf freie Wahlen, Demokratie und auf die Eintracht zwischen den Ständen der römischen Gesellschaft stützte, lag nun in Caesars und Pompeius' Händen. Obwohl sie es noch nicht wussten, sollten sie genau das, wofür sich beide Seiten einsetzten, zerstören. Der Kampf für die Freiheit würde die gesamte römische Welt erschüttern.

Der Kampf für die Freiheit

Caesars 13. Legion marschierte zügig durch Italien. Doch ebenso effektiv war auch seine geschickte Imagekampagne. Der Slogan hieß »Milde«. In nur einem Tag hatte er Ariminum (heute Rimini) erreicht. Die Stadt öffnete ihm freiwillig ihre Tore und fiel ohne einen einzigen Schwertstreich an Caesar. Andere Städte und Landschaften, darunter Auximum, Asculum, Picenum und Corfinium folgten, obwohl dort in Pompeius' Namen rekrutierte Truppen stationiert waren. Die Gefechte liefen immer nach demselben Muster ab: Die pompeianischen Offiziere versuchten einigen Widerstand zu leisten; nach ihrer Gefangennahme wurden sie sofort wieder freigelassen und konnten entscheiden, welcher Seite sie sich anschließen wollten. Die meisten Soldaten liefen zu Caesar über, der den Städten seinen Dank aussprach. Der Feldherr beschreibt seine Imagekampagne in einem Brief aus dem Jahre 49 v. Chr.: »Gern befolge ich Euern Rat […], weil ich selbst schon entschlossen war, größte Milde walten zu lassen und mich um eine Versöhnung mit Pompeius zu bemühen […] Mit Barmherzigkeit und Großmut wollen wir uns sichern; das sei unsere neue Art zu siegen.«[50] Dies war eine sehr erfolgreiche Strategie.

Caesars Feinde in Rom gerieten in Panik. Sie hatten gehofft, dass sich die ehrbaren Bürger in den Städten ganz Italiens wie ein Mann erheben würden, um die Republik gegen den Aggressor zu verteidigen. Aber als Caesar bei seinem Blitzkrieg auf keinen nennenswerten Widerstand stieß, mussten sie rasch feststellen, dass sie die Meinung der Mehrheit hoffnungslos falsch eingeschätzt hatten. Der Senator Cicero wunderte sich, dass Caesar Pompeius jetzt völlig ausgestochen hatte:

»Aber siehst Du, was für ein Mann das ist, dem der Staat in die Hände gefallen ist? Wie scharfsinnig, wie rege, wie wohlvorbereitet! Wenn er nur niemanden ermordet, niemanden ausplündert, werden die, die ihn am meisten gefürchtet haben, ihn weiß Gott noch am meisten lieben. Oft unterhalten sich Leute aus der Kleinstadt und vom Lande mit mir: ihnen ist es überhaupt nur um ihre Felder, ihre Katen und ihr bißchen Geld zu tun. Sieh nur, wie sich das Blatt gewendet hat: den andern, denen sie früher ihr Vertrauen schenkten, fürchten sie jetzt, während sie diesen lieben, vor dem sie bisher Angst hatten.«[51]

Auch in militärischer Hinsicht wurden die Republikaner auf dem falschen Fuß erwischt. Pompeius hatte nicht erwartet, dass Caesar so rasch angreifen würde, und geglaubt, dass es erst im Frühjahr zu Kampfhandlungen kommen werde.[52] Von ihrer Arroganz geblendet, hatten die Gegner Caesars in Italien keine ausreichenden Truppenrekrutierungen vorgenommen, und wenn Pompeius' spanische Soldaten endlich in Rom einträfen, wäre es zu spät. Seine zwei Legionen vor der Stadtmauer konnten es mit Caesars elf Legionen einfach nicht aufnehmen.

Unter den Senatoren kam es zu heftigen Auseinandersetzungen und wüsten Beschimpfungen, von denen sich sogar ihr oberster Chef beeindrucken und lähmen ließ. Pompeius' alte Freundschaft mit ihrem gemeinsamen Feind verdiene Kritik, rief einer der Senatoren, weil sie Caesar als Feldherrn erst groß gemacht habe. Pompeius habe sich doch damit gebrüstet, dass er, wenn er Soldaten brauche, nur mit dem Fuß auf die Erde stampfen müsse, höhnte ein anderer. Wo seien denn jene Heere? Werde er seine Worte jetzt endlich in die Tat umsetzen?[53] Die Anarchie im Senat spiegelte sich auch in den Straßen Roms. Alle Magistrate legten ihre Amtsgeschäfte nieder, und die einfachen Leute schlichen, besorgt und ängstlich, wie Geister durch die Stadt. Die Tempel waren gefüllt mit wehklagenden Frauen, die sich zu Boden warfen und sich die Haare rauften.[54] In panischer Furcht vor einem Bürgerkrieg sah die Stadt mit Schrecken, wie Caesar unaufhaltsam und unerbittlich immer näher kam.

Schließlich legte Pompeius einen Plan vor, der für die Senatoren allerdings schockierend und schmerzhaft war. Um die Republik zu verteidigen, müsse man, so erklärte er, Rom verlassen, die Legionen evakuieren und sich in den Osten begeben; dort, bei seinen verlässlichen griechischen Verbündeten, könne er weitere Truppen ausheben. Nur wenn er von den Freunden des römischen Volkes unterstützt werde, könne er Caesar entgegentreten. In seinen Augen sei, so fügte Pompeius noch hinzu, jeder, der ihm die Gefolgschaft verweigere, ein Verräter und Anhänger Caesars.[55]

Diese strategischen Überlegungen stürzten die Senatoren erst recht in Verzweiflung. Obwohl Pompeius nur einen taktischen Rückzug vorschlug, konnten sie sich des Gefühls nicht erwehren, dass sie vor einem Tyrannen die Flucht ergriffen. Caesar hatte ihnen dieses erbärmliche Vorgehen aufgezwungen. Was sie noch mehr demütigte und ernüchterte, war die Tatsache, dass sie auch alle substantiellen Werte zurücklassen mussten, die ihren Staat, der ihnen so am Herzen lag, auszeichneten – ihre geliebten Tempel, die Heimstätten der römischen Götter, und insbesondere die von ihren Vorfahren ererbten Häuser. Die Stadt Rom sei doch der Inbegriff des Staates, hielten sie Pompeius vor. Cato ging umher, als sei er in Trauer, beklagte und bejammerte das Schicksal Roms und was die Senatoren alles verloren hätten. Cicero, der noch nicht wusste, ob er gehen oder bleiben solle, fand es höchst unwürdig, »wie ein Bettler« herumzulaufen. Wie er schrieb, sei jedes Friedensabkommen besser als die Auslieferung der Vaterstadt an Caesar und seine Anhänger – diesen Abschaum von ehrlosen und bankrotten Ausgestoßenen der Gesellschaft.[56] Dennoch war allen klar, dass sie mit dem Rücken zur Wand standen und keine Wahl hatten: Sie mussten gehen.

So packten sie nächtens eilig ihre Koffer und Taschen, rafften von ihrem Eigentum alles an sich, was ihnen in die Hände fiel, »als sei es fremdes Gut«, und verbarrikadierten ihre Häuser. Die Mehrheit der Senatoren, ihre Sklaven, Freunde und Untergebenen küssten die Erde, flehten zu den Göttern und verließen die Stadt. Die Konsuln hatten nicht einmal die Zeit für die üblichen Opfer. Die armen Bürger Roms blieben zurück, viele weinten, waren niedergeschlagen und rechneten mit ihrer Gefangennahme.[57] Man hatte den Eindruck, als habe Caesar mit seiner Meinung durchaus Recht: Den Reichen war das römische Volk gleichgültig, sie kümmerten sich nur um sich selbst.

Von den Vorwürfen des Volkes nahm jedoch kaum einer Notiz. Denn die fliehenden Pompeianer bildeten nun eine riesige Marschkolonne und zogen über die schnurgerade angelegten Straßen durch Italien. Ihr Ziel war Brundisium (heute Brindisi). Sie wollten sich der dort vor Anker liegenden römischen Flotte bemächtigen und sich so rasch wie möglich in Sicherheit bringen. Von der Hafenstadt Brundisium, am Stiefelsporn Italiens gelegen, war die Überfahrt nach Griechenland am kürzesten. Caesar machte sich ebenfalls auf den Weg nach Brundisium. Als er von Pompeius' Plänen erfuhr, wusste er, dass er seinen Feind nur an der Überfahrt hindern musste, um den Krieg schnell und ohne Blutvergießen zu beenden. Der Startschuss war gefallen.

Bis Caesar mit sechs Legionen in Brundisium eintraf, hatte Pompeius bereits einige Schiffe beschlagnahmt und die Hälfte seiner Truppen evakuiert. Die andere Hälfte war noch bei ihrem Feldherrn. Vor ihnen lag eine gewaltige Herausforderung: Sie mussten sich gegen Caesars Truppen verteidigen, bis die Schiffe, die die ersten Abteilungen übergesetzt hatten, zurück waren. Caesar ergriff die Initiative: Ehrgeizig und zielstrebig, wie es seine Art war, blockierte er die Hafenausfahrt von Brundisium an der schmalsten Stelle durch einen aus Flößen errichteten Damm, der dann von seinen Soldaten mit Schutt und Erdreich bedeckt wurde. Pompeius reagierte sofort, requirierte alle Schiffe, deren er habhaft werden konnte, und ließ dreistöckige Türme auf ihnen errichten. So konnten seine angreifenden Legionäre die Barrikade mit Pfeilen, Brandfackeln und Wurfgeschossen aus großer Höhe beschießen.[58]

Während der erbittert geführten Schlacht um den Hafen konnte Caesar einen leichten Vorteil erzielen und entsandte einen seiner Offiziere, Caninius Rebilus, zu Pompeius, um Friedensverhandlungen zu führen. Doch falls Caesar von Pompeius eine Kehrtwende erwartet hatte, musste er sich schnell eines Besseren belehren lassen. Der General a. D., der seit zehn Jahren zum ersten Mal wieder im Einsatz war, entschied sich für das Risiko. Da er glaubte, dass ihm trotz allem eine Evakuierung seiner Soldaten gelingen werde, speiste er Rebilus mit der Bemerkung ab, dass in Abwesenheit der Konsuln mit seinem Feind keine Einigung möglich sei. Caesar durchschaute diese fadenscheinige Ausrede. Sein Urteil war ganz sachlich: »So kam ich zur Überzeugung, die oft genug vergeblich gemachten Versuche endlich einmal aufgeben und die Waffen sprechen lassen zu müssen.«[59]

Zu Pompeius' Entzücken wurden nun die Schiffe aus Griechenland am Horizont gesichtet. Binnen kurzem hatten sie sich ihren Weg in den Hafen erkämpft. Während Caesar seine Soldaten auf einen Sturm-

angriff auf die Stadt vorbereitete, versuchte Pompeius diesen mit allen
Mitteln zu verhindern, um die Einschiffung seiner Truppen sicherzustellen: Die Stadttore wurden verbarrikadiert, in den Straßen wurden
Quergräben mit gefährlichen Spitzpfählen angelegt und auf der Stadtmauer bezogen Schleuderer und Bogenschützen Posten. Im Schutz der
Dunkelheit gingen Pompeius' Soldaten an Bord und bereiteten sich auf
die Abfahrt vor. Doch die Bürger von Brundisium, empört über Pompeius' Gewalttätigkeiten, wollten diese Flucht vereiteln. Von den Dächern ihrer Häuser aus signalisierten sie Caesars Männern, dass Pompeius dabei sei, die Anker zu lichten. Dann halfen sie ihnen über die
Sturmleitern und Verteidigungsanlagen, warnten sie vor den Fallen
und führten sie auf einem Umweg zum Hafen. Caesars Legionäre
stürmten durch die Stadt und konnten gerade noch rechtzeitig einige
Kähne und Boote besteigen, um zwei von Pompeius' Schiffen zu ver-
senken, die an Caesars Damm hängen geblieben waren. Doch bei Tagesanbruch war von den anderen Schiffen des Pompeius nichts mehr
zu sehen.[60]

Als sich seine Schiffe gischtsprühend den Weg durch die blaue Adria
bahnten, wusste Pompeius, dass er einer Katastrophe nur mit knapper
Not entronnen war. Jetzt konnte ihm auf dem Weg zu seinen Freunden und Verbündeten, den vielen wohlhabenden Königen, Dynasten
und Potentaten Griechenlands und Kleinasiens, nichts mehr passieren.
Sie würden ihm weitere Truppenverbände zur Verfügung stellen, mit
denen er Caesar bekämpfen könnte. Nun erst dämmerte es ihm, dass
sein Plan, Rom zu verlassen, tatsächlich aufgegangen war. Doch auch
Caesar konnte einen Erfolg verbuchen: Immerhin hatte er innerhalb
von 60 Tagen und ohne jegliches Blutvergießen ganz Italien in seine
Gewalt gebracht. Und hätte er Schiffe gehabt, wäre er Pompeius und
seinen Männern sofort nachgejagt und hätte sie angegriffen, noch bevor sie Zeit gefunden hätten, ihre Truppen im Ausland zu verstärken.
Doch bei genauerem Nachdenken war ihm klar, dass jetzt nicht der
Zeitpunkt war, Pompeius zu verfolgen, wenn er nicht Gallien und Italien den vier Legionen des Pompeius, die noch immer in Spanien standen, schutzlos überlassen wollte.[61] Es stand zu befürchten, dass er alles,
was er für seinen römischen Staat gewonnen hatte, wieder verlöre,

wenn er diese Gefahr nicht sofort aus der Welt schaffte. Doch bevor er
alle seine Legionen zusammenzog und gen Norden rückte, um Pompeius' Armee in Spanien zu besiegen, musste er noch einen kurzen
Zwischenstopp einlegen.

Als Caesar in den letzten Märztagen des Jahres 49 v.Chr. in Rom
einritt, wurde er nicht von jubelnden und Beifall klatschenden Menschen begrüßt, die die Rückkehr ihres Helden feierten, sondern sah in
die düsteren Mienen eines römischen Volkes, dem der Schrecken die
Sprache verschlagen hatte. Man fragte sich, ob in diesem Bürgerkrieg
Rom für Caesar nur eine weitere fremde Stadt wäre, die er kurzerhand
erobern und ausplündern und deren Götter er bedenkenlos in den
Staub ziehen werde.[62] In den nächsten zehn Tagen tat Caesar alles, um
trotz der Abwesenheit der Konsuln und Prätoren und trotz der verwaisten Amtssessel den Anschein einer rechtmäßigen Regierung zu
wahren. Er berief eine Senatssitzung in einen Tempel ein, zu der eine
Handvoll schlecht gelaunter Senatoren auch erschien. Doch als er sie
zu einer gemeinsamen Führung der Staatsgeschäfte aufforderte, zögerten sie, da sie sich noch immer nicht für die eine oder andere Seite
entscheiden konnten. Nach einer dreitägigen Debatte und immer neu-
en Ausflüchten gab Caesar voller Verachtung für diese Kleingeister sein
geduldiges Bemühen um eine gesetzeskonforme Lösung auf und handelte so, wie er es sich seiner Würde schuldig zu sein glaubte.[63]

Um gegen Pompeius' und Catos Heere Krieg zu führen, brauche er,
ließ Caesar den Senat wissen, Geld aus der Staatskasse. Ein Volkstribun
namens Metellus bezeichnete diesen Antrag als gesetzeswidrig und
legte sein Veto ein. Caesar fauchte, stürmte aus der Sitzung und erklärte, er werde sich das Geld, das er für den Krieg gegen die Feinde des
Staates benötige, in jedem Fall beschaffen. Als sich die Schlüssel zu den
Toren des Saturntempels, dem Sitz der Staatskasse, nicht auffinden ließen, befahl der Feldherr seinen Soldaten, das Schloss aufzubrechen.
Der Tribun Metellus versuchte jedoch ein weiteres Mal, Caesar aufzuhalten, indem er sich den Männern in den Weg stellte. Der Politiker
des Volkes, der Mann, der seine ganze Karriere dem Bündnis mit den
Volkstribunen und der Verteidigung ihrer sakrosankten Rechte zu verdanken hatte, zwang nun Metellus nachzugeben, indem er sagte, »er

werde ihn auf der Stelle töten lassen, wenn er mit seinen Quengeleien nicht aufhöre«.[64] Die Goldreserven des Staates waren nun in Caesars Hand. Doch bevor er die Stadt verließ, beging er noch einen letzten illegalen Akt: Wie ein König ernannte er einen Prätor, der in Rom in seinem Namen die Amtsgeschäfte führen sollte, und marschierte alsdann mit seiner Armee gen Westen.

Erst nach einigen Monaten konnten die drei pompeianischen Heere in Spanien besiegt werden. Während Caesar seine Legionen bis an die äußerste Grenze der Ermüdung und Erschöpfung trieb, hatte es Pompeius viel leichter. In Griechenland nahm er in aller Muße neue Aushebungen vor. Auch seine Kriegskasse war prall gefüllt, da er die Steuerpachtgesellschaften im Osten gezwungen hatte, ihm ihr Geld auszuhändigen.[65] Obwohl er wusste, dass Pompeius ihm gegenüber im Vorteil war, kehrte Caesar im Winter 49/48 v. Chr. nach Brundisium zurück, wo Marcus Antonius eine Flotte bereitgestellt hatte. Zusammen schickten sie sich an, die Segel zu setzen und die große Auseinandersetzung mit Pompeius zu suchen. Der Staat befand sich nun am Scheideweg: Würde er der alten republikanischen Garde in die Hände fallen oder sich Caesars neuer Ordnung unterwerfen müssen? Würde er von denen beherrscht werden, die die Freiheit der Elite schützten, oder von denen, die sich für die Freiheit des Volkes einsetzten?

Obwohl tiefer Winter herrschte und die Adria von Pompeius' Schiffen übersät war, durchbrach Caesars Flotte zwischen den Küsten Italiens und des heutigen Albaniens die Blockade seiner Feinde und landete mit sieben Legionen sicher in der Nähe von Dyrrhachium (Durres). Als die restlichen Soldaten, die noch in Brundisium waren, durch die Flotte der Feinde aufgehalten wurden, war Caesar so entschlossen, sie zu abzuholen, dass er sich verkleidete und den Kapitän eines mit zwölf Ruderern bemannten Fischerbootes zwang, ihn trotz eines heftigen Sturms nach Italien zurückzubringen.[66] Erst als sie zu kentern drohten, gab Caesar seinen Plan auf und setzte all seine Hoffnungen auf seinen Vertreter in Brundisium. Wie nicht anders zu erwarten, zeigte sich Marcus Antonius der Aufgabe gewachsen, nahm die Herausforderung an und brachte Caesars restliche Legionen sicher übers Meer.

In Griechenland diktierte ein Kriegsprinzip die Taktik beider Seiten: die Sicherstellung der Lebensmittelversorgung. Pompeius war in Freundesland, hatte sichere Nachschubwege und kontrollierte das Meer. Caesars Truppen waren hingegen hoffnungslos in der Unterzahl, befanden sich auf feindlichem Territorium und hatten nur sehr geringe Vorräte. Infolgedessen wollte Pompeius einen Zermürbungskrieg führen und, allen Kampfhandlungen ausweichend, Caesars Männer demoralisieren. Er wollte zuschauen, wie der Hunger ihnen alle Kräfte nahm. Caesars Truppen waren zwar erfahren und hartgesotten, andererseits hatten aber auch die langen Kriegsjahre, die Gewaltmärsche, der Bau von Lagern und die Belagerung von Städten ihren Tribut gefordert. Immer wieder versuchte Caesar, Pompeius zu einer Schlacht zu provozieren und einen schnellen Sieg zu erringen. Aber genauso oft widerstand Pompeius der Versuchung.

Die nun folgende psychologische Kriegführung war eine harte Belastungsprobe für Caesars sturköpfige tapfere Legionäre. Als Caesar das pompeianische Lager in der Nähe von Dyrrhachium belagerte, glaubte Pompeius bereits, er habe die Caesarianer ausgehungert. Doch die Soldaten, eher wilden Tieren als Menschen ähnelnd, waren fest entschlossen, auch angesichts von Krankheit, Erschöpfung und äußerster Entbehrung die Blockade aufrechtzuerhalten. Sie überlebten mit Hilfe einer einheimischen Knolle namens Chara, aus der sie ihr Brot backten. Als die Pompeianer Caesars Soldaten wegen ihres Hungers verhöhnten, warfen diese einige Brote über den Wall in das gegnerische Lager, um den Feinden ihre Unbesiegbarkeit und ihre fast übermenschlichen Kräfte zu demonstrieren.[67] Pompeius' Legionäre ließen sich allerdings nicht lange irritieren.

Als sich Pompeius schließlich bei Dyrrhachium doch auf eine Schlacht mit dem Feind einließ, brachte er Caesars Heer eine schwere Niederlage bei, wobei die neunte Legion die meisten Opfer zu beklagen hatte. Doch Pompeius, und das war entscheidend, nutzte seinen Vorteil nicht, sondern ließ zu, dass sich die feindliche Armee fliehend in Sicherheit bringen konnte. Bestürzt über seine erste Niederlage seit Jahren kam Caesar zu einer klaren Einsicht: Er musste seinen Feind zermürben und Pompeius von der Küste weg und ins Gebirge locken, wo dann beide Armeen mit Versorgungsschwierigkeiten zu kämpfen hätten. So griff er trotz der bereits bestehenden hohen Risiken zu einer Strategie, die einem kollektiven Selbstmordversuch ähnelte: Er wollte mit seinen erschöpften, hungernden und von Krankheit gebeutelten Soldaten weiter landeinwärts marschieren und tiefer in Feindesland vordringen, obwohl dort die Versorgungsmöglichkeiten noch schlechter waren. Wenngleich sich alles in ihnen gegen den Marschbefehl sträubte, rafften sich im August 48 v. Chr. Caesars Truppen auf und setzten ihren Weg durch die felsigen, bewaldeten Berge Thessaliens fort. Unterwegs eroberten sie die griechischen Städte Gomphi und Metropolis und erbeuteten Wein und Lebensmittel. Nachdem sich ihre körperliche Verfassung und ihre Moral wieder gebessert hatten, schlugen die Legionäre schließlich in der Nähe einer Stadt namens Pharsalos ihr Lager auf.

In dem Glauben, dass er den Feind in die Flucht geschlagen und dass er selbst jetzt alle Trümpfe in der Hand habe, machte sich Pompeius sofort auf Caesars Verfolgung. Nach seinem ersten Schlachterfolg war er stolz und überglücklich, und im Vorgefühl des endgültigen Sieges wurde ihm fast schwindelig. Doch als sein Heer ebenfalls bei Pharsalos sein Lager bezog, kam Pompeius' entscheidende Schwäche zum Tragen: Er legte zu großen Wert auf die Meinung des Senats. Dies war seine Achillesferse, und sie sollte sich nun als verhängnisvoll erweisen. Als die Tage vergingen und Pompeius nichts unternahm, verloren Cato und seine Anhänger die Geduld und setzten ihn unter Druck. Gewiss habe Pompeius Caesar genau da, wo er ihn haben wolle, stänkerten sie. Warum aber wolle ihr großer Feldherr nicht einfach einmal gegen Caesar kämpfen und ihm den Todesstoß versetzen? Sei er zu alt? Habe er seine Urteilsfähigkeit verloren? Oder war er so froh, wieder General zu sein, und so machttrunken, dass er den Krieg gar nicht gewinnen, sondern bloß sein ruhmvolles Kommando *ad infinitum* ausüben wolle?[68]

Pompeius war müde, widersetzte sich aber entschieden all diesen Anfeindungen. Das Einzige, wofür sich die Senatoren offenbar interessierten, lautete sein bitterer Kommentar, sei Geld und die Frage, ob sie die Feigenernte in Tusculum verpassen würden oder nicht! Sein Anliegen sei es hingegen, die römischen Verluste möglichst gering zu halten. Die Verzögerungstaktik, betonte er, sei dafür das beste Mittel. Außerdem: Was wüssten sie mit ihren großstädtischen Manieren, ihrer Bequemlichkeit und ihren Besorgnissen denn vom Krieg? Gar nichts! Da man ihn immer weiter beleidigte und mit Spitznamen verhöhnte, schien Pompeius schließlich doch nachgeben zu wollen.[69] Unterdessen spielte sich tagtäglich dieselbe Szene ab: Caesar und Pompeius führten ihre Heere in Schlachtformation aus dem Lager, der Köder wurde ausgeworfen, aber Pompeius weigerte sich, anzubeißen.

Da seine Lebensvormittelvorräte bedenklich knapp wurden und seine Strategie keinen Erfolg hatte, beschloss Caesar am frühen Morgen des 9. August 49 v. Chr. sein Lager abzubrechen und weiter ins Landesinnere zu ziehen. Doch gerade als die Zelte abgebaut und die Lasttiere beladen wurden, sprengten einige Kundschafter heran und berichteten von einer neuen Situation: Pompeius' Schlachtreihe sei weiter als sonst vom Lager abgerückt.[70] Das Signal war unmissverständlich. Endlich war Pompeius der Große doch zur Schlacht bereit. Er hatte den Köder geschluckt. Caesar war überglücklich und ließ zum Zeichen des Kampfbeginns seinen purpurnen Feldherrnmantel vor seinem Zelt aufhängen.

Die von hektischer Betriebsamkeit geprägte Atmosphäre in den beiden Lagern konnte unterschiedlicher nicht sein. Während die Politiker im pompeianischen Lager »Auf nach Pharsalos!« riefen, sich angesichts der Aussicht auf einen glänzenden Sieg die Hände rieben und sich vergnügt darum stritten, wer nach ihrer triumphalen Rückkehr nach Rom die Priesterämter bekleiden, wer Prätor oder Konsul werden würde und wer wem welche Villa auf dem Palatin vermieten werde, waren Caesar und seine Offiziere ganz auf die vor ihnen liegende Aufgabe konzentriert. Sie hatten wieder Auftrieb bekommen und wussten, dass man ihnen einen Rettungsanker zugeworfen hatte. Diesen würden sie nun ergreifen.[71]

Als die beiden Schlachtreihen aufeinandertrafen, leuchtete die Landschaft im Glanz ihrer Lanzen und Kurzschwerter, ihrer Bögen, Schleudern und Köcher voller Pfeile.[72] Caesars 22 000 Infanteristen sahen sich einer doppelt so großen Armee gegenüber, während es seine 1000

Reiter sogar mit einem siebenmal stärkeren Gegner aufnehmen mussten. Caesar besaß zwar ein viel kleineres Heer, doch er hatte die bessere Taktik. Als er sah, dass Pompeius' gesamte Kavallerie an der Flanke links vom Feldherrn aufgestellt war, wusste er, dass sein früherer
Verbündeter einen der beiden gegnerischen Flügel einschließen wollte.
Um dies zu verhindern, kommandierte Caesar aus jeder Legion einige
Kohorten ab und bildete aus ihnen eine vierte Kampflinie, die er hinter den drei anderen postierte und wie folgt instruierte: Erst wenn er
sein Fahnensignal gebe, sollten sie vorrücken und Pompeius' Reiterei
attackieren. Sie sollten vor allem ihre Lanzen als Spieße verwenden und
mit ihnen auf die Gesichter der Feinde zielen. Von ihrer Tapferkeit
hänge es ab, sagte er seinen Kohorten, ob man heute siegen werde.

Caesar rief sein Heer zu einer letzten Ansprache zusammen. Als das
Signal ertönte, rief Crastinus, ein loyaler Zenturio der zehnten Legion,
der in Gallien, bei Alesia und in Spanien treu gedient hatte, seinen Kameraden zu: »Erfüllet eurem Feldherrn den Dienst, den ihr zugesagt
habt! Nur noch dieser einzige Kampf bleibt zu bestehen! Ist er gewonnen, wird er seine Ehre wiedergewinnen und wir unsere Freiheit!«
Und zu Caesar sagte er: »Feldherr, heute sollst du mir entweder als Le-
bendem oder Totem deinen Dank abstatten!«[73] Nach diesen Worten
erhoben Crastinus und 120 Elitesoldaten ihr Kriegsgeschrei und stürmten los. Caesars Infanterie griff als Erste an. So traf nun Römer auf Römer, und beide Seiten metzelten sich mit gleicher Technik und Brutalität gegenseitig nieder.

Wenig später schickte Pompeius auch seine Reiterei in die Schlacht.
Es gelang ihr sofort, den Feind aus dem Konzept zu bringen. Sie trug
ihren Angriff so engagiert und energisch vor, dass sich Caesars Kavallerie zurückziehen musste. Doch als sich Pompeius' Berittene zu Schwa-
dronen formierten und Caesars Front auf der offenen Flanke umgin-
gen, ließ dieser seine im Hintergrund gehaltene vierte Linie vorrücken.
Die Kohorten stürzten sich mit hoch erhobenen Feldzeichen auf Pompeius' Kavallerie und zielten mit ihren Lanzen auf die Gesichter der
Feinde. Dies war ein militärischer Geniestreich: Caesar hatte richtig
vermutet, dass die Blüte der aristokratischen Jugend Roms, die Spröss-
linge der Senatoren, zwar begeistert in die Schlacht zogen, dass es ihnen

aber an Erfahrung und an der Bereitschaft, wirklich zu kämpfen, man-
gelte. Caesars geniale Aktion versetzte sie in Panik. Sie machten kehrt
und flohen in die Berge.

Als daraufhin Pompeius' Flanke ungedeckt war, nutzte die vierte
Schlachtlinie diesen Vorteil und griff sie im Rücken an. Jetzt roch Caesar Blut und holte zum tödlichen Schlag aus. Er hatte seine dritte
Schlachtlinie bisher als Reserve zurückgehalten. Jetzt stürzten sich aus-
geruhte, gesunde und kampferprobte Veteranen, die Caesar in zahlreichen Feldzügen gedient hatten, in das blutige Getümmel und lösten
ihre abgekämpften Kameraden ab. Erbarmungslos bahnten sie sich
hauend und stechend ihren Weg durch die Reihen der verwundeten
und erschöpften Pompeianer. Schließlich konnte Pompeius' große
Streitmacht dem neuerlichen Angriff nicht mehr standhalten, versagte
kläglich und wurde in die Flucht geschlagen.

Der Anblick seiner fliehenden Truppen machte Pompeius halb wahnsinnig, und er sah aus, »als habe ein Gott ihn geschlagen«.[74] Nachdem er
einige Zeit wortlos in seinem Zelt zugebracht hatte, während seine Legionäre auf dem Schlachtfeld niedergemetzelt wurden, glaubte er plötzlich, er könne seine Truppen neu organisieren und zum Gegenangriff
übergehen. Deshalb floh nun auch Pompeius der Große, begleitet von
30 Reitern. In Wahrheit hatte er eine vernichtende Niederlage erlitten,
und Caesar hatte den Bürgerkrieg endgültig zu seinen Gunsten entschieden. Pompeius sollte keine zweite Offensive mehr starten.

Caesar wies seine Männer an, die Befestigungsanlagen des feindlichen Lagers zu stürmen. Die dort Wache haltenden pompeianischen
Kohorten ergriffen entweder die Flucht oder ergaben sich. Im Lager
des Feindes sahen Caesars Soldaten den Beweis für einen letzten Akt
der Hybris, den sich die Senatspartei erlaubt hatte. Voller Arroganz mit
einer Siegesfeier rechnend, hatte man bereits ein üppiges Mahl auf silbernen Platten angerichtet. Alle Zelte waren mit Myrtenkränzen geschmückt, die Speisesofas mit Blumen bestreut und die Becher und
Krüge bis zum Rand mit Wein gefüllt.[75] Doch es waren nicht die Aristokraten, die Väter und Söhne der wohlhabenden römischen Elite, die
sich nun zum Festmahl niederließen. Dieses Privileg genossen jetzt
Caesar und seine Männer.

Epilog

Am nächsten Tag ergaben sich Caesar 24 000 Soldaten aus der Armee des Pompeius, warfen sich zu Boden und baten unter Tränen um ihr Leben. Von den geschätzten 15 000 Gefallenen waren 6000 römische Bürger. Gegenüber den römischen Feinden, die überlebt hatten, bewies Caesar erneut seine Milde – ein erster Schritt zur Heilung des kranken Staates. Außerdem verzieh er den Patriziern, die gegen ihn gekämpft hatten.[76] Viele Aristokraten waren jedoch geflohen, um sich neu zu organisieren und zu verschanzen. Pompeius traf seine Frau in Mytilene und reiste mit ihr nach Zypern, um später in Ägypten Zuflucht zu suchen. Vielleicht könnte er dort ein neues Heer ausheben und Caesar erneut bekämpfen? Dieser setzte ihm nach. Doch als Pompeius in Ägypten an Land ging, wurde er umgebracht. Ein einflussreicher Eunuch am Hofe des ägyptischen Pharaos hatte befunden, das beste Mittel, Caesar zum Freund zu gewinnen, sei die Ermordung seines Gegners. Seine Einschätzung konnte falscher nicht sein. Als Caesar den abgeschlagenen Kopf seines früheren Verbündeten und Freundes sah und sein Blick dann auf dessen Siegelring fiel, der einen Löwen mit einem Schwert in der Tatze zeigte, brach er in Tränen aus. Dieser Tod war eines ehrenhaften, bedeutenden Römers unwürdig.[77]

Obwohl die Schlacht bei Pharsalos den Bürgerkrieg zugunsten Caesars entschieden hatte, sollten noch mehrere Feldzüge in Nordafrika und Spanien notwendig sein, um die Widerstandsnester der Senatspartei auszuheben. Nach seiner Rückkehr nach Rom im Jahre 46 v. Chr. feierte Caesar drei prächtige Triumphe. Seine Veteranen erhielten lebenslange Soldzahlungen und jeder römische Bürger kam in den Genuss eines Geldgeschenks. Zwischen 49 und 44 v. Chr. wurde Julius Caesar viermal zum Konsul und viermal zum Diktator gewählt. Mit der Macht, die ihm diese Ämter zur Verfügung stellten, löste er sein Versprechen ein, die Republik zu reformieren und die Freiheit des Volkes wiederherzustellen. Die Gesetze, die er erließ, reichten von einem einjährigen Mieterlass bis zur Ansiedelung der Veteranen und mittellosen Römer in Italien und in ausländischen Kolonien. Diese Maßnahmen hatten natürlich nichts mit der von den Konservativen befürchteten revolutionären und radikalen Umgestaltung des Staates gemein. Allerdings konnte Caesar auch repressiv sein. Um die Macht des Mobs in Zukunft zu beschränken, verbot er, dass sich die Menschen ohne offizielle Erlaubnis in Klubs und Kollegien organisierten.

Außerdem erhöhte der Diktator die Zahl der Senatoren und Ritter und berief nun auch neue Männer aus normalen bürgerlichen Familien in Amt und Würden. Da diese Leute Caesar ihren sozialen Aufstieg zu verdanken hatten, überhäuften sie ihn bereitwillig mit immer neuen Ehren. Im Januar 44 v. Chr. wies er den Titel und die Krone eines Königs ostentativ zurück. Die Existenz eines religiösen Kults und viele ihm zu Ehren errichtete Statuen lassen jedoch vermuten, dass er gegen eine Vergöttlichung nichts einzuwenden hatte. Als er im Februar das Amt eines Diktators auf Lebenszeit akzeptierte, konnte man vor der Tatsache, dass Caesar nun als Alleinherrscher, als Roms erster Kaiser, regierte, kaum mehr die Augen verschließen. Anstatt eine tiefgreifende Reform der Republik mit Hilfe der neuen Senatselite anzustreben, schien Caesar doch mehr an seiner Würde als Patrizier und den damit verbundenen Ehrungen als an der Freiheit des Volkes zu interessiert sein.

Insofern bedeutete das Ende des Bürgerkriegs nicht auch das Ende der Debatte über die Freiheit. Diese Debatte wurde durch Caesars Diktatur auf Lebenszeit sogar noch angeheizt. Mitte März des Jahres 44 v. Chr. wurde Marcus Antonius vor dem von Pompeius errichteten Senatsgebäude plötzlich von einem Senator in ein langes Gespräch verwickelt. Der große, kräftige Mann merkte nicht, dass er absichtlich aufgehalten wurde. In der Kurie gaben einige Senatoren vor, Caesar eine Petition überreichen zu wollen. Sie traten auf ihn zu und schlossen ihn sofort in ihrer Mitte ein. Dann wagte sich einer der Männer vor, zückte seinen Dolch und stieß ihn dem Diktator in den Leib. Die anderen drängten näher und zerrten wie wild an ihren Togen, um die in den Falten versteckten Waffen herauszuholen. 23-mal stachen sie auf ihren politischen Feind ein. Brutus, ein enger Freund der Familie Caesars, der aber bei Pharsalos auf Pompeius' Seite gekämpft hatte, war einer von ihnen. Nach dem Attentat verließ er mit einigen anderen, die blutbefleckten Waffen noch in Händen, das Senatsgebäude. Die

Verschwörer begaben sich zum Kapitol und verkündeten dem Volk, dass »die Freiheit wieder hergestellt sei«.[78]

Der leblose, blutende Körper Caesars lag nun verlassen in der Kurie, in eben dem Gebäude, das sein Gegner dem Römischen Reich großzügig vermacht hatte. Ausgerechnet vor der Pompeius-Statue war Caesar zusammengebrochen. Man hätte annehmen können, dass Pompeius mit diesem Mord gerächt sei, doch in Wirklichkeit war nun das Ende der Republik besiegelt. Brutus und all die anderen patrizischen Senatoren, die Caesars »Tyrannis« beenden und die alte idealisierte Republik wiederherstellen wollten, konnten nicht ahnen, dass Caesar die Zukunft richtig eingeschätzt hatte. Wahlen und Abstimmungen in den römischen Volksversammlungen waren kein geeignetes Mittel, das riesige römische Imperium erfolgreich zu regieren. Das konnte nur ein Einzelner, ein Alleinherrscher – ein Kaiser.

Um sowohl die aristokratische Elite wie auch das römische Volk mit friedlichen Mitteln für diese Sichtweise zu gewinnen, sodass sie das Ende ihrer Freiheit akzeptierten, brauchte man die Kräfte eines Herkules, eine große politische Vision sowie eiskalte Berechnung und Rücksichtslosigkeit. Es war ein glücklicher Zufall, dass diese Aufgabe ausgerechnet Augustus zufiel. Sein politisches Genie wurde wahrscheinlich von keinem anderen Römer vor oder nach ihm übertroffen. Dasselbe gilt auch für seine Grausamkeit und seine nie nachlassende Bereitschaft, alles zu tun, um seine Macht zu festigen.

Augustus

Vom 31. Mai bis zum 3. Juni des Jahres 17 v. Chr. erlebte die Stadt Rom die größte Show der damaligen Zeit. Die Säkularspiele waren eine Feier, wie sie ein Römer noch nie gesehen hatte und niemals mehr sehen würde. Die Menschen wurden von Woche zu Woche stärker in ihren Bann gezogen. Herolde in traditionellen antiken Kostümen waren durch die Straßen Roms gezogen und hatten im Voraus auf das außerordentliche, jedes Maß sprengende Ereignis aufmerksam gemacht: An drei Tagen würden an den Tempeln und Kultstätten überall in der Stadt spektakuläre Opfer dargebracht, danach gebe es zusätzlich sieben Tage lang Wagenrennen, Tragödien und Komödien in lateinischer und griechischer Sprache, dazu sensationelle Auftritte von Kunstreitern sowie Tierhetzen und Aufführungen von Scheingefechten. Für das Fest war ein spezielles Lied komponiert worden, das am letzten Tag von zwei weißgekleideten Chören vorgetragen würde – in dem einem sangen 27 Knaben, in dem anderen 27 Mädchen. Die Atmosphäre im Vorfeld war geprägt von Feierlaune, Euphorie und grenzenlosem Optimismus. In Rom, so hieß es, herrschten Wohlstand und Frieden – ein neues goldenes Zeitalter war angebrochen. Doch die Vorbereitungen zu den Spielen deuteten darauf hin, dass mit der Feier ein durchaus ernsthaftes Anliegen verbunden war.

Einen Tag vor Beginn der Festivitäten begaben sich die Priester auf den Aventin, einen der sieben Hügel Roms, und nahmen von den Bürgern die ersten Ernteerträge des Jahres in Empfang. Diese sollten unter den Tausenden der Festteilnehmer verteilt werden. Außerdem wurden auch Schwefel, Teer und Fackeln ausgegeben, die jeder Bürger in einer privaten religiösen Zeremonie anzünden sollte, um sich vor Beginn der Feierlichkeiten kultisch zu reinigen. Der sorgfältig geplante Werbegag verfehlte nicht seine Wirkung. Hinter der PR-Aktion stand eine große politische Idee. Der tiefere Sinn der Feier, der sich in diesen Vorbereitungen andeutete, war eine allgemeine geistige

Erneuerung und damit verbunden die Läuterung des gesamten römischen Staates.

Inspizient der Bühne, Gastgeber und Zeremonienmeister war Augustus, Roms erster Kaiser. Entsühnung und Erneuerung – dies war genau die Botschaft, die er vermitteln wollte, dies war der Ton, den er anschlagen wollte. Denn diese Spiele sollten einen Wendepunkt in der römischen Geschichte markieren. Dies war der Augenblick, in dem die Römer nicht nur eine neue Ära des Friedens und der Stabilität feierten, sondern in dem sich auch die Wunden schließen konnten, die ein fast zwei Jahrzehnte dauernder Bürgerkrieg geschlagen hatte. Seit Julius Caesar 49 v. Chr. den Rubikon überschritten hatte, hatte Rom bis zum Jahr 31 v. Chr. eine unheilvolle Zeit des gesellschaftlichen und politischen Niedergangs erlebt, eine Zeit, in der das riesige Römische Reich ein blutbedecktes Schlachtfeld nach dem anderen gesehen hatte. Dieses Blutbad hatten die Römer selbst angerichtet, und es waren nicht etwa feindliche Barbaren, die hier ihr Leben ließen, sondern die eigenen römischen Freunde, Vettern, Brüder und Väter.

Mit dem Fest wollte Augustus nun nicht nur alte Wunden heilen, sondern auch eine zweite, höchst raffiniert verpackte politische Botschaft vermitteln. Die Säkularspiele fanden alle 110 Jahre statt. Sie verbanden die glorreiche Gegenwart mit der frühesten Phase der römischen Republik. Einerseits erweckten sie in den römischen Bürgern den Eindruck, dass die Republik »wiederhergestellt« sei und es eine harmonische Kontinuität zwischen Roms altehrwürdiger Frühgeschichte und der jetzigen goldenen Zeit des Augustus gebe. Andererseits kündeten die Spiele unterschwellig auch ein neues Herrschaftssystem an. Bei dieser Jahrhundertfeier war Augustus der zentrale, herausragende Protagonist. Er war es, der das Fest für das römische Volk veranstaltete. Er war es, der für die Kosten aufkam. Und vor allem war er es, der bei einer nächtlichen Zeremonie die Hauptrolle übernahm, als er vor einem Massenpublikum der Mutter Erde eine trächtige Sau zum Opfer brachte. Dieser – die Herzen der Menschen tief bewegende – Starauftritt ließ das römische Volk eine völlig neue politische Realität erleben. Die Spiele waren in der Tradition verankert und zugleich eine höchst einfallsreiche, moderne Interpretation ebendieser Tradition.

In Wahrheit hatte Augustus nämlich nicht die Republik wiederhergestellt, sondern für das genaue Gegenteil gesorgt. Er war dabei, die
politischen Freiheiten der Republik abzuschaffen und den römischen
Staat entsprechend seinen eigenen Machtinteressen zu organisieren.
Als raffinierter und gewiefter Politiker legte er tatsächlich den Grundstein zu einem neuen Zeitalter – dem der römischen Kaiser. Die Säkularspiele von 17 v. Chr., nur ein Beispiel für seine außergewöhnliche
Geschicklichkeit, feierten den Anbruch der größten Revolution in der
gesamten Geschichte Roms: Augustus' Umgestaltung der römischen
Republik in eine Autokratie, die Herrschaft eines Einzelnen.

Um dieses Bravourstück vollbringen zu können, bediente er sich
eines ganzen Bündels von – manchmal gewaltsamen, manchmal ge-
setzlichen – Maßnahmen. Sein bevorzugtes Mittel aber war die Kunst
der Überredung. Diese beherrschte er so meisterhaft, dass das römische
Volk ebenso wie die Elite der römischen Senatoren und Ritter gerne
bereit war, auf ihre überaus geschätzten Freiheiten zu verzichten und
einer einzelnen Person die Macht zu übertragen. Es war eine brillante
Form der politischen Manipulation, das größte politische Kunststück,
das in der römischen Geschichte je vollbracht wurde.

Aktium

Das Narkosemittel, das die unangenehmen Folgen dieser heimlichen
Revolution linderte, hieß schlicht und einfach »Frieden«. Auch an der
Schaffung dieses Friedens, der nach so vielen Kriegsjahren endlich eingekehrt war, hatte Augustus maßgeblich Anteil. Im Bürgerkrieg hatte
er sich viel grausamer gezeigt als später in der Rolle des Kaisers. Doch
auch dieser Aufgabe widmete er sich von Beginn an mit Engagement
und Willenskraft.

Als Julius Caesar im Jahre 44 v. Chr. ermordet wurde, kannte man
Augustus nur unter seinem einfachen Namen Gaius Octavius. Er war
19 Jahre alt und wirkte beileibe nicht wie ein Mann, der den 22 Jahre
währenden Bürgerkrieg schließlich gewinnen sollte. Er war klein,
schwach und kränklich, sein blondes Haar und sein Bart waren lockig

und ungepflegt, außerdem hatte er viele Zahnlücken.[1] Er war der Sohn eines unbedeutenden *homo novus*, aber diese relativ schwache Verbindung zur Senatsaristokratie wurde durch die Zugehörigkeit zu einer anderen Familie mehr als wettgemacht. Durch seine Mutter Atia war Oktavian (wie wir ihn nennen) der Großneffe Caesars. Und vor allem war er auch dessen Adoptivsohn und Erbe. Weil er zum einen unbedingt die Macht an sich reißen und zum anderen die Ermordung seines Adoptivvaters rächen wollte, entfachte Oktavian im Jahre 43 v. Chr. einen neuen Bürgerkrieg.

Sein erster Schachzug war kühn und wohldurchdacht: Er nannte sich »Caesar«. Für das Volk verband sich mit diesem Namen eine einzigartige, faszinierende Ausstrahlung, die dadurch bekräftigt wurde, dass im Jahr 44 v. Chr. an sieben Tagen hintereinander unmittelbar vor Sonnenuntergang ein Komet am Himmel zu sehen war.[2] Die meisten nahmen dies als Beweis dafür, dass Oktavians Adoptivvater tatsächlich unter die Götter aufgenommen worden war. Nach anfänglichen Rivalitäten verbündete sich Oktavian schließlich mit Mark Anton, dem politischen »Erben« des verstorbenen Diktators, und führte gemeinsam mit ihm Krieg gegen die Caesarmörder. Als Soldat konnte Oktavian seinem neuen Verbündeten, einem ausgewiesenen militärischen Helden, nicht das Wasser reichen. Oktavian war, so wurde ihm nachgesagt, bei einer der Bürgerkriegsschlachten für zwei Tage verschwunden und hatte sich in einem Sumpf versteckt. Er soll sogar, vielleicht um nicht erkannt zu werden, seine Rüstung abgelegt und sich von seinem Pferd getrennt haben. Er sei zwar wieder zu seinem Heer zurückgekehrt, doch erst nachdem der Kampf entschieden war.[3] Oktavian trat zwar bescheiden auf, konnte aber sehr gefährlich werden. Die schwächliche Konstitution von Caesars jungem Erben täuschte darüber hinweg, wie rücksichtslos und kaltblütig er zu gewaltsamen Mitteln griff, um seine Ziele durchzusetzen.

Ein bekanntes Beispiel: Während des erneut ausgebrochenen Bürgerkrieges hatte Oktavian (zusammen mit Mark Anton) die gemeinsamen Feinde in der politischen Oberschicht in einer groß angelegten Aktion brutal ausgeschaltet. Ungefähr 300 konservative Senatoren und 2000 Ritter kamen auf die Proskriptionsliste, wurden gejagt und umgebracht.[4] Dies sind nur einige der düsteren Zahlen, die uns in den antiken Quellen überliefert sind. Man kann sich leicht vorstellen, wie hart ihre anderen Feinde bestraft wurden. Im Jahre 42 v. Chr. trugen Oktavian und Mark Anton in der Schlacht bei Philippi einen endgültigen Sieg über die Caesarmörder davon. Brutus' abgeschlagener Kopf wurde nach Rom geschickt und vor die Füße der Caesar-Statue geworfen. Nach der Beseitigung ihrer Widersacher waren sie nun die Herren von Rom und des gesamten Römischen Reiches. Es war allerdings nur noch eine Frage der Zeit, bis die siegreichen Verbündeten zu Gegnern werden und sich im Streit um die Alleinherrschaft in der römischen Welt gegenseitig bekämpfen sollten.

Aktium liegt an der Küste Nordwestgriechenlands im Norden der Insel Leukada. Vor über 2000 Jahren, am 2. September 31 v. Chr., wurden diese stillen grünen Hügel Zeugen eines der folgenschwersten Ereignisse in der Geschichte Roms. Die Rede ist von der Schlacht bei Aktium. Die Schiffe Oktavians trafen hier auf den Flottenverband von Mark Anton und seiner Verbündeten Kleopatra, der Königin von Ägypten. Sie war damals sowohl seine Geliebte wie auch seine reiche Gönnerin. Seit ihrem Verhältnis mit Caesar war ihr bewusst, dass die künftige Wohlfahrt ihres Landes von einer guten Beziehung mit Rom abhängig war. Nach Caesars Tod hatte sie ihr Fähnchen nach dem Wind gehängt und sich Mark Anton angeschlossen. Nun würde sie herausfinden, ob sich das Risiko gelohnt hatte. Die Schlacht von Aktium sollte nämlich nicht nur den langen Bürgerkrieg für immer beenden, sondern auch das Schicksal des Römischen Reiches besiegeln.

Das Truppenaufgebot war gigantisch. 230 Schiffe Mark Antons waren in einer weiten Bucht von einer noch größeren Flotte unter dem Kommando von Oktavians Admiral Agrippa eingeschlossen. Mark Antons neun größte Schiffe waren mit einer Waffe ausgerüstet, die dem neuesten Stand der Technik entsprach: Auf ihrem Bug war ein 1,5 t wiegender Rammbock aus reiner Bronze montiert. Im antiken Rom hing der Ausgang von Seeschlachten davon ab, ob es gelang, diese Gefechtsköpfe in die feindlichen Schiffe zu treiben und sie zum Sinken zu bringen. Mark Antons Truppen verfügten zwar über diese überlegene Technik, waren aber durch eine Malariaepidemie geschwächt. Außerdem hatten zahlreiche Soldaten die Fahnen verlassen, da sie wussten, dass man sich im politischen Rom von Mark Anton abgewandt hatte und nun Oktavian unterstützte. Seit seinen ersten militärischen Erfahrungen war Oktavian sehr viel mutiger geworden. Außerdem war er der bessere Taktiker. Nachdem er geduldig abgewartet hatte, dass die feindliche Flotte den Kampf aufnahm, nutzte er nun ihre Schwäche eiskalt aus.

Oktavian und Agrippa griffen den Feind zunächst mit Brandgeschossen an. Dann kesselten sie die mit bronzenen Schiffsschnäbeln versehenen Schiffe des Antonius und der Kleopatra ein, schlugen ihre Enterhaken ein und nutzten ihre zahlenmäßige Überlegenheit, um an Deck zu stürmen und die gegnerischen Streitkräfte zu überwinden. Die Schlacht entwickelte sich rasch zu einer eher undramatischen und sehr einseitigen Angelegenheit. Möglicherweise hatte Mark Anton nur den Ehrgeiz, Oktavians Blockade zu durchbrechen und sich nach Ägypten durchzuschlagen, um neue Kräfte zu sammeln und den Krieg doch noch siegreich zu beenden. Als es Kleopatra dann gelang, sich mit einem Großteil der Schiffe abzusetzen, war dies das Ende der alliierten Flotte. Mark Antons Angriff ging seiner Schlagkraft verlustig und endete in einem Fiasko. Es kam zu keinem heroischen Gefecht, und Oktavian und Agrippa trugen einen glanzlosen leichten Sieg davon.

Ein Römer jener Zeit musste einen ganz anderen Eindruck haben angesichts der Art und Weise, wie Oktavian das »Treffen der Titanen« vorher und nachher in seinem Sinne ausschlachtete. Berühmt ist die Passage in Vergils *Aeneis*, dem Epos aus augusteischer Zeit: Darin wird Kleopatras Rückzug als panische Flucht beschrieben, wie sie für schwächliche Barbaren typisch war. Doch dies war nur ein Aspekt in der wortgewaltigen Propagandaschlacht. Das Gefecht bei Aktium wurde zum Kampf zwischen westlichen und östlichen Werten hochstilisiert, zum Kampf zwischen Oktavians mannhaftem, frommem Römertum und den unmoralischen Ausschweifungen, denen sich Mark Anton und Kleopatra hingaben. Die Römer waren aufgefordert, eine einfache Frage zu beantworten: Sollte das riesige Imperium von einem traditionsbewussten, zuverlässigen römischen Kriegshelden gerettet oder sollte es zum Spielzeug eines verweichlichten orientalischen Königs werden, der einer lasterhaften exotischen Königin sklavisch ergeben war? Aktium war nichts weniger als ein gigantischer Zusammenprall der Kulturen. Oktavian hatte nicht nur einen militärischen Sieg errungen, sondern darüber hinaus noch etwas weitaus Wichtigeres erreicht: Als Sieger konnte er das Ergebnis des Krieges nach eigenem Ermessen interpretieren.

Nach dem Krieg

Oktavian ließ es sich nicht entgehen, das reiche politische Kapital, das er aus seinem Sieg schlagen konnte, umgehend zu nutzen. In der Nähe der Stelle, an der die Seeschlacht stattgefunden hatte, gründete er eine neue römische Stadt und nannte sie Nikopolis, »Stadt des Sieges«. Außerdem ließ er an der Stelle seines früheren Lagers ein monumentales Siegesdenkmal errichten, dessen Überreste kürzlich von den Archäologen näher erforscht wurden. Schön ausgemeißelte Szenen veranschaulichten die Schlacht und den Triumphzug, mit dem Oktavian seinen Sieg im Jahre 29 v. Chr. in Rom feierte. Zum Denkmal gehörte auch eine 6 m hohe Mauer, die einen atemberaubenden Blickfang aufwies: »Souvenirs« in Form von 36 bronzenen Schiffsschnäbeln der Flotte Mark Antons, die, in Beton gegossen, in die Kalksteinblöcke der Mauer eingelassen waren. So wurden die Schnäbel der feindlichen Schiffe auf einem Hügel über der Siegesstätte in die Landschaft integriert. Es muss ein spektakulärer Anblick gewesen sein, der eines spektakulären, unvergesslichen Triumphes würdig war. Denn wenn auch der Sieg längst nicht so glanzvoll war, wie es Oktavians Propaganda glauben machen wollte – was er aus ihm machte, war meisterhaft.

Nach Aktium war der siegreiche Oktavian der Herr aller römischen Heere. Er eroberte Ägypten, machte es zur römischen Provinz und bereicherte das Imperium um die immensen Schätze jener deutlich älteren Kultur. Mark Anton und Kleopatra trieb er in den Selbstmord (Plutarch und Shakespeare setzten dies später dramatisch um). Schließlich machte der Sieg Oktavian auch noch zum wohlhabendsten Mann in der gesamten Geschichte Roms. Da er die Versprechen, die er während des Bürgerkrieges gemacht hatte, erfüllen und sich insbesondere die Loyalität der römischen Armee und des römischen Volkes sichern wollte, gab er das Geld sofort mit vollen Händen aus. Seine Großzügigkeit kannte keine Grenzen.

Nach seiner Rückkehr nach Rom feierte er das Ende des Bürgerkrieges mit drei eindrucksvollen Triumphzügen. Seine Soldaten bedachte er mit üppigen Geldzuwendungen und ließ auch jedem römischen Bürger eine kleinere Geldsumme zukommen. Dies hätte eigentlich schon ausgereicht, um sich die uneingeschränkte Unterstützung des Volkes zu sichern. Doch Rom hatte auch eine neue Kornkammer gewonnen: Die fruchtbaren Felder des ägyptischen Niltals garantierten die regelmäßige Versorgung des Volkes mit kostenlosen Getreidespenden. Auf diese Weise wurde Oktavian zum mächtigsten Mann in der römischen Welt. »Zu diesem Zeitpunkt«, schreibt der Historiker Cassius Dio, »hatte Oktavian zum ersten Mal die Alleinherrschaft inne.«[5] Dennoch gab es ein Problem: Oktavians Position im römischen Staat fehlte eine gesetzliche Grundlage.

Die Legitimität seines Anspruchs ließ sich nicht aus dem erfolgreichen Ausgang einer einzigen Schlacht herleiten. Dazu bedurfte es noch ganz anderer Anstrengungen. Deren Ziel war ein römisches Imperium, das von einem einzigen Kaiser regiert wurde – von Oktavian, als Anerkennung für seine Verdienste. Im Zusammenhang damit stellten sich die Menschen der Antike eine Frage, die auch uns heute noch beschäftigt: War Oktavian ein übler Tyrann, der die römische Freiheit mit List und Tücke immer weiter einschränkte, oder war er letztlich doch ein aufgeklärter Staatsmann, der als *primus inter pares* die Macht mit den römischen Senatoren teilte und sich auf die Zustimmung des Volkes stützen konnte? War er ein niederträchtiger Autokrat, der nur nicht als solcher bezeichnet wurde, oder aber ein vorbildlicher Kaiser, der zwar nicht die Republik wiederherstellte, aber doch eine verfassungsmäßige Regierung etablierte? Wer hielt wirklich die Zügel der Macht in Händen?

Für das antike Rom kann diese Frage vielleicht genauso wenig beantwortet werden wie für heutige Regierungen. Im Falle Oktavians sind wir auf spärliche oder aber sehr parteiische historische Quellen angewiesen. Die überlieferten Zeugnisse (zu nennen sind vor allem Oktavians eigener Bericht über seine Taten, dazu Inschriften und zahlreiche von ihm in Auftrag gegebene Denkmäler und Bauwerke) lassen lediglich auf eine permanente geniale Politinszenierung schließen – eine Inszenierung, die uns sein wahres Gesicht nur selten zu erkennen gibt. Wie auch immer wir Oktavian sehen mögen, sicher ist, dass er an den alten republikanischen Ämtern festhielt, um seine Macht geschickt zu bemänteln. Ebendiese Strategie verfolgte er auch in einer Senatssitzung, die an den Iden des Januar im Jahre 27 v. Chr. stattfand.

Noch bevor er die Kurie betrat, hatte sich Oktavian die Lektion von der Ermordung seines Adoptivvaters zu Herzen genommen. Die Republik war geboren worden, als um das Jahr 509 v. Chr. der letzte etruskische König durch den römischen Adel vertrieben wurde. Das war der Augenblick, in dem der Abscheu jener Adligen vor der Monarchie konkrete Form annahm – der Hass und das Misstrauen gegenüber einem den Staat dominierenden Alleinherrscher. Die offene Ausübung der absoluten Macht, das suggerierten die Ereignisse von den Iden des März 44 v. Chr., musste mit dem Leben bezahlt werden. Oktavian wusste also, dass er vorsichtig sein musste. Deshalb verzichtete er bei der Senatssitzung auf alle seine außerordentlichen Befugnisse und auf die von ihm kontrollierten Gebiete und unterstellte sie dem Senat und dem Volk von Rom. Diese außergewöhnliche Geste war jedoch nichts anderes als ein gut inszeniertes Theater. Er spielte seine Rolle, und dann übernahmen die Senatoren ihren Part. Sie räumten Oktavian das Recht ein, sich um das Konsulamt zu bewerben, und gestatteten einem Kollegen, ebenfalls zu kandidieren. Zumindest formal lag die Macht wieder beim Senat, bei den jährlich gewählten Magistraten und bei den römischen Volksversammlungen. Die Republik schien wiederhergestellt.

Dieser schöne Schein wurde allerdings durch die wahren Machtverhältnisse getrübt. So wie in den letzten Jahren der Republik beruhte die Macht eines Amtsträgers auf seinem militärischen Oberbefehl und auf der Provinz, in der er diese Befehlsvollmacht ausüben konnte. Bei derselben Januarsitzung betraute der Senat Oktavian – und das war bezeichnend – mit einer »erweiterten« Provinz: Gallien, Syrien, Ägypten und Zypern standen allesamt unter seiner Kontrolle und sollten von ihm nicht weniger als zehn Jahre lang verwaltet werden. Es war kein Zufall, dass diese Länder an den Rändern des Reiches lagen und dass infolgedessen dort die meisten Legionen des römischen Heeres stationiert waren. Zwar sollten die Senatoren, die mit ihm das Konsulamt bekleidet hatten, weiterhin als Statthalter in die Provinzen gehen, doch nur in solche, in denen Frieden herrschte. Die militärstrategisch wichtigen Provinzen wurden von Oktavian kontrolliert und durch – von ihm ernannte – Stellvertreter verwaltet. Somit war Oktavian in einer stärkeren Position als alle seine Mitkonsuln.

Sein gewagter Balanceakt war nicht immer leicht und fand nicht nur Freunde. So hegte man z. B. im Jahre 23 v. Chr. den Verdacht, dass seine Jahr für Jahr bekleideten Konsulate ihm praktisch die Alleinherrschaft sicherten. Zwar sind die Beweise nicht eindeutig, doch im Verlaufe einer ernsthaften, sich rasch zuspitzenden Krise planten einige Senatoren bereits die Ermordung des neuen »Königs«. Oktavian reagierte sofort und schaffte die Gefahr aus der Welt, indem er über seine Position neu verhandelte und einfach den Wortlaut des Gesetzes, das ihm den militärischen Oberbefehl erteilte, abänderte. Diesen Sieg über die Senatselite verdankte er einem entscheidenden Punkt: seiner beispiellosen Popularität beim römischen Volk. Schließlich war er der Mann, dem es gelungen war, in eine Welt, die aus den Fugen geraten war, Ordnung und Stabilität zu bringen. Da er aber wusste, dass er sich auf das Volk, launisch wie es war, auf Dauer nicht verlassen konnte und immer mit einem Umschwung der öffentlichen Meinung rechnen musste, war er jetzt bestrebt, sein Ansehen auch bei den Bürgern zu festigen.

Wieder ließ sich Oktavian von den republikanischen Ämtern inspirieren und stellte im Senat einen überraschenden Antrag: Man solle ihm die Befugnisse eines Volkstribuns übertragen. Im Vergleich zu der Macht, die ihm der militärische Oberbefehl an die Hand gab, waren die Möglichkeiten des Tribunats relativ bescheiden. Der Posten gab ihm zwar das Recht, in der Volksversammlung Gesetze vorzuschlagen oder auch zu Fall zu bringen, doch seine eigentliche Attraktion lag woanders und Oktavian hatte sein wahres Potential erkannt. Sich auf die – emotional positiv besetzten – republikanischen Ursprünge dieses eher niederen Amtes stützend, erweiterte er nun dessen Befugnisse und verlieh ihm einen gänzlich neuen Status. So wurde er nicht zu einem x-beliebigen Volkstribun alten Schlages, sondern zu einer Symbolfigur, zum Verteidiger, Schutzpatron und Anwalt der Interessen aller römischen Bürger, und dies nicht nur in Rom und Italien, sondern überall im Imperium.

War die Schaffung eines solchen Amtes der Akt eines Mannes, der improvisierte und nach neuen Wegen suchte, um für die Wiederherstellung einer stabilen, verfassungskonformen Regierung zu sorgen? Oder hatte er weniger edle Motive? Gewiss erinnerte die Bekleidung des Volkstribunats an eine Strategie, die von Diktatoren immer wieder gerne angewandt wurde: Oktavian hatte sich still und heimlich über die Köpfe der politischen Elite hinweggesetzt und sich an den Gefühlen und Gedanken des Volkes orientiert. Wieder einmal war es ihm gelungen, unter dem Deckmantel eines alten republikanischen Amtes einen neuen Posten zu gewinnen. Die Senatoren beobachteten, wie er zu seinem großen Sprung ansetzte, und gaben ihm, wenn auch voller Groll und Hass, ihre volle Zustimmung.

Autokratie

Im Jahre 19 v. Chr. hatte Oktavian das erreicht, was seinem Adoptivvater versagt geblieben war: sowohl uneingeschränkte Macht als auch politische Legitimität. Diese beispiellose Position, die er sich geschickt aufgebaut hatte, spiegelte sich in der Übernahme eines feierlichen, klangvollen Titels. Eine Namensänderung mag als etwas Oberflächliches erscheinen, doch in Oktavians Rom sollte – wie in der modernen Politik – die Macht eines neuen Markenzeichens nicht unterschätzt werden.

Zunächst spielte er mit dem Gedanken, sich den Namen Romulus zu geben. Er passte bestens zu dem Gründer eines neuen Roms, denn in ihm verband sich die antike Tradition mit der Idee eines neuen Zeitalters. Doch nach einigem Nachdenken nahm er davon wieder Abstand: Die mit dem Namen verbundene Konnotation – Romulus hatte bei der Gründung der Stadt seinen Bruder getötet – hinterließ einen unangenehmen Beigeschmack. Stattdessen dachte er sich einfach einen neuen Namen aus. Als »Augustus«, wörtlich »der Hochheilige« oder »der Erhabene/Ehrwürdige«, wurde er nicht explizit vergöttlicht. Er konnte sich auch nicht als Gott bezeichnen lassen, da dies im Widerspruch zu seinem Programm gestanden hätte, ein Führer der Bürger, der »Erste unter Gleichen« zu sein. Aber der Name, abgeleitet von dem lateinischen Wort *augurium*, ›Beobachtung und Deutung göttlicher Zeichen‹, enthielt dennoch einen unmissverständlichen Hinweis auf eine enge Beziehung zu den Göttern. Er drückte aus, dass Oktavian fromm und in gewisser Weise heilig war und ganz besonderen Respekt verdiente. Die Namensänderung war symptomatisch für die Revolution. Sie war unaufdringlich, aber sehr wirkungsvoll. Als Oktavian im Laufe seiner Regierung immer entschlossener nach der Macht griff, war das Rasseln der Ketten, die der politischen Freiheit angelegt wurden, immer lauter zu hören.

Dieses Rasseln war z. B. bei den Senatssitzungen zu vernehmen. Zur Zeit der Republik war eine bestimmte Reihenfolge festgelegt, nach der sich die Senatoren erhoben und über die anstehenden Fragen diskutierten. Augustus hielt an diesem Brauch fest, sodass offenbar alle ein Mitspracherecht hatten. Ihre Meinung war, wie es schien, wichtig, und manche müssen darüber erleichtert gewesen sein. Nachdem die jahrzehntelangen parteipolitischen Auseinandersetzungen, wie sie z. B. zwischen Julius Caesar und Pompeius ausgetragen wurden, ein Ende gefunden hatten, sah das Leben für die jüngeren Senatoren jetzt deutlich rosiger aus. Letzten Endes war das Rollenspiel aber ermüdend. Die Mehrheit der Senatoren musste feststellen, dass ihre Voten gegenüber den Wünschen des Augustus kaum ins Gewicht fielen. Um den Diskussionen im Senat nach außen hin mehr Würze zu verleihen, führte Augustus einige Neuerungen ein: Anstatt die Senatoren nach einer festgelegten Reihenfolge anzuhören, forderte er sie ganz willkürlich auf, sich zu den jeweiligen Problemen zu äußern. Damit konnten sie sich nicht mehr ohne Weiteres dem Beitrag ihres Vorredners anschließen. Außerdem stellte er das Fernbleiben von einer Sitzung unter Strafe und beschränkte die Zahl der obligatorischen Senatsversammlungen auf zwei im Monat.[6]

Doch all diese Bemühungen konnten den Verfall des alten republikanischen Systems nicht aufhalten. Stattdessen nahm das Regime immer autokratischere Züge an: Augustus wandte sich immer seltener an den Senat, um seine Politik mit ihm abzustimmen. Schon relativ bald nach seinem Regierungsantritt ernannte er einen Beirat aus Konsuln und Senatoren, die durch das Los bestimmt wurden und nicht mehr in der Kurie, sondern im Kaiserpalast zusammentraten. Je einflussreicher dieser Hofrat wurde, desto mehr wurde er von denen, die von ihm ausgeschlossen waren, beargwöhnt. Unter den künftigen Kaisern sollte vergleichbaren Gremien ein Standardvorwurf gemacht werden: Der Senat werde nicht an der Regierung beteiligt, sondern die Geschicke des Reiches würden von den Kumpanen, Freunden und Freigelassenen des Kaisers bestimmt. Selbst am Ende seines Lebens blieben dem Senat wichtige Informationen vorenthalten. In seinem Testament wies Augustus darauf hin, wo man sich über die allgemeine Lage des Imperiums, die Zahl der römischen Soldaten und ihre Einsatzorte sowie über die staatliche Finanzsituation unterrichten könne. »Ferner hatte er auch die Namen der Freigelassenen und Sklaven beigefügt, von denen Rechenschaft gefordert werden konnte.«[7] Offensichtlich hatten die meisten Senatoren keine Ahnung, wie der Staat eigentlich regiert wurde, da sie von allen wesentlichen Informationen abgeschnitten waren. Beispiele wie diese machen deutlich, wie sehr die Republik an Substanz verlor. Doch der äußere Schein wurde peinlich genau gewahrt.

Magistrate wie Volkstribune oder Konsuln wurden offiziell gewählt, die Kandidaten wurden allerdings zuvor von Augustus nominiert. Im Jahr 5 n. Chr. enthielt die Kandidatenliste, die dem Volk zur Abstimmung vorgelegt wurde, nur die Namen von willfährigen Senatoren, von denen, wie Augustus wusste, keine Gefahr ausgehen würde. Wenn sich ein unabhängiger Mann zu einer Kandidatur entschloss, reagierte Augustus entsprechend der unausgesprochenen Logik des neuen Systems mit aller Härte. Ein junger Senator namens Egnatius Rufus z. B. war sehr populär geworden, weil er aus seiner eigenen Sklavenschaft eine private Feuerwehr gegründet hatte, deren Dienste er kostenlos zur

Verfügung stellte. Die Weigerung, seine Bewerbung für das Konsulamt zurückzuziehen, hatte fatale Konsequenzen: Er wurde der »Verschwörung« angeklagt und hingerichtet. Auf diese Weise verkamen die einst hochgeschätzten Wahlen, mit denen die römischen Bürger Einfluss auf die Politik nehmen konnten, zu einem leeren Akt.

Auch in der Reichsverwaltung waren die Zeichen der stillschweigenden Revolution nicht zu übersehen. Äußerlich wurde am Prinzip der Machtaufteilung ostentativ festgehalten. Angesehene ehrgeizige Männer konnten dem Anschein nach weiterhin ganz legal Karriere machen. Augustus war gewissenhaft darauf bedacht, Einzelnen eine Kandidatur bei den von ihm kontrollierten Wahlen zu ermöglichen. So konnte er potentielle Rivalen in der Senatselite in Schach halten, doch was noch wichtiger war: Um das Imperium regieren zu können, war er auf Personal angewiesen, auf erfahrene Senatoren und Ritter, die in der Stadt Rechtsstreitigkeiten schlichteten, die ausländischen Provinzen verwalteten und das Eintreiben der Steuern überwachten. Außerdem brauchte er Heerführer für seine Kriege. Unter seiner Herrschaft vergrößerte sich die Gesamtfläche der römischen Provinzen fast auf das Doppelte.

Die Führung eines Amtes kam allerdings einer Gratwanderung gleich. Wer seine Befugnisse überschritt und auf diese Weise Augustus' Autorität anzugreifen wagte, musste für seine Eigenmächtigkeit einen hohen Preis bezahlen. In Wahrheit waren die Fähigkeiten, die nun von einem Amtsträger gefordert wurden, eher die eines Bürokraten oder eines dem Kaiser loyalen Abgeordneten. Der Ehrgeiz dieser Männer wurde vielleicht dadurch befriedigt, dass sie nach außen hin Autorität besaßen, doch die Elite wusste, dass die wirkliche Macht anderswo lag.

Dies war eine Tatsache, an die sich die Senatoren und Ritter langsam gewöhnten. Natürlich stieg der Stern derer, die dem neuen Regime loyal gegenüberstanden. Ein Posten in der Verwaltung, mochten die Befugnisse auch beschränkt sein, ließ in ihnen alle Kritik verstummen. Andere, die auf mehr Unabhängigkeit Wert legten, zogen sich lieber zurück und übten sich in Geduld. Möglicherweise trösteten sie sich mit dem Gedanken, dass dieser unselige Zustand nur eine vorübergehende

Begleiterscheinung der dominanten Stellung des Kaisers sei. Irgendwann wird es ihn nicht mehr geben, dachten sie vielleicht, und dann würden sowohl die ruhmreiche Republik wie auch die politische Freiheit zurückkehren. Einstweilen waren sie bereit mitzuspielen, um das Ideal am Leben zu halten. Augustus jedoch hatte noch ganz andere Pläne.

Die alte hochgelobte Republik war, falls sie je existiert haben sollte, gestorben und für immer begraben. Vorbei waren auch die Rivalitäten unter den aristokratischen Senatoren und ihr Bestreben, Ruhmestaten zu vollbringen, mit denen sie, wie viele glaubten, vor den Augen des römischen Volkes bestehen konnten. Um auf Nummer sicher zu gehen, setzte Augustus im Jahr 6 n. Chr. die nachhaltigste Reform seiner gesamten Regierungszeit in Gang.

Die Heeresreform

Mit der Reform der römischen Armee wurde Augustus' Position und die aller künftigen Kaiser entscheidend gefestigt. Das Heer war immer der Garant für die Sicherheit des Imperiums gewesen. In den letzten Jahrzehnten der Republik aber war es auch zum Herd ständiger Konflikte geworden, da es im Interesse der Soldaten lag, in den Krieg zu ziehen, selbst wenn sie gegen die eigenen Landsleute kämpfen mussten. Rekrutiert und umworben von ehrgeizigen Generälen, die sie mit der Aussicht auf reiche Beute und eigenen Grund und Boden lockten, fühlten sich die Legionen nicht mehr dem Staat verpflichtet, sondern ließen sich letztlich von denjenigen kaufen, die ihnen (so wie Julius Caesar) am meisten boten. Niemand wusste das besser als Augustus. Während des Bürgerkrieges in Italien hatte er, um seine Soldaten anzusiedeln, einfache Bürger aus ihren Besitzungen gewaltsam vertrieben und seine Gefolgsleute im römischen Heer mit diesen Ländereien entlohnt.

Jetzt aber änderte sich diese Beziehung und die Nabelschnur zwischen Kommandanten und Truppen wurde durchtrennt. Die römische Armee sollte endlich entpolitisiert und nationalisiert werden. Die Bürger erhielten die Möglichkeit, als bezahlte Berufssoldaten Karriere zu machen. Die Zahl der regulären Legionen wurde nun per Gesetz auf 28 begrenzt. Diese wurden an den Reichgrenzen verteilt, während eine neue 9000 Mann starke Eliteeinheit, die Prätorianer, in Italien und Rom stationiert wurde. Die Männer bekamen den dreifachen Sold eines gewöhnlichen Soldaten und würden später dem Kaiser als Leibwache dienen. Für die Männer, die sich für eine Karriere im regulären Heer entschieden, wurde die Dienstzeit schließlich auf 20 Jahre festgesetzt, und ab dem Jahr 6 n. Chr. erhielten sie ein festes Jahreseinkommen von 900 Sesterzen und nach ihrem Ausscheiden aus der Armee eine Abfindung von 12000 Sesterzen. (Das jährliche Existenzminimum für eine bäuerliche Familie betrug schätzungsweise 500 Sesterzen.) Anfangs bezahlte Augustus das Heer aus eigener Tasche. Aufgrund seiner prokonsularischen Gewalt war er schließlich der Oberbefehlshaber des überwiegenden Teils der römischen Armee, und dieses Patronat unterstrich ein weiteres Mal seine absolute Macht. Im Jahre 6 n. Chr. führte er die Professionalisierung der Armee zu dem logischen Schluss, dass er eine Militärkasse einrichtete, sie mit einem hohen Anfangskapital ausstattete und sie dann durch Steuermittel finanzierte.

Augustus hatte zwar seine eigene Position gefestigt, doch die Heeresreform barg auch ein hohes Risiko. Nach dem Tod des Augustus ergriffen die Legionen in Gallien und Pannonien (dem heutigen Ungarn und südlichen Balkanländern) die Gelegenheit, ihre Dienstverträge neu auszuhandeln. Es ging natürlich um die üblichen Kritikpunkte. Die Soldaten hatten genug von ihrer schlechten Bezahlung, ihren korrupten Vorgesetzten und der vagen Aussicht auf ein wenig ertragreiches Stück Land, das ihnen am Ende ihrer Dienstzeit, falls sie diese überhaupt erlebten, irgendwo, weit weg von zu Hause, zugewiesen würde. Der Lohn war längst nicht mehr so attraktiv wie beispielsweise unter Caesar. Ihren Rebellionen lag vor allem ein Ärgernis zugrunde: Die Soldaten wurden über die vereinbarte Zeit unter den Fahnen festgehalten. Die Reformen waren so teuer, dass die römischen Behörden verzweifelt Geld zu sparen versuchten, indem sie die Zahlung der Abfindungssummen möglichst lange hinauszögerten.

Finanzielle Vergleiche zwischen der Antike und heute sind sehr problematisch, doch ein moderner Historiker hat den jährlichen Staatshaushalt auf mindestens 800 Millionen Sesterzen geschätzt. Wir können davon ausgehen, dass etwa 445 Millionen Sesterzen pro Jahr für die Armee aufgewendet wurden – die Militärausgaben verschlangen also über die Hälfte des imperialen Jahresbudgets.[8] Das Anfangskapital, mit dem Augustus die Staatskasse versehen hatte, war reichlich bemessen, doch spätere Kaiser konnten sich eine solche Großzügigkeit nicht immer leisten. Von der Finanzierbarkeit der Berufsarmee hing in Zukunft die Sicherheit der Grenzen ab. Augustus hatte die innenpolitische Gefahr, die von der Armee ausging, dadurch entschärft, dass er die Soldaten unabhängig machte von ehrgeizigen Feldherren, die sich profilieren und nur ihre eigenen politischen Ziele verfolgen wollten. Damit war jedoch das Reich nicht nur in seiner Zeit, sondern auch in den nächsten fünf Jahrhunderten sehr verwundbar geworden.

Die erste Lehre, die sich aus dem Bürgerkrieg ziehen ließ, besagte, dass eine Manipulation des römischen Heeres durch ehrgeizige Generäle verhindert werden müsse. Aus der ersten Lehre ergab sich eine zweite: Um das neue staatliche Berufsheer unterhalten zu können, musste der Kaiser für sichere Steuereinkünfte sorgen. Das Reich konnte es sich nicht mehr erlauben, dass der Reichtum der Provinzen Heerführern in die Hände fiel, die als Provinzstatthalter in die eigene Tasche wirtschafteten. Es war wichtig, dass die Steuern von den Provinzen ungehindert in die Hauptstadt flossen – in Augustus' kaiserliche Kasse. Dies war sowohl für Augustus wie auch für die nach ihm kommenden Kaiser der Schlüssel zu einer erfolgreichen Regierung.

Selbst wenn dieses System funktionierte, konnte sich Rom nicht mehr als 28 Legionen leisten. Augustus musste auch diese Lektion lernen und zwar auf sehr schmerzliche Weise. Fast während seiner gesamten Herrschaft führten seine Feldherren angestrengt Krieg, um Germanien, das Land zwischen Rhein und Elbe, unter römische Kontrolle zu bringen. Die Anstrengungen schienen sich bezahlt zu machen, bis es im Jahre 9 n. Chr. zu einer Katastrophe kam. Als der General Quintilius Varus nach einer erfolgreichen Feldzugskampagne mit seinem Heer an den Rhein ins Winterquartier zurückkehren wollte, führte ihn

der Weg durch den Teutoburger Wald. In diesem unheimlichen Wald-
gelände aber lauerte eine giftige Schlange: Wie Geister erhoben sich
zwischen den Bäumen plötzlich germanische Krieger, stürzten sich auf
den Feind und metzelten nicht weniger als drei römische Legionen
nieder. Augustus war über diese Nachricht angeblich so erschüttert,
dass »er sich einige Monate lang Bart- und Haupthaar [hat] wachsen
lassen und bisweilen den Kopf gegen die Türe gerannt und gerufen
[hat]: ›Quintilius Varus, gib mir meine Legionen wieder!‹«[9]

Obwohl diese Legionen wieder ersetzt wurden, war es jetzt aufgrund fehlender Mittel zu riskant, die Eroberung Germaniens wieder
aufzunehmen. Dies teilte Augustus auch seinem Nachfolger mit. Er
hinterließ Kaiser Tiberius einen handschriftlich verfassten Brief, in dem
er ihn nachdrücklich dazu aufforderte, Roms gegenwärtige Grenzen
zu respektieren: Den Atlantik im Westen, Ägypten und Nordafrika im
Süden, den Ärmelkanal, den Rhein und die Donau im Norden und
die Grenze des römischen Syriens mit dem benachbarten Parthien im
Osten. Während Tiberius die Worte seines Adoptivvaters beherzigte,
setzten sich spätere Kaiser über seinen Rat hinweg. Einstweilen aber
sorgte Augustus dafür, dass sein stehendes Heer die Grenzen des Römischen Reiches sicherte. Dies war die Grundvoraussetzung für das
augusteische Friedenszeitalter.

Der Friedenskult

Ein wesentliches Element dieses Friedens war die Herrscherideologie.
Die griechischsprachigen Provinzen des Ostens waren seit langem daran gewöhnt, ihre jeweiligen römischen Statthalter zu verehren und zu
glorifizieren – ein kulturelles Relikt, das in der Beziehung zwischen
den östlichen Untertanen und ihren hellenistischen Königen ihren Ursprung hatte. Unter Augustus setzten jene Provinzbewohner diese Tradition fort, huldigten jetzt aber der Person des Kaisers und vergötterten
ihn. Man errichtete ihm zu Ehren Tempel und verherrlichte seinen
Namen und den seiner Familie in Gebeten, bei Festen und Opfern.
Nachdem er den anfänglichen Widerstand gegen seine Herrschaft er-

folgreich zerschlagen hatte, war er nun bestrebt, diesen Kult überall im Reich zu verbreiten. Dies war eine Aufgabe, für die er sehr viel Talent besaß.

Augustus setzte nun verstärkt auf seine geniale Gabe der Selbstdarstellung wie auch auf seine brillanten rhetorischen Fähigkeiten. Mit seiner genialen Gabe der Selbstdarstellung würde Augustus sogar einen heutigen PR-Mann beeindrucken. Seine beliebteste Methode war der geschickt eingesetzte Rückgriff auf die römische Tradition. Um seinen Landsleuten beispielsweise seine außenpolitischen Erfolge vor Augen zu stellen, ließ er eine uralte Sitte wieder aufleben. So wusste er, dass früher in Friedenszeiten die Türen des Janus-Tempels geschlossen waren und nur offen standen, wenn sich Rom im Krieg befand. Daher wurden die Türen feierlich geöffnet, als Augustus im Jahr 26 v. Chr. Spanien den Krieg erklärte. Mit diesem Feldzug wollte er, wie die Imperialisten heute, widerspenstige »Freunde« maßregeln, und als seine Heerführer sieben Jahre später ihre Aufgabe erledigt hatten, bezeichnete er seinen Sieg als »Befriedung«.[10] Gleichzeitig wurden die Türen des kleinen Tempels auf dem Forum formell geschlossen. Doch Augustus' größter PR-Coup war nicht sein Frieden mit Spanien, sondern der mit Parthien.

Die Großmacht in Roms Osten hatte den Römern eine der schmachvollsten und blamabelsten Niederlagen beigebracht. Aufgrund der überlegenen parthischen Taktik war im Jahre 55 v. Chr. ein Heer unter dem Kommando eines der angesehensten Generäle der ausgehenden Republik, Marcus Licinius Crassus, sowie dessen Sohn in der arabischen Wüste vernichtend geschlagen worden. Ein Symbol für die dem römischen Imperium zugefügte Wunde war der Verlust von Crassus' Feldzeichen. Diese triumphale Beute, ein Emblem des parthischen Widerstands, wurde in der Hauptstadt des Siegers wie ein Totem, wie ein Museumsstück, stolz präsentiert. Im Jahr 19 v. Chr. machte sich Augustus daran, diese Scharte wieder auszuwetzen. Sein Unternehmen war jedoch nicht vom lauten Trommelschlag des Krieges begleitet. Stattdessen schlug er den sanfteren Weg der Diplomatie ein, ohne allerdings auf militärische Drohgebärden und die Demonstration römischer Stärke zu verzichten. Diese Druckmittel reichten aus, um

Parthien zu einem neuen Vertragsabschluss und – was am wichtigsten war – zur Rückgabe der Feldzeichen zu bewegen.

Nach seiner Rückkehr nach Rom erkannte Augustus das volle Potential dieses Ereignisses und nutzte es sofort aus, indem er die Vereinbarung mit den Parthern umstilisierte: Aus einem Friedensvertrag wurde auf wundersame Weise ein römischer Sieg, der es mit der Eroberung Galliens durch Julius Caesar aufnehmen konnte. Unter lauten Fanfarenklängen und mit überschwänglichem Pomp kamen die Feldzeichen nach Rom zurück, ein Triumphbogen wurde errichtet und die Standarten wurden feierlich verwahrt. Wo? Im neuen Tempel des Mars Ultor. Dieser »Sieg« wurde in der berühmten Augustus-Statue von Prima Porta wieder aufgegriffen. Genau in der Mitte der reich dekorierten Brustplatte des Kaisers befindet sich ein Parther, der einem Römer in aller Demut die Feldzeichen zurückgibt. So hatten die Römer ihre »Rache«, ohne dass ein einziger Tropfen Blut vergossen wurde.

Bei seinen großen Marmorbauten ging es Augustus ebenfalls darum, die alte römische Geschichte für seine Politik umzuinterpretieren. Im Rom der späten Republik war Marmor nur selten verwendet worden. Lediglich die sehr Wohlhabenden hatten aus diesem Stein – er war teuer, weil er aus Griechenland importiert werden musste – ihre Denkmäler erbaut. Unter Augustus hatte man nun reiche und weit günstigere Vorkommen entdeckt: die Steinbrüche von Carrara in der heutigen Toskana. Vor allem dank ihrer konnte sich Augustus rühmen, er habe eine Stadt aus Backsteinen vorgefunden und eine Stadt aus Marmor hinterlassen.[11] Er beaufsichtigte die atemberaubende Verwandlung der Stadt: Das Rom der späten Republik, ein Gewirr von schmutzigen, labyrinthisch verschlungenen Gassen, wurde zur würdigen Hauptstadt eines Imperiums, das den gesamten Mittelmeerraum beherrschte. Der Friedensaltar (*Ara Pacis*), das Pantheon, das erste steinerne Amphitheater der Stadt und ein neuer Apollon-Tempel waren nur einige der von ihm in Auftrag gegebenen Bauwerke. Die bedeutendste bauliche Leistung war vermutlich das neue Augustus-Forum. Auch hier bewies der Kaiser sein Talent für rhetorische Effekte.

Zwei lange Säulenhallen mit eindrucksvollen Statuen historischer Persönlichkeiten flankierten das Forum. Auf der einen Seite befanden

sich die Standbilder von Romulus, den ersten Königen Roms sowie
etlichen bedeutenden Römern aus der Zeit der Republik. Auf der gegenüberliegenden Seite waren Augustus' blaublütige Vorfahren in
Marmor verewigt – eine Respekt einflößende Ahnengalerie. Am Anfang stand Aeneas, der sagenhafte Ahnherrn Roms, gefolgt von seinen
Nachfahren, den Königen der Stadt Alba Longa, die Aeneas' Sohn Ju-
lus gegründet hatte. Dann kamen dessen Nachkommen, die Familie
der Julier, bis hin zu Julius Caesar, Augustus' Adoptivvater. Außerdem
wurde keine Gelegenheit ausgelassen, auch auf seine göttliche Abkunft
zu verweisen. So erhob sich an dem einen Ende der parallel angeord-
neten Säulengänge der große Tempel des Mars Ultor, während die
Göttin Venus als angebliche Mutter des Aeneas sowohl innerhalb des
Heiligtums als auch im Giebelfeld einen Ehrenplatz einnahm. Im Tempel stand sie neben Julius Caesar und Mars, draußen gleich neben Romulus. Der springende Punkt aber war, dass bei diesem eindrucksvollen Panorama all die Gestalten der römischen Geschichte eine ganz
bestimmte Person umgaben: Höchstwahrscheinlich erhob sich genau
in der Mitte des Forums eine Statue des Augustus.

Die Anlage vermittelte eine klare politische Botschaft: In Augustus
gipfelte und vollendete sich die römische Geschichte. Er war der Lieb-
ling der Götter, ihn hatten sie erwählt. Er war der Hüter der altehrwürdigen römischen Werte und würde sie auch in Zukunft verkör-
pern. So war das Forum des Augustus der Vorläufer der modernen
Monumente des Imperialismus: So errichteten etwa die Briten des Viktorianischen Zeitalters Denkmäler, die ihre Überzeugung zum Ausdruck brachten, dass ihre Ära den Gipfel der Zivilisation darstellte, und
in den 20er und 30er Jahren des 20. Jahrhunderts ließ sich Mussolini
beim Aufbau seines neuen italienischen Imperiums ebenfalls von Augustus' Bauprogramm inspirieren.

Das städtische Leben, das sich um diesen kultivierten und eleganten
Platz abspielte, war ganz von Augustus' sorgfältig ausgearbeitetem
Drehbuch bestimmt. Einem Römer, der seinen zivilen Verwaltungs-
aufgaben auf dem Forum nachkam, begegneten auf Schritt und Tritt
die Bilder, Namen und Darstellungen von Augustus und seinen glorreichen Vorfahren. Der Mars-Tempel hatte ebenfalls eine besondere

politische Funktion. Wann immer die Senatoren zusammenkamen,
um über Krieg und Frieden zu entscheiden, sollten sie dies nach dem
Willen des Kaisers in dem angemessenen Rahmen dieses Tempels tun.
Obwohl die Sitzungen eigentlich eine interne Sache des Senats waren,
durften die Ratsherren eine einfache Tatsache nicht übersehen: Sie
tagten im Tempel des Augustus, und wenn hier ein Krieg erklärt oder
Frieden geschlossen wurde, geschah dies immer auch zum Ruhme des
Kaisers. Sein Name prangte auf dem Säulensturz, und der Grundstein
zu diesem Bauwerk wurde bereits zu Beginn seiner Karriere gelegt.
Nach der Schlacht bei Philippi, die den Rachefeldzug des Sohnes ge-
gen die Mörder seines Vaters Julius Caesar beendete, hatte der erste
Bürger, so behauptete er, die Errichtung dieses Heiligtums feierlich
gelobt.[12] Aus diesem Gelübde war eine mächtige Ideologie erwachsen,
die die traditionelle Vergangenheit und die alten Werte der römischen
Republik heraufbeschwor. Aber sie glorifizierte auch die römischen
Könige, in deren Nachfolge Augustus ebenfalls stand. So fand diese
Ideologie, in der viele Jahrhunderte der Geschichte miteinander ver-
woben waren, in Augustus ihren Höhepunkt.

Augustus hatte die Geschichte in seinem Sinne manipuliert und dies
sollte bei der von ihm proklamierten Restauration der römischen Religion kaum anders sein. In den letzten Jahrzehnten der Republik hatte sein Adoptivvater Julius Caesar den römischen Kalender reformiert,
da er überhaupt nicht mehr mit den Jahreszeiten übereinstimmte. Er
ersetzte ihn durch den auf dem Sonnenjahr basierenden Kalender, den
wir in wenig veränderter Form auch heute noch benutzen. Caesars
Adoptivsohn war nun bestrebt, die jährlichen religiösen Feste und Feiertage der Vergessenheit zu entreißen. Alte Rituale aus der frühen Republik wurden entstaubt, mit neuem Leben erfüllt und wieder in der
Stadt zelebriert. Die Vergangenheit zeigte sich in ihrem schönsten
Licht. Insgeheim sorgte Augustus dafür, dass er selbst und seine Familie ebenfalls ihren Platz erhielten. Neben den uralten Festen gab es auch
weniger »antike« Ereignisse, deren die römischen Bürger gedenken
sollten. Dazu gehörte Augustus' Wiederherstellung der Republik im
Jahre 27 v. Chr. ebenso wie die erste Schließung des Janus-Tempels.
Als feierwürdig galten natürlich auch der Geburtstag des ersten Bürgers

und besondere Glückstage im Leben seiner Angehörigen. Den Schluss-punkt der religiösen Erneuerung bildete die Umbenennung des Mo-nats Sextilis in »Augustus«. So wurde allmählich und nahezu unmerk-lich das alte Zeitalter durch das neue ersetzt.

Still und heimlich riss der Kaiser auch die Kontrolle über die Zeit an sich. Das Symbol dafür war nicht der römische Kalender, sondern Au-gustus' Horologium. Diese riesige Sonnenuhr, deren Zeiger in Form eines Obelisken noch heute auf der Piazza Montecitorio vor dem mo-dernen italienischen Parlamentsgebäude zu sehen ist, wurde um das Jahr 10 v. Chr. auf dem Marsfeld im Norden der Stadt eingerichtet. Zur Zeit des Augustus und seiner Nachfolger hatte sie ein herrliches astrono-misches Zifferblatt. Ein Bronzeband, das in den steinernen Untergrund eingelassen war, bezeichnete den Meridian, auf den der Schatten des Zeigers um 12 Uhr mittags fiel. Die vom Mittelpunkt ausgehenden Strahlen waren durch Querlinien unterteilt, die anzeigten, wie sich der Schatten der Sonne im Ablauf eines Jahres verlängerte oder verkürzte.

Augustus legte aber großen Wert darauf, diese Sonnenuhr zu seiner ganz eigenen zu machen. So diente als Zeiger ein Obelisk aus rotem Granit, der aus der Provinz stammte, die auf höchst ruhmreiche Wei-se mit ihm verbunden war. Das für seinen Reichtum berühmte Ägyp-ten, nun die Kornkammer des römischen Imperiums, war das Schmuck-stück in der Krone des Imperiums, und der Mann, dem man dieses Juwel zu verdanken hatte, war Augustus. Auch auf dem astronomischen Zifferblatt gab es Hinweise auf den großen Herrscher. Sein Geburts-tag fiel mit der herbstlichen Tag- und Nachtgleiche (23. September) zusammen, und an diesem Tag wanderte der Schatten angeblich auf einer geraden Linie bis zur in der Nähe befindlichen Ara Pacis – einem weiteren Grundpfeiler der kaiserlichen Ideologie. Es hatte den An-schein, als kontrolliere Augustus nicht nur die Zeit, sondern auch die Bewegungen der Planeten und Himmelsgestirne.

Nie war der Kaiser den Göttern und dem Himmel so sehr verbun-den wie bei seinen Säkularspielen des Jahres 17 v. Chr. Sie sollten seine Gottesfürchtigkeit unter Beweis stellen und zur Gesundung des rö-mischen Staates beitragen. Nach Ansicht zahlreicher Bürger war es zum Bürgerkrieg gekommen, weil die Römer die Götter vernachlässigt hatten. Deshalb versöhnte Augustus sie wieder mit dem Staat, indem er nach Ende der Kämpfe die Tempel und Heiligtümer in der Stadt restaurieren ließ. Beim Jupiter-Tempel auf dem Kapitol übertraf er sich selbst: In der Cella hinterlegte er »sechzehntausend Pfund Gold zusammen mit Edelsteinen und Perlen im Wert von fünfzig Millionen Sesterzen«.[13] Im Jahr vor den Jahrhundertspielen versuchte Augustus den Staat nicht durch Geschenke an die Götter zu heilen, sondern er verordnete ihm eine Gesetzesreform.

Die Erfindung von Tradition

18 v. Chr. erließ der Prinzeps eine Reihe von strengen und sehr konservativen Moral- und Sozialgesetzen. In ihnen waren vor allem Strafen und Anreize rechtlich verankert, die zu mehr Eheschließungen und Geburten führen, die sexuelle Treue fördern und die Moral der jungen Männer heben sollten. Am berüchtigtsten waren die neuen Ehebruchsgesetze (Untreue war vorher Privatsache). Sexualdelikte, die vor einem neu eingerichteten Strafgerichtshof verhandelt wurden, konnten unter bestimmten Umständen mit dem Verlust des Eigentums oder mit Verbannung geahndet werden. Frauen hatten unter diesen Gesetzen am meisten zu leiden. Während den Männern noch immer außereheliche Beziehungen mit Sklavinnen oder Frauen mit schlechtem Leumund, z. B. Prostituierten, erlaubt waren, durften sich ehrbare Bürgerinnen außerhalb der Ehe keine sexuellen Abenteuer leisten. Das Gesetz räumte einem Vater sogar das Recht ein, seine Tochter und ihren Liebhaber zu töten, wenn er sie in seinem Hause in flagranti erwischte, und ebenso war es einem Ehemann erlaubt, den Geliebten seiner Frau umzubringen, falls dieser ein bekannter Schürzenjäger war. Das Gesetz, das den sozialen Zusammenhalt erzwingen sollte, war eine bittere Pille, doch im Jahre 17 v. Chr. wurde sie dem Volk versüßt.

Die Säkularspiele thematisierten die altehrwürdigen römischen Tugenden der Keuschheit und Frömmigkeit, die ebenfalls hoch im Kurs standen. Auch diese traditionellen Werte wurden in den Dienst der Politik gestellt. Die Spiele stammten angeblich aus der sieben Jahrhun-

derte zurückliegenden römischen Frühgeschichte. Da sie nur alle 110
Jahre veranstaltet wurden, konnte man nur einmal in seinem Leben
dabei sein. Wenn sie als eine Show angekündigt wurden, die niemand
zuvor gesehen hatte und niemals mehr sehen werde, so war dies tatsächlich der Fall.[14] Der zyklische Charakter dieser Feier versprach eine
emotional bewegende Zeitreise in die Vergangenheit. Von den Bürgern, die im Jahre 17 v. Chr. Zeuge dieser Spiele waren, konnte niemand wissen, ob sie authentisch gefeiert wurden. Die Palette des Augustus war antik, doch die Farben, die ihm zur Verfügung standen,
waren alle neu, kräftig und strahlend.

Bei den dreitägigen Opfern wurden die Götter der Unterwelt, die
bei früheren Säkularspielen im Mittelpunkt standen, nicht bedacht.
Jetzt waren neue Gottheiten in Mode: Diana (die Göttin der Jagd, die
auch für Fruchtbarkeit und Geburten zuständig war) und Mutter Erde
(Vegetation, Wiedergeburt und reiche Erträge) sowie Apoll (der Gott
des Friedens sowie der Wissenschaften und Künste) und Jupiter (der
Schutzgott Roms). Star der Veranstaltung war jedoch, anders als von
den Römern vermutlich erwartet, nicht ein Priester oder sonstiger re-
ligiöser Würdenträger, nein, es war das Haupt des römischen Staates
höchstpersönlich.

In der ersten Nacht opferte Augustus den Schicksalsgöttinnen neun
Schafe und neun Ziegen. Es war eine sehr stimmungsvolle, heilige und
magische Zeremonie. In einem langen Gebet bat er diese Gottheiten,
dem römischen Volk ihre Gunst zu schenken, seine Macht und Würde zu mehren, für seine Gesundheit und sein Wohlergehen zu sorgen,
das Imperium zu stärken und nicht zuletzt ihn selbst und seine Familie
zu beschützen. In der nächsten Nacht gab es ein noch spektakuläreres
Ritual. Der erste Bürger opferte der Mutter Erde eine trächtige Sau.
Es war, wie wenn er in die Herzen und Köpfe der in Massen herbei-
geströmten Römer die Erinnerung an einen höchst bewegenden Moment einbrennen wollte. Dieser Augenblick atmete die ferne Vergangenheit, aber er war auch die Geburtsstunde des neuen Zeitalters der
Caesaren. Doch die Bemühungen des Augustus – die Schaffung einer
neuen römischen Gesellschaft, in der Zucht und Sitte den Zusammenhalt stärkten – waren zum Scheitern verurteilt.

Man sollte annehmen, dass sich etliche Plebejer, die auf Frieden und Stabilität Wert legten, von der emotionalen Kraft der Feierlichkeiten beeindrucken ließen. Das galt vielleicht auch für die Senatoren und Ritter, die, Augustus' Gunst genießend, dem neuen Regime loyal gegenüberstanden. Die Verbindung mit der römischen Vergangenheit ließ ihre Position in der Regierung möglicherweise gefestigter erscheinen, als sie es tatsächlich war. Was die politische Kampagne »zurück zu den Wurzeln« anging: Wie immer in solchen Fällen waren gerade die Leute, mit deren Zustimmung man gerechnet hatte, diejenigen, die sich über sie lustig machten. Den meisten Nachfahren der alten römischen Aristokratie war diese Politik sogar verhasst. Die letzten Jahrzehnte der Republik, die Zeit der Ausschweifungen und des herrlichen Luxuslebens, waren ihnen noch frisch im Gedächtnis. Das Leben des geistreichen, gelehrten Dichters Ovid, eines wohlhabenden Ritters aus der italischen Provinz, steht in einem aufschlussreichen Kontrast zum Programm des Augustus. Aufgrund seines Ansehens und seiner Intelligenz hätte er mit einer glanzvollen Karriere in Augustus' innerem Kreis rechnen können, doch er entschied sich stattdessen für ein sehr unaugusteisches Leben und weihte sich dem Sex, dem Spaß und der Kunst. Ovid wurde im Laufe der Zeit zu einer Berühmtheit, zum anerkanntesten Dichter Roms. Das Genick brach ihm ein poetisches Werk, in dem er jungen Leuten Ratschläge gab, wie sie – im Theater und bei den Spielen – Kontakte knüpfen könnten. Er verriet sogar die Tricks, mit denen man sich an ehrbare Frauen heranmachen konnte. Das Lehrgedicht mit dem Titel *Die Liebeskunst* (*Ars amatoria*) stand in krassem Widerspruch zu Augustus' Sittengesetzgebung und veranlasste den Kaiser zu einer harten Bestrafung. Im Jahre 8 n. Chr. wurde Ovid in eines der ödesten Provinznester des Imperiums, in die Grenzstadt Tomis (heute Constantia) am Schwarzen Meer, verbannt. Doch der Dichter war nicht die einzige bekannte Persönlichkeit, die mit Augustus' rigiden Moralgesetzen in Konflikt geriet.

2 v. Chr., im selben Jahr, in dem wahrscheinlich Ovids *Liebeskunst* veröffentlicht wurde, konnte der Skandal um Augustus' Tochter Julia nicht länger vertuscht werden. Schon lange hatten unter der Oberfläche Gerüchte geschwelt, doch nun gab es kein Halten mehr. Rom

stand im Bann einer aufregenden Klatschgeschichte: Julia hatte, so wurde gemunkelt, ihren Körper verkauft. Sie hatte dies in aller Öffentlichkeit getan, auf dem Forum, genau dort, wo Augustus seine Sittengesetze eingebracht hatte. Und einer ihrer zahlreichen Liebhaber aus der mondänen aristokratischen Schickeria war ausgerechnet der Sohn von Augustus' altem Feind Mark Anton. Obwohl es sich bei all dem vielleicht nur um dummes Gerede handelte, das damit zusammenhing, dass sich eine Tochter dagegen wehrte, von ihrem Vater als politische Schachfigur benutzt zu werden, war die Situation für Augustus äußerst peinlich, und er fürchtete um den Erfolg all seiner Anstrengungen. In seinem frommen Gedankengebäude zeigten sich erste Risse.

Der erste Bürger kannte kein Erbarmen. Er begab sich in den Senat, denunzierte seine eigene Tochter, tilgte das Andenken an sie, indem er alle ihre Statuen zerstören ließ, und verbannte sie nach Pandateria, eine Insel vor der kampanischen Westküste. Sie durfte dann zwar eine angenehmere Gegend Italiens aufsuchen, musste aber den Rest ihres Lebens im Exil verbringen. Schließlich starb sie, da man ihr Vermögen konfisziert hatte, an Unterernährung. Wegen genau derselben »Vergehen« wurde auch Julias Tochter im Jahre 8 n. Chr. auf Lebenszeit verbannt. Wenn Augustus, ganz unsentimental, seine leiblichen Kinder nicht anders behandelte als seine »Kinder« im römischen Staat, war dies vielleicht nur ein weiteres Stück Theater – seine Familie sollte über jeden Verdacht erhaben sein. Darauf, dass er Theater spielte, deutet auch ein anderes Gerücht, das damals die Runde machte. Augustus hatte sich angeblich regelmäßig mit jungen Mädchen und respektablen verheirateten Frauen sexuell vergnügt. Er soll sogar Freunde damit beauftragt haben, sie für ihn nackt in Augenschein zu nehmen, »wie wenn sie vom Sklavenhändler Torianus zum Verkauf feilgeboten würden«.[15] Ungeachtet all dieser Klatschgeschichten, deren Wahrheitsgehalt nie aufgedeckt werden konnte, wurde in der Öffentlichkeit weiterhin Rechtschaffenheit demonstriert.

Als Augustus 14 n. Chr. starb, hatte er mit List und Tücke alles, was er wollte, erreicht. Das Volk und der Senat von Rom waren Zeuge gewesen, wie die Republik auf diskrete Weise durch eine neue Regierungsform, die Herrschaft eines Einzelnen, ersetzt wurde. Immer wieder wurden die Menschen überredet und in Bann geschlagen oder, falls nötig, so lange unter Druck gesetzt, bis sie akzeptierten, dass zwischen der Republik und dem Prinzipat eine sehr beruhigende Kontinuität bestand. Ob Augustus ein übler Tyrann war, der seine wahren Absichten verschleierte, oder ein Politiker, der den ehrlichen Versuch unternahm, dem Staat eine verfassungskonforme, an traditionellen Mustern orientierte Regierung zu geben, ist schwer zu entscheiden und hängt vom Standpunkt des Betrachters ab. Wahrscheinlich war von beidem etwas im Spiel. Fest steht, dass es keinen großen Gesamtplan gab. Bei der Errichtung seines neuen Regimes hatte Augustus improvisiert, wenn auch mit Kreativität, Genialität und kalter, manchmal grausamer Berechnung. Während sich manche Leute aus der politischen Elite mit Händen und Füßen wehrten und sich nur gezwungenermaßen mit der neue Ära abfanden, wusste das römische Volk genau, bei wem seine Interessen am besten aufgehoben waren. Als Rom im Jahre 19 v. Chr. erst von einer Seuche und dann von einer Hungersnot heimgesucht wurde, war es nicht nur das Volk, das auf die Straßen eilte und seinen Erlöser Augustus um Hilfe und Rettung aus der Krise bat, sondern auch der Senat und sogar diejenigen aus der politischen Oberschicht, die den Kaiser hassten. Dieser hatte sich schlicht unentbehrlich gemacht.

Auf seinem Totenbett verlangte Augustus nach einem Spiegel, »ließ sich die Haare kämmen und die herabhängenden Wangen heben«. Später fragte er die Freunde, die er hatte herbeirufen lassen, ob er in der Komödie des Lebens seine Rolle gut gespielt habe. Bevor er alle wieder wegschickte, zitierte er die letzten Verse einer Komödie Menanders:

> Wenn es gut
> Gefallen euch, gewähret Beifall diesem Spiel,
> Und dankend laßt uns alle nun nach Hause gehen![16]

Kurz nach seinem Tod wurde Augustus vergöttlicht. Sein Leichnam wurde in seinem vielleicht spektakulärsten Bauwerk bestattet – seinem eigenen Mausoleum. Es wurde in den letzten 20 Jahren seiner Herrschaft auf dem Marsfeld errichtet und ist heute noch in Teilen erhalten.

Es hatte eine Höhe von etwa 40 m und war ursprünglich von einer bronzenen Kolossalstatue des ersten römischen Kaisers gekrönt, mit der er sich auf die offenkundigste Weise selbst verherrlichte. Der antike Reiseschriftsteller und Geograph Strabo hielt das Mausoleum für Roms größte Sehenswürdigkeit.[17]

Es war ein typisch raffiniertes Denkmal der Selbstverherrlichung. Das Bauwerk hatte die kreisförmige Architektur eines alten etruskischen Grabes, aber aufgrund seiner Ausgestaltung und seiner Bezeichnung als »Mausoleum« konkurrierte es mit einem der sieben Weltwunder – dem Grabmal des antiken karischen Herrschers Mausolos. Es war eine letzte großartige Reverenz. Das Zeitalter der Kaiser hatte stilvoll begonnen und war von einem meisterhaften Darsteller ins Leben gerufen worden. Unter einem anderen Darstellungskünstler würde diese Ära ihre größte Krise erleben.

Nero

Es war Mitte März, Schauplatz des Geschehens das modische Luxusbad Baiae. Man verbrachte einen vergnügten, fröhlichen Abend. Eine aristokratische Dame war in einer Sänfte aus Antium, einem weiter nördlich gelegenen Ort an der Küste, angereist, um sich einem erlesenen Kreis von Gästen aus der Oberschicht anzuschließen. Das Ereignis, das sie zusammenführte, war das Fest der Minerva, der Göttin der Weisheit und der Künste. Nachdem sie von einem Landsitz am Meer die dort vor Anker liegenden schönen Schiffe bestaunt und ein üppiges Dinner genossen hatte, war es an der Zeit, sich wieder nach Hause zu begeben. Da die Nacht sternklar und die See ruhig war, beschloss sie, statt der Sänfte ein Schiff zu nehmen. Trotz der günstigen äußeren Bedingungen sollte sich diese Entscheidung als verhängnisvoll erweisen. Denn an Bord des mit Girlanden geschmückten Schiffes hatte man eine tödliche Falle installiert. Das Dach der Kajüte war eigens mit Bleigewichten beschwert worden und sollte, wenn es einstürzte, den in der Kabine ruhenden weiblichen Gast unter sich begraben. Die Frau, für die diese Falle bestimmt war, war Agrippina, die Mutter des Kaisers Nero. Der Mann, der die Falle hatte legen lassen, war der Kaiser höchstpersönlich.

Agrippina war völlig arglos. Schließlich hatte Nero den ganzen Abend in ihrer Gesellschaft verbracht, und sich, ganz liebevoller Sohn, betont versöhnlich gegeben. Als sich der Kaiser von seiner Mutter am Strand verabschiedete, sprach er mit ihr so vertraulich wie ein Kind. Er überschüttete sie mit Aufmerksamkeiten und umarmte sie lang und innig. Agrippina ging alsdann an Bord, begab sich in die Kajüte und das Schiff legte ab. Sobald man sich weit genug vom Ufer entfernt hatte, löste ein Mitglied der Rudermannschaft den Mechanismus aus. Zu Agrippinas Entsetzen zerbarst das Holzdach über ihrem Kopf und krachte plötzlich über ihr zusammen. Doch die schweren Bretter verfehlten sie um wenige Zentimeter: Die Seitenwände ihres Ruhebettes waren hoch und stabil genug, um sie vor der Wucht des einstürzenden Daches zu schützen. Noch ganz benommen befreite sie sich langsam aus den Trümmern und schaute sich um. Einer ihrer Vertrauten, der ganz in der Nähe gestanden hatte, war von dem Dach erschlagen worden. Während Agrippina in der Kabine ihre Kräfte sammelte, versuchte die Mannschaft an Deck einen zweiten Anschlag auf ihr Leben und wollte das Schiff zum Kentern zu bringen. Jetzt kam eine andere Person aus Agrippinas Gefolge ihrer Herrin zu Hilfe. Da sie die Situation durchschaute, behauptete die kaiserliche Freigelassene, sie selbst sei die Mutter Neros. Die Matrosen konnten in der Dunkelheit nicht erkennen, wen sie vor sich hatten, stürzten sich auf sie und erschlugen sie mit ihren Ruderstangen. Agrippina aber ließ sich so behutsam, wie sie nur konnte, ins Meer gleiten und schwamm davon.

Während sie sich dem Ufer näherte, wurde ihr bewusst, dass man ihr den ganzen Abend nur Theater vorgespielt hatte. Der Unfall auf dem Schiff war kein Zufall, sondern ein Bühnentrick, der indes gründlich danebengegangen war: Die See war ruhig gewesen und es gab weit und breit keine Klippen, auf die man einen Unfall hätte zurückführen können. Ihr war völlig klar, wer ihr nach dem Leben getrachtet hatte. Doch da sie noch nicht recht wusste, was jetzt zu tun sei, wollte sie erst einmal Zeit gewinnen. Bei ihrer Rückkehr nach Antium beschloss sie, vorerst so zu tun, als ob sie an ein Schiffsunglück glaube, und ließ Nero eine Nachricht zukommen: Obwohl sie überzeugt sei, dass er über das, was seiner lieben Mutter widerfahren sei, gewiss verzweifelt sei, brauche sie jetzt Ruhe und dürfe nicht gestört werden.

Als er erfuhr, dass seine Mutter noch lebte, wandte sich Nero an den Flottenkommandanten Anicetus, der sich die Todesfalle ausgedacht hatte. Jetzt müsse er, so der Kaiser, das, was er begonnen habe, auch zu Ende führen. Also brachen Anicetus und einige Soldaten in ihr Haus ein und umstellten ihr Bett. Wie der Historiker Tacitus berichtet, galten ihre letzten Worte – und das hat etwas Tragisches – der Verteidigung ihres Sohnes: Sie wisse genau, dass die Soldaten, die sie umbringen wollten, nicht im Auftrag Neros handelten. Dann deutete Agrippina auf ihren Schoß und forderte die Soldaten auf: »Stoßt in den Bauch!« Obwohl Mutter und Sohn, sich gegenseitig fürchtend, zu erbitterten Feinden geworden waren, wollte sie vielleicht bis zu ihrem letzten Atemzug dafür sorgen, dass Neros Machtposition durch nichts in Frage gestellt wurde. Das hatte absolute Priorität. Noch in derselben Nacht wurde ihr Leichnam auf einem Speisesofa verbrannt – eine Notbestattung, die für eine Almosenempfängerin angemessen war, nicht aber für die Nachfahrin eines Gottes, des ersten Kaisers Augustus.

Es mag so scheinen, als habe Nero den Muttermord ganz kaltblütig befohlen. In Wirklichkeit war er zutiefst aufgewühlt. In der römischen Gesellschaft galt die respektvolle Behandlung der Mutter, erst recht der des Kaisers, als eine hochheilige Tugend, die seit alters gehegt und gepflegt wurde. Nero war der fünfte römische Kaiser, ein Angehöriger des julisch-claudischen Hauses und der Ururenkel des Augustus. Ihn hielten viele am kaiserlichen Hofe, im Senat und im Volk für den Mann, der als Regent des Imperiums wieder ähnliche Ruhmestaten vollbringen könne wie etwa 50 Jahre zuvor sein Ahnherr. Im Todesjahr seiner Mutter war Nero überaus beliebt. Sollte allerdings bekannt werden, dass er sich des verabscheuungswürdigen Verbrechens des Muttermordes schuldig gemacht hatte, wäre es um diese Popularität geschehen. Es gab jedoch noch einen anderen komplexeren Grund, weshalb er sich jetzt äußerst verletzlich fühlte.

Nero hatte seinen Thron nicht dem Schicksal, sondern nur kalter Berechnung zu verdanken. Agrippina hatte ihn zum Kaiser gemacht. In der Tat war der römische Prinzipat entgegen dem Anschein nichts anderes als eine Erbmonarchie: Alle bisherigen Kaiser entstammten dem einen, von Augustus begründeten Herrschergeschlecht – der julisch-claudischen Dynastie. Und Nero war durch Agrippina mit dem vergöttlichten Augustus verwandt. Doch da der erste Kaiser keine klar formulierten Erbfolgeregelungen hinterlassen hatte, war der Aufstieg in die mächtigste Position der antiken Welt mit tödlichen Fallen gespickt. Mit Agrippinas Hilfe hatte ihr Sohn all diese Hindernisse überwunden. Törichterweise erinnerte sie ihn immer wieder daran, um ihn weiter kontrollieren zu können. Damit hatte sie in dem jungen Kaiser eine Unsicherheit wach gehalten, die sowohl für das politische System, dessen Erbe er angetreten hatte, wie auch für seine Persönlichkeit typisch war. Im Mittelpunkt stand die Frage nach der Rechtmäßigkeit

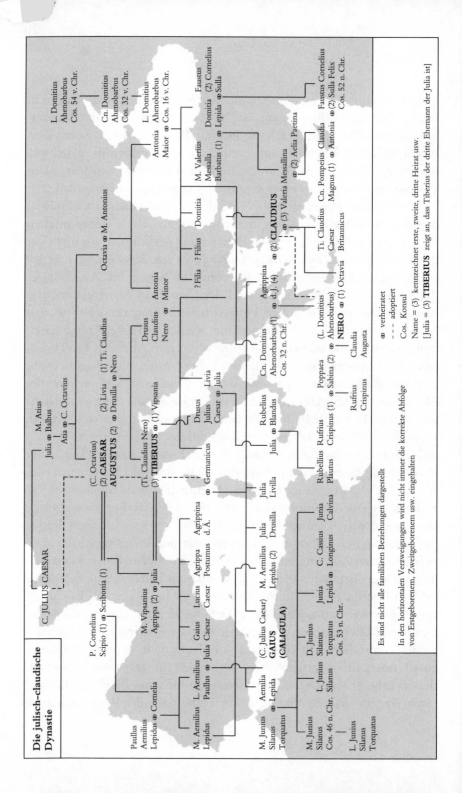

Die julisch-claudische Dynastie

seiner Herrschaft. Diese Unsicherheit sollte sowohl beim Zusammenbruch von Neros Regime wie auch bei der Krise, in die er das Römische Reich stürzen würde, eine entscheidende Rolle spielen. Zwar war Agrippina, die Quelle dieser Unsicherheit, jetzt tot, aber mit ihr war vielleicht auch die einzige Person gestorben, die sie hätte mildern können.

Die letzten Regierungsjahre Neros führten zu einer der unrühmlichsten Revolutionen in der gesamten römischen Geschichte. Mit Neros Untergang sollte die von Augustus begründete Dynastie unwiderruflich in Misskredit geraten und zum Entsetzen vieler Römer für immer ausgelöscht werden. Das (auf Augustus zurückgehende) politische System, in dem die Regierungsgewalt von einem Alleinherrscher ausgeübt wurde, sollte die größte Krise seiner Geschichte erleben. Doch das war noch nicht alles. Im augusteischen System der Erbmonarchie hatten sich schon vorher Risse und Fehlentwicklungen gezeigt. Neros Untergang aber ließ die größte Schwäche deutlich werden, die diesem System immanent war und vor der man bis zu Neros Herrschaftsantritt die Augen verschlossen hatte: Was wäre, wenn der Mann, der auf den Kaiserthron nachrückte, so unsicher und so zwanghaft auf sich selbst konzentriert wäre, dass er sich für die Regierung des römischen Imperiums ganz und gar nicht eignete? Was, wenn die Person, die nach Belieben schalten und walten konnte, sich ihrer Verantwortung entzöge? Was, wenn der mächtigste Mann der antiken Welt wahnsinnig würde?

Erbe des Augustus, Sohn der Agrippina

Im Laufe der 40 Jahre währenden Regierungszeit des Augustus war der Bürgerkrieg in Vergessenheit geraten, und die 20 Millionen römische Bürger überall im Reich hatten eine neue Zeit der Stabilität erlebt. Sie wollten ebenso wie er, dass diese Stabilität andauere und dass auch noch lange nach seinem Tod für das Wohlergehen Roms und seines Imperiums gesorgt sei. Augustus' Herrschaft war so unangefochten und er gehörte so eng mit Rom zusammen, dass die Menschen glaubten,

die Sicherheit und der Bestand des Römischen Reiches seien jetzt und
in Zukunft ganz allein von ihm und seiner Familie abhängig. Während
seiner Amtszeit hatte Augustus mit Bedacht den Grundstein dazu gelegt. In der besten höfischen Poesie der damaligen Zeit und an der Ara
Pacis (Friedensaltar), einem der großartigsten, der augusteischen Herrschaft gewidmeten Monumente, wurde neben dem Kaiser auch seine
Familie verehrt. Diese wurde auch in dem Treueid, der in allen Teilen
des Reiches von den Römern geleistet wurde, mit berücksichtigt:
»Mein ganzes Leben lang werde ich in Worten, Taten und Gedanken
treu zu Caesar Augustus stehen und auch zu seinen Kindern und Nachkommen.«[1]

Es gab allerdings ein Problem: Wie sollte man die Nachfolge des
Augustus legitimieren und damit den Fortbestand der neuen Regierungsform sicherstellen? Da sein Prinzipat äußerlich darauf beruhte,
dass der Senat und das Volk von Rom souverän waren und der Kaiser
sein Mandat von diesen beiden Verfassungsorganen erhalten hatte,
konnte es keine explizite Anerkennung des Erbfolgeprinzips geben
und also auch kein entsprechendes Gesetz.[2] Genau diese paradoxe
Situation – eine Erbmonarchie ohne klar definierte Regelung der
Nachfolge – führte zu all den kommenden Schwierigkeiten. Die Propaganda des augusteischen Regimes konnte das Problem nicht an der
Wurzel fassen: Die von Augustus ins Leben gerufene Alleinherrschaft
war ihrem Wesen nach provisorischer und unsicherer, als es ihr Bild in
der Öffentlichkeit vermuten ließ. Der Kaiser hatte im Laufe seiner Regierungszeit immer wieder Neues eingeführt, es ausprobiert und dann
wieder verworfen. Dies war in der Frage der Nachfolge nicht anders
– man hatte noch keine echte Lösung gefunden. Angesichts dieser Lage
der Dinge herrschte allgemeine Ratlosigkeit, und es war diese Unsicherheit, die über alle Erben des Augustus einen langen, dunklen
Schatten werfen würde.

Da Augustus selbst keine Söhne hatte, entschied er sich, um dieses
Problem zu regeln, für die seit alters anerkannte Praxis der Adoption.
Da in Rom das Erstgeburtsrecht keine Rolle spielte, hatte er freie
Wahl. Im Laufe seiner Regierung adoptierte er seinen Neffen Marcel-
lus und die Söhne seiner Tochter Julia, Gaius und Lucius. Damit gab

er zu verstehen, dass bei der Thronfolge das dynastische Prinzip gelten solle. Doch er wurde vom Unglück verfolgt. Sein Lieblingsneffe verstarb vorzeitig, desgleichen seine beiden geliebten Enkel (vgl. Stammbaum, S. 188). Würde Augustus nun nicht ein Mitglied seiner Familie, sondern jemanden aus der Senatsaristokratie an Sohnes statt annehmen? Angeblich soll er dies durchaus in Erwägung gezogen haben, doch im Jahre 4 n. Chr. hatte er diesen Gedanken wieder verworfen.[3] Damals adoptierte er seinen Stiefsohn Tiberius und setzte ihn in seinem Testament als Erben ein. Man konnte sich des Eindrucks nicht erwehren, dass dies sein letzter Ausweg war.

Im Jahre 14 n. Chr. folgte Tiberius Augustus auf den Thron, doch die Regelung der Nachfolge blieb weiterhin ein Problem, das sich sogar zunehmend verschärfte. Nach welchen Kriterien sollte über einen rechtmäßigen Thronfolger entschieden werden? Was sollte den Ausschlag geben: die Abstammung von Augustus oder aber die Abstammung vom regierenden Kaiser? Da es darauf keine klare Antwort gab, konnten mehrere Männer Anspruch auf das höchste Staatsamt erheben. Diese Unsicherheit war der Nährboden für Rivalität, Intrige und Mord.

Ein möglicher Nachfolger des Tiberius war Germanicus. Er war der Großneffe des Augustus, der Ehemann von dessen Enkelin Agrippina und Tiberius' Adoptivsohn. Außer ihm konnte auch Tiberius' leiblicher Sohn Drusus Anspruch auf den Thron erheben. Germanicus, ein Feldherr, der sich in den germanischen Kriegen als Held hervorgetan hatte, starb 19 n. Chr. nicht auf dem Schlachtfeld, sondern wurde Opfer eines schändlichen Giftanschlags. Der Verdacht fiel auf Tiberius, da jetzt der Weg für Drusus frei war. Doch im Jahre 23 n. Chr. wurde auch dieser vergiftet. Sein Mörder war ein Mann, der ebenfalls an die Macht wollte: Sejan, der – aus kleinen Verhältnissen stammende – Kommandant der Prätorianergarde. Seine Anwartschaft beruhte nur auf seiner Affäre mit Tiberius' Tochter Livilla, die er zu heiraten hoffte, um auf diese Weise in den Kampf um den Thron einzugreifen. Da es der Kaiser ablehnte, seine Tochter mit einem einfachen *eques*, einem Mann aus dem Ritterstand, zu verheiraten, musste auch Sejan seine Träume begraben.

Als Tiberius im Jahre 37 n. Chr. nach 20-jähriger Regierungszeit verstarb, hatte er noch keinen Nachfolger bestimmt. So wurde die Entscheidung, wer jetzt das Römische Reich führen solle, schließlich nicht von einem Kaiser, sondern von den Offizieren der Prätorianer getroffen. Da die Beibehaltung der dynastischen Thronfolge in ihrem Interesse lag, übernahmen sie jetzt die Initiative. Der Mann, den sie zu Roms drittem Kaiser erkoren, erfüllte zumindest eines der Nachfolgekriterien: Er war der Ururenkel des Augustus und Sohn des Germanicus. Er hieß Caligula.

Während Caligulas Regierungszeit zeigte sich das ganze Ausmaß des durch die dynastische Thronfolge ausgelösten Problems. In Rom pflegten die alten aristokratischen Geschlechter stets untereinander zu heiraten. Auf diese Weise sicherten sich die alteingesessenen republikanischen Familien ihren Einfluss, ihre politische Stellung und natürlich auch ihr Vermögen. In der frühen Kaiserzeit hatte diese Sitte jedoch eine neue und potentiell gefährliche Situation heraufbeschworen: Je länger die julisch-claudische Dynastie Bestand hatte, desto mehr Menschen konnten sich auf verwandtschaftliche Beziehungen mit Augustus berufen. Wenn also der neue Kaiser infolge einer Krankheit den Verstand verlor und sich zu einem Tyrannen entwickelte, gab es einen ständig wachsenden Pool rivalisierender Adliger, die mit Recht Anwartschaft auf den Prinzipat erheben konnten und bereit waren, ihren Anspruch auch durchzusetzen.

Im Jahre 41 n. Chr. wurden Caligula, seine Frau und Tochter ermordet. Wieder trat die Prätorianergarde in Aktion, um eine reibungslose Nachfolge sicherzustellen, und wieder orientierten sie sich trotz aller Mängel am Prinzip der Erbmonarchie. Gestützt auf die römische Armee riefen sie Caligulas Onkel und nächsten männlichen Verwandten, Claudius, zum Kaiser aus. Roms vierter Kaiser war 13 Jahre lang im Amt und sorgte nach der kurzen, turbulenten Herrschaft Caligulas wieder für stabile Verhältnisse. Doch das Problem der Konkurrenz und Rivalität zwischen den verschiedenen julisch-claudischen Familienzweigen innerhalb der Aristokratie blieb weiterhin bestehen. Dass der neue Kaiser vor seiner Thronbesteigung in einem Schonraum gelebt hatte, bot Anlass zu Kritik: Claudius war nicht in der rauen Welt

der Öffentlichkeit aufgewachsen, sondern im kaiserlichen Palast, abgeschirmt von einem Klüngel willfähriger Freigelassener und Sklaven.
Aufgrund dessen witterte er überall Rivalen. Angeblich war er als Kaiser für den Tod von 35 Senatoren und mehr als 200 Rittern verantwortlich.[4] Doch seine Angst vor möglichen Konkurrenten hatte noch
eine andere Ursache: Die direkte Abstammung von Augustus galt noch
immer als die beste Voraussetzung für den Kaiserthron. Etliche Aristokraten konnten sich einer solchen Verwandtschaft rühmen, nicht aber
Claudius. Das sollte sich jedoch bald ändern.

Nach der Entdeckung einer Verschwörung, an der Claudius' dritte
Frau beteiligt war, wurden sie und ihr Liebhaber wegen Hochverrats
hingerichtet, und der verwitwete Claudius ging wieder auf Brautschau.
Die Frau, die die meisten Trümpfe auf sich vereinigte, war Claudius'
Nichte, Julia Agrippina. Sie war jung und schön und, was noch viel
wichtiger war, die Ururenkelin des Augustus. Durch diese Verbindung
sollte Augustus' Traum von einer kaiserlichen Herrscherfamilie, die die
Geschicke Roms und des Imperiums lenkte, ein weiteres Mal in Er-
füllung gehen. Diese Heirat würde auch noch aus einem anderen
Grund von weitreichender Bedeutung sein. Agrippina brachte einen
Sohn aus erster Ehe mit in die neue Beziehung – einen elfjährigen Jun-
gen namens Lucius Domitius Ahenobarbus, der unter dem Namen
Nero Claudius' Nachfolger werden sollte.

Der junge Nero wurde 50 n. Chr. von Claudius an Sohnes statt angenommen. Aus Lucius Domitius Ahenobarbus wurde nun Tiberius
Claudius Nero Caesar. Er war nun sowohl mit dem amtierenden Kaiser
wie auch mit Augustus verwandt. Sein Thronanspruch war damit möglicherweise fundierter als die Anwartschaft von Claudius' eigenem Sohn,
Britannicus, und die aller anderen Kandidaten. Er hatte beste Voraus-
setzungen, Roms fünfter Kaiser zu werden. Doch da es keine genau definierten Kriterien für die Nachfolge gab, wusste Agrippina, dass noch
einiges dazwischenkommen konnte. Um ihren Sohn tatsächlich auf
den Thron zu bringen, musste sie mit brutaler Zielstrebigkeit zu Werke
gehen. Diese Eigenschaft war bei ihr sehr gut entwickelt.

Ihr erstes Opfer war der Aristokrat und Senator Lucius Junius Silanus Torquatus. Er war jung, beliebt und hatte im Staatsdienst Kar-

riere gemacht. Agrippina aber sah in ihm nur einen Konkurrenten Neros: Aufgrund seiner Verwandtschaft mit Augustus stellte Silanus für die Zukunft ihres Sohnes eine ernsthafte Bedrohung dar. Schlimmer noch, er war bereits mit Claudius' Tochter Octavia verlobt. Agrippina reagierte prompt und ließ das Gerücht verbreiten, Silanus habe mit seiner Schwester Junia Calvina, die für ihren promiskuitiven Lebenswandel berühmt-berüchtigt war, eine inzestuöse Beziehung. Obwohl die Anschuldigung völlig aus der Luft gegriffen war, wurde Silanus' Name aus der Liste der Senatoren gestrichen, und seine Karriere fand ein abruptes, unrühmliches Ende. Claudius löste Silanus' Verlobung mit seiner Tochter, und dieser nahm sich das Leben – an Agrippinas Hochzeitstag. Viele verstanden durchaus, was dies zu bedeuten hatte.

Alsdann nahm Agrippina das nächste Problem in Angriff: Britannicus, Claudius' Sohn aus seiner vorherigen Ehe, war ebenfalls ein ernst zu nehmender Rivale Neros. Um Britannicus um den Thron zu bringen, musste sie nur dafür sorgen, dass sich Nero vor seinem Stiefbruder in der Öffentlichkeit profilierte. Doch wegen des geringen Altersunterschieds – Nero war nur drei Jahre älter als Britannicus – musste Agrippina umso zügiger handeln. Zwischen 50 und 53 n. Chr. schlüpfte der junge Nero erst einmal in die Schuhe des verstorbenen Silanus und heiratete Claudius' Tochter Octavia. Danach wurden ihm zahlreiche Ehren zuteil, die seinen raschen Aufstieg spiegelten. Im März des Jahres 51 n. Chr. wurde ihm im Alter von 13, ein Jahr vor der üblichen Zeit, die Männertoga verliehen. Im selben Jahr hatte er auch seinen ersten öffentlichen Auftritt: Im Senat hielt er eine Rede, in der er Claudius für die ihm erwiesenen Ehrungen dankte. Dann folgten quasi staatsmännische – sowohl auf Latein wie auf Griechisch gehaltene – Ansprachen, in denen er sich für Bittsteller aus den römischen Provinzen einsetzte. Die Reden zeigten Neros frühreife Intelligenz und seine Vorliebe für die griechische Kultur. Bei den 53 n. Chr. ihm zu Ehren gegebenen Spielen erschien er im Gewand eines Triumphators, während der ihn begleitende Britannicus noch die Praetexta, die Knabentoga, trug: Dass Nero seinem jüngeren Stiefbruder deutlich überlegen war, stand damit außer Zweifel.

Nun blieb Agrippina nur noch eine Aufgabe, um ihren Sohn zum nächsten Regenten des Römischen Reiches zu befördern: die Ermordung des amtierenden Kaisers. 54 n. Chr. war Claudius 64 Jahre alt. Vielleicht infolge einer zerebralen Lähmung litt er von Kindesbeinen an an einer Gehbehinderung, an ständigem Zittern und an einer Sprachstörung. Jetzt war er ein hinfälliger alter Mann. Aber Agrippina konnte nicht auf seinen natürlichen Tod warten. Sie war in Zeitnot: Mit seinen bald 14 Jahren wäre Britannicus alt genug, um aus den Händen seines Vater die Männertoga zu erhalten. Da der leibliche Sohn des Kaisers noch immer Nero den Vorrang streitig machen konnte, ergriff Agrippina die Initiative. Eines Abends, so ist überliefert, wurde ein mit einer tödlichen Substanz versetztes Pilzgericht aufgetischt. Unter Agrippinas verstohlenen Blicken aß Claudius davon, doch das Gift löste nur einen Hustenanfall aus. Jetzt griff ihr Leibarzt ein. Angeblich, um dem Kaiser beim Erbrechen nachzuhelfen, steckte er ihm eine vergiftete Feder in den Hals und führte so das Verbrechen zu Ende.

Am Morgen des 13. Oktober des Jahres 54 v. Chr. war die Atmosphäre im Palast gespannt, und hinter verschlossenen Türen taten sich geheimnisvolle Dinge. Nur Agrippina und ihre engsten Vertrauten wussten, dass Claudius tot war. Während ihr Sohn für die förmliche Thronbesteigung angekleidet und vorbereitet wurde, verbrachte Agrippina ihre Zeit damit, Claudius' Kindern, Britannicus und Octavia, die wissen wollten, wie es ihrem Vater gehe, etwas vorzugaukeln. Sie tat so, als suche sie während der bangen Wartezeit bei ihnen Trost. Sie streichelte Britannicus über die Wange und sagte ihm, er sei das wahre Ebenbild seines Vaters. Die Prätorianergarde hielt sie ebenfalls vom Kaiser fern und speiste sie mit regelmäßigen Mitteilungen über den sich angeblich bessernden Zustand des Kaisers ab. In Wahrheit versuchte sie verzweifelt, Zeit zu gewinnen, »bis der von den Chaldaeern prophezeite günstige Zeitpunkt komme«, um seinen Tod zu verkünden.[5] Auf diesen Augenblick hatte Agrippina während ihres gesamten Erwachsenenlebens hingearbeitet. Jetzt konnte nichts mehr, nicht einmal ein schlechtes Omen, ihren Erfolg gefährden.

Um die Mittagszeit öffneten sich die Tore des Palastes. Der Kaiser war tot. Aber vor den erwartungsvollen Prätorianern zeigte sich jetzt nicht Claudius' Sohn Britannicus, sondern Tiberius Claudius Nero Caesar. Obwohl einige der Soldaten vom Anblick des jungen Mannes überrascht waren, erlaubten die für diesen Tag anberaumten Zeremonien kein Zögern oder Zweifeln. Die Kohorte jubelte Nero zu, setzte ihn in eine Sänfte und trug ihn in aller Eile zu ihrer Kaserne in den Servilianischen Gärten im Südosten Roms. Hier hielt der 17-jährige Nero eine Ansprache an die Soldaten und wurde, nachdem er ihnen die übliche Geldspende versprochen hatte, als Imperator begrüßt. Die Senatoren schlossen sich der Willensäußerung der Soldaten an und verabschiedeten noch am selben Tag in der Kurie ein entsprechendes Dekret. Niemand sollte je erfahren, wen Claudius selbst für die Nachfolge bestimmt hatte, da man sein Testament sofort verschwinden ließ.

Agrippina war am Ziel ihrer Wünsche: Ihr Sohn war der mächtigste Mann der römischen Welt. In diesem Moment konnte sie allerdings noch nicht ahnen, dass die Mittel, die sie eingesetzt hatte, um ihn an die Macht zu bringen, nun gegen sie selbst verwendet würden. Denn nicht lange nach Neros Thronbesteigung kam es zu einem erbitterten Machtkampf zwischen Mutter und Sohn. Vor den Augen der Öffentlichkeit wurde Agrippina allerdings mit immer neuen Ehren überhäuft: Man bewilligte ihr eine eigene Leibwache. Sie wurde Priesterin für den Kult des vergöttlichten Claudius. Sie durfte sich auch indirekt an der Regierung beteiligen, indem sie bei den im Palast stattfindenden Ratssitzungen insgeheim hinter einem Vorhang Platz nahm. Münzen aus Neros ersten Herrschaftsjahren zeigen sogar ihren Kopf zusammen mit dem des Kaisers. Doch hinter der am Hof gewahrten freundlichen Fassade dieser Mutter-Sohn-Beziehung verlor der heranwachsende Nero allmählich die Geduld mit seiner einflussreichen, übermächtigen Mutter, die ihn auf den Thron gebracht hatte. Er empfand es schnell als lästig, dass er ihr stets Gehorsam schuldete.

Agrippina war schwer zufriedenzustellen. Sie missbilligte Neros Begeisterung für Pferderennen, Wettkämpfe der Athleten, Musik und Theater. Im zweiten Jahr seiner Regierung gerieten sie wegen seiner Freundin, einer ehemaligen Sklavin namens Acte, heftig aneinander. Vielleicht weil sie eifersüchtig war, ihren Sohn nicht verlieren wollte und fürchtete, dass Acte ihr im Herzen Neros den Rang ablaufen könnte, kritisierte sie ihn wegen seines Liebesverhältnisses mit einer so gewöhnlichen, aus einfachen Verhältnissen kommenden Frau. Nero reagierte nach Art der Jugend, band sich noch enger an sie und war bereit, sie zu seiner rechtmäßigen Frau zu machen.[6] Seine nächste Aktion kam jedoch einer echten Kriegserklärung gleich. Schon während Neros Kindheit hatte Agrippina sorgfältig darauf geachtet, nur Leute, die ihr treu ergeben waren, an den Kaiserhof zu holen. Jetzt attackierte Nero diese Machtbastion, indem er einen der wichtigsten Vertrauten seiner Mutter – Antonius Pallas, einen Freigelassenen, der für die kaiserlichen Finanzen zuständig war – aus dem Amt entfernte. Agrippina schlug zurück und vergalt Gleiches mit Gleichem. Sie wusste, wie man im Palast Einfluss gewann und seine Macht behauptete. Und obendrein wusste sie genau, wie sie den neuen Kaiser von Rom zutiefst verletzen konnte.

Eines Tages täuschte Agrippina einen Wutanfall vor. Sie lief durch den Palast, gestikulierte wie wild und schrie herum, dass sie nicht Nero, sondern seinen Stiefbruder Britannicus auf dem Thron sehen wolle. Der Sohn des vergöttlichten Claudius sei nun, wie sie erklärte, herangewachsen und »der wahre Erbe, der würdig sei, die väterliche Herrschaft zu übernehmen«.[7] Diese kaltschnäuzige Äußerung ließ eine alte Wunde wieder aufbrechen – Neros Unsicherheit hinsichtlich seines Anspruchs auf den Kaiserthron. Doch die Reaktion ihres Sohnes mag sogar Agrippina überrascht haben. Bei einem Abendessen wurde Britannicus, der mit den Kindern anderer Aristokraten an einem Extratisch saß, ein Getränk gereicht. Da der kaiserliche Vorkoster gemerkt hätte, wenn es vergiftet gewesen wäre, war es mit Absicht nur zu heiß, sodass der Knabe es zurückwies. Am Tisch wurde dann – heimlich mit Gift versetztes – kaltes Wasser hinzugegossen. Jetzt hatte das Getränk die richtige Temperatur und Britannicus kostete davon. Vor den Augen Agrippinas und seiner eigenen Schwester wurde der 14-Jährige sogleich von furchtbaren Krämpfen geschüttelt. Man war allgemein der Meinung, dass Nero ihn hatte umbringen lassen.

Dieser zeigte sich jedoch gewollt gleichgültig und bemerkte beiläufig, dass Britannicus wohl nur wieder einen seiner epileptischen Anfälle habe. Nichts Ungewöhnliches also. Die anderen Tischgäste durch-

schauten diese Ausrede, konnten aber nichts tun. Während sie ihr Entsetzen hinter einer ungerührten Miene verbargen und sich nichts
anmerken ließen, waren sie wie gelähmt: Hätten sie protestiert und
bestritten, dass es sich um einen Anfall handelte, hätten sie zu verstehen
gegeben, dass sie an einen Mord glaubten. Hätten sie aber seiner Sicht
der Dinge zugestimmt, dann wären sie genauso verlogen wie er, denn
sie wussten sehr wohl, dass es sich in Wirklichkeit anders verhielt.
Während alle unschlüssig dasaßen, hauchte der Knabe sein Leben aus.
»Octavia hatte schon im zarten Kindesalter Schmerz und Liebe, jede
Gefühlsregung, zu verbergen gelernt. So nahm nach kurzem Schweigen das Gastmahl seinen fröhlichen Fortgang.«[8]

Die Bereitschaft, mit Hilfe von Verbrechen die kaiserliche Macht zu
behaupten, war nun von der Mutter auf den Sohn übergegangen. Dennoch gab Agrippina als entschlossene, erfahrene Intrigantin ihren verdeckten Krieg gegen Nero nicht auf und setzte alles daran, die Kontrolle über den Palast zu behalten. Der Tod des Britannicus veranlasste
sie sogar, nunmehr Octavia zu unterstützen. Vielleicht konnte sie zu
einer politischen Galionsfigur werden und die Aristokraten, die sich
ebenfalls Hoffnungen auf die Kaiserwürde machen durften, um sich
scharen. Einem Gerücht zufolge wollte Agrippina auch dem adeligen
Rubellius Plautus zur Macht verhelfen. Dieser konnte sich auf die
Nachkommenschaft von Augustus berufen, da seine Mutter Tiberius'
Enkelin und Tiberius wiederum Augustus' Adoptivsohn war. Als Nero
davon erfuhr, verwies er Agrippina des Palastes und entzog ihr die
Leibwache. Wenig später hatte er allerdings eine Idee, wie sich das
Problem mit seiner Mutter auf Dauer aus der Welt schaffen ließ.

Den entscheidenden Anstoß lieferte Neros Liebesleben. Octavia,
seine Frau, war ihm völlig gleichgültig. Er wollte unbedingt seine Geliebte, Poppaea Sabina, heiraten, die Frau seines engen Freundes Marcus Salvius Otho, die Frau, die die große Liebe seines Lebens werden
sollte. Nero wusste, dass ihm seine Mutter niemals erlauben würde,
sich von Claudius' Tochter zu trennen und seine Mätresse zu ehelichen. Auch Poppaea war sich darüber im Klaren, weshalb sie unter vier
Augen »mit häufigen Vorwürfen, aber auch mitunter scherzhaft den
Prinzeps beschuldigte und ihn ein unmündiges Kind nannte, das frem-

den Befehlen hörig, nicht nur über keine Herrscherbefugnis, sondern nicht einmal über seine persönliche Freiheit verfüge«.[9] Poppaea wusste sehr gut, wie sie Nero provozieren konnte, und setzte, um noch mehr Wirkung zu erzielen, auf »Tränen und buhlerische Geschicklichkeit«. Daher rief Nero im Frühjahr 59 n. Chr. Anicetus zu sich und schickte seiner Mutter den verhängnisvollen Brief, in dem er sie einlud, ihm beim Fest der Minerva in Baiae Gesellschaft zu leisten.

Nach Agrippinas Tod fühlte sich Nero wie erlöst. Endlich war er unabhängig. Jetzt, ohne die ständige strenge Kontrolle durch seine Mutter, konnte er frei regieren und tun, was er wollte. Er hatte tatsächlich allen Grund zum Feiern. Trotz der internen Kämpfe am Kaiserhof waren seine ersten Regierungsjahre eher glücklich. Wie alle antiken Quellen bezeugen, erlebte das Römische Reich in der frühen Phase von Neros Amtszeit tatsächlich eine neue Blüte. Zeitgenössische Dichter feierten den Anbruch eines neuen goldenen Zeitalters. Nero war genauso populär wie Augustus: Das Volk liebte ihn wegen der von ihm veranstalteten Spiele und die Senatoren wegen des Respekts, den er ihnen gegenüber bekundete. Auch im Ausland hatte er Erfolge vorzuweisen. In einem siegreichen Feldzug gegen die Parther wurde die Ostgrenze Roms gesichert. Im Reich herrschten Wohlstand und Frieden.

Wie war dies angesichts von Neros Jugend und politischer Unerfahrenheit möglich? Funktionierte das Imperium, geführt von Senatoren und Rittern, vielleicht ganz von allein? Konnte man eventuell sogar auf einen aktiven und engagierten Kaiser verzichten? Brauchte man lediglich ein prominentes Aushängeschild? Oder sollte es in Wahrheit doch jemanden gegeben haben, der die Regierungsgeschäfte führte? Tacitus nennt die Namen zweier Männer, die in den ersten Jahren der neronischen Herrschaft die Geschicke des Imperiums leiteten: Lucius Annaeus Seneca und Sextus Afranius Burrus, die engsten Ratgeber des heranwachsenden Kaisers. In seiner Jugend hatte sich Nero unter ihre Fittiche geflüchtet. Sie schützten ihn vor seiner Mutter und akzeptierten seine ausgefallenen Interessen. Zum Dank dafür hörte er auf ihre Empfehlungen. Diese beiden Männer waren jedoch sehr viel mehr als nur Partner, die ihm mit Rat und Tat zur Seite standen. Sie waren gewiefte Politiker; nur ihnen hatte der Kaiser seine Popularität und sein neues goldenes Zeitalter zu verdanken.

Jetzt aber sollte sich dies alles ändern. Zu ihren Lebzeiten hatte Agrippina verhindert, dass sich Seneca und Burrus allzu leidenschaftlich engagierten. Nach ihrem Tod standen sie an vorderster Front. Nun war es allein an ihnen, Nero den Spaß zu verderben. Nachdem dieser den Fängen seiner Mutter entronnen war, mussten sie allerdings feststellen, dass er sich ihrer Kontrolle vollständig entzog. Das römische Imperium sollte bald erkennen, was für ein Mann ihr Kaiser tatsächlich war.

Neros neue Freunde

62 n. Chr., im achten Jahr nach Neros Thronbesteigung, konnten sich nach Aussage des Historikers Tacitus, »die guten Kräfte [...] nicht mehr in gleicher Weise auswirken«.[10] Mit diesen guten Kräften waren die Stimmen von Seneca und Burrus gemeint. Bis dahin hatten sie den Kaiser geschickt und sehr erfolgreich geführt. Burrus, ein in Gallien geborener Ritter, ein sittenstrenger Mann mit einer verkrüppelten Hand, war bis zum Kommandanten der Prätorianergarde aufgestiegen. Er war Neros moralisches Gewissen. Agrippina hatte sich einst für Burrus eingesetzt, und aus Loyalität ihr gegenüber hatte dieser Neros Mordpläne heftig bekämpft und es abgelehnt, sich an der Ermordung der Kaisermutter zu beteiligen. Dennoch erfüllte er nach ihrem gewaltsamen Tod seine Pflicht und sorgte dafür, dass die Prätorianer treu hinter dem Kaiser standen. Diese Unterstützung war entscheidend für den Erfolg der neronischen Regierung. Doch sein Erzieher spielte dabei vielleicht eine noch wichtigere Rolle.

Seneca war Senator und entstammte einer im spanischen Cordoba ansässigen italischen Familie. Er war außerdem einer der bedeutendsten Philosophen der römischen Geschichte. Weltmännisch, charmant und väterlich, nutzte er seine Intelligenz, um den ihm anvertrauten jungen Zögling zu erziehen und zu prägen. In dieser Rolle wurde er zu einem der einflussreichsten Männer des Römischen Reiches. Die große Bedeutung Senecas für Nero lässt sich an der Vielzahl seiner Funktionen ablesen. Er entwarf die erste Rede, die Nero vor dem Senat und dem Volk zu halten hatte. Sie wurde begeistert aufgenommen. Bei den Saturnalienfeiern des Jahre 54 n. Chr. unterhielt er den Kaiser mit einer selbstverfassten Satire, die die Herrschaft des clownesken Claudius aufs Korn nahm. Das Werk trug – in Anspielung auf das Wort »Vergöttlichung« – den Titel *Die Verkürbissung* (Veräppelung) *des göttlichen Claudius* (*Divi Claudii apocolocyntesis*) und verspottete den Kaiserhof. Als *amicus* (Freund) des Kaisers saß Seneca auch im kaiserlichen Hofrat, der zusammen mit den führenden Senatoren im Palast zu tagen pflegte. Infolgedessen stimmten jene Senatoren Neros weisen Entscheidungen gern von ganzem Herzen zu.

Senecas vielleicht wichtigste Aufgabe war Schadensbegrenzung. Er wusste, wie sich das von Nero angerichtete Chaos wieder in Ordnung bringen ließ. So gelang es ihm z. B. – und das war sein größter Coup –, die Senatoren nach der Ermordung Agrippinas ganz in seinem Sinne zu beeinflussen. Aufgrund seines geschickten Umgangs mit der Situation kauften sie ihm die offizielle Version des Geschehens ab: Agrippina hatte Nero nach dem Leben getrachtet, die Verschwörung war entdeckt worden, und Agrippina hatte dafür büßen müssen. Der Kaiser war nun in Sicherheit. Seine Public-Relations-Kampagne war so überzeugend, dass die Römer gar nicht daran dachten, sich über den Muttermord zu entsetzen, sondern sogar noch den Göttern dankten. Schließlich war der Staat gerettet worden. Der Kaiser schien auf seinen Berater nicht verzichten zu können. Doch Seneca hatte sich eine Aufgabe vorgenommen, die ihn letztendlich den Kopf kosten sollte. Er wollte seinen jungen Zögling zuallererst zu einem guten Kaiser heranbilden. Das ehrgeizigste Projekt seines Lebens sollte auch zu seinem größten Misserfolg werden.

Aufgrund seines – der Nachwelt überlieferten – bedeutenden politisch-philosophischen Werkes mit dem Titel *Über die Güte* (*De clementia*) wissen wir, welche Lehren Seneca Nero erteilte. Der Unterricht begann mit einer einfachen Tatsachenfeststellung: Als Kaiser, so machte Seneca dem jungen Nero klar, war er im Besitz der absoluten Macht. Er war »Herr über Leben und Tod«; in seinen Händen lag, »welches

Los und welchen Zustand jeder hat«; durch seinen Mund verkündete die Schicksalsgöttin, »was [sie] einem jeden der Sterblichen [...] verliehen haben will.«[11] Um sich als guter Kaiser zu erweisen, reiche es jedoch nicht aus, sich dieser Macht bewusst zu sein, sondern man müsse sie mit Augenmaß ausüben. Wenn er sich milde und gütig zeige, werde er, wie Augustus, ein guter Monarch. Wenn nicht, sei er nichts weiter als ein verabscheuungswürdiger Tyrann. Nero tue also gut daran, daraus die richtige Schlussfolgerung zu ziehen und dem Beispiel des Augustus zu folgen: Vor allem dürfe der Kaiser, so lautete Senecas Botschaft, seine absolute Macht nicht zeigen.

Anfangs war Nero ein gelehriger Schüler. Er hatte die traditionelle partnerschaftliche Zusammenarbeit mit dem Senat neu belebt. Die Senatoren, nicht die Trabanten des Kaiserpalasts, waren schließlich die wahren Säulen der Gerechtigkeit und politischen Weisheit und verfügten über die notwendige Regierungserfahrung. Rom wurde von Nero und Seneca, so als seien sie gleichberechtigte Partner, gemeinsam geführt. Die Idee, die Seneca dem jungen Mann eingepflanzt hatte, war die der *civilitas*: Wenn er sich leutselig und zugänglich zeige, »könne der Kaiser die autokratische Macht, die er faktisch innehabe, recht gut kaschieren«.[12] Zuerst spielte Nero seine Rolle gut und gab sich als ganz gewöhnlicher Senator und Bürger. Aber trotz seiner verheißungsvollen Anfänge verlor er nun im Jahre 62 n. Chr. seine Linie. Er war einfach kein geborener Politiker. Er hielt die Fassade aufrecht und tat so, als sei ihm an dem, was die Senatoren wirklich dachten, gelegen. Doch dieser Zwang, sich verstellen zu müssen, wurde schnell zu einer neuen Belastung. Die traurige Wahrheit: Obwohl Seneca getan hatte, was er konnte, galten Neros leidenschaftliche Interessen ganz anderen Dingen.

Dazu gehörten abendliche Ausgänge. Der junge Kaiser und seine zügellosen Kameraden aus dem Palast hatten ihren Spaß daran, sich zu verkleiden, sich z. B. die Mütze eines Freigelassenen oder eine Perücke aufzusetzen und in den Straßen zu randalieren, ausgiebig zu zechen und sich an Schlägereien zu beteiligen. »So pflegte er Leute, die von einem Essen heimkehrten, zu verprügeln und, wenn sie sich zur Wehr setzten, sogar zu verwunden und in Kloaken zu tauchen.«[13] Außerdem hatte er seit seiner Kindheit ein besonderes Faible für Pferde. Er besuchte mit großer Begeisterung Pferderennen und interessierte sich für die verschiedenen Mannschaften. Er zog – ähnlich wie die Fußballfans von heute – die »Grünen« den »Roten«, »Weißen« oder »Blauen« vor. Wie man sich erzählte, schlich er sich heimlich aus dem Palast, um den Rennen beizuwohnen und seiner Leidenschaft zu frönen. Seine größte Liebe galt jedoch den griechischen Künsten: der Musik und Dichtung, dem Gesang und dem Spiel auf der Kithara.

Nero kannte sich in allen diesen Disziplinen nicht nur sehr gut aus, sondern betrieb ernsthafte Studien und praktizierte sie auch selbst. Gleich nach seiner Thronbesteigung nahm er bei dem damals berühmtesten und besten Kitharoeden, einem Mann namens Terpnus, Unterricht. Er unterwarf sich sogar den Stimmbildungsübungen professioneller Sänger: »So trug er, auf dem Rücken liegend, eine Bleiplatte auf der Brust, reinigte sich mit Klistier und Erbrechen.« Die Qualität des Gesangs konnte auch über die Ernährung beeinflusst werden: Äpfel galt es zu vermeiden, da sie angeblich den Stimmbändern schadeten, während getrocknete Feigen den gegenteiligen Effekt hatten. Und einige Tage im Monat lebte der Kaiser lediglich von in Öl eingelegtem Lauch.[14] Neros Begeisterung für die griechischen Künste waren Seneca und Burrus ein Dorn im Auge. Das Problem war nicht, dass er sich überhaupt mit ihnen beschäftigte, sondern dass er es fast schon mit einem professionellen Künstler aufnehmen konnte. In den konservativen Kreisen der römischen Oberschicht hielt man das seinerzeit für völlig unschicklich.

Seit fast 200 Jahren war Rom das große Zentrum der interkulturellen Begegnung, der aufregende kosmopolitische Mittelpunkt der gesamten mittelmeerischen Welt, während Griechenland schon längst zu einer römischen Provinz herabgesunken war. Zu jener Zeit gaben sich aber viele Römer in der Aristokratie noch immer einer Illusion hin. Sie waren immer schon – so der Mythos, in dem sie sich gefielen – ein Volk von zähen, robusten, selbstbewussten Bauernsoldaten, die sich durch Mut und Entschlossenheit, Tapferkeit und Disziplin ein herrliches Imperium geschaffen hatten. Das römische Wesen und die römischen Tugenden hatten sich insbesondere auf dem Schlachtfeld und im öffentlichen Leben zu erkennen gegeben. Die Künste der Grie-

chen mochten im Rahmen der Erziehung ja ganz sinnvoll sein, dienten
vielleicht sogar der Entspannung, aber eine zu intensive Beschäftigung
mit diesen Künsten konnte nur zu einem Absinken der römische Moral führen: Aus einem Volk von Soldaten würde ein Volk von Feiglin-
gen, Sportlern und Homosexuellen. Dass man seine Muskeln einölte
und für athletische Wettkämpfe trainierte, dass man im Gewand eines
Schauspielers einherstolzierte, poetische Kompositionen zur Kithara
vortrug – all das hatte nach allgemeiner Überzeugung den Untergang
Griechenlands nicht verhindert, sondern in Wirklichkeit wohl erst ermöglicht.[15] Die Konservativen mussten sich bloß in den Straßen umsehen, um zu ihrem Urteil zu kommen: Berufsmäßige Schauspieler
galten nicht mehr als Sklaven und gewöhnliche Prostituierte.

Die feschen Trendsetter der Schickeria waren da ganz anderer Meinung. Die Musik, das Theater, der Gesang und die Darstellungskunst
der Griechen galten als exquisit, als höchster Ausdruck der Kultiviert-
heit, als Gipfel der Zivilisation. Im antiken Griechenland waren die
Aristokraten und Bürger bestrebt gewesen, durch musische Agone zu
Ehren zu kommen und ihren gesellschaftlichen Status zu verbessern.
Diese Wettbewerbe waren in den Werken Homers und Pindars, den
Begründern der Epik bzw. Lyrik, verherrlicht. Warum sollte all das
nicht auch in Rom möglich sein? Zu ihrem großen Entzücken hatte
die Schickeria endlich einen Patron. Wie es der Zufall wollte, war es
niemand anders als der Kaiser höchstpersönlich – und dieser war bereit,
die Vorreiterrolle zu übernehmen. Im Jahre 59 n. Chr. veranstaltete
Nero eine Reihe von Spielen, die sogenannten Juvenalia, mit denen
er seine erste Rasur, seinen Eintritt ins Mannesalter, feierte. Da es sich
um private Spiele für die politische Oberschicht handelte, konnten sich
Neros Berater gerade noch damit abfinden, dass sich der Kaiser als Kitharoede präsentierte. Burrus musste eine Abteilung der Prätorianer auf
der Bühne aufziehen lassen und spendete schweren Herzens Beifall. Im
folgenden Jahr aber überschritt Nero eindeutig die Grenzen dessen,
was sich für den Kaiser von Rom geziemte. Er war fest entschlossen,
seine Künste auch anderen nahezubringen.

Als Erstes gründete er eine Schule für die griechischen Künste, forderte die Söhne der Patrizier auf, dort Unterricht zu nehmen, und er-

munterte sie, nach Abschluss der Ausbildung bei einem vom Kaiser persönlich ins Leben gerufenen, brandneuen Fest öffentlich aufzutreten. Ganz Rom war geladen. Bei den Spielen wetteiferten die jungen Aristokraten mit griechischen Profis in den Sparten Tanz, Sport und Musik. Für die Konservativen in der Oberschicht war dies ein Skandal von nationaler Tragweite. Die Söhne der alten, großen, rechtschaffenen Familien, »die Furier, Horatier, Fabier, Porcier und Valerier«, waren gezwungen, sich selbst zu entehren![16] Nero aber sah seine neuen Spiele in einem ganz anderen Licht. Er wollte den Grundstein zu einem neuen Zeitalter legen, das mit dem Jahr Null begann. Rom sollte zivilisiert und das Publikum neu erzogen werden. Den Spaß an barbarischen Gladiatorenkämpfe würde er ihm abgewöhnen und die Geschicke Roms in eine andere Richtung lenken: Statt wie bisher Krieg, Eroberung und Herrschaft sollten von nun an die hehren Ideale der Kunst im Mittelpunkt stehen. Die Spiele, denen er den Namen »Neronia« gab, sollten per Dekret alle fünf Jahre stattfinden. So wollte er sein Volk führen! So wollte er sich als guter Kaiser beweisen!

Die Menschen liebten diese Spiele. Falls Seneca und Burrus verzweifelt waren, konnten sie sich immerhin damit trösten, dass der Kaiser trotz des begeisterten Empfangs auf einen öffentlichen Bühnenauftritt verzichtet hatte – wenigstens bislang. Bis zum Jahre 62 n. Chr. gab es keine Anzeichen dafür, dass Nero seine griechische Phase ablegen und seine Vision von einem neuen Rom aufgeben würde. In jenem Jahr eröffnete er sein großartiges hellenistisches Gymnasium und ließ an die Senatoren und Ritter kostenlos Öl verteilen. Sie sollten den normalen Bürgern mit gutem Beispiel vorangehen und sich den unrömischen, unmännlichen Aktivitäten des Ringens und der gymnischen Agone widmen. Seneca und Burrus kämpften auf verlorenem Posten. Die ehedem harmonischen Beziehungen zwischen Nero und seinen Ratgebern waren einer schweren Zerreißprobe ausgesetzt. Zwei Ereignisse führten dann zum endgültigen Bruch.

Als bei einem Gastmahl der Oberschicht ein Senator mit Namen Antistius Sosianus einige selbst verfasste Schmähgedichte auf den Kaiser vortrug, wurde er wegen Hochverrats angeklagt und verurteilt. Zwar entging er gerade noch einer Hinrichtung, doch bei seinem Prozess wurde das Gesetz wegen Hochverrats wieder angewendet, das die Regime des Caligula und des Claudius so sehr in Verruf gebracht hatte. Aufgrund seiner vagen Formulierungen konnte man sehr leicht der »Verschwörung« gegen den Kaiser angeklagt werden. Für Seneca war das erneute Inkrafttreten dieses Gesetzes ein eindeutiger Hinweis darauf, dass er mit seiner Lebensaufgabe – Nero sollte ein guter Kaiser werden – gescheitert war. Kurze Zeit später sollten sich Burrus und Seneca aber in einer wirklich ausweglosen Situation befinden. Nero hatte beschlossen, so teilte er ihnen mit, dass er sich endlich von Octavia, der Tochter des vergöttlichten Claudius, trennen und Poppaea heiraten werde. Seneca und Burrus erhoben Einspruch: Nero mochte zwar ein Nachfahre des Augustus sein, nach einer Scheidung von Octavia stände er jedoch mit dem vergöttlichten Claudius nicht mehr in verwandtschaftlicher Beziehung – damit würde eine wesentliche Begründung seines Thronanspruchs hinfällig. Als Nero protestierte, mit den Füßen aufstampfte und an seiner Entscheidung festhielt, antwortete Burrus, auf den Thron deutend, kurz und knapp: »Nun gut, dann gib ihr die Mitgift zurück!«[17] Damit war der Bruch zwischen ihnen besiegelt.

Jetzt überschlugen sich die Ereignisse. Burrus erkrankte bald darauf an einem Tumor und verstarb. Angeblich hatte Nero bei seinem Tod nachgeholfen und einen Giftanschlag in Auftrag gegeben. Fest steht hingegen, dass der Kaiser den äußerst wichtigen Posten des Chefs der Prätorianergarde umgehend neu besetzte. Wenn er seine Scheidung durchsetzen wollte, konnte Nero keine Neinsager, Spielverderber und Nervensägen mit dem »Recht« auf ihrer Seite brauchen, Leute also, die ihm den Spaß verdarben, ihm Verantwortung aufbürdeten und das Leben schwer machten. Er brauchte neue Freunde. Deshalb rief er die führenden Senatoren und die kaiserlichen Ratgeber zu einer Sitzung zusammen. Wen in aller Welt, so fragte man sich aufgeregt, würde Nero auf die gerade vakant gewordene Stelle berufen? Der Kaiser konnte sie rasch beruhigen. Zuerst ernannte er mit Faenius Rufus eine integre und erfahrene Persönlichkeit. Rufus war bei den Offizieren der Prätorianer beliebt und hatte sich als tüchtiger und uneigennütziger Proviantmeister Roms bewährt. Alle Ratsmitglieder seufzten vor Erleichterung. Doch bei der Berufung des nächsten Mannes waren sie sogleich wieder ernüchtert: Wie Nero erklärte, sollte sein enger Freund Ofonius Tigellinus der zweite Führer der Prätorianergarde werden.

Tigellinus' Werdegang war, um es vorsichtig auszudrücken, ein wenig unorthodox. Zwar war er Präfekt der Wache gewesen, Chef der römischen Feuerwehr und Sicherheitspolizei, doch sein Ruf beruhte auf völlig anderen Qualifikationen. Auf dem Landgut von Neros Tante in Kalabrien war er dem Kaiser, als dieser noch ein Knabe war, zum ersten Mal begegnet. Sie waren sich sofort sympathisch, vielleicht weil sich beide für Pferderennen und Pferdezucht interessierten. Darüber hinaus war Nero von Tigellinus' Charakter, seinem Hang zum Bösen, fasziniert. Dieser sah gut aus, war etwa 15 Jahre älter als Nero und hatte trotz seiner armen sizilischen Herkunft hochgestellte Freunde. Er hatte sich in die Häuser zweier Patrizier Einlass verschafft, wo er sich den Ruf eines Lüstlings zugezogen hatte. Wie es hieß, verführte er zuerst die Männer, dann deren Frauen und stieg auf diese Weise bis in die höchsten Kreise der römischen Gesellschaft auf. Bei den Orgien, Lustbarkeiten und Trinkgelagen am Kaiserhof war Tigellinus jetzt Neros zügellosester Gefährte, sein vertrauter Gespiele, sein teuflischer, unmoralischer Zeremonienmeister.

Seine Ernennung sorgte noch aus einem anderen Grund für Beunruhigung. Jetzt war ein wesentliches Prinzip für eine gute Kaiserherrschaft, wie sie Seneca vorschwebte, außer Kraft gesetzt. Um das Römische Reich erfolgreich zu regieren, hatte der erste Princeps, Augustus, zumindest den Anschein erweckt, er sei auf unabhängige Männer aus den oberen Ständen angewiesen. Der Aristokrat Seneca hatte an dieser Tradition auch unter Nero festgehalten. Er konnte dem Kaiser gegenüber ehrlich sein, weil er, wenn er seine Meinung frei äußerte, nichts zu befürchten hatte. Sein Reichtum und sein Ansehen in der römischen Gesellschaft waren von seiner Position beim Kaiser unabhängig. Tigellinus' Berufung aber war ein untrüglicher Hinweis darauf, dass sich Nero nun mit willfährigen Trabanten umgeben wollte. Tigellinus stammte aus einfachen Verhältnissen und hatte seine Stellung ausschließlich Nero zu verdanken. In Seneca wuchs die Befürchtung, dass er dem Kaiser immer nur, statt ihm die Stirn zu bieten, sklavisch nach dem Mund reden werde. Er würde ihm sicherlich nicht zu dem raten,

was recht und billig war. Doch Senecas Furcht galt nicht allein Tigellinus. Seine größte Sorge kreiste um sein eigenes Leben.

Tigellinus, der immer einflussreicher wurde, machte sich an die Arbeit. Er beherrschte das Spiel mit Neros Unsicherheiten und quälte ihn,
indem er ihm sagte, Senecas immenser Reichtum sei, da er mit dem
Neros konkurrieren könne, eine Kränkung und bedrohe die Vorrangstellung des Kaisers von Rom. Nero war entsprechend eifersüchtig.
Seneca lief die Zeit davon, doch er war – gefangen in einem höchst
unangenehmen Dilemma – wie gelähmt: Entweder konnte er den Kaiser weiterhin beraten und das Risiko eingehen, ihn vor den Kopf zu
stoßen, oder er musste Kompromisse eingehen und Neros Launen und
Phantastereien mit tragen. Keine verlockenden Aussichten. Schließlich
fand er eine Lösung: Er wollte den Kaiser in aller Freundlichkeit bitten,
sich zurückziehen zu dürfen. Also suchte er Nero im Palast auf und
berief sich in seiner gewandten, charmanten Art zunächst auf das Beispiel des Augustus: Der erste Kaiser, so seine Worte, habe sogar seinen
engsten Ratgebern den Abschied gestattet. Vielleicht könnte der Kaiser
erwägen, ihm dieselbe Gunst zu gewähren?

Nero lehnte höflich ab. »Ich selbst trete in die ersten Abschnitte meiner Regierung ein«, sagte er. »Ja, wenn ich irgendwo auf der Jugend
schlüpfriger Bahn abirre, rufst du mich zurück und lenkst die durch
deinen Rückhalt gestützte innere Kraft mit umso festerer Hand.«[18]
Seneca dankte dem Kaiser und zog sich zurück. Seine Charme-Offen-
sive war gescheitert. Dennoch konnte er sich aus der Schusslinie bringen. Unter dem Vorwand, krank zu sein und sich seinen philosophischen Studien widmen zu wollen, verbrachte Seneca immer mehr
Zeit auf seinen Landgütern. Er hatte damit zwar seine privilegierte
Stellung als Ratgeber verloren, war aber noch am Leben – vorläufig
jedenfalls. Da Seneca nun dem Palast fernblieb, hatte Nero Gelegenheit, sich mit einer dritten Neubesetzung zu befassen. Diesmal sollte es
aber etwas komplizierter zugehen als bei der Berufung eines Prätoria-
nerpräfekten. Jetzt nämlich sollte Poppaea von einer Mätresse zur Ehefrau des Kaisers avancieren.

Poppaea, sechs Jahre älter als Nero, war eine Schönheit und entstammte einer wohlhabenden, wenn auch nur halbadeligen Familie.

Während ihre Mutter zur Oberschicht gehörte, kam ihr Vater aus dem Ritterstand und war unter dem Prinzipat des Tiberius in Ungnade gefallen. Da Poppaea ehrgeizig war, legte sie den Familiennamen ihres Vaters ab, ersetzte ihn durch den ihres Großvaters mütterlicherseits und eroberte die römische Oberschicht im Sturm. Sie heiratete nacheinander zwei Patrizier und hatte ein Kind aus erster Ehe. Ihre Liebe zu Extravaganz und Luxus war in aller Munde. Die wiederentdeckte Villa Oplontis, ihr feudal ausgestatteter Familiensitz nicht weit von Pompeji, wird diesem Ruf gerecht. Angeblich ließ sie die Hufe der Maultiere, die ihren Wagen zogen, vergolden, und sie badete, um ihre Haut zu pflegen, täglich in Eselsmilch.[19] Nero war wahnsinnig in sie verliebt. Ohne den Rat seines geschätzten Freundes Seneca und ohne den loyalen Burrus, die moralischen Instanzen an seiner Seite, spielte Nero das nächste Spiel nun ganz allein.

Dem Kaiser war völlig klar, dass eine Scheidung von Octavia mögliche Thronrivalen auf den Plan rufen konnte. Andere Angehörige der julisch-claudischen Dynastie waren, ebenso wie Nero, mit Augustus verwandt und konnten sich deshalb mit Recht auf eine royale, ja göttliche Abstammung berufen. Deshalb ging Nero kein Risiko ein. Tigellinus, der seine Position festigen wollte, warnte ihn vor allem vor zwei Männern: Der eine, Rubellius Plautus, war durch Tiberius ein Ururenkel des Augustus, der andere, Faustus Cornelius Sulla Felix, der Urenkel von Augustus' Schwester. Wenn Nero die Ehe mit Octavia löste und damit nicht mehr mit Claudius verwandt wäre, könnte jeder von beiden – so argumentierte Tigellinus, um die Paranoia seines Freundes weiter zu nähren – seinen Thronanspruch in Frage stellen.

Nero ließ sich überzeugen und schickte umgehend Mordkommandos nach Kleinasien und Gallien. Sie kehrten mit den Köpfen ihrer Opfer Plautus und Sulla nach Rom zurück. Das ihnen vom Kaiser zur Last gelegte Verbrechen war jetzt häufiger an der Tagesordnung: Hochverrat. Doch wie würde der Senat auf die schreckliche Nachricht reagieren, dass zwei ihrer besten und rechtschaffensten Männer plötzlich tot waren? Die kurze Antwort: nicht sehr ehrenhaft. Die Senatoren wussten, dass nach Senecas Rückzug eine echte Zusammenarbeit zwischen Regierung und Senat so gut wie unmöglich war. Daher zogen sie aus Furcht, beim Kaiser Anstoß zu erregen, den Kopf ein. Dafür, dass Nero – laut offizieller Darstellung – knapp einem Mordanschlag entronnen war, beschlossen sie ein Dankopfer für die Götter. Nach dem Tod seiner beiden größten Rivalen widmete sich Nero nun seiner Scheidung. Er brauchte nur noch einen Vorwand.

Die kaiserliche Gerüchtemaschine lief auf Hochtouren. Ihr Opfer: Octavia. Man bezichtigte sie des Ehebruchs mit einem Flötenspieler aus Alexandria. Um diesen unerhörten Vorwurf durch eine Zeugenaussage glaubwürdiger zu machen, ließ Tigellinus Octavias Dienerinnen foltern. Eine von ihnen trotzte jedoch ihrem Peiniger und rief aus: »Octavias Scham ist keuscher als dein Mund.«[20] Kurz darauf wurde Octavia nach Kampanien verbannt und unter militärische Bewachung gestellt. In Rom herrschte große Aufregung. Nero hatte die Beliebtheit der Tochter des vergöttlichten Claudius unterschätzt. Die Proteste entwickelten sich rasch zu Tumulten. Nero geriet in Panik. Mehr als nach der Anerkennung durch den Senat sehnte er sich nach der Liebe des Volkes. Um diese nicht zu verlieren, überraschte er die Öffentlichkeit durch die Mitteilung, dass er sich doch nicht von Octavia scheiden lasse. Wieder waren die Leute außer Rand und Band. Sie eilten auf das Kapitol, um den Göttern zu danken, zerschlugen die Standbilder Poppaeas und drangen in ihrem Überschwang sogar in den Kaiserpalast ein. Doch ihre Freude sollte nur von kurzer Dauer sein. Nero änderte noch einmal seine Meinung: Er werde Poppaea doch heiraten. Man sollte annehmen, dass Poppaea entzückt und erleichtert gewesen wäre. Doch weit gefehlt. Denn obwohl Octavia verstoßen und verbannt war, stellte sie noch immer eine Gefahr für sie dar.

Jetzt war es an Poppaea, Nero unter Druck zu setzen und seine alten Ängste zu schüren. Sie erinnerte ihn daran, dass Octavia blaublütig, beliebt und die Tochter eines Kaisers sei. Selbst im Exil, nörgelte Poppaea, könne sie möglichen Aufständischen als Galionsfigur dienen und Nero in Gefahr bringen. Der Kaiser war einsichtig. Er brauchte nur noch jemanden, der das Problem aus der Welt schaffte. Es gab einen Mann, auf den er bauen konnte: Er rief Anicetus, den Mörder seiner Mutter, in den Palast. Unter einer Bedingung dürfe dieser sich ungefährdet in ein angenehmes Privatleben zurückziehen: Er müsse nur den

Ehebruch mit Octavia zugeben. Anicetus, dessen Hände noch mit dem Blut Agrippinas befleckt waren, hatte keine Wahl. Nun konnte der mörderische Plan endlich in die Tat umgesetzt werden.

Nero ließ die Senatoren und seinen Stab zusammenkommen und gab folgende Erklärung ab: Octavia habe einen Staatsstreich geplant und, um ihn durchführen zu können, versucht, den Flottenkommandanten zu verführen. Während Nero so sprach, nahmen römische Soldaten eine tugendhafte 20-jährige Frau fest, die auf einer Insel, meilenweit von Rom entfernt, in der Verbannung lebte, und schnitten ihr die Adern auf. Sie, die Zeugin der Ermordung ihres Vaters und Bruders, hatte nun ihren eigenen Tod vor Augen. Doch als das Blut zu langsam abfloss, verloren die Prätorianer die Geduld und erstickten sie in einem Dampfbad. Man schlug ihr den Kopf ab und brachte ihn nach Rom, um ihn Poppaea zu zeigen.

Nero steuerte immer mehr dem Abgrund zu. Er war dabei, das, was sich hinter der sorgfältig errichteten Fassade verbarg, ans Licht zu ziehen: Augustus hatte das Bild eines Kaisers entworfen, der zwar die absolute Macht besaß, aber den staatlichen Institutionen unterworfen war. Nun jedoch war dieser schöne Schein deutlich am Verblassen. In Wahrheit stand Nero über dem Gesetz. Er wusste schon immer, dass er niemandem Rechenschaft schuldete. Neuerdings aber schien er immer weniger Wert darauf zu legen, dies zu kaschieren. Er war in einer höchst prekären Situation – jeden Augenblick konnte, wie Geister aus der Unterwelt, eine Armee von Feinden auf den Plan treten. Aber dem jungen Herrscher lächelte das Glück. Es sollte ihm bald eine letzte Gelegenheit bieten, sich doch noch als guter Kaiser zu beweisen, als einer, der es mit Augustus aufnehmen konnte.

Krise

Mit seinen beiden neuen wichtigsten Ratgebern, Tigellinus und Poppaea, die in ihren einflussreichen Positionen nun fest im Sattel saßen, setzten sich die guten Zeiten fort. Der hohe Standard des römischen Ingenieurwesens wurde für Vergnügungen genutzt, am spektakulärsten

am See des Marcus Agrippa: Zuerst wurde der See trockengelegt, weil
Nero dem Publikum eine unterhaltsame Raubtierhetze präsentieren
wollte. Dann wurde das Wasser wieder eingelassen und eine beeindru-
ckende Seeschlacht aufgeführt. Anschließend legte man den See ein
weiteres Mal trocken, diesmal für die Veranstaltung von Gladiatorenkämpfen. Aber dies war noch immer nicht das letzte Theaterstück, das
auf dem See inszeniert wurde.[21] Denn Nero ernannte nun Tigellinus
zum Regisseur des berühmt-berüchtigtsten Banketts der damaligen
Zeit.

Der See wurde wieder geflutet, und in der Mitte errichtete man eine
auf großen Holzfässern schwimmende riesige Plattform. Allenthalben
gab es Tavernen und lauschige Plätzchen für heimliche Rendezvous.
Inmitten dieser Szenerie empfingen Nero, Poppaea und Tigellinus ihre
Gäste aus der Aristokratie sowie dem gewöhnlichen Volk, und sie taten
es auf die erlesenste Art und Weise. Farbenprächtige Vögel und Tiere
aus allen Teilen des Imperiums bevölkerten die provisorische Insel.
Damit sich die Gäste angemessen amüsierten, standen Rollenspiele im
Mittelpunkt der Unterhaltung: Frauen aus der Oberschicht traten als
Prostituierte auf und durften keinem Mann ihre Dienste verweigern.
Dabei war es gleichgültig, ob es sich um einen Patrizier oder um einen
einfachen Gladiator, einen ehemaligen Häftling, handelte. Teilnehmer
an der Veranstaltung waren alle Senatoren sowie die aristokratischen
Freunde Neros, die sich bei solchen Gelegenheiten nach Herzenslust
zu vergnügen pflegten. Doch für Nero und seinen Hofstaat sollte es
nach den dekadenten Späßen ein böses Erwachen geben.

Das Feuer brach am 19. Juli in einem kleinen Laden in der Nähe des
Circus Maximus aus. Es sollte sich schnell ausbreiten und zum größten
Brand werden, den das antike Rom jemals erlebte. Die Flammen griffen
weiter um sich, erfassten die engen Straßen, Wohnblocks, Säulenhallen
und Gassen des römischen Zentrums zwischen dem Palatin und dem
Kapitolinischen Hügel. Das Feuer wütete sechs Tage, und als man schon
glaubte, es sei erloschen, flammte es erneut auf und dauerte weitere drei
Tage. Als sich der Brand gelegt hatte, waren nur noch vier der 14 Regionen Roms unversehrt. Drei waren vollständig zerstört und die anderen weitgehend verwüstet. Was blieb, waren ein paar verkohlte Mauer-

reste. Viele Menschenleben wurden dahingerafft, und Tausende von Häusern – die Wohnungen der niederen Plebs ebenso wie die großen Stadtvillen der dem Senat angehörenden Großgrundbesitzer – waren zerstört. Daneben verlor Rom auch einige seiner historischen Bauten: die Tempel und antiken Kultstätten, die mit den Vorvätern der Stadt, Romulus, Numa und Euandros verbunden waren.

Nero war gerade in Antium, 50 km von Rom entfernt. Sogar von dort konnte man die Feuersbrunst sehen. Vielleicht stellte er, solange die Stadt brannte, sein Kitharaspiel ein, auf jeden Fall begriff er die Dringlichkeit der Situation. Er gab sofort den Befehl, den Menschen, die vor dem Feuer geflüchtet waren, zu helfen. Für die nun Obdachlosen stellte er sowohl das Marsfeld mit den öffentlichen Bauten Agrippas wie auch die privaten Gärten seines eigenen Palastes zur Verfügung. Die Prätorianergarde unter Rufus wurde angewiesen, provisorische Unterkünfte für die Leute zu bauen, die durch das Feuer alles verloren hatten. Auch Tigellinus, einst Chef der römischen Feuerwehr, machte sich auf Neros Befehl hin sogleich energisch an die Krisenbewältigung. Doch erst nachdem der Senat Gelegenheit gehabt hatte, sich ein Bild vom Ausmaß der Schäden zu machen, zeigten sich Neros wahre Führungsqualitäten.

Der Kaiser inspizierte die Ruinen, konsultierte die Senatoren sowie seine Berater und erklärte sich bereit, die Beseitigung der Trümmer aus eigener Tasche zu finanzieren. Er wolle, wie er öffentlich erklärte, dafür sorgen, dass sich in Rom eine solche Tragödie niemals mehr wiederholen könne. Er erließ Bauvorschriften: So durften die Häuser und Mietskasernen z.B. eine festgelegte Höhe nicht überschreiten. Es gab Gesetze für spezielle Holzbauten. Straßen mussten per Gesetz eine bestimmte Breite haben und genau nach Plan angelegt werden. Neue Gebäude sollten einen Innenhof haben, und zwischen den einzelnen Häusern musste ein ausreichend großer Abstand eingehalten werden – anders als bei den instabilen Behausungen, die gerade so tragisch zusammengebrochen waren. Entlang der Straßen und vor den Häusern sollten Säulenhallen und Kolonnaden errichtet werden, für deren Finanzierung der Kaiser persönlich aufkommen wollte. Bei einem erneuten Brand müssten die Menschen unbedingt vor herabstürzenden

Trümmern geschützt werden. Aber dies waren nur die ersten Schritte. Bei der Beschäftigung mit all diesen Maßnahmen erkannte Nero, dass diese schreckliche Tragödie für Rom eine einmalige Chance darstellte. In der Senatsversammlung unterbreitete der Kaiser den Vorschlag, sich nicht mit dem Wiederaufbau zu begnügen, sondern ein schöneres und besseres Rom zu errichten. Die Stadt solle sogar noch großartiger werden als die des ersten römischen Kaisers Augustus und das neue Zeitalter Neros angemessen repräsentieren.

Die visionäre Führerschaft des Kaisers angesichts Roms größter Herausforderung wurde mit großem Jubel und stürmischem Applaus gefeiert. Tatsächlich löste Nero seine Versprechungen auch ein. Es gab großzügige Anreize für die Bauvorhaben privater Investoren, und Nero sorgte, wie Münzen aus dem Jahre 64 n. Chr. zeigen, für den raschen Wiederaufbau des Vesta-Tempels, des Lebensmittelmarktes ebenso wie des Circus Maximus. Die Senatoren klatschten Beifall, doch mussten sie bald erkennen, dass die öffentlichen Pläne für ein neues Rom auch mit einem ganz persönlichen und privaten Anliegen verbunden waren: Der Kaiser wollte einen neuen Palast. Dieses grandiose Bauprojekt sollte für alles stehen, was die neronische Herrschaft an genialen, aber auch tyrannischen Zügen in sich vereinte.

Nero hatte sich bereits eine elegante Villa auf dem Palatin bauen lassen, dem Hügel, auf dem Augustus seine Residenz errichtet hatte und dessen Name (Palatin) später zur allgemeinen Bezeichnung für »Palast« wurde. Nun wurde diese Villa zu einer bloßen Eingangshalle umfunktioniert, einem erlesenen Vestibül, das zu einem riesigen Komplex, dem geplanten neuen Palast Neros, Zutritt bot. Das Goldene Haus (*Domus aurea*) bestand aus mehreren, um einen See gruppierten Villen und Gebäuden. Die wunderbar gestalteten Gärten zeigten neben schlichten Rasenflächen ganze Landschaften »mit Feldern, Rebbergen; Weiden und Wäldern mit einer Menge Vieh und Wildtieren aller Art«. Die Anlage war, der damaligen Mode entsprechend, mit höchster Geschicklichkeit der Natur nachempfunden. Sie sollte eine »ländliche Idylle« vortäuschen und bot herrliche, ungewöhnliche Ansichten.[22] Auch gab es eine Fülle von phantasievollen und verspielten Verrücktheiten: Grotten, Kolonnaden, Pavillons und Arkaden. Der

Komplex erstreckte sich über das Tal zwischen dem Palatin, Esquilin und Caelius und umfasste schätzungsweise zwischen 50 und 120 ha Land.

Das Herzstück dieser Anlage war Neros Palast: Zwei große zweistöckige Flügel mit prunkvoll ausgestatteten Räumen grenzten an einen zentralen Hof. Einige Überreste sind noch erhalten. Die Baumeister Severus und Celer führten kühne neue Architekturstile und Techniken ein. So war der Ostflügel als achteckiger Saal gestaltet, über dem sich eine Kuppel erhob, bei deren Bau die modernsten Techniken des Kreuzganggewölbes Berücksichtigung fanden. Sogar die Raumbeleuchtung war revolutionär: Zwischen den acht Saalwänden und der Kuppel waren etliche Öffnungen eingelassen. Auch die acht Wände waren sehr raffiniert angelegt: Die drei vorderen lagen zum Park hin, vier grenzten an Gewölbekammern und an der letzten, der hinteren, gab es eine Treppe, über die Wasser strömte. Die heute noch vorhandenen Teile des Palastes zeigen, dass Nero auch die bedeutendsten Künstler seiner Zeit engagiert hatte. Diese schmückten die zahlreichen Schlafzimmer und Empfangsräume, die von dem Saal abgingen, mit erlesenen Gemälden, modischen Fresken und Tafelbildern.

Der Palast war zudem ein Schaufenster technischer Innovationen und neuartiger Spielereien. In den Bädern floss Meerwasser und natürliches Schwefelquellwasser. In den Speisezimmern ließen bewegliche Elfenbeinpaneele an der Decke Blütenblätter auf die Gäste herabregnen, während verdeckte Leitungen sie mit Parfums besprengten. Das Glanzstück befand sich in einem der Speisesäle: eine sich ständig drehende Decke, die den Tag- und Nachthimmel abbildete.[23] Das Goldene Haus war der Inbegriff der Moderne und des guten Geschmacks und in allen Einzelheiten von erlesener Vollkommenheit. Vermutlich war jeder Besucher von seiner faszinierenden Eleganz und seinen künstlerischen Ambitionen hingerissen. Doch die Wirklichkeit draußen sah anders aus: Nach Ansicht der meisten Bürger Roms verwandelte Nero lediglich das Herz der Stadt in einen ganz privaten Vergnügungspalast.

Die Domus aurea raubte der Plebs ihren Lebensraum. Graffiti und satirische Verse prangerten an, dass der Palast Rom auffresse. Die Konservativen beklagten den Bruch mit Roms antiker Vergangenheit. Neros Vergnügungspalast hatte sogar die Stätte, die für den Tempel des vergöttlichten Claudius, seines Adoptivvaters, vorgesehen war, geschluckt.[24] Dies zeige, wie Neros Kritiker vorbrachten, dass die *pietas*, die altrömische Tugend des Respekts eines Sohnes für den Vater, keine Gültigkeit mehr habe. Und so kamen auch bösartige Gerüchte auf: Das Feuer sei mit Absicht gelegt worden, um in Rom für Neros größenwahnsinnige Vision Platz zu schaffen. Dieser Verdacht wurde noch gestützt durch ein weiteres Gerücht, dass nämlich das zweite Feuer auf dem Anwesen des Tigellinus ausgebrochen sei. Die Gerüchte hielten sich so hartnäckig, dass Nero den römischen Christen die Schuld in die Schuhe schob. Nach ihrer Festnahme wurden sie in Neros eigenen Gärten und in dem restaurierten Circus Maximus in einer Art öffentlichem Unterhaltungsspektakel umgebracht. Sie wurden in die Felle wilder Tiere gesteckt und von Hunden zerrissen. Andere schlug man ans Kreuz und zündete ihre Körper an, damit sie als Fackeln den Nachthimmel erleuchteten.[25]

Ein passendes Symbol für Neros Exzesse lieferte die Skulptur, die in der Vorhalle des Palastes errichtet wurde: eine 36 m hohe Statue aus massiver Bronze, ein Porträt des Kaisers mit einer Krone aus Sonnenstrahlen auf dem Haupt. Angesichts solcher Extravaganzen wurde es Nero, seinen Ratgebern und dem Senat rasch klar, dass der Wiederaufbau Roms und insbesondere die Verwirklichung des Traumpalastes Geld, viel Geld kosten würde. Allerdings rechneten die Senatoren nicht damit, dass Nero skandalöse Mittel einsetzen würde, um sich dieses Geld zu beschaffen.

»Inzwischen wurde Italien durch das Eintreiben der Geldmittel ausgeplündert, die Provinzen wie auch die verbündeten Völkerschaften und die sogenannten freien Gemeinden ruiniert. In diesen Raubzug wurden auch die Götter einbezogen: in Rom wurden die Tempel geplündert und das Gold herausgeholt, das bei Triumphen und bei Gelübden das römische Volk in seiner ganzen Geschichte in Zeiten des Glücks oder der Furcht geweiht hatte.«[26]

Um sein neues Rom zu finanzieren, trat Nero nicht nur jede seit alters bestehende Tradition mit Füßen. Um den Beginn seines neuen

Zeitalters einzuläuten, war er auch bereit, das Reich an den Rand des Ruins zu bringen. Auf seinen Befehl hin kam es zu einer finanziellen und politischen Krise, die das erfolgreiche Management Roms und seiner Provinzen erschwerte. Wie konnte Nero dies zulassen? Die Domus Aurea war ihm sehr viel wichtiger als die unmittelbar bevorstehende Finanzkrise, die durch die explodierenden Kosten ausgelöst wurde. Dies erklärt auch, warum sich nun der Widerstand gegen ihn verstärkte.

Das Goldene Haus war ein Versuch Neros, mit Hilfe der Kunst seine absolute Vorrangstellung zu unterstreichen. Es sollte zeigen, dass er im römischen Staat mit Recht alle Macht auf sich vereinte. Dass der Kaiser darauf so großen Wert legte, lag an seiner nicht ausreichend gesicherten Legitimität innerhalb der von Augustus begründeten Erbmonarchie, und Agrippina hatte diese Bedenken noch verstärkt. Jetzt glaubte Nero, er habe die Lösung gefunden, um seine Zweifler ein für alle Mal zum Schweigen zu bringen. Als der Palast in Teilen fertiggestellt war, soll er angeblich gesagt haben, »jetzt endlich könne er anfangen, wie ein Mensch zu wohnen«.[27] Nur der größte Palast, den die Welt je gesehen hatte, konnte ihm ein angemessenes Leben ermöglichen. Hinter dieser Einstellung verbarg sich Neros Anspruch, dass er tatsächlich allen anderen Römern überlegen war. Zwar durfte die Plebs Teile der kaiserlichen Residenz betreten, zwar erweckte Nero den Eindruck, als öffne er sein Haus auch für die einfachen Bürger, doch selbst diese Zugeständnisse ließen nicht das Bild eines Volkspalastes entstehen, sondern deuteten auf einen Monarchen, der aus seiner dominanten Position heraus großmütig Geschenke verteilte.[28] Wie sehr sich sein Regierungsstil von dem des Augustus unterschied, hätte nicht klarer zum Ausdruck kommen können. Der erste Kaiser hatte stets die Bescheidenheit seiner Villa betont. Sein Haus auf dem Palatin sollte sagen: »Ich bin ein Senator wie jeder andere.« Das Haus Neros aber sagte: »Ich bin einzigartig; ich bin etwas Besseres.« Warum musste er das so betonen?

Als Augustus den Bürgerkrieg beendet hatte und als Prinzeps den Staat neu ordnete, lag der Löwenanteil der Macht natürlich in seinen Händen: Er konnte sich auf die Ergebenheit des Militärs stützen und war zudem durch die Reichtümer, die er bei seiner Eroberung Ägyptens erworben hatte, unglaublich vermögend geworden. Diese Macht hob ihn als »ersten Bürger« über alle anderen Römer hinaus und ermöglichte ihm, den Staat zu kontrollieren. Solange sich Augustus dezent und scheinbar verfassungskonform verhielt und auf diese Weise seine Vormachtstellung verschleierte, nahmen die anderen diese Situation hin. Doch anders als bei Augustus war Neros Anspruch auf dieselbe Position nicht selbstverständlich. Da er weder die Gelegenheit noch das Interesse gehabt hatte, sich durch militärische Erfolge zu profilieren, genoss er bei den Truppen kein sonderliches Ansehen. Außerdem war er nicht übermäßig begütert. Seine Stellung hatte er nur seinem Erbe zu verdanken. Er war in sie hineingeboren worden – mehr nicht.

Bis zum Jahre 64 n. Chr. hatten die Ermordung seiner Mutter Agrippina, der Urenkelin des Augustus, und der gewaltsame Tod seiner Frau Octavia, der Tochter des Kaisers Claudius, Neros Anwartschaft auf den Thron weiter geschwächt. Er musste befürchten, dass andere Mitglieder der julisch-claudischen Dynastie ebenfalls ihre Rechte geltend machen könnten und dass sie als potentielle Rivalen um die Macht bereits in den Startlöchern säßen. Letztlich gab Seneca den Ausschlag. Neros früherer Lehrer fühlte sich zunehmend entfremdet und stand nicht mehr zur Verfügung, um dem Kaiser zu raten, wie er seine Macht kaschieren könne, wie er mit dem Senat umgehen und mit Freundlichkeit, Takt, Offenheit und Milde regieren solle. Aus diesen Gründen griff Nero vor allem zu einem Mittel, um sich über die Unsicherheit seines Thronanspruchs hinwegzutrösten: Er wählte einen Herrschaftsstil, mit dem er explizit und offensiv seinen Vorrang vor seinen Konkurrenten geltend machte.

Mit der einzigartigen Pracht und dem künstlerischen Ehrgeiz des Goldenen Hauses betonte Nero nicht nur seine eigene Vortrefflichkeit, sondern auch seine absolute Überlegenheit gegenüber allen anderen, und er tat das auf eine Art und Weise, die für viele Senatoren und ambitionierte Ritter absolut unerträglich war. Im folgenden Jahr schmiedete eine kleine Gruppe von ihnen ein ernsthaftes Komplott, um ihn loszuwerden.

Das Komplott

Dass das Grummeln und Murren einiger unzufriedener Aristokraten, die ihr Los verbessern wollten, tatsächlich zu einem Attentatsversuch auf das Leben des Kaisers führen konnte, lag am zweiten Präfekten der Prätorianergarde, Rufus. Bis zum Jahre 65 n. Chr. hatte der fähige und tüchtige Rufus drei Jahre lang unter Tigellinus' Beleidigungen und Verleumdungen gelitten und mit ansehen müssen, wie dieser immer mächtiger wurde und ständig mehr Einfluss auf den völlig haltlosen Kaiser ausübte. Er führte den Verschwörern weitere wichtige Mitglieder der kaiserlichen Leibwache zu: Regiments- und Kompanieführer sowie etliche Offiziere. Ihre Unterstützung war von entscheidender Bedeutung.

Die Verschwörer wurden von dem Senator Scaevinus angeführt und hatten einen simplen Plan: Sie wollten Nero durch einen der Ihren, Gaius Calpurnius Piso, ersetzen. In ihren Augen war dieser der ideale Kandidat. Piso kam aus einem erlauchten Adelsgeschlecht der Republik. Aus der jüngeren Vergangenheit gab es Verbindungen mit dem julisch-claudischen Kaiserhaus, die sich bis auf Caesar und Augustus zurückverfolgen ließen. Piso wurde auch von den Plebejern sowohl als Senator wie auch als Anwalt, der oft ihre Verteidigung übernommen hatte, sehr geschätzt. Er war leutselig, charmant und als brillanter Unterhalter bei den Gesellschaften der Oberschicht gern gesehen. Er war ein Politiker, der sogar Nero zu seinen Freunden zählte. Doch jetzt war er im Begriff, diese Freundschaft zu verraten. Er sah sich zu dieser, wie er sagte, extremen Maßnahme gezwungen, um die Freiheit des Staates wiederherzustellen und das Gemeinwesen vor einem tyrannischen, habgierigen Kaiser zu schützen, der dabei war, Rom in den Abgrund zu reißen. Andere indessen behaupteten, er habe nur die Verfolgung seiner eigenen Interessen im Auge.

Die Verschwörer zögerten so lange, dass ihr Plan Gefahr lief, entdeckt zu werden. Eine Freigelassene namens Epicharsis hatte versucht, den Flottenkapitän Proculus für das Komplott zu gewinnen, weil sie seine Unzufriedenheit mit dem Regime Neros als die Bereitschaft, sich den Attentätern anzuschließen, missverstanden hatte. Daraufhin warnte

Proculus, obwohl er die Namen der Verschwörer nicht kannte, den Kaiser, und Epicharsis wurde festgenommen. Nun galt es zu handeln. In einer geheimen Versammlung beriet man darüber, wie Nero getötet werden solle. Jemand schlug vor, ihn in Pisos Luxusvilla nach Baiae einzuladen, doch dieser weigerte sich, die heiligen Bande der Gastfreundschaft zu entweihen. Das würde, wie er sagte, einen schlechten Eindruck machen. Insgeheim fürchtete er allerdings, dass, wenn Nero außerhalb von Rom ums Leben käme, ein anderer aristokratischer Rivale, Lucius Junius Silanus Torquatus, ein Nachfahre des Augustus, die Macht an sich reißen und ihn um die Früchte der Verschwörung bringen könne. Schließlich einigten sie sich darauf, bei den Spielen im Circus Maximus zuzuschlagen, einem Ereignis, bei dem der Kaiser mit einiger Sicherheit zugegen sein würde.

Bevor sie auseinandergingen, spielten die Verschwörer durch, wie sie den Kaiser angreifen wollten: Der physisch kräftigste Senator sollte Nero eine Petition überreichen, in der er ihn um finanzielle Unterstützung bat. Dann sollte er ihn packen, zu Boden werfen und festhalten, bis ihn die enttäuschten Prätorianer erdolcht hätten. Scaevinus sollte bei dieser blutigen Aktion das Kommando führen. Dieser hatte seit einiger Zeit unter seiner Toga immer einen Dolch bei sich – als Totem, der seinem Vorhaben Glück bringen sollte. Diesen Dolch hatte er sich in einem Tempel besorgt, der der Salus, der personifizierten Göttin des Staatswohls, geweiht war. Auf diese Weise bekam, wie die Attentäter glaubten, der im Interesse des Staates geplante Mord eine zusätzliche Glaubwürdigkeit. In Wirklichkeit war das geplante Szenario ein Stück makabren Theaters, eine geradezu unglaubliche Reinszenierung der Ermordung eines anderen Tyrannen: Nero sollte auf dieselbe Weise umkommen wie Julius Caesar.

Am Vorabend des Verbrechens war Scaevinus melancholisch gestimmt. Er unterzeichnete sein Testament und regelte seine Angelegenheiten: Er ließ sogar seine Sklaven frei und bedachte sie mit Geschenken. Einer von ihnen, Milichus, erhielt von seinem Herrn zwei letzte Aufträge: Er sollte den Dolch schärfen und außerdem Verbandszeug bereitlegen. Milichus schöpfte sofort Verdacht, aber als Scaevinus später einige Gäste zum Abendessen empfing, schien der Senator genauso munter wie immer. Doch obwohl er heiter plauderte, war seine Zerstreutheit nicht zu übersehen.

Auch Milichus war in dieser Nacht hin- und hergerissen. Ihn quälte der Gedanke, jemand könne ihm zuvorkommen und Nero über die Gefahr, in der er schwebte, als Erster informieren. So schlich er sich, von seiner Frau ermutigt, am nächsten Tag in der Hoffnung auf eine großzügige Belohnung aus dem Haus, um dem Kaiser seinen Verdacht zu melden. Zunächst wollten ihn die Türsteher nicht vorlassen, doch er blieb hartnäckig und erhielt schließlich, von Epaphroditus, einem Freigelassenen Neros, begleitet, die gewünschte Audienz. Er unterrichtete den Kaiser über das geplante Attentat und zeigte ihm auch den Dolch, mit dem er ermordet werden sollte.

Scaevinus wurde sofort festgenommen und in den Palast gebracht, wo er Tigellinus gegenübergestellt wurde. Der Senator blieb ganz ruhig und gelassen und bestritt alle Anschuldigungen. Der Dolch sei, so sagte er, ein Familienerbstück und von jenem undankbaren, verlogenen Sklaven gestohlen worden. Was mit dem Testament sei? »Ach, ich habe des Öfteren neue Bestimmungen hinzugefügt«, gab er zur Antwort. »Und immer mal wieder habe ich Sklaven die Freiheit geschenkt, um den Forderungen meiner Gläubiger nach meinem Tod zuvorzukommen.« Diese Antworten ließen Milichus' Anschuldigungen als unglaubwürdig erscheinen, und Scaevinus schien aus dem Schneider. Man war dabei, sich zu blamieren: Was als offizielle Ermittlung wegen Hochverrats begonnen hatte, stellte sich als peinlicher Irrtum heraus. Doch gerade als sich das Blatt zugunsten von Scaevinus wendete und dieser bereits gehen wollte, meldete sich Milichus noch ein letztes Mal zu Wort: Er habe, so behauptete er, gesehen, wie sich der Ritter Natalis ausführlich mit Scaevinus besprochen habe.

Nun hatte Tigellinus Blut gerochen und wollte sehen, ob Scaevinus' und Natalis' Aussagen übereinstimmten. Der Ritter wurde umgehend festgenommen und in den Palast gebracht. Die beiden Männer wurden getrennt verhört und lieferten widersprüchliche Berichte. Jetzt verzichtete Tigellinus auf die menschenfreundliche Form der Befragung und griff, um die Wahrheit herauszufinden, zu dem wirkungsvolleren Instrument der Folter. Und natürlich konnte er im Handumdrehen

sehr viele Informationen erpressen. In Anwesenheit Neros brach Natalis schon bei der ersten Androhung von Schmerzen zusammen. Er
denunzierte Piso, platzte aber in seiner Panik auch mit dem Namen
eines anderen heraus: Seneca. Tigellinus eilte sofort in den anderen
Vernehmungsraum und konfrontierte Scaevinus mit Natalis' Geständnis. Der Senator musste sich geschlagen geben und gab dann auch die
Namen der anderen Verschwörer preis. Dass es so viele Leute auf sein
Leben abgesehen hatten, kränkte Nero zutiefst und verstärkte seine
Unsicherheit: Nachdem er sich so überaus großzügig gezeigt und nach
allem, was er für die Senatoren getan hatte – war das die Art, wie sie
ihm ihre Dankbarkeit bezeugten?

Der Terror, der nun folgte, ließ keinerlei Zweifel daran aufkommen,
dass Neros Regime in eine Tyrannis umschlug. Rom und die Nach-
bargemeinden wurden durch Militärabteilungen besetzt und abgeriegelt. Alles deutete auf einen Staatsnotstand. Neros Zorn traf ausnahms-
los jeden, der auf der Liste der Verdächtigen stand. Tigellinus' Soldaten
gingen auf Menschenjagd, legten so viele, wie sie konnten, in Fesseln
und brachten sie vor die Tore des kaiserlichen Palastes. Zwar verweigerten viele anfangs ein Geständnis, aber letztlich beugten sich alle der
Folter oder ließen sich durch die Zusicherung eines Freispruchs zu einer Aussage verleiten. Im Prozess belasteten sie ihre Freunde und sogar
ihre eigenen Familienangehörigen. Die damaligen Gerichtsverfahren
waren ohne feste Regeln. Der geringste Verdacht reichte für eine Anklage aus: Bei Neros Terrorkampagne galt es »schon als ein Verbrechen, wenn [die Beschuldigten] sich einmal mit den Verschworenen
gefreut, zufällig sich unterhalten hatten, unvorhergesehen ihnen begegnet waren, mit ihnen gespeist oder mit ihnen zusammen ein Schauspiel besucht hatten«.[29]

Bisher hatte allerdings noch niemand den zweiten Präfekten der Prätorianergarde, Faenius Rufus, denunziert. Um seine Beteiligung an der
Verschwörung vor Tigellinus und Nero zu verbergen, wütete, folterte
und verhörte er brutaler als jeder andere. Während einer grausam geführten »Gerichtsverhandlung« warf ein Offizier der Prätorianer, der
gleichfalls noch nicht überführt worden war, Rufus einen verstohlenen
Blick zu. Er wartete auf das Zeichen, Nero anzugreifen und zu töten.

Doch als der Offizier sein Schwert ziehen wollte, wurde ihm von Rufus, der die Nerven verlor, Einhalt geboten. Die letzte Gelegenheit war verpasst, die letzten Funken der Verschwörung verloschen.

Währenddessen zog Nero immer brutaler und unerbittlicher gegen die Aristokratie zu Felde. Kurz nach der Entdeckung der Verschwörung hatte man Piso aufgefordert, sich ins Lager der Prätorianer und aufs Forum zu begeben und überall, wo er nur könne, zu versuchen, die Soldaten und das Volk gegen den Kaiser aufzuwiegeln. Doch er hatte abgelehnt. Stattdessen nahm er sich das Leben, indem er sich, bevor Tigellinus' Soldaten seiner habhaft werden konnten, die Pulsadern öffnete. Der spektakuläre Zusammenbruch der Verschwörung fand seinen symbolischen Ausdruck in Pisos Testament: Piso schmeichelte dem Kaiser, um zu verhindern, dass dieser sich an seiner Frau räche. Seneca allerdings sollte nicht so schnell nachgeben.

Neros Tutor hatte sich an der Verschwörung nicht beteiligen wollen. Natalis hatte nur gegen ihn ausgesagt, um Nero gefällig zu sein. Obwohl er schon lange keinen Einfluss mehr auf ihn nahm, blieb Seneca ein Stachel im kaiserlichen Gewissen, und Natalis wusste, dass Nero seinen Erzieher insgeheim schon längst los sein wollte. Natalis' feiger Versuch, dem Tod zu entkommen, indem er sich beim Kaiser anbiederte, hatte Erfolg, und dieser ließ sich die Gelegenheit, Seneca für immer zum Schweigen zu bringen, nicht entgehen. Als die Prätorianer eintrafen und Senecas Haus umstellten, war der betagte Senator gerade beim Abendessen. Da er nichts zu verbergen hatte, beteuerte er voller Würde seine Unschuld. Der befehlshabende Offizier, Gavius Silvanus, erstattete Nero entsprechend Bericht. Senecas früherer Schüler aber meinte, sich über die Unschuld seines Erziehers durchaus hinwegsetzen zu dürfen, und schickte den Offizier mit einem Todesurteil zurück aufs Land.

Silvanus hütete jedoch ein schreckliches Geheimnis: Er hatte selbst zu den Verschwörern gehört. Nun sah er sich gezwungen, die Verbrechen Neros fortzusetzen – dabei hatte er sich doch, weil er sie rächen wollte, dem Komplott angeschlossen. Da er es nicht über sich bringen konnte, den Todesbefehl persönlich zu übermitteln, schickte er einen seiner Untergebenen. Wie Piso und viele andere entschied sich auch

Seneca für den Freitod und schnitt sich die Pulsadern auf. Als das Blut
aber zu langsam abfloss, öffnete er sich auch die Adern an den Schen-
keln und Kniekehlen. Senecas Frau Paulina hatte darauf bestanden,
zusammen mit ihrem Mann zu sterben und sich ebenfalls die Pulsadern
zerschnitten. Da Seneca nun befürchtete, dass der Anblick der Schmerzen des anderen ihrer beider Entschlossenheit ins Wanken bringen und
ihren Qualen nur verschlimmern werde, bat er seine Frau, in ein anderes Zimmer zu gehen. Nero hatte mit diesem Pakt zwischen den
Eheleuten gerechnet und in einem letzten Rachegelüst – oder war es
Milde? – seine Soldaten angewiesen, Paulinas Tod zu verhindern. So
wurde sie wiederbelebt, ihre Wunden verbunden. Sie lebte noch einige Jahre »mit so bleichem und fahlem Gesicht und Körper, daß man
deutlich sah, wie viel sie von ihrer Lebenskraft eingebüßt hatte«.[30]

Wie nicht anders zu erwarten, wurde auch Faenius Rufus von seinen Mitverschwörern verraten. Weil er zu ihrem Untergang beigetragen hatte, gab es einfach zu viele, die ihn entlarvt wissen wollten, nicht
zuletzt der inhaftierte Scaevinus. Als Rufus dem Senator bei einem
Verhör nähere Informationen über das Komplott abpressen wollte,
trieb er es zu weit. Der Anführer der Verschwörung sagte nur, er solle
sich selbst befragen, denn »keiner wisse mehr als er selbst«.[31] Rufus'
betretenes Schweigen verriet seine Mitschuld und so wurde er festgenommen. Tigellinus war wahrscheinlich höchst erfreut, dass die Karriere seines Kollegen ein so abruptes Ende nahm.

Mit Unterstützung kaisertreuer Genossen wie Nymphidius Sabinus
und dem servilen Senator Petronius Turpilianus machte Tigellinus mit
den restlichen Verschwörern in der Prätorianergarde und im Senat
kurzen Prozess. Um sich für die Zukunft die Treue der Soldaten zu
sichern, gab Nero jedem eine Belohnung von 2000 Sesterzen und versorgte sie mit kostenlosem Getreide. Turpilianus und Tigellinus wurden mit der Ehre eines Triumphs ausgezeichnet, während Sabinus ein
Konsulat erhielt und, als Nachfolger des Faenius Rufus, zum zweiten
Präfekten der Prätorianergarde befördert wurde. Schließlich gab es die
übliche Gratulationscour, gefolgt von zahlreichen Feiern. Nero brachte den Göttern Dankopfer dar und der eingeschüchterte Senat schloss
sich, sklavisch ergeben, der Zeremonie an.

Als die Sicherheit des Staates und die Vorrangstellung des Kaisers wieder gewährleistet waren, bewies Nero etwas mehr Gelassenheit und Zurückhaltung, indem er Antonius Natalis wegen seines schnellen Geständnisses begnadigte und anderen ihre Strafen erließ. Doch die offene Gewaltherrschaft eskalierte erneut, als er den ehrgeizigsten Wunsch seines Lebens verkündete: Er wollte als Künstler und Schauspieler auftreten. Öffentlich. In Rom.

Der Niedergang

Überall in den Säulengängen Roms, in den Häusern und Bädern der führenden Politiker wurde getuschelt. Die Senatoren versuchten nun verzweifelt, eine neue Krise abzuwenden. Konnte das wirklich wahr sein? Der Kaiser von Rom, der mächtigste Mann der Welt, wollte allen Ernstes dem niederen, von der konservativen Elite der römischen Gesellschaft so total verachteten Gewerbe eines Schauspielers nachgehen? Der Veranstaltungsort: das Theater Pompeius' des Großen. Der Anlass: die zweiten Neronia. In der Republik und frühen Kaiserzeit hatten führende Magistrate Spiele veranstaltet, um das Prestige ihrer Familie zu betonen und um politischen Einfluss zu gewinnen. Jetzt wollte Nero seine Überlegenheit unter Beweis stellen, indem er die Neronia, die damals bedeutendsten Spiele, aus eigener Tasche finanzierte. Alle römischen Bürger, die in Italien und den Provinzen lebten, waren zu dem Fest geladen, und man munkelte bereits, dass sich der Kaiser bis auf die Knochen blamieren und seinen Ruf völlig ruinieren werde.

Die Senatoren ließen sich rasch etwas einfallen: Bei einer Zusammenkunft mit den privaten Beratern im Kaiserpalast boten sie Nero schon im Voraus ganz dezent den ersten Preis nicht nur in der Sparte »Gesang« an, sondern auch in der Kategorie »politische Rede«. Auf diese Weise wollten sie den Kaiser davon abbringen, in der von ihm bevorzugten Spezialdisziplin des Schauspielers aufzutreten. Dieser aber wies diesen heuchlerischen Vorschlag ohne Umschweife zurück: Er müsse sich, wie er sagte, dem Publikum stellen und mit den anderen

Künstlern unter gleichen Bedingungen in Konkurrenz treten. Es dürfe
keine Sonderrechte geben.

Während der Kaiser fleißig probte, wurde von dem Magistrat, der
den Vorsitz über die Spiele hatte, ein Thema ausgewählt: Das goldene
Zeitalter. Er entschied sich für dieses Motto, weil die Neronia in eine
Zeit fielen, als Nero gerade auf Schatzsuche war, zu der ihn ein oppor-
tunistischer Karthager namens Caesellius Bassus verleitet hatte. Dieser
hatte Nero von der Existenz dieses Schatzes so vollkommen überzeugt,
dass der Kaiser in der Erwartung, dass die Suche Erfolg haben werde,
weiterhin für die Spiele, sowie für den Palast und den Wiederaufbau
Roms viel Geld ausgab. Der Schatz tauchte niemals auf. Wie es das
Thema nahelegte, bestachen die Spiele durch Pracht und Üppigkeit:
Es gab erlesene Opfer und extravagante, farbenprächtige Prozessionen
mit Bildern der Götter und des Kaisers. Die Wettbewerbe nach griechischem Vorbild, an denen die Zünfte der darstellenden Künste sowie
zahlreiche Sportler teilnahmen, reichten von Wagenrennen und gymnischen Agonen (z. B. Laufen, Speerwerfen, Bogenschießen) bis zur
Poesie, dem Wettkampf der Herolde, dem Kitharaspiel und der Rezi-
tation komischer und tragischer Theaterszenen. Es gab sogar einen besonderen Nervenkitzel, einen Verstoß gegen die guten alten Sitten:
Die Sportveranstaltungen, bei denen die Männer nackt kämpften und
von denen Augustus die Frauen einst ausgeschlossen hatte, fanden nun
nicht nur in Anwesenheit von adligen und plebejischen Römerinnen
statt, sondern es waren sogar die Vestalischen Jungfrauen zugegen. Diese aristokratischen Priesterinnen weihten 30 Jahre ihres Lebens dem
Dienst der Vesta, der Göttin des Herdfeuers. Dass sie jetzt dabei sein
durften, verdankten sie den Griechen. Bei diesen war es üblich, dass
Priesterinnen bei solchen Ereignissen zuschauten, also sollte das bei
Neros Spielen auch so sein. Der Kaiser sah alle seine Wünsche erfüllt,
doch die Peinlichkeiten sollten nicht lange auf sich warten lassen.

Als Nero die Bühne betrat, um am Agon seiner Wahl, der Rezita-
tion tragischer Verse, teilzunehmen, wurde er von Mitgliedern der
Prätorianergarde begleitet. Die Rolle des militärischen Rückgrats
Roms und der polizeilichen Elitetruppe des Kaisers beschränkte sich
darauf, Neros Musikinstrument zu tragen. Der Kaiser selbst wirkte un-

sicher und bot in seinem authentischen Schauspieleraufzug einen grotesken Anblick. Er trug die entsprechende Theatermaske, ein unheimliches Gesicht mit einer verlängerten Stirn; dazu Kothurne, Theaterschuhe mit Plateausohlen; eine reich bestickte farbenprächtige Tunika; darunter Brust- und Schulterpolster, die ihm auf der Bühne ein imposanteres Aussehen verleihen sollten. Nach seinem Vortrag deklamierte er eine Passage aus seinem selbstverfassten Werk über den Untergang Trojas. Die römische Plebs spendete ihm donnernden Applaus; hingerissen und entzückt darüber, dass der Kaiser von Rom zu ihrer Unterhaltung auftrat, verlangten sie Zugaben.

Hinter den Kulissen wurde der Kaiser von Aulus Vitellius, einem Freund aus der Aristokratie, ermutigt, dieser Forderung nachzukommen. Sein Drängen lieferte Nero die gewünschte Rechtfertigung: Sich dem Willen der Zuschauer beugend, kehrte er auf die Bühne zurück, diesmal, um die Kithara zu schlagen und zu singen. Da er tatsächlich das Urteil der Jury fürchtete und überzeugt war, dass er mit den anderen Konkurrenten unter gleichen Wettbewerbsbedingungen kämpfte, nahm er seinen Auftritt sehr ernst und hielt sich peinlich genau an alle Vorschriften: Er zeigte die geforderten würdevollen Posen, vermied es, sich mit einem Tuch den Schweiß abzuwischen, und unterdrückte jedes auffällige Räuspern oder Niesen. Nach seinem Gesang beugte er das Knie, warf dem Volk einen Handkuss zu und wartete auf das Urteil. Die Preisrichter boten bei ihrer Beratung nun selbst alle ihre schauspielerischen Fähigkeiten auf, bevor sie den ersten Preis vergaben. Der Gewinner war Nero.

Jetzt klatschten und jubelten die römischen Massen erneut und trampelten vor Begeisterung. Viele Ritter aber, so ist überliefert, waren angewidert und stimmten mit den Füßen ab. Als sie hastig das Theater verließen, wurden einige von ihnen von der Menge erdrückt. Tatsächlich war der Jubel jedoch mit tyrannischen Methoden erzwungen worden. Die eher konservativen Bürger Italiens und der Provinzen waren von dem, was sie sahen, entsetzt. Dennoch applaudierten sie zusammen mit den anderen. Sie hatten keine Wahl: Sie wurden von Neros professioneller Claque, die der Kaiser im Publikum verteilt hatte, mit wiederholten Schlägen dazu gedrängt. Diese ehrgeizigen jungen Männer, die sogenannten Augustiani, waren aufstrebende Künstler aus dem Ritterstand und bildeten eine von Nero gegründete 5000 Mann starke Spezialabteilung. Als offizieller Fanklub des Kaisers ohrfeigten, beschwatzten und schikanierten sie Zuschauer, die sich langweilten oder empörten. Sie agierten auch als Geheimpolizei: Sie bespitzelten die Bevölkerung und notierten die Namen derer, die bei den Spielen nicht erschienen oder den Eindruck erweckten, sich nicht zu amüsieren.[32]

Den Auftritt des Kaisers nicht zu bejubeln war gleichbedeutend mit Verrat. Doch das war nur ein Aspekt der Spiele, mit dem sich die senatorische Elite nicht abfinden konnte. Denn Nero zwang sie nicht nur dazu, ihm Beifall zu klatschen, sondern versuchte mit seinen Neronia auch das Volk so für sich zu gewinnen, dass der Senat politisch ins Abseits gedrängt wurde. Die grandiosen Spiele verhöhnten die Behauptung, der erste Bürger und der Senat ständen auf einer Stufe. Sie waren ein schlagender Beweis dafür, dass sich Nero über die staatlichen Institutionen hinwegsetzte: Er wollte die Menschen für sich gewinnen, indem er an ihre Emotionen appellierte. Sie sollten Ehrfurcht vor ihm empfinden und sich für ihn als Individuum begeistern. Niemand sonst, so murrten neidvoll die Senatoren, sei in der Lage, ähnlich aufwändige Spiele zu geben. Keiner von ihnen könne sich deshalb beim Volk jemals so beliebt machen wie Nero.

Während des darauf folgenden Jahres gab es noch extravagantere und anstößigere Schauspiele, und jedes Mal bot Nero dasselbe Bild – das eines Tyrannen, der sich in eine Phantasiewelt zurückzog, unfähig, die Realität von der Illusion zu unterscheiden. Das Staatsbegräbnis für Poppaea war ein solcher Augenblick. Kurz nach den Spielen war Nero eines Abends im Anschluss an den Besuch der Wagenrennen wütend nach Hause gekommen und hatte seine Frau so heftig getreten, dass sie und ihr ungeborenes Kind daran starben. Poppaea hatte früher einmal gesagt, dass sie nicht mehr leben wolle, wenn sie ihre besten Jahre hinter sich habe[33] – ihr Wunsch ging in Erfüllung. Bei dem mit einem feierlichen Trauerzug verbundenen Staatsbegräbnis, das Neros Kummer zum Ausdruck bringen sollte, missachtete er wiederum jede Tradition und das, was die Römer als schicklich empfanden. Poppaeas Leichnam wurde nicht nach römischer Sitte verbrannt, sondern, wie

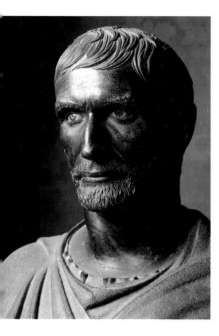

oben Die Bronzebüste aus dem
3. Jahrhundert v. Chr. könnte Lucius
Junius Brutus darstellen, den Mann,
der die erste Revolution in der römischen Geschichte herbeiführte. Er leite-
te im Jahre 509 v. Chr. den Staatsstreich gegen Tarquinius Superbus,
vertrieb mit einer Gruppe von Adligen den letzten König Roms und begründete die neue römische Republik.

rechts Die Verpflichtung eines
römischen Aristokraten, sich der Leistungen seiner verstorbenen ruhmreichen Vorfahren würdig zu erweisen, lag als ein Hauptmotiv der römischen Expansionspolitik zugrunde.
Die Skulptur aus dem 1. Jahrhundert
v. Chr. zeigt einen Adligen in der
Toga, dem bei offiziellen Anlässen
getragenen Gewand. Die schweren
Büsten, die er bei sich trägt, stellen
(vermutlich) seine Ahnen dar.

oben Aus dem 3. Jahrhundert v. Chr. stammende archäologische Überreste von Straßen, Häusern und Läden in Karthago. Die nordafrikanische Metropole war Roms große Rivalin im Kampf um die Vorherrschaft im Mittelmeerraum. Ihre vollständige Zerstörung im Jahre 146 v. Chr. war die entscheidende Wendemarke in der Geschichte der römischen Expansionspolitik. Indem sie das Reich der Karthager zerschlugen, dehnten die Römer ihr eigenes Herrschaftsgebiet nach Nordafrika aus.

links Eine Neuverteilung von Grund und Boden (verbunden mit der Frage, wem das Römische Reich Nutzen bringen solle) bildete das Herzstück der Reformen des Tiberius Gracchus in den 30er Jahren des 2. Jahrhunderts v. Chr. Wie die Luftaufnahme vom norditalienischen Imola zeigt, lässt sich die damals erfolgte Landverteilung noch heute an der in Parzellen zerlegten Flur ablesen.

oben *Cornelia, die Mutter der Gracchen*, Gemälde von Jean-François-Pierre Peyron (1781). Die aus dem Hochadel stammende Mutter des Tiberius Gracchus war berühmt für ihre Ablehnung von äußeren Zeichen des Wohlstands, den die Expansion des Römischen Reiches mit sich brachte. Hier gibt sie (Mitte links, sitzend) einer Besucherin zu verstehen, dass ihre Söhne ihre einzigen »Kleinode« seien. Dafür dass sie diese mit unerschütterlicher Tugendhaftigkeit für das politische Leben erzog, wurde Cornelia als erste Römerin mit einer Bronzestatue geehrt.

unten In den letzten 150 Jahren der Republik wurde das römische Forum zu einem sehr realen Schlachtfeld politischer Auseinandersetzungen. In einer Zeit, bevor viele der Marmorgebäude, deren Überreste hier zu sehen sind, errichtet wurden, war das Forum Zeuge der Kämpfe um die Reformen der beiden Gracchen und der Gewalttätigkeiten von Caesars und Pompeius' Schlägertrupps. Hier wurden auch die abgeschlagenen Hände und die Zunge des Senators Cicero auf makabre Weise öffentlich zur Schau gestellt.

oben Die Skulpturen der beiden »mächtigen Feldherren« und politischen Verbündeten im Kontrast: Pompeius der Große (links) und Julius Caesar (rechts). Im Porträt des Pompeius wird die für Alexander den Großen typische Frisur nachempfunden, die bei Pompeius allerdings ein wenig merkwürdig aussieht. Die Büste Caesars bringt die Gefühlskälte und Cleverness des Mannes zum Ausdruck, der Pompeius im Bürgerkrieg besiegte, die römische Republik zerstörte und das Zeitalter der »Caesaren« einleitete.

unten *Vercingetorix wirft seine Waffen Caesar zu Füßen*, Gemälde von Lionel-Noël Royer (1899). Mit dem Sieg über die vereinten Kampftruppen des Vercingetorix, des Anführers der gallischen Erhebung, im Jahre 52 v. Chr. endete Caesars achtjähriger Eroberungsfeldzug. Der Ruhm, den er sich in Gallien erwarb, und die Ergebenheit seines Heeres machten Caesar zum mächtigsten Mann der römischen Republik.

oben *Der Tod des Julius Caesar* von Vincenzo Camuccini (1798). Im Senatsgebäude, das sein alter Rivale Pompeius dem Staat gestiftet hatte, bricht Caesar vor dessen Statue zusammen. Seine Ermordung durch selbsternannte »Befreier«, die eine Königsherrschaft befürchteten, konnte die Entwicklung zur Autokratie nicht verhindern.

links/oben Die sehr unterschiedlichen Augustus-Standbilder aus dem frühen 1. Jahrhundert n. Chr. spielten eine wichtige Rolle für den Kaiserkult und die Herrscherideologie. Oben (die Statue wurde in Prima Porta unweit von Rom gefunden) ist Augustus als Halbgott und als militärischer Oberbefehlshaber porträtiert, links, mit der Toga bekleidet, verkörpert er als Pontifex Maximus (Oberpriester) die religiöse Tugendhaftigkeit und die fromme Bewahrung der römischen Tradition (Fundort: Via Labicana, Rom).

links Porträt eines Bäckers mit einer Frau (Pompeji, 1. Jahrhundert n. Chr.). Der Mann hält eine Schriftrolle, die Frau einen Griffel und Schreibtäfelchen in Händen. Interessanterweise hat sich hier ein Paar aus relativ einfachen Verhältnissen mit den Symbolen der Gelehrsamkeit darstellen lassen. Ob sie sich an klassischen lateinischen Dichtern wie Vergil, Horaz, Properz, Tibull und Ovid erfreut hätten, entzieht sich unserer Kenntnis.

rechts Auf der ungewöhnlichen Goldmünze aus dem Jahr 54 n. Chr. ist Nero im Alter von 17 Jahren zusammen mit seiner Mutter Agrippina abgebildet. Ihre Namen und Titel befinden sich zusammen mit denen ihres Sohnes auf dem Münzrand. Dies ist das erste und einzige Mal, dass die Mutter eines römischen Kaisers in dieser Form geehrt wird. Die Münze beweist, dass Agrippina zu jener Zeit außerordentlich einflussreich war.

gegenüberliegende Seite Das Fresko (1. Jahrhundert v. Chr.) zeigt einen Garten von Augustus' Landhaus in Prima Porta bei Rom. Das raffinierte Gemälde will im Inneren des Hauses die Schönheiten des Gartens einfangen. Die Szene ist ganz unrealistisch: So blühen hier die verschiedensten Blumen alle zur gleichen Zeit und der Garten ist von 69 Vogelarten bevölkert.

oben Fresko mit Wagenrennen (Pompeji). Nero war ein glühender Anhänger dieses Sports. Die Rennställe unterschieden sich durch ihre Farben: rot, weiß, grün und blau. Auch schon damals gab es hartgesottene Fans, die sich den Namen ihres Teams auf den Grabstein setzen ließen, und Snobs, die sich über deren Begeisterung für ein »Mannschaftstrikot« lustig machten.

unten Szene aus der Zeit Neros. Im Jahre 59 n. Chr. kam es im Amphitheater von Pompeji zu Ausschreitungen unter den Zuschauern. Aufgrund der Prügeleien zwischen den Einheimischen und den Besuchern aus dem benachbarten Nuceria ließ der Senat die Austragung von Gladiatorenspielen in Pompeji für die Dauer von zehn Jahren verbieten.

oben Das elegante Fresko (etwa 65 n. Chr.) schmückt eine stuckverzierte Decke in Neros Goldenem Haus. Der private Palast im Zentrum Roms bot Anlass zu einem bissigen Grafitto: »Rom wird zu einem einzigen Haus. Römer, emigriert nach Veji, falls nicht auch schon Veji von diesem Haus verschluckt ist!« Die Künstler der Renaissance wie z. B. Raphael ließen sich von diesen Gemälden inspirieren.

unten Grundriss des Untergeschosses des Goldenen Hauses. Die Überreste liegen unter den Trajansthermen und wurden vor einiger Zeit restauriert. Trotz ihrer beeindruckenden Größe machten sie nur einen Teil der Palastanlage aus.

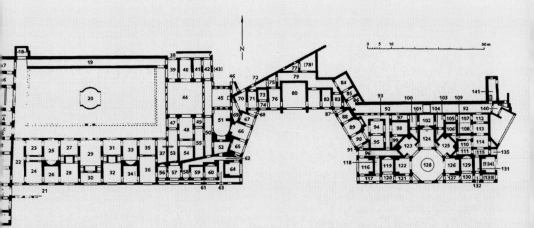

links Büste Senecas. Seneca war Senator, Philosoph, Verfasser von Tragödien, Satiriker und der Erzieher Neros. In seinem wichtigen philosophischen Werk rät er Nero, seine absolute Macht mit »Milde« auszuüben. Er wurde jedoch auch kritisiert, weil er angeblich Nero zum Tyrannen erzogen hatte.

unten Mosaik aus Pompeji mit einer Szene aus einer Komödie des Griechen Menander. Fast in der gesamten römischen Geschichte spielte die griechische Kultur eine sehr wichtige, wenn auch ambivalente Rolle. Sie wurde gefeiert, aber auch als dekadent und verweichlicht getadelt und galt als ein Grund für den Untergang Griechenlands.

rechts Eine zeitgenössische Büste des Kaisers Vespasian. Während Nero für seine Verschwendungssucht berüchtigt war, stand Vespasian für die Rückkehr zu finanzieller Solidität. Eine seiner neuen Steuern wurde auf Urin erhoben (der z. B. in römischen Gerbereien und Waschhäusern benötigt wurde). Als ihm sein Sohn vorhielt, diese Form der Abgabe sei unehrenhaft, hielt er ihm einige Goldmünzen unter die Nase und fragte ihn, ob ihn der Geruch störe.

unten Reliefplatte vom Titusbogen (80er Jahre des 1. Jahrhunderts n. Chr.). Die hier dargestellten Soldaten tragen die heiligen Kultgegenstände, die sie nach der brutalen Niederschlagung der jüdischen Revolte (66–70 n. Chr.) aus dem Tempel von Jerusalem geraubt haben. Das Monument sollte die römische Macht feiern und die Herrschaft der »siegreichen« Feldherren Vespasian und Titus legitimieren.

oben Das Felsplateau von Masada, dem letzten Bollwerk jüdischen Widerstandes gegen die römischen Besatzer. Im Jahre 74 n. Chr. ließ der Kommandant Flavius Silva zuerst eine Mauer um das Plateau und dann eine massive Belagerungsrampe (rechts im Bild) errichten. Als die Römer die Spitze der Festung erreichten, hatten sich die Verteidiger, um der Gefangennahme oder Kapitulation zuvorzukommen, selbst umgebracht.

unten Der Aquädukt bei Segovia in Zentralspanien stammt aus der Blütezeit des Imperiums und wurde wahrscheinlich unter Trajan (98–117 n. Chr.) erbaut. Dieses Meisterwerk der römischen Ingenieurskunst, das sich die Natur untertan machte, transportierte das Wasser von den 15 km entfernten Hügeln in die Stadt.

ɔben Das römische Fußbodenmosaik (Tunesien, 4. Jahrhundert) veranschaulicht das Leben uf einem Landgut im römischen Afrika. Arbeiter sind bei der Ernte, der Herr und die Herrin ler Villa nehmen Früchte der Jahreszeit in Empfang, Tiere werden zusammengetrieben ind ein Bauer begibt sich auf die Jagd. Szenen wie diese waren typisch für die blühende wohlhabende Provinz Afrika, die sogenannte »Kornkammer« des Römischen Reiches.

links Dank der immensen Ausdehnung des römischen Imperiums konnten in der Arena in Rom immer exotischere Tiere gezeigt werden. Auf diesem Mosaik (Sizilien, 4. Jahrhundert) wird eine arabische Oryxantilope (eine Riesenantilope aus den Wüsten des Mittleren Ostens) auf ein römisches Handelsschiff gebracht, gefolgt von Tigern, Straußen und Flusspferden.

oben Der Hadrianswall in Nordengland fügt sich harmonisch in die Landschaft ein. Die Festungsmauer diente entgegen der landläufigen Meinung weniger der Abwehr feindlicher Großangriffe, sondern war vielmehr ein Verbindungsweg und ein Beobachtungs- und Kontrollinstrument für Handels- und Migrationsbewegungen.

links Ein bärtiger Marcus Aurelius hat die Toga über den Hinterkopf gezogen und bringt ein öffentliches Opfer dar (Relief, 2. Jahrhundert). Seit Augustus war der Kaiser auch Pontifex Maximus. Der gewissenhaft eingehaltene staatliche Götterkult in Form von Ritualen wie diesem galt als Voraussetzung für das Wohlergehen des Römischen Reiches.

oben Das in einer römischen Villa im englischen Dorset gefundene Mosaik aus der Mitte des 4. Jahrhunderts ist vermutlich die früheste auf die Nachwelt gekommene Jesus-Darstellung (zu erkennen an XP, Chi-Rho, den Anfangsbuchstaben des griechischen Namens für Christus). Der Granatapfel, im griechischen Mythos ein Symbol für das ewige Leben, steht für die christliche Auferstehung.

oben Der Kopf von Kaiser Konstantin dem Großen gehörte zu einer römischen Kolossalstatue. Die Größe und Schlichtheit feiern die Majestät und Autorität der absoluten Macht.

links Das elfenbeinerne Diptychon aus dem späten 4. Jahrhundert zeigt Stilicho mit seiner Frau Serena und seinem Sohn Eucherius. Stilicho gehörte zur zweiten Generation romanisierter »Barbaren«, die den Aufstieg an die Spitze schafften. Nach dem Tod des Kaisers Theodosius I. (dessen Nichte er heiratete) wurde Stilicho, der sich zuvor als brillanter Feldherr ausgezeichnet hatte, zum mächtigsten Mann Westroms. Seine kluge gotenfreundliche Politik – er wollte die Goten im Reichsgebiet ansiedeln – musste er mit dem Leben bezahlen. Erst nach der Plünderung der Stadt Rom wurde sein Vorhaben in die Tat umgesetzt.

links Mausoleum der Galla Placidia in Ravenna (Italien). Galla Placidia war zugleich die Schwester des römischen Kaisers Honorius, eine Geisel der feindlichen Goten und die Frau des Gotenführers Athaulf, dessen Schwager Alarich im Jahre 410 n. Chr. die Stadt Rom plünderte. Später wurde sie zur Ehe mit dem römischen General Flavius Constantius gezwungen, der ihren Ehemann entscheidend besiegte.

unten *Zerstörung* aus der Serie *Der Weg des Reiches* (*The Course of Empire*) von Thomas Cole (1835/36). Das phantastische allegorische Gemälde, Teil eines fünfteiligen Œuvres, zeigt nicht nur das antike Rom, sondern enthält vermutlich auch Anspielungen auf das London des 19. Jahrhunderts und sogar auf Amerika.

bei östlichen Potentaten üblich, einbalsamiert und mit aromatischen Substanzen konserviert. Nero stieg auf die Rednertribüne, hielt eine Lobrede auf die Tugenden seiner geliebten Gattin und kündigte an, dass er seine Frau in den Rang einer Göttin erheben werde, eine Frau, der zahlreiche Aristokraten eine zweifelhafte familiäre Herkunft nachsagten. Den größten Affront hob er sich bis zum Schluss auf: Er ließ Poppaea im Mausoleum des vergöttlichten Augustus beisetzen.

Wie nicht anders zu erwarten, sah ein Senator darin ein absolut unerträgliches Sakrileg. Publius Clodius Thrasea Paetus war ein rechtschaffener rebellischer Senator, der es gewagt hatte, Neros politische Entscheidungen in Frage zu stellen. So hatte er – als man über die erfundenen Anklagepunkte, die Neros Mutter zur Last gelegt wurden, verhandelte – die Senatssitzung verlassen. Jetzt gab er ein weiteres Mal jede Zurückhaltung auf und zeigte offen seinen Ekel, indem er an Poppaeas Bestattungsfeierlichkeiten nicht teilnahm. Seit diesem Tag suchte Nero nach einem Grund, mochte er auch noch so fadenscheinig sein, um diesen ehrwürdigen Aristokraten für immer aus dem Weg zu räumen. Die Gelegenheit dazu sollte nicht lange auf sich warten lassen.

Zu Beginn des Jahres 66 n. Chr. erhob Tigellinus' Schwiegersohn, Cossutanius Capito, Anklage gegen Thrasea. Dem Senator wurde vorgeworfen, am kaiserlichen Wohlergehen keinen Anteil zu nehmen. Er sei nämlich der Feier, bei der am Jahresanfang der Treueid auf den Kaiser ablegt wurde, ferngeblieben. Insgeheim war Capito, und das war sein eigentliches Motiv, seit langem über Thrasea verärgert. Der Senator hatte nämlich einer Gesandtschaft der römischen Provinz Kilikien erfolgreich zur Seite gestanden, um ihn, Capito, der Erpressung anzuklagen, der er sich während seiner Statthalterschaft schuldig gemacht hatte. Der Prozess gegen Thrasea begann im Mai. Die Hundertschaften von Soldaten, die den Zugang zum Senatsgebäude, zu den Gerichten und Tempeln der Umgebung sorgfältig bewachten, ließen erkennen, dass es hier um sehr viel mehr ging als um Thraseas Schuld oder Unschuld. In Wirklichkeit verlief die Front zwischen zwei sich bekriegenden Fraktionen: Auf der einen Seite standen der Kaiser, seine Trabanten und etliche servile Senatoren, auf der anderen Seite solche Senatoren, die Rückgrat bewiesen und noch einmal versuchten, die

Autorität des Staatsrates zu behaupten. Der verdeckte Krieg zeigte, dass sich die Fassade einer harmonischen Zusammenarbeit zwischen Kaiser und Senat nicht länger aufrechterhalten ließ. Es gab jedoch, wie üblich, nur einen Gewinner. Nach einer Reihe bösartiger Denunziationen wurde Thrasea schuldig gesprochen, und er wählte den Freitod. Der Kampf gegen Korruption und Tyrannei, der Kampf für die Würde, das Ansehen und eine verantwortungsvolle Beteiligung des Senats an der Regierung endete mit einer ganz öffentlichen Niederlage.

Die Plebs von Rom schien das allerdings nicht zu kümmern. Sie schaute nicht mehr auf Thraseas schmutzigen Prozess, sondern wandte ihre Aufmerksamkeit einem anderen kostspieligen Staatsereignis zu, das Nero eigens deshalb zu diesem Zeitpunkt anberaumt hatte: die Krönung des Königs Tiridates von Armenien. Zu diesem Anlass wurde ein pompöses Politspektakel inszeniert, das die Befriedung der Ostgrenze des römischen Imperiums im Kampf gegen das feindliche Nachbarreich Parthien feierte. Tiridates sollte in Armenien, dem Pufferstaat zwischen den beiden Großmächten, als römischer Vasallenkönig eingesetzt werden. Der Mann, dem diese erfolgreiche Befriedung zu verdanken war, war der brillante, rechtschaffene Feldherr Gnaeus Domitius Corbulo. Er nahm an der Zeremonie allerdings nicht teil und blieb im Osten.

Für den Empfang des Königs wurden keine Kosten gescheut. Rom musste täglich 800 000 Sesterzen aufbringen, um Tiridates und seinem Gefolge – Familie, Sklaven und 3000 Berittenen – die neunmonatige Reise in die Hauptstadt zu ermöglichen. Bei seiner Ankunft wurde der königliche Hofstaat von einer Metropole willkommen geheißen, die sich mit Kränzen, bunten Fahnen und phantasievollen Illuminationen herausgeputzt hatte. Die Prätorianer trugen bei den Straßenkontrollen ihre Paradeuniformen und die Bürger strömten in ihren besten Kleidern zu Tausenden auf das Forum. Sie drängten sich in den Straßen und standen sogar auf den Dächern, um einen Blick von dem Großereignis zu erhaschen.[34]

Die Krönung sollte im Pompeius-Theater stattfinden, dessen Innenraum eigens mit Blattgold verkleidet worden war. Über der Bühne, auf der Tiridates vor Nero knien sollte, war eine riesige Plane installiert worden, um die Veranstaltung vor der Sonne zu schützen. Sie war bestickt mit einer Darstellung Neros, der, von goldenen Sternen umgeben, einen Wagen lenkte. Als Tiridates den Kaiser mit dem östlichen Gott Mithras verglich, waren die desillusionierten Senatoren, die die Szene beobachteten, erst recht angewidert: Der Kontrast war wirklich ekelerregend: Hier die Prozesse und Selbstmorde ehrbarer Senatoren, dort die theatralisch glorifizierte Unterwerfung eines ausländischen Potentaten, eine Leistung, die Nero kaum für sich in Anspruch nehmen konnte. Schlimmer konnte es doch gewiss nicht mehr kommen. Doch, es konnte.

Aufgrund der hohen Kosten, die für Neros Goldenes Haus, die zweiten Neronia, die Leichenfeier Poppaeas und jetzt den Empfang des Tiridates aufgewendet werden mussten, gerieten die Finanzen des römischen Reiches schnell außer Kontrolle. Um einem finanziellen Ruin zuvorzukommen, wurde die Währung abgewertet. Doch in den Jahren 66 und 67 n. Chr. griff Nero zu noch extremeren Maßnahmen. Der Kaiser fürchtete schon damals jeden Aristokraten, der mit ihm in punkto Reichtum konkurrieren konnte. Er glaubte nämlich, dass seine Häuser, Landgüter und Besitztümer seine Vormachtstellung im Staat erst eigentlich begründeten und dass reiche Adlige als Rivalen auftreten und seine Position untergraben könnten.[35] Um an deren Geld zu kommen, begann er nun damit, sie einfach umbringen zu lassen. Damit setzte er gewissermaßen die Säuberungsaktionen des Vorjahres weiter fort. Diesmal jedoch konnte er sich nicht einmal mit einem Mordkomplott rechtfertigen.

Tigellinus erwies sich wiederum als geeignetes Werkzeug, und das Verfahren, mit dem sich unliebsame Konkurrenten ausschalten ließen, war simpel. Ein Aristokrat, auf dessen Reichtum man es abgesehen hatte, wurde zu Unrecht des Hochverrats bezichtigt. Ein Sklave, ein Kumpel, ein serviler Senator oder Ritter, Leute, die sich beliebt machen, einen Feind vernichten oder eine alte Rechnung begleichen wollten – irgendjemand ließ sich immer finden, um zum Denunzianten zu werden und Anklage zu erheben. Es gab genügend Dinge, die man den angeblichen Delinquenten vorwerfen konnte. Cassius Longinus wurde z. B. beschuldigt, er verehre seinen Vorfahren Cassius, der

Julius Caesar, den Begründer der julisch-claudischen Dynastie, ermordet hatte. Lucius Junius Silanus Torquatus wurde vor Gericht gestellt, weil er seinen Sklaven und Bediensteten Titel gegeben habe, die üblicherweise Mitgliedern des Kaiserhauses vorbehalten seien. Dies deute darauf hin, dass er selbst die Kaiserwürde anstrebe. Andere Anklagen lauteten auf Inzest oder schwarze Magie. Wieder andere hatten sich angeblich an Astrologen gewandt, um sich nach Neros Todestag zu erkundigen. Laut Tacitus waren alle diese Vorwürfe völlig aus der Luft gegriffen.

Oft beschritt der Angeklagte den Weg der Ehre und beging Selbstmord, nachdem er zuvor große Teile seines Vermögens dem Kaiser vermacht hatte, um so seinen Hinterbliebenen wenigstens einen kleinen Teil des Erbes zu erhalten. Wenn sich jemand allerdings sträubte, seinen letzten Willen niederzuschreiben, wie im Falle des Anteius Rufus, kam Tigellinus mit einem Juristen oder Zeugen wieder, um die Abfassung des Testaments mit Gewalt durchzusetzen und um sicherzustellen, dass das Geld vor dem Tod des Opfers entweder dem Kaiser überschrieben oder an ihn, Tigellinus, direkt bezahlt wurde. Während viele auf diese Weise ermordet wurden, entkamen andere dem Tod, »nachdem sie ihr Leben um schweres Geld von Tigellinus erkauft hatten.«[36]

Wegen dieser von dem Tyrannen befohlenen Morde wandten sich viele, die nicht zu den höheren Rängen der Elite gehörten – die Familien, Verwandten, Kollegen, Freunde und Untergebenen jener verfolgten Senatoren und Ritter – jetzt ebenfalls gegen den Kaiser. Während die römische Plebs ihren volksnahen Kaiser liebte und seine aufwändigen Shows und grandiosen Spektakel bestaunte,[37] bot sich den Vermögenden ein gänzlich anderes Bild: Man hatte ihnen ihr Geld gestohlen, sie um ihr künftiges Erbe gebracht, und die Aussichten, aufzusteigen und sich in der römischen Öffentlichkeit zu profilieren, hatten sich in Luft aufgelöst. Wenn sie noch eines weiteren Beweises bedurften, brauchten sie nur auf die Tempel in Rom und Italien zu schauen. Diese wurden geplündert und die heiligen Reliquien der Vergangenheit – Statuen und Schätze, die sich während der glorreichen Republik in vielen Jahrhunderten angesammelt hatten – wurden eingeschmolzen. Die Römer waren im Innersten getroffen. Es war, als würde man ihnen ihr Herz und ihre Seele entreißen.

Nero deutete diese wachsende Ernüchterung seiner Landsleute als Ablehnung seiner Person und war darüber gekränkt, dass sie nach allem, was er für das römische Volk getan hatte, sich ihm gegenüber so undankbar zeigten. Weit davon entfernt, der sich zuspitzenden Krise beherzt entgegenzutreten, zog er sich noch mehr in eine Phantasiewelt zurück. Er kündete an, der römischen Welt, die ihm zunehmend missfalle, den Rücken zu kehren und sich an einen Ort zu begeben, wo er auf seelenverwandte Menschen treffe, die ihn wirklich schätzten und seine Talente zu würdigen wüssten. Deshalb reiste Nero, gefolgt von Sklaven, Freigelassenen, willfährigen Senatoren und Rittern, dazu einigen Prätorianern unter Tigellinus' Führung, im September 66 n. Chr. nach Griechenland.

Mit der Wahl der Person, die die Amtsgeschäfte in Rom übernehmen sollte, fügte er vor seiner Abreise den römischen Aristokraten noch eine letzte schwere Kränkung zu und führte ihnen ganz unverblümt ihre völlige Bedeutungslosigkeit vor Augen. Bei dem Mann, der ihn in Rom vertreten sollte, fiel seine Wahl auf keinen der amtierenden Konsuln, nicht einmal auf einen Senator, sondern auf einen lasterhaften ehemaligen Sklaven des kaiserlichen Hofes namens Helius. Dieser erhielt die uneingeschränkte Vollmacht, sowohl einfache Bürger wie auch Ritter und Senatoren zu verbannen, ihr Vermögen zu konfiszieren und sogar zum Tode zu verurteilen. Dies veranlasste den Historiker Cassius Dio zu der geistreichen Bemerkung: »So war denn zur damaligen Zeit das Römerreich von zwei Kaisern zugleich versklavt, von Nero und Helius, und ich kann nicht entscheiden, wer von beiden der schlimmere war. In allen anderen Dingen legten sie nämlich das ganz gleiche Verhalten an den Tag, nur in einem einzigen Punkt wichen sie voneinander ab: Der Nachkomme des Augustus ahmte Leier- und Tragödienspieler nach, während es der Freigelassene des Claudius den Caesaren gleichtun wollte.«[38]

Fern der Hauptstadt sah Nero im Besuch der großen panhellenischen Spiele Griechenlands die Chance, sich als vollendeten Künstler zu präsentieren. Die griechischen Stadtstaaten schätzten sich glücklich,

ihm in diesem Ehrgeiz entgegenzukommen. Obwohl einige der alle
vier Jahre gefeierten Feste, wie z. B. die Olympischen Spiele, eigentlich
nicht für dieses Jahr anstanden, verschoben die Griechen kurzerhand
den Termin, so dass die Wettkämpfe mit Neros Besuch zusammenfie-
len. Für den Kaiser freilich bedeutete die Teilnahme an diesen Agonen
sehr viel mehr als die Verwirklichung seiner künstlerischen Freiheit: Es
war die Gelegenheit, seine Kritiker in Rom zum Schweigen zu bringen und seine Nebenbuhler aus dem Feld zu schlagen. In einer milita-
ristischen Gesellschaft, in der Leistung und Ruhm den höchsten Stellenwert besaßen, würde Nero seine Vorrangstellung als Kaiser ein für
alle Mal unterstreichen und behaupten. Der Ort, an dem er seine Dominanz beweisen wollte, war jedoch nicht wie bei Augustus die Bühne des Krieges, sondern ausgerechnet die des Theaters.

Bei den Pythischen, Nemeischen, Isthmischen und Olympischen
Spielen gewann Nero als Wagenlenker, Kitharoede und tragischer
Schauspieler einen Preis nach dem anderen. Die Veranstalter der Olympischen Spiele mussten die musischen Agone eigens neu ins Programm
aufnehmen, da traditionsgemäß nur athletische Wettkämpfe ausgetragen wurden. Mit Hilfe dieser Siege konnte Nero den Senatoren gegenüber zwar weiterhin seine Überlegenheit beweisen, doch änderte
dies nichts an seiner grundsätzlichen Unsicherheit. Er ließ Helius ausrichten, er solle Sulpicius Camerinus und dessen Sohn umbringen. Der
Grund dafür war nur, dass sie das Cognomen »Pythicus« trugen, was,
wie Nero meinte, den Ruhm, den er sich bei den Pythischen Spielen
erworben hatte, schmälern könne. Doch den ungeheuerlichsten Mord
sparte er sich für Griechenland auf: Er lud den Feldherrn Corbulo, den
Mann, dem er alle außenpolitische Erfolge Roms im Osten verdankte,
zu einem Besuch nach Griechenland ein, wobei er ihn in seinen Brie-
fen als »Vater« und »Wohltäter« apostrophierte. Als dieser unbewaffnet
in Korinth eintraf, wurde er vom Kaiser nicht wie ein Kriegsheld willkommen geheißen. Stattdessen warteten Neros Schergen auf ihn und
zwangen ihn zum Selbstmord. Der Kaiser bereitete sich nämlich gerade, so ging das Gerücht, auf einen Bühnenauftritt vor und konnte es,
bekleidet mit der langen ungegürteten Tunika eines Schauspielers, einfach nicht über sich bringen, den Mann zu begrüßen, der die römisch-

parthische Grenze befriedet hatte, den Mann, der als Inbegriff der Tugend und Vortrefflichkeit galt.[39]

Auf seiner großen Tour wurde Nero neben seiner Furcht vor Rivalen noch von anderen Dämonen, Ängsten und Unsicherheiten gequält. So weigerte er sich, das Heiligtum der Erinnyen in Athen zu besuchen, weil er nicht Gefahr laufen wollte, den Zorn des Totengeistes seiner Mutter heraufzubeschwören. Auch der Geist Poppaeas spielte eine große Rolle: Wenn er auf der Bühne weibliche Charaktere darstellte, waren die Masken absichtlich ihren Gesichtszügen nachgebildet. Außerdem nannte er Sporus, einen seiner Freigelassenen, weil er ihr ähnlich sah, »Sabina« (Sabina war Poppaeas Familienname). Nero hatte ihn nicht nur kastrieren lassen, sondern feierte auch eine Scheinheirat mit ihm, bei der Tigellinus als Brautführer fungierte. Seitdem bezeichnete er Sporus zärtlich als seine »Königin« oder »Herrin«, so als wäre Poppaea noch am Leben und würde ihn auf seiner Reise begleiten. »Von da an hatte Nero zwei Bettgenossen zugleich: [Der Freigelassene] Pythagoras spielte ihm gegenüber die Rolle des Ehemannes und Sporus die seiner Ehefrau.«[40]

So ging es weiter mit Feiern, Vergnügungen und künstlerischen Auftritten. Nero war auf der Reise seines Lebens. In unverhüllt imperialistischer Manier raubte er eine Vielzahl der berühmtesten Kunstwerke Griechenlands, und die Untertanen in Athen gossen den Namen ihres Kaisers in Bronze und schmückten damit den Eingang ihres wertvollsten und heiligsten Bauwerks, des Parthenon.[41] Im Frühjahr 68 n. Chr. fand sich Nero jedoch mit einem Schlag plötzlich auf der Erde wieder, als ein Besucher aus Rom eintraf und schlechte Nachrichten mitbrachte.

Obwohl Helius ihn seit mehreren Wochen darüber informiert hatte, dass mit einer Rebellion zu rechnen sei, musste er erst persönlich erscheinen, um den Kaiser davon zu überzeugen, dass er dringend nach Rom zurückkehren und sich der Krise annehmen müsse. In Neros Abwesenheit hatte Gaius Julius Vindex, der römische Statthalter einer gallischen Provinz, erkundet, wie die anderen Provinzstatthalter über den Kaiser dachten. Helius hatte davon in Rom erfahren und war jetzt zur Stelle, um den Herrscher von Angesicht zu Angesicht darüber zu unterrichten, dass die Rebellion des Vindex eine echte Gefahr darstelle. Dieser aber wiegelte ab: Vindex, ein romanisierter Gallier, hatte keine wirklich aristokratische Ahnentafel vorzuweisen, um den Kaiser ernsthaft zu gefährden. Und außerdem standen ihm sowieso keine Truppen zur Verfügung. Dennoch stimmte Nero einer vorzeitigen Rückkehr nach Rom zu. Es war eine Rückkehr, an die das römische Volk noch lange denken sollte.

Während Nero Rom nur verlassen hatte, um seine Konkurrenten mit den Mitteln der Kunst zu besiegen, tat er nun so, als komme er aus dem Krieg zurück, und feierte – in einer unfreiwillig grotesken Parodie – einen Triumphzug, wie er sonst bloß bedeutenden Feldherren vorbehalten war. Er sollte es mit den Triumphen aufnehmen können, mit denen Pompeius für seine Eroberung des Ostens und Caesar für seine Unterwerfung Galliens ausgezeichnet worden waren. In der aufwändigen Prozession trugen Männer die Kränze, die Nero gewonnen hatte, zur Schau, und auf hölzernen Tafeln waren die Namen der Spiele und der Wettbewerb verzeichnet, in dem er siegreich gewesen war. Als der Herold verkündete, dass Nero auf seiner Reise 1808 Siegeskränze gewonnen habe, reagierte die Menge in den Straßen mit Rufen wie »Heil dem Sieger von Olympia! Heil dem Sieger von Delphi!« Glanz- und Höhepunkt war der Wagen, den Nero eigens für diesen Tag ausgesucht hatte – es war der Triumphwagen des Augustus, auf dem der erste Kaiser seine zahlreichen militärischen Erfolge gefeiert hatte.

In dieser allgemeinen Begeisterung bot ein Theaterregisseur Nero eine Million Sesterzen, wenn er nicht bei den vom Kaiser veranstalteten staatlichen Festen, sondern in seinem eigenen Privattheater öffentlich auftrete. Dieser erklärte sich einverstanden, wies aber aus Prinzip das Geld zurück – allerdings nahm Tigellinus den Theatermann sofort zur Seite und ließ sich das Honorar auszahlen, »als Preis dafür, dass er ihn nicht tötete«.[42] Doch hinter dem herzlichen Empfang für den Kaiser war die finanzielle Notlage Roms nicht zu übersehen: Die Stadt war nur teilweise wieder aufgebaut und überall standen Gerüste, auf denen niemand mehr arbeitete. Es kam noch schlimmer. Zwar begrüßte die Plebs Nero als Retter des Volkes, aber er sollte sie schnell eines anderen belehren. Denn nach seinem Eintreffen in der verarmten Stadt beschloss er als Erstes, gleich wieder abzureisen und in Neapel, der griechischsten aller italischen Städte, weiteren Vergnügungen nachzugehen. Damit war die Grenze des Erträglichen überschritten.

In Gallien rief Vindex nun öffentlich zur Rebellion auf. Er ließ lokale Münzen prägen, die die Slogans »Freiheit von der Tyrannei« und »Für die Rettung der gesamten Menschheit« propagierten. Ganz offenkundig ging es ihm nicht um eine Förderung des gallischen Nationalismus und eine Trennung vom Römischen Reich, sondern einzig und allein um die Beseitigung Neros. Natürlich wusste dieser schon lange davon. Im Unterschied zu früher wurde die Lage nun aber für ihn kritisch, weil Vindex jetzt mit breiter Unterstützung rechnen und vor Ort 100 000 römische Gallier mobilisieren konnte. Es war ihm offenkundig gelungen, den tiefen Hass, der sich in den letzten vier Jahren angesammelt hatte, für seine Zwecke zu nutzen: Nero hatte die Steuern erhöht und die reiche Oberschicht der Provinzen ausgeplündert. Dabei war er nicht wie ein besonnener Regent vorgegangen, der schwierige Entscheidungen zu treffen hatte, sondern wie ein eigensinniger, unberechenbarer Tyrann, der vor allem an seiner Karriere als Künstler interessiert war. Dafür musste er nun in Gallien büßen. Doch als man ihn über den Ausbruch des Aufstands informierte, blieb er ganz heiter und unbekümmert. Er sagte sogar, er freue sich, da er jetzt die Möglichkeit habe, gemäß Kriegsrecht Vindex' Provinz weiter auszuplündern. Nero kehrte ins Gymnasium zurück, um den gerade stattfindenden Wettkämpfen der Athleten zuzuschauen. Mehr als über die Nachricht von der Erhebung ärgerte er sich über eine Kränkung vonseiten des Vindex, der ihn als »schlechten Kitharoeden« bezeichnet hatte.[43] Aber eine Woche später sollte er zum ersten Mal wirklich schockiert sein.

Als Nero erfuhr, dass sich fünf andere Provinzstatthalter dem Aufstand des Vindex angeschlossen hatten, brach er völlig zusammen und blieb wie gelähmt halbtot liegen. Denn an vorderster Front beteiligt waren sein alter Freund Otho, der Gouverneur von Lusitanien (dem heutigen Portugal), und Servius Sulpicius Galba, der Statthalter der spanischen Provinzen und die Galionsfigur der Erhebung. Galba, ein betagter, arthritischer Mann, entstammte einer alten hochadeligen Familie, die sich lange in den erlauchtesten Kreisen der römischen Gesellschaft bewegt hatte. Obwohl kein Mitglied des julisch-claudischen Kaiserhauses, stand er für die sittlichen Werte der guten alten Zeit. In einer Epoche des Aufruhrs, der Dekadenz und der für Neros Herrschaft charakteristischen Amoralität war er das Bindeglied zu den Traditionen und der Geschichte Roms. Am 2. April 68 n. Chr. wurde Galba von seinen Soldaten zum »Legaten des Senats und Volks von Rom« ausgerufen. Die Rebellion hatte schließlich ihren Anführer gefunden.

Endlich wurde der Kaiser doch noch aktiv. Er entschloss sich zu einer militärischen Expedition, um die Meuterei ohne Umschweife niederzuschlagen, machte sich zum alleinigen Konsul und erklärte Galba mit Zustimmung des sich weiterhin loyal gebenden Senats zum Staatsfeind. Der Kaiser befahl, entlang des Po eine Verteidigungsfront zu errichten, für die er Einheiten aus dem Illyricum, aus Germanien und Britannien sowie eine Legion aus Italien abkommandierte. Er unterstellte alle diese Truppen dem Kommando des Petronius Turpilianus, des Senators, der die Pisonische Verschwörung mit aufgedeckt hatte. Bezeichnenderweise übernahm Nero nicht selbst den militärischen Oberbefehl.

Vielleicht kursierten deshalb in Rom Gerüchte, die um folgende Phantasien kreisten: Angeblich wollte sich Nero unbewaffnet nach Gallien begeben und vor den rebellierenden Heeren einfach nur weinen, in der Hoffnung, dass sie dann Reue zeigten. Ein anderes Gerücht besagte, er hoffe, dass der Vortrag einer Siegesode den gewünschten Effekt erziele. Um der Krise Herr zu werden, entschied sich der Kaiser letztendlich für eine ebenso phantastische Lösung – die Inszenierung eines richtigen Dramas: Er wollte mit einem Heer von – aus dem Mythos bekannten – Amazonen heranreiten (tatsächlich handelte es sich um entsprechend verkleidete Prostituierte und Schauspielerinnen, ausgerüstet mit Pfeil und Bogen sowie Streitäxten), und die Wagen, die den Feldzug begleiteten, sollten keine Lebensmittel und Versorgungsgüter, sondern seinen Bühnenapparat transportieren.[44] Obwohl der Senat ebenso wie die Prätorianergarde bisher offiziell loyal geblieben waren, warteten sie nun auf den geeigneten Moment für den Absprung. Dieser kam im Mai, als Nero eine Reihe schwerer Schläge einstecken musste und die Krise ihren Höhepunkt erreichte.

Zuerst schloss sich der römische Statthalter von Nordafrika, Clodius Macer, den Aufständischen an, indem er kein Getreide mehr nach Rom schickte. Die Stadt hatte bereits unter Versorgungsengpässen zu leiden, und die Kornlieferungen waren für sie lebenswichtig. Macer konnte sich auf eine stehende römische Legion, eine Abteilung Hilfstruppen und einen nerofeindlichen Provinzsenat stützen. Dieser war möglicherweise deshalb gegen den Kaiser eingestellt, weil er die Ermordung von sechs nordafrikanischen Großgrundbesitzern – sie besaßen zusammen die Hälfte des landwirtschaftlich genutzten Landes – veranlasst hatte.[45] Der Präfekt von Ägypten, der anderen Kornkammer des römischen Imperiums, war ebenfalls ein unsicherer Kandidat. Dann traf die Nachricht ein, dass das Heer, das in Gallien treu zu Nero gestanden und sich sogar für ihn mit den Soldaten des Vindex geschlagen hatte, auf die Seite Galbas gewechselt sei. Der letzte schwere Schlag war die Entdeckung, dass Turpilianus, der Kommandant der Armeen, die Italien verteidigen sollten, sich nun ebenfalls Galba angeschlossen hatte. Als Nero davon erfuhr, war er gerade beim Mittagessen. »Er zerriß den Brief [...] in kleine Stücke, stieß den Tisch um und schmetterte zwei Becher, deren er sich mit Vorliebe bediente – er pflegte sie die ›Homerischen‹ zu nennen, weil darauf Szenen aus Homers Gedichten abgebildet waren –, zu Boden.«[46]

Der mittlerweile kranke Tigellinus hatte schon lange erkannt, dass Nero verloren war. Nachdem er in Griechenland das Kommando über die Prätorianergarde an seinen Kollegen Nymphidius Sabinus hatte abgeben müssen, sorgte er nun insgeheim für einen sauberen Abgang (ebenso wie für seine persönliche Sicherheit) und versuchte, sich bei Galbas Gesandten in Rom einzuschmeicheln.[47] Der Senat wartete nun darauf, dass die Prätorianer Stellung bezögen. Sabinus bestach sie, indem er ihnen im Namen Galbas Geld gab, woraufhin sie dem Kaiser die Treue aufkündigten. Bei seinem Sturz war es wie bei seiner Krönung: Der Senat zog bald darauf nach. Diesmal erklärte er Nero zum Staatsfeind.

Nachdem er verschiedene Fluchtmöglichkeiten erwogen hatte, verschob Nero seine Entscheidung auf den nächsten Tag. Als er in den frühen Morgenstunden des 9. Juni erwachte, war er allein und musste feststellen, dass die Prätorianer ihn verlassen hatten. Und auch in den Zimmern und Korridoren war niemand zu sehen: Seine Freunde und sogar die Bediensteten hatten das Weite gesucht. Nur vier treue Freigelassene waren ihm verblieben, unter ihnen Sporus, Epaphroditus und Phaon. Als Nero ihnen sagte, dass er ein Versteck brauche, bot ihm Letzterer sein 6 km vor der Stadt gelegenes Landgut an. Der Kaiser bestieg sein Pferd und machte sich mit den anderen auf den Weg. Er war barfuß, trug nur eine einfache Tunika und hatte sich einen dunklen Mantel übergeworfen, um nicht von den Suchtrupps, die nun nach ihm Ausschau hielten, erkannt zu werden.

Plötzlich bäumte sich Neros Pferd auf und scheute wegen des Geruchs einer auf der Straße liegenden Leiche, »das Taschentuch fiel von seinem Gesicht und er wurde von einem ausgedienten Prätorianer erkannt und begrüßt.«[48] Der letzte Teil des Weges wurde zu Fuß zurückgelegt. Der Kaiser und sein kleines Gefolge erreichten über einen mit Gestrüpp und Dornensträuchern bewachsenen Pfad das Landgut Phaons. Man hatte einen Mantel über die Erde gebreitet, um Neros Füße vor Verletzungen zu schützen. Der Weg führte die Männer schließlich zur Rückseite des Anwesens. Während der Kaiser darauf wartete, dass ein Loch in die Mauer gebrochen wurde, entfernte er die Dornen aus seinem zerrissenen Mantel. Dann kletterte er durch die enge Öffnung ins Haus, wo er von seinen Begleitern gedrängt wurde, seinen Feinden zuvorzukommen und Selbstmord zu begehen. Das bot die Gelegenheit zu einem letzten Bühnenauftritt – er inszenierte seinen eigenen Tod. Nero gab Anweisungen für die Leichengrube und die Bettung seines Körpers, wobei er ständig den Satz wiederholte: »Was für ein Künstler geht mit mir zugrunde!«[49]

Obwohl er wusste, dass die Suchtrupps näher kamen und dass er zum Staatsfeind erklärt worden war und als solcher bestraft werden sollte, zauderte er noch immer. Er instruierte Sporus, wann und wie er weinen solle, und bat die anderen, mit gutem Beispiel voranzugehen. Erst als er die Reiter bereits hören konnte, stieß sich Nero mit Epaphroditus' Hilfe einen Dolch in die Kehle. Er war 31 Jahre alt. Dem Wunsch des Sterbenden nach einem Begräbnis wurde stattgegeben. Später wurde sein massiger, mit Flecken bedeckter Körper verbrannt. Die sterb-

lichen Überreste des letzten Vertreters des julisch-claudischen Kaiserhauses wurden von seinen Ammen und seiner früheren Mätresse Acte
in der Begräbnisstätte der Domitier, seiner Familie väterlicherseits, beigesetzt.

Epilog

Da Nero weder einen Erben noch einen Nachfolger hinterließ, musste die Kaiserwürde nun neu vergeben werden. Zwischen dem Sommer
68 und Dezember 69 n. Chr. wurde Rom von einem Bürgerkrieg
heimgesucht, in dem verschiedene Bewerber ihren Anspruch auf die
Macht anmeldeten. Gestützt auf ihre Armeen wurden drei Provinzstatthalter – Galba, Otho und ein weiterer alter Freund Neros, Vitellius – kurz hintereinander zum Kaiser ausgerufen und genauso schnell
von einem stärkeren Gegner wieder abgelöst. Auffälligerweise gab es
trotz des Zusammenbruchs einer effizienten Reichsregierung in dieser
Zeit keine Bestrebungen, Rom wieder zu einer Republik zu machen.
Jetzt, ebenso wie im Jahre 31 v. Chr., nach Ende des großen Bürgerkrieges, schienen sich alle einig, dass die Macht in den Händen eines
Einzelnen liegen müsse, wenn man Frieden und Stabilität gewahrt wissen wolle. Doch wer kam für diese Position in Frage?
    Sicher kein Aristokrat aus dem julisch-claudischen Kaiserhaus. Es
war ja kaum noch jemand übrig, da Nero in den letzten blutigen Jahren seines Regimes fast alle hatte umbringen lassen. Auch war man jetzt
überwiegend der Meinung, dass der royale Stammbaum kein geeignetes Kriterium war, um die Frage, wer Kaiser werden solle, zu entscheiden. Das Erbfolgeprinzip sollte zwar eine gewisse Gültigkeit behalten, aber nach Ansicht der Elite sollten bei der Wahl des künftigen
Kaisers neue Gesichtspunkte den Ausschlag geben: Verdienste und Eignung. In seiner Darstellung des Bürgerkrieges der Jahre 68/69 n. Chr.
geht Tacitus auf diese wichtige Veränderung ein. Bei der Suche nach
einem Nachfolger wollte Galba, der nur kurz Kaiser war, nicht nur
eine einzige aristokratische Familie berücksichtigen: »Einen Ersatz für
die Freiheit wird es bedeuten, daß man mit uns die Wahl eingeführt

hat. Und nachdem das julisch-claudische Haus erloschen ist, wird man auf dem Wege der Adoption jeweils den besten Mann herausfinden.«[50] Dies waren die Worte, die der Historiker Tacitus knapp 40 Jahre später Galba in den Mund legte. Ob Galba damals wirklich in der Lage war, das Problem so klar und deutlich in Begriffe zu fassen, sei einmal dahingestellt. Auf jeden Fall ist es aufschlussreich, dass der Historiker, wenn auch im Nachhinein, den Meinungsumschwung zeitlich so genau bestimmen konnte.

Die Aufgabe des Geburtsprinzips als Auswahlkriterium für die Nachfolge spiegelte sich auch in der Wirklichkeit des Bürgerkrieges. Galba, Otho und Vitellius konnten allesamt auf eine hochadlige Herkunft verweisen, was einigen konservativen Senatoren gewiss gefiel. Doch der Bürgerkrieg sollte zeigen, dass es auf ihre Meinung immer weniger ankam. Die Kandidaten für den Kaiserthron wurden nicht mehr von den Senatoren, sondern von den Heeren in den Provinzen bestimmt. Ausschlaggebend für die Wahl eines neuen Kaisers waren Waffengewalt und Erfolge auf dem Schlachtfeld. Der General, der von seinen Soldaten am besten und treuesten unterstützt wurde, sollte nicht nur den Bürgerkrieg gewinnen, sondern auch den Sieg im Kampf um die Kaiserkrone davontragen.

Der Senat und das Volk von Rom ließen sich außerdem etwas einfallen, um die höchste Macht ganz offen verleihen zu können. Während Augustus und seine Nachkommen diese Macht mehr oder weniger verschleiert hatten, wurde sie jetzt, wie eine zeitgenössische Inschrift bezeugt, öffentlich und unverstellt als solche bezeichnet. Dem neuen Kaiser wurde bescheinigt, »dass er, was immer seiner Ansicht nach dem Interesse des Gemeinwesens und der Erhabenheit göttlicher und menschlicher, öffentlicher und privater Angelegenheiten entspricht, das Recht und die Macht haben solle, dies auszuführen und zu tun.«[51] Durch diese klare Aussage wurde der neuen Dynastie, die ihren Aufstieg allein ihren Verdiensten zu verdanken hatte, vielleicht das Prestige und die Autorität verliehen, die ihr aufgrund ihrer Herkunft versagt waren. Aus Neros Leben ließ sich noch eine andere, wichtigere Lehre ziehen: Das Herrschergeschlecht, das die Nachfolge des julisch-claudischen Hauses antrat, musste mit der

Macht anders umgehen. Die Position des Kaisers musste ein neues Image erhalten.

Der neue Kaiser von Rom würde seine Macht nicht einsetzen, um sich als Monarch oder Aristokrat zu präsentieren, der Geschenke verteilte, der sich mit seiner Großzügigkeit gegenüber seinen Untertanen brüstete und zeigte, wie weit er über ihnen und über den staatlichen Institutionen stand. Er sollte vielmehr eine Art Geschäftsführer werden, der dem römischen Volk zurückgab, was diesem von Rechts wegen zustand.[52] Nach Neros Extravaganzen musste der neue Herrscher vor allem ein fähiger Verwaltungsmann und Organisator sein, ein Heerführer, der nach dem Bürgerkrieg die militärische Disziplin der Soldaten wiederherstellte, und ein Staatsmann, der die römischen Finanzen wieder ins Gleichgewicht brachte, indem er Gelder mit Umsicht eintrieb und auf vernünftige Weise ausgab. Eine Probe aufs Exempel lieferte sein Umgang mit Neros arrogantem Protzpalast – dem Goldenen Haus.

Galba lebte nur für kurze Zeit in Neros Residenz. Otho gab Geld aus, um ihr den letzten Schliff zu geben. Vitellius und seine Frau machten sich über die bombastische Ausstattung lustig. Neros letzter Nachfolger aber gab den Befehl, den Komplex bis auf einen kleinen Teil einzureißen. Der Vater eines neuen Herrscherhauses ließ den See der Palastanlage trockenlegen und sah an seiner Stelle die Errichtung eines neuen, für eine größere Öffentlichkeit bestimmten Bauwerks vor. Es war kein privates Monument für einen Monarchen, sondern eines für das römische Volk. Die Rede ist vom Colosseum. Die nächste große Revolution der römischen Geschichte sollte darüber entscheiden, wer als neuer Kaiser an die Macht kam und wie.

Rebellion

Am südöstlichen Rand des Forums in Rom steht ein Triumphbogen, der Titus, dem zehnten römischen Kaiser, gewidmet ist.
Über dem Sockel erheben sich an jeder Seite ionische Halbsäulen, deren Kapitelle mit korinthischen Blättern geschmückt sind, und über
dem schönen plastisch gestalteten Gesims ruht eine massive, schwere
Attika. Man nimmt an, dass der Bogen einst von einer prachtvollen
Titusstatue auf einem von Elefanten gezogenen Wagen gekrönt war.
Die verwitterten, steinernen Überreste des originalen Triumphbogens
vermitteln in ihrer feierlichen Majestät den Passanten einen Eindruck
von dem Ernst, der Erhabenheit und Schönheit der antiken Welt. Und
doch erzählt die im Schatten liegende Innenseite des Bogens eine ganz
andere Geschichte. Die alten Reliefplatten in der Durchfahrt zeigen in
allen Einzelheiten eine der gewaltsamsten, brutalsten und aggressivsten
Gräueltaten in der Geschichte des römischen Imperiums: Die Zerstörung Jerusalems im September 70 n. Chr.

Auf den Reliefs sind römische Soldaten dargestellt, die Beutestücke
aus dem Tempel von Jerusalem, der bedeutendsten Stätte jüdischen
Glaubens, triumphierend mit sich führen. In ihren blutbefleckten Händen tragen sie einige der heiligsten Schätze der Juden: die goldene Me-
norah (den siebenarmigen Leuchter), silberne Trompeten und den
Tisch für die Schaubrote. Diese Kultgegenstände waren so heilig, dass
jahrhundertelang nur die Hohenpriester einen Blick auf sie werfen
durften. Und doch sieht man hier am Titusbogen, dass sie nicht nur
von Nichtjuden geraubt und entweiht worden waren, sondern dass
dieser Diebstahl sogar als der größte Triumph in der Karriere des Titus
gefeiert wird. So wie der Titusbogen seit Jahrhunderten diesem großen
römischen Triumph ein Denkmal setzt, so bezeugt er auch bis auf den
heutigen Tag jenen grausamen Akt des Imperialismus.

Die Zerstörung des Tempels von Jerusalem bildete einen der drama-
tischsten Wendepunkte in der Geschichte Roms. Die Revolte in der

römischen Provinz Judäa (66–73 n. Chr.) führte zur größten Militäraktion, die in der Historie des Römischen Reiches gegen die Bevölkerung einer Provinz je unternommen wurde. Im Jahre 66 n. Chr. beherrschte Rom ein Gebiet, das sich vom Atlantik bis zum Kaspischen Meer und von Britannien bis zur Sahara erstreckte. Judäa war 63 v. Chr. unter römische Herrschaft gefallen. Doch wie die kaiserliche Regierung Roms anlässlich des jüdischen Aufstandes feststellen sollte, bestand ihre größte Herausforderung nicht in der Eroberung fremder Länder und der Schaffung neuer Provinzen, sondern in der Fähigkeit, sie zu verwalten. Für die Römer war, ebenso wie für viele andere imperiale Mächte im Laufe der Jahrhunderte, die Sicherung des Friedens eine sehr viel kompliziertere Aufgabe als die siegreiche Beendigung von Kriegen.

Der Aufstand der Juden warf einige wichtige Fragen in Verbindung mit dem Imperialismus auf: Welchen Stellenwert hatte das Nationalbewusstsein eines unterworfenen Volkes? Wie stand es mit der Koexistenz zweier Religionen, der Kaiserverehrung (sie spielte im römischen Heidentum eine Schlüsselrolle) und des Judentums? Vor allem aber ging es ums Geld: Wer bezahlte Steuern und an wen, wer profitierte vom Imperium und wer nicht? Wer war der wirkliche Nutznießer der hochgelobten *Pax Romana*, des ›römischen Friedens‹, wem nützte der Schutz, den eine Provinz im Römischen Reich genoss? Dies war in der Tat die Frage, die schließlich zum Aufstand führen sollte. Die Erhebung der Juden veranschaulichte alle diese Probleme auf ganz dramatische Weise, denn zwischen 66 und 73 n. Chr. entschieden sie über Leben und Tod unzähliger Menschen. Der römische Imperialismus brachte es mit sich, dass der Kaiser, falls er dazu herausgefordert wurde, durchaus unmenschliche Züge annehmen konnte. Die Niederwerfung der Revolte erforderte die Schlagkraft und den brutalen Einsatz von fast einem Viertel der gesamten römischen Armee.

Im Zentrum der Geschichte stehen jedoch höchstpersönliche Motive und Aktionen und eine außergewöhnliche Wende des Schicksals. Denn der Mann, der die römischen Truppen in Judäa befehligte, sollte den Krieg nutzen, um nach der absoluten Macht zu greifen. Als Lohn für die Zerschlagung der jüdischen Rebellion würde er, der in Ungna-

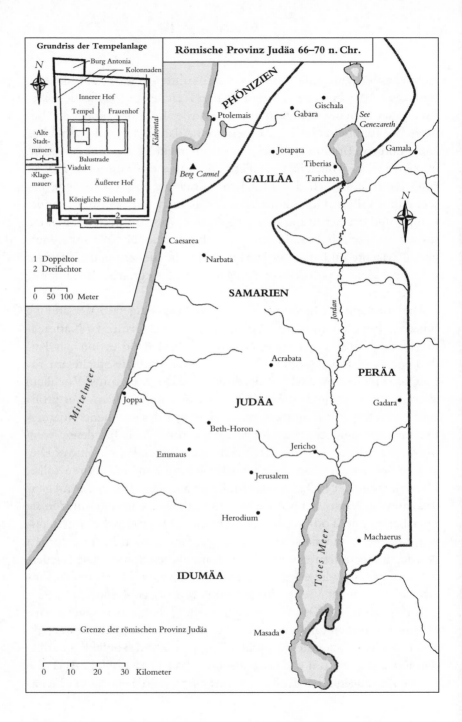

Grundriss der Tempelanlage

N

Burg Antonia
Kolonnaden

Innerer Hof

Tempel   Frauenhof

›Alte
Stadt-
mauer‹

Balustrade
Viadukt

›Klage-
mauer‹

Äußerer Hof

Königliche Säulenhalle

1   2

1 Doppeltor
2 Dreifachtor

0   50 100 Meter

Römische Provinz Judäa 66–70 n. Chr.

PHÖNIZIEN

Ptolemais

Gabara   Gischala

See
Genezareth

Jotapata

Tiberias

Gamala

Berg Carmel

GALILÄA   Tarichaea

N

Caesarea

Narbata

SAMARIEN

Acrabata

PERÄA

Joppa

JUDÄA

Gadara

Beth-Horon

Jericho

Emmaus

Jerusalem

Herodium

Machaerus

Totes Meer

IDUMÄA

Grenze der römischen Provinz Judäa

Masada

0   10   20   30   Kilometer

Mittelmeer

Kidrontal

Jordan

de gefallen war, aus der Vergessenheit auftauchen und den Kaiserthron besteigen – so zumindest stellte er es dar. Nachdem sein Herrschaftsanspruch gesichert war, würde er eine gänzlich neue Dynastie begründen und die Grundlagen für Roms glorreiche goldene Friedenszeit legen. Sein Name war Vespasian. Doch der Sieg über die Juden und die Machtergreifung in Rom waren nicht allein sein Werk. Seinen Erfolg verdankte er auch seinem Sohn Titus, der seine Nachfolge antreten sollte, erst als Feldherr in Judäa, dann als Kaiser. Das Vermächtnis von Vater und Sohn ist bis auf den heutigen Tag erhalten: der Triumphbogen des Titus und vor allem eines der bedeutendsten Symbole römischer Macht – das Colosseum.

Eine römische Provinz

Etwa 120 Jahre vor dem jüdischen Aufstand gegen die Römer war Judäa ein kleines Königreich, das von einer Hohepriester-Dynastie regiert wurde und in dem vor allem Juden lebten. Zentrum des Landes war die heilige Stadt Jerusalem. Zuvor hatte Judäa erst zum Perserreich gehört, dann zum hellenistischen Reich der Ptolemäer und später dem der Seleukiden. Deren Name ging auf einen der griechischen Generäle Alexanders des Großen, Seleukos, zurück, der die neue Monarchie mit der Hauptstadt Antiochia in Syrien begründet hatte. Mit der Zeit dehnten die Seleukiden ihre Herrschaft auf kleinere, weiter südlich gelegene Königreiche wie z. B. Judäa aus. Schließlich aber verloren die Seleukiden ebenso wie die Perser immer mehr an Einfluss, und Judäa geriet unter römische Kontrolle. Zwischen 66 und 63 v. Chr. brachte der Feldherr Pompeius weite Teile des Ostens unter römische Oberherrschaft und ersetzte die Diadochen Alexanders des Großen durch romtreue Vasallenkönige. Die Expansion bot den Römern die Möglichkeit, die neuen Länder auszubeuten: So kamen sie nicht nur in den Genuss eines gewaltigen Vermögens, sondern übernahmen mit den griechischen Kunstwerken auch die hochentwickelte Kultur der alten hellenistischen Welt. Es gab jedoch einen noch größeren Gewinn: Die römischen Niederlassungen im Osten bildeten eine wichtige Pufferzone zwischen dem Imperium und seinem – im heutigen Iran/Irak angesiedelten – Erzrivalen im Osten: Parthien.

Pompeius erhob Syrien per Dekret zu einer römischen Provinz, die unmittelbar von der Hauptstadt aus verwaltet werden sollte. Judäa aber unterstellte er nicht Rom direkt, sondern setzte einen romtreuen Vasallenkönig ein. Der berühmteste dieser Herrscher war König Herodes der Große. Doch unter Roms erstem Kaiser Augustus wurde die Verwaltung der Provinzen überall im Reich neu geordnet. An der Spitze einiger Provinzen standen weiterhin, so wie während der Republik, Konsuln oder Prätoren: Diese wurden, nachdem sie in Italien ein Jahr im Amt gewesen waren, für ein bis drei Jahre als Statthalter ernannt. Die große Veränderung bestand nun darin, dass Augustus die Provinzen, die an die nicht-römische Welt angrenzten, selbst übernahm. Diese »kaiserlichen Provinzen« bekamen eine Garnison römischer Legionen und unterstanden einem vom Kaiser eigens ernannten Legaten. So wurde Syrien eine kaiserliche Provinz, und im Jahre 6 n. Chr. wurde – nach der Vertreibung des Vasallenkönigs Archelaus – auch Judäa dem Kaiser direkt unterstellt. Dabei blieb es, von kleineren Unterbrechungen abgesehen, bis zu den Unruhen des Jahres 66 n. Chr.

Da Judäa eine kleinere Provinz war, wurde sie nicht von einem Legaten, einem üblicherweise höherrangigen Senator, sondern von einem Prokurator verwaltet. Der Prokurator Judäas kam aus dem weniger angesehenen Ritterstand und residierte zusammen mit seinem Stab in der griechisch-römischen Küstenstadt Caesarea. Hier lebte er, von mehr Heiden als Juden umgeben, in einem der von Herodes dem Großen erbauten Luxuspaläste. Ebenfalls im Unterschied zu der größeren Provinz Syrien gab es in Judäa keine römische Legion, sondern lediglich 3000 Mann Hilfstruppen, bestehend aus fünf Infanterie-Abteilungen und einer Reiterschwadron, die jeweils 500 Mann stark waren und überwiegend vor Ort rekrutiert worden waren. Doch um die Provinz Judäa erfolgreich verwalten zu können, verließen sich die Römer noch in anderer Hinsicht auf Leute aus der einheimischen Bevölkerung.

Judäa wurde von den Römern nicht auf die sonst übliche Weise regiert. An der Spitze einiger Städte und Dörfer stand, so wie es immer gewesen war, eine kleine Gruppe älterer Bürger. Andere Orte wählten nach Art der Griechen Gemeinderäte und Magistrate. Rom brauchte diese Männer nicht nur für die reibungslose Verwaltung der Provinz, sondern insbesondere für die Umsetzung des wichtigen finanzpolitischen Vertrages zwischen Kaiser und Provinz. Zum Dank für den relativen Frieden, für den Schutz und die Freiheiten, die mit der Zugehörigkeit zur großen römischen Staatengemeinschaft verbunden waren, erhob und bezahlte das Volk von Judäa, so wie die Menschen in allen Provinzen, Steuern. Dies war der Grundpfeiler der *Pax Romana*, das Fundament einer funktionierenden Verwaltung. Neben Steuern auf landwirtschaftliche Erzeugnisse gab es Steuern, die jeder Provinziale individuell zu entrichten hatte. Der Prokurator von Judäa war, als Gouverneur und Finanzbeamter in Personalunion, mit der Erhebung beider Steuerarten beauftragt. Doch da Roms Verwaltungsapparat für das riesige Reichsgebiet zu klein war, konnten die römischen Prokuratoren die Steuern nicht allein eintreiben. In Judäa brauchten sie ebenso wie in vielen anderen Teilen des Imperiums die Hilfe der örtlichen Oberschicht.

Die lukrativeren direkten Steuern wurden vom Hohenpriester und einem Rat reicher Jerusalemer Juden erhoben, während die Eintreibung der indirekten Steuern in die Zuständigkeit der wohlhabenden einheimischen Geschäftsleute fiel.[1] Und nur die Reichen kamen hierfür in Frage, da das Recht, Steuern zu erheben, versteigert wurde, und der erfolgreiche Bieter musste dem Prokurator im Voraus eine beträchtliche Summe zahlen – in der Hoffnung, dass er bei einer gewissenhaften Erfüllung seiner Aufgabe genug Geld verdienen werde. Dieselbe wohlhabende Oberschicht stellte auch in jeder Stadt- und Gemeindeverwaltung die Magistrate. Infolgedessen konnte mit einem überschaubaren Stab von Mitarbeitern, mit einer kleinen Garnison und mit Hilfe der lokalen Elite, die die Steuern eintrieb, Judäa erfolgreich regiert werden. Dieser Erfolg beruhte nicht auf römischer Macht und Stärke, sondern auf dem stillschweigenden Einverständnis der Provinzbewohner. In Wahrheit war die römische Verwaltung ein schwieriger Balanceakt, der durchaus nicht immer gelang.

Ein neuralgischer Punkt war das Bürgerrecht. Als römischer Bürger genoss man einen gewissen Schutz vor Übergriffen der Behörden. Bekanntlich sollte der heilige Paulus, ein Griechisch sprechender Jude aus Tarsos in der römischen Provinz Kilikien (südöstliche Türkei), öffentlich ausgepeitscht werden, weil seine Ankunft in Jerusalem 58 n. Chr. Tumulte ausgelöst hatte. In letzter Minute entkam er der Strafe allein deshalb, weil er als römischer Bürger das Recht auf einen Prozess in Rom hatte. Jesu Erscheinen in Jerusalem führte zu einer ähnlichen Situation, doch da er nicht das römische Bürgerrecht besaß, wurde er, obwohl er kein Unrecht begangen hatte, ausgeliefert und ans Kreuz geschlagen. In der Wirklichkeit der *Pax Romana* war es für die römischen Amtsträger oft leichter, die Ordnung aufrechtzuerhalten, als der Gerechtigkeit zum Sieg zu verhelfen und den Schwachen vor dem Starken zu schützen. Das römische Bürgerrecht war damals ein heiß begehrtes Privileg, das aber vielen Judäern verwehrt war.[2] Und doch nahm die römische Regierung diesen Missstand nicht zur Kenntnis.

Als sich 63 n. Chr. die Juden in Caesarea versammelten, um *en masse* gegen ihre systematische Diskriminierung zu protestieren, stießen sie mit den einheimischen griechischen Bürgern zusammen und es kam zu einem Aufruhr. Der römische Prokurator Marcus Antonius Felix reagierte mit brutaler Strenge und mobilisierte das Heer. Was die Sache noch schlimmer machte: Felix war Grieche, ebenso wie zahlreiche, dort vor Ort rekrutierte Soldaten. So wurden die Juden das Ziel heftiger Angriffe. Viele von ihnen wurden getötet, ihre Häuser geplündert. Der mehrere Tage andauernde Tumult löste eine solche Kontroverse aus, dass in Rom ein Gerichtsverfahren eröffnete wurde, bei dem Kaiser Nero den Vorsitz führte. Dieser, ein Philhellene, entschied zugunsten der Griechen und der Prokurator wurde freigesprochen. Für die Juden stellte der Urteilsspruch eine schwere Kränkung dar.[3]

Sogar noch spannungsgeladener waren religiöse Fragen. Für die Juden gab es in Judäa nur einen Herrn, und das war Gott – Jahwe. Die Herrschaft einer fremden Macht verstieß gegen den Willen Gottes. Trotzdem kamen die Juden dem göttlichen römischen Kaiser entgegen und waren bereit, zweimal am Tag sowohl ihm als auch dem Volk von Rom zu opfern.[4] In den Evangelien räumt Jesus selbst ein, dass der Caesar und Gott nebeneinander bestehen können. Aber wieder einmal gingen die Römer zu weit. Im Jahre 26 n. Chr. ließ der römische Präfekt von Judäa, Pontius Pilatus, Feldzeichen in Jerusalem aufstellen, denen die römischen Soldaten opfern sollten. Dies widersprach der jüdischen Thora, der für das Judentum zentralen alten Gesetzessammlung, nach der es keine heidnischen Götzenbilder in der Heiligen Stadt geben durfte. Nach nur fünftägigem Protest gab Pilatus tatsächlich nach und war bereit, die Standarten wieder zu entfernen. Der nächste Kaiser war jedoch entschlossen, noch sehr viel weiter zu gehen, um die Kaiserverehrung in Judäa durchzusetzen.

38 n. Chr. gab Caligula dem Legaten von Syrien, Publius Petronius, den Befehl, sich nach Jerusalem zu begeben und in der Stadt kaiserliche Kultstatuen zu errichten. Eines dieser Standbilder Caligulas sollte sich sogar innerhalb des Tempelbezirks erheben. Diejenigen, die dagegen protestierten, sollten, so lautete die Anordnung aus Rom, hingerichtet und das übrige Volk in die Sklaverei verkauft werden. In Jerusalem und Galiläa versammelten sich die erbitterten Gegner zu Tausenden, um sich den Soldaten und den Wagen mit den kaiserlichen Marmorstandbildern in den Weg zu stellen. Woche für Woche teilten sie dem Kommandanten mit, dass das gesamte jüdische Volk getötet werden müsse, bevor in Jerusalem eine Kaiserstatue aufgestellt werden könne. Petronius stand vor einem Dilemma: entweder die Widerstand leistenden Juden hinzurichten oder aber, die Befehle Caligulas missachtend, sein eigenes Leben aufs Spiel zu setzen. Er entschied sich für das Risiko, kehrte nach Antiochia zurück und wartete auf sein baldiges Ende. Doch Petronius hatte Glück: Als der kaiserliche Befehl für seine Hinrichtung aus Rom eintraf, war Caligula bereits ermordet und der mildere Claudius an seiner Stelle zum Kaiser ausgerufen worden. Das Feuer war zunächst einmal unter Kontrolle, aber es war noch längst nicht gelöscht.

Auch die wirtschaftlichen Verhältnisse unter der römischen Besatzung boten ständig Anlass zu Konflikten. Die Hauptursache für die römisch-jüdischen Spannungen war aber wohl das Geld. Zu Zeiten der Republik war die römische Provinzverwaltung gleichbedeutend mit Erpressung, Schröpfung und Ausbeutung der Provinzbewohner. »Es ist nämlich kaum zu sagen, wie verhasst wir bei den auswärtigen Völkern sind wegen der Willkür und Übergriffe der Leute, die wir in den letzten Jahren als Befehlshaber zu ihnen sandten«, schrieb der Senator Cicero im Jahre 66 v. Chr.[5] Die von Julius Caesar und Augustus eingebrachten Gesetze, die die Exzesse römischer Statthalter und habgieriger Soldaten bekämpften, hatten die Korruption eingedämmt, aber jetzt gab es eine hohe Dunkelziffer. In Judäa hatte man sich nach dem Zeugnis der Evangelien auf ein Verfahren geeinigt, das auch von Jesus befürwortet wurde. Als er zu den Pharisäern in Jerusalem sagte, »So gebt dem Kaiser, was dem Kaiser gehört, und Gott, was Gott gehört«, gab er zu verstehen, dass man sowohl Rom als auch dem jüdischen Tempel Steuern zahlen durfte. Als römische Soldaten Johannes den Täufer um Rat fragten, stellte auch er ihre Anwesenheit in Judäa nicht in Frage, sondern ließ mit folgenden Worten durchblicken, dass er sie akzeptierte: »Misshandelt niemand, erpresst niemand, begnügt euch mit eurem Sold!«[6] Daraus lässt sich allerdings schließen, dass die Besatzungstruppen doch immer wieder Möglichkeiten fanden, die Bevölkerung auszunehmen.

Tatsächlich litten die meisten gewöhnlichen Juden überall in der Provinz von Anfang an unter der Last der römischen Steuern und anderer finanzieller Abgaben. Je länger die fremde Herrschaft andauerte, desto schwieriger wurde es, Jesu Auffassung zu teilen, dass man sich mit der römischen Verwaltung in Judäa durchaus abfinden könne. Nur wenige Bauern hatten gutes, fruchtbares Ackerland. Deshalb waren damals wie heute die Lebensbedingungen in Palästina und Judäa je nach Region höchst unterschiedlich. Während die Küstenebene über guten Boden und Flüsse zur Bewässerung verfügte, war das bergige Hochland von Judäa steinig und trocken und sein Boden karg. Infolgedessen war es schon schwer genug, seinen Lebensunterhalt zu verdienen, die Pacht für das Land aufzutreiben, eine Familie zu ernähren, an den Tempel Abgaben zu entrichten und seinen Zehnten an die Priester abzuführen, bevor man, wenn die Steuereinnehmer erschienen, für den Kaiser noch zusätzlich in die Tasche greifen musste.[7]

Doch die Geldeintreiber waren noch aus einem anderen Grund nicht gern gesehen. Die Männer, die durch die Dörfer Judäas zogen und die Armen um ihr Geld brachten, waren nicht einmal Römer. Die jüdischen Bauern subventionierten eine jüdische Oberschicht, die, von den Römern protegiert, aufgrund ihrer Steuerpachtverträge ein glänzendes Auskommen hatte. Infolgedessen war die jüdische Gesellschaft tief gespalten. Die *Pax Romana* machte einige Menschen reich, während sie anderen langsam die Luft abdrehte.

Der Grund für diese politischen, ökonomischen und religiösen Spannungen wurde gelegt, als die Römer 63 v. Chr. die Herrschaft über Judäa antraten. Seit dieser Zeit nahmen die Spannungen ständig an Schärfe zu. Im Jahre 66 n. Chr. war Judäa eine Zeitbombe. Um sie zu zünden, musste nur jemand auf den Knopf drücken. Im Mai jenes Jahres war Gessius Florus, der römische Prokurator, dazu bereit.

Der Ausbruch des Aufstandes

Das Regime des unersättlichen Kaisers Nero erforderte Geld, sehr viel Geld, vor allem in seinen letzten Amtsjahren. Steuererhöhungen und Zwangsrekrutierungen trafen die Provinzen ins Mark: Gallien und Britannien litten Not. In Afrika wurden sechs Großgrundbesitzer, denen die halbe Provinz gehörte, hingerichtet. Jetzt sollte auch Judäa den Druck zu spüren bekommen.[8] Das Land sollte helfen, das Finanzloch zwischen Neros Einkünften und seinen maßlosen Ausgaben zu stopfen, egal auf welche Weise. Gessius Florus gab bekannt, dass der Kaiser die enorme Summe von 400 000 Sesterzen einfordere. Er war sogar willens, dafür den Tempelschatz zu plündern, und kündigte an, dass römische Soldaten nach Jerusalem kommen würden, um das Geld zu holen. Da der Tempelschatz aus den heiligen Abgaben bestand, die die gewöhnlichen Juden für Opfer entrichteten, kam Florus' angedrohter Diebstahl einem Sakrileg der übelsten Sorte gleich. Die Juden in der Heiligen Stadt waren außer sich.

Gessius Florus war der Archetyp eines habgierigen römischen Gouverneurs. Es machte ihm großen Spaß, die Juden auszubeuten, er prahlte mit seinen Verbrechen und ließ keine Gelegenheit aus, um durch Erpressung und Raub zu noch mehr Geld zu kommen. Für ihn war das Ganze eine Art Sport.[9] So sah es zumindest Josef ben Mattathias, der diese Ereignisse als Augenzeuge miterlebte. Josephus (wie sein römischer Name lautete), ein 29-jähriger Priester und Gelehrter, war der Spross einer aristokratischen jüdischen Familie, die ihre Ursprünge auf ein einflussreiches Priestergeschlecht, die sogenannten Hasmonäer, zurückführen konnte, die bei der Ankunft der Römer die Geschicke Judäas leiteten. Er hatte die Lehren der drei führenden jüdischen Glaubensrichtungen studiert. Weil er sich für keine entscheiden konnte, hatte er, so behauptete er später, drei Jahre bei einem asketischen Einsiedler meditierend in der Wüste verbracht. Nachdem er einige Jahre seine priesterlichen Pflichten in Jerusalem erfüllt hatte, reiste er in diplomatischer Mission nach Rom, wo er zwei Jahre lang blieb und die Römer möglicherweise zu schätzen lernte. Im Mai 66 n. Chr. war er nach Jerusalem zurückgekehrt, um Zeuge der von Florus provozierten Krise zu werden. Diese Krise sollte ihn ganz gefangen nehmen und sein Leben für immer verändern. Damals wurde er zum Historiker, der den Aufstand der Juden gegen Rom mit eigenen Augen miterlebte.

Florus machte seine Drohung wahr und wies seine Soldaten in Caesarea an, dem Tempelschatz 17 Talente (435 kg) Silber zu entnehmen. Aufgrund dieser Aktion entluden sich nun all die zwischen den Römern und Juden aufgestauten Spannungen. Dass der Raub ausgerechnet dort passierte, wo König David die Heilige Stadt gegründet, König Salomo den ersten Tempel erbaut hatte und wo die Juden nach ihrer Rückkehr aus der Babylonischen Gefangenschaft den zweiten Tempel errichtet hatten, war die größte Kränkung, die man ihrem Volk und ihrer Geschichte antun konnte. Der Tempel verkörperte die jüdische Identität. Doch dies alles war Florus völlig gleichgültig. Für ihn war der Tempel nichts anderes als das seit langem verhasste Symbol der jüdischen Unabhängigkeit von Rom. Und so gab er, in dem Gefühl, der römischen Macht neue Geltung zu verschaffen, den heidnischen Soldaten nur allzu gern den Befehl, in das Allerheiligste einzudringen, die Kultgegenstände umzuwerfen, die Priester und alle, die sich ihnen in den Weg stellten, beiseite zu stoßen und das Geld an sich zu nehmen.

Angeheizt von jüdischen Nationalisten und Radikalen, brachen überall in Jerusalem Tumulte aus. Als in Caesarea die Nachricht eintraf, dass die Stadt in Waffen stehe, stürmte Florus mit je einer Infanterie-

und Kavallerieabteilung nach Jerusalem, um die Ordnung wiederherzustellen und sich des Geldes zu bemächtigen. Als er in die Stadt einzog, sah er einige Spaßvögel, die als Bettler auftraten und so taten, als
würden sie für den verarmten römischen Prokurator Almosen sammeln. Nun war es an Florus, wütend zu sein. Auf einem öffentlichen
Platz ließ er sich auf seinem Richterstuhl nieder und eröffnete unter
freiem Himmel ein Gerichtsverfahren, um diejenigen, die ihn beleidigt hatten, zu verurteilen. Die lokalen Führer standen zwischen dem
römischen Magistrat und der aufgebrachten Menschenmenge. Unter
den gemäßigten Priestern waren Josephus und der Hohepriester Hanan.
Sie versuchten bei Florus für die Bevölkerung Jerusalems ein gutes
Wort einzulegen und bemühten sich verzweifelt, die Leute zu beruhigen und wieder für Ordnung zu sorgen. Doch ihre Appelle verhallten
ungehört. Die prorömische Priesterelite war praktisch in der Zwickmühle: Wenn sie die Schuldigen an Florus verrieten, würde es zu weiteren Tumulten kommen, sollten sie hingegen für die Nationalisten
Partei ergreifen, riskierten sie, sich die Missgunst der Römer zuzuzie-
hen und ihre Privilegien zu verlieren. Deshalb suchten sie bei dem
Treffen unter freiem Himmel nach einem Kompromiss und baten Florus nur, um der zahlreichen unschuldigen und loyalen Untertanen willen den wenigen Aufrührern und Extremisten zu verzeihen. Doch
dieser goss noch mehr Öl ins Feuer: Er schickte die Kavallerie in die
Stadt.

Der Kampf gegen die Widerständler auf dem Oberen Markt geriet
schnell außer Kontrolle. Häuser wurden geplündert, über 3000 Un-
schuldige getötet und die Aufrührer als Abschreckung für die anderen
ans Kreuz geschlagen. Als die Juden all ihren Mut zusammennahmen
und Protest erhoben – diesmal gegen das Massaker –, kam es zu einem
zweiten Blutbad. Wieder fanden sich die Gemäßigten in der jüdischen
Oberschicht zwischen den Fronten. Daher machten sie die traditionellen Flehgebärden: Sie warfen sich zu Boden, streuten Asche auf ihr
Haupt, zerrissen ihre Kleider und baten die Aufständischen inständig,
ihren Widerstand aufzugeben. Sie würden, so ihre Worte, den Römern nur eine Rechtfertigung für weitere Grausamkeiten an die Hand
geben. Wieder griff der Prokurator zur Gewalt. Nachdem zwei weitere

Kohorten aus Caesarea herbeigeordert waren, knüppelten die Soldaten
die Aufrührer zu Tode. Die Kavallerie verfolgte die Flüchtenden und
trieb sie bis zu den Toren der Burg Antonia. Dort entstand ein furchtbares Gedränge, in dem viele erdrückt und andere bis zur Unkennt-
lichkeit zusammengeschlagen wurden.[10] Mit jedem Tag, an dem weiter
Blut vergossen wurde, verringerte sich die Autorität der einheimischen
Führer und Priester, und es kam zu einem dramatischen Umschwung
der öffentlichen Meinung: Man sympathisierte jetzt mit den Nationalisten und befürwortete den bewaffneten Widerstand.

Die Nationalisten suchten Streit und organisierten Vergeltungsmaß-
nahmen. Sie errichteten Straßensperren, isolierten kleine Gruppen römischer Soldaten und kesselten sie ein, griffen sie dann mit Speeren und
Steinschleudern an, bewarfen sie mit Back- und Ziegelsteinen und trieben Florus und die meisten seiner römischen Kohorten aus der Stadt.
Während sich Florus nach Caesarea zurückschleppte, wurde die allein
zurückgebliebene Kohorte umgehend niedergemetzelt. Man musste
handeln, aber alle römischen Maßnahmen blieben erfolglos. Agrippa,
der Vasallenkönig in Galiläa und in den Gebieten nördlich und östlich
des Sees Genezareth, wurde zu Hilfe gerufen. Vielleicht hätte er mehr
Einfluss auf die empörten Juden in Jerusalem. Der Kaiser hatte ihn für
mehr als zehn Jahre mit der Aufsicht über den Tempel, wozu auch die
Ernennung des Hohenpriesters gehörte, betraut. Doch als Agrippa in
der Heiligen Stadt eintraf und sich an die feindselige Menge wandte,
wurde er ebenfalls mit Steinwürfen aus der Stadt gejagt.[11]

Die Nachricht vom erfolgreichen Widerstand in Jerusalem verbreitete sich in der gesamten Provinz. In allen Festungen in Judäa wurden
römische Posten ermordet und die jüdischen Rebellen übernahmen
das Kommando. Um die Ordnung wiederherzustellen, wandten sich
der Kaiser von Rom und seine Ratgeber im Senat an Gaius Cestius
Gallus, den neu ernannten Legaten von Syrien. Wo die schwachen
Verbände der judäischen Hilfstruppen versagt hatten, könnte die massive Kampfkraft einer römischen Legion und zahlreicher anderer Truppen vielleicht zum Erfolg führen. Mitte Oktober 66 n. Chr. marschierte
Gallus mit 30 000 Soldaten von Antiochia nach Jerusalem, um mit den
dortigen Rebellen kurzen Prozess zu machen. Aber für diese Aufgabe

war er der falsche Mann. Er war ein Politiker, der mehr mit den Freuden einer friedlichen Provinz als mit der harten Wirklichkeit des Krieges vertraut war, und so schlug nicht nur sein Versuch, die Stadt einzunehmen, fehl, sondern er geriet auf seinem Rückzug auch noch in eine lebensgefährliche Falle. Dies war der Augenblick, in dem sich ein Aufstand in einer kleinen Provinz des Imperiums zu einem Krieg mit der Supermacht Rom entwickelte.

Als sich die Soldaten der 12. Legion demoralisiert nach Caesarea zurückschleppten, ließ Gallus einen wichtigen Punkt außer Acht: die Kontrolle der Hügel, die die steinigen Hohlwege säumten, auf denen die Römer unterwegs waren. Als sie sich Beth-Horon näherten, schnitt ihnen eine gewaltige Streitmacht jüdischer Rebellen den Weg ab, brachte die sich über den Pass windende Kolonne der Soldaten völlig zum Stehen und umzingelte die Römer von allen Seiten. Von den Felshängen ließen sie dann Pfeile, Speere und Steine auf die Truppen der Besatzungsmacht niederprasseln. Unfähig, sich zu verteidigen und ihre Formation in dem engen Pass aufrechtzuerhalten, gerieten die römischen Soldaten in Panik, duckten sich unter ihre Schilde und mussten einen stundenlangen Geschosshagel über sich ergehen lassen. Nur der Einbruch der Nacht gönnte ihnen eine vorübergehende Pause. Am nächsten Tag ergriff Gallus schmählich die Flucht. Die Römer, vernichtend geschlagen, hatten etwa 6000 Opfer zu beklagen. Es war die größte Niederlage, die reguläre römische Truppen durch das Volk einer von Rom eingerichteten Provinz jemals erlitten hatten.[12]

Überall in der Provinz waren die Juden außer sich vor Freude. Viele hielten ihren außergewöhnlichen Sieg für ein Wunder. Propheten, die vielleicht mit den Rebellenführern kooperierten, taten das Ihre und verwiesen auf die Hand Gottes. Mit seiner Hilfe konnte der Underdog vielleicht doch noch das allmächtige Rom besiegen. Wie sonst ließe sich ein solch historischer, beispielloser Sieg erklären? Laut Josephus gab es aber auch eine ganze Reihe von Leuten, die über den Erfolg bestürzt waren. Denn während die Juden über die Bedeutung ihres glänzenden, bahnbrechenden Triumphes diskutierten, stand eine Sache außer Zweifel: Die Tür zu Verhandlungen war zugeschlagen. Die Juden mussten nun, ob sie wollten oder nicht, Krieg führen.

In Jerusalem hatten die Gemäßigten die Kontrolle über die Stadt zurückgewonnen. Einige Anführer des Aufstandes waren getötet worden, und mit ihrem Tod kam es wieder zu einem Umschwung der öffentlichen Meinung zugunsten der Priesterelite. Der Hohepriester Hanan und andere Gemäßigte wollten nun die Gunst der Stunde für sich nutzen. Wenn Judäa jetzt gegen Rom kämpfen müsse, so sprachen sie mit neu gewonnener Autorität zum Volk von Jerusalem, dann lasst uns die Führung übernehmen.[13] Die Leute waren einverstanden und betrauten die Priester mit der Kriegsstrategie. Vermutlich haben Hanan und die Elite, als es zu diesem Beschluss kam, ihre wirklichen Absichten geheim gehalten.

Denn während viele Leute in der Stadt angesichts der Niederlage des Gallus und seiner Soldaten allzu große Hoffnung schöpften, sahen Hanan und seine gemäßigten Kollegen die Zukunft realistischer. Sie rechneten nicht mit einem Sieg der Juden, sondern hofften lediglich, den Römern einige wichtige Konzessionen abtrotzen zu können. Schließlich konnte sich die priesterliche Elite darauf berufen, dass die Römer vor genau sechs Jahren in Britannien den Aufstand der Boudicca, der Königin der Ikener, nur mit Mühe niedergeschlagen hatten. Um einen weiteren Konflikt zu vermeiden, erst recht einen, der sich lange hinziehen und viele Römer das Leben kosten würde, wären die Besatzer ja vielleicht zu einer neuen Absprache bereit.[14] Einer Sache jedoch waren sich Hanan und seine Priesterkollegen ganz sicher: Sie mussten mit den Rebellen zusammenarbeiten. Ihr einziger Trost bestand darin, dass nicht die hitzköpfigen Nationalisten, sondern sie selbst die Fäden ziehen würden.

Es gab allerdings noch viel zu tun. Bevor die Römer mit einer geeigneten militärischen Maßnahme auf die katastrophale Niederlage des Gallus reagieren konnten, mussten sich die Juden formieren, und zwar schnell. Hanan brauchte dringend Leute, denen er das Kommando über die Rebellen überall im Land anvertrauen konnte und die in der Lage wären, den Widerstand in den Städten zu organisieren. Für den Posten des Oberbefehlshabers in Galiläa hatte er genau den richtigen Mann.

Josephus, der Kommandant von Galiläa

Als die Nachricht von Gallus' Niederlage in Rom eintraf, waren sich Kaiser Nero und seine Ratgeber über die Gefahr sofort im Klaren. Die Rebellion in der kleinen Provinz Judäa war unter Umständen erst der Anfang: Der Aufstand konnte sich ausbreiten und das gesamte Gebiet an der römischen Ostgrenze destabilisieren. Es war z.B. zu befürchten, dass die Juden von Alexandria und Antiochia (der zweit- bzw. drittgrößten Stadt des Imperiums) dazu gebracht werden könnten, sich dem Kampf ihrer Landsleute anzuschließen: Die jüdischen Gemeinden des östlichen Mittelmeerraums stellten innerhalb des Reiches eine Art »fünfte Kolonne« dar. Doch ein anderes Gefahrengebiet beunruhigte die kaiserlichen Ratgeber sogar noch mehr: Parthien. Die größte jüdische Bevölkerungsgruppe außerhalb von Judäa lebte im Reich des großen römischen Widersachers. Würden die Parther den Aufstand für ihre Zwecke nutzen? Würden sie ihn als Einladung betrachten, auf den Mittelmeerraum Einfluss zu nehmen? In dieser Krise wandte sich der Kaiser an jemanden, den niemand auf der Rechnung hatte.

Der Senator Flavius Vespasianus war ein in Ungnade gefallener General, der in Griechenland im Exil lebte. Er war der Sohn eines Steuereinnehmers und der Erste in seiner Familie, der dem Senat angehörte. Er hatte zu Neros Gefolge gehört, als dieser die griechischen Festspielorte bereiste. Der Kaiser hatte geglaubt, dass Vespasian ihm bei allen seinen Bühnenauftritten willfährig applaudieren werde, doch dieser revanchierte sich, indem er im Theater einfach einschlief und ihm keinen noch so müden Beifall zollte. Derbe Späße und Ballspiele waren mehr nach seinem Geschmack. Vespasian war einfach kein Kunstliebhaber. Er war Soldat. Er war von kräftiger Statur und sah immer etwas angestrengt aus. Aufgrund seiner brillanten militärischen Erfolge war er in den Senat aufgenommen worden. Er hatte in Germanien als Militärtribun gekämpft, doch erst bei der römischen Invasion und Eroberung Britanniens begann sein Stern zu leuchten: Unter Kaiser Claudius schlug er nicht weniger als 30 Schlachten und wurde dafür mit den Triumphabzeichen und dem Konsulat belohnt.[15] Abgesehen von seiner untadeligen militärischen Leistungsbilanz sprach auch Vespasians griechische Adresse zu seinen Gunsten: Von Griechenland aus konnte er die Unruhezone doppelt so schnell erreichen.

Doch ein Gesichtspunkt war für seine Ernennung ausschlaggebend: Da Nero in seiner Paranoia ständig fürchtete, dass Rivalen innerhalb der Aristokratie zu Ruhm und Ehre kommen und ihn, den Kaiser, in den Schatten stellen könnten, war es von großem Vorteil, dass Vespasians Familie keine bedeutenden Vorfahren aufweisen konnte. Dies war letztendlich der entscheidende Grund dafür, warum Nero ihm sein unaufmerksames und undankbares Verhalten verzieh und dem erfahrenen General die größte Chance seiner Karriere bot: den Oberbefehl in Judäa.[16] Als die Nachricht eintraf, konnte er jedoch nicht ahnen, wie radikal diese Ernennung sein Leben und das seiner Frau und seiner beiden Söhne verändern würde.

Da er Leute brauchte, auf die er sich verlassen konnte, ließ Vespasian seinen ältesten Sohn Titus nach Griechenland kommen, und zusammen entwarfen sie Pläne für den römischen Feldzug. Der junge Mann war charmant, gutmütig und allseits beliebt. Wie sein Vater war er ein guter Soldat und ein vorzüglicher Reiter, und er beherrschte den Umgang mit den Waffen. Auch sonst war er vielseitig begabt. So war er ein hervorragender Sänger und Musiker und konnte sowohl auf Latein wie auch auf Griechisch Reden oder Gedichte quasi aus dem Stegreif verfassen.[17] Nun, da Vater und Sohn wieder zusammen waren, kamen sie überein, dass Titus, obwohl nur Quästor, das Kommando über die in Alexandria stationierte 15. Legion übernehmen solle, während Vespasian die legendäre 10. Legion sowie die in Syrien stehende 5. Legion befehligen würde. Der General verzichtete auf den Einsatz der 12. Legion, die, von den Juden bei Beth-Horon besiegt, in Ungnade gefallen war. Die drei Legionen sollten sich in der Küstenstadt Ptolemaïs in Galiläa einfinden, bevor sie den Kampf gegen die Rebellen aufnähmen.

Obwohl diese Legionen eine schlagkräftige Streitmacht zu sein schienen, sollten sie tatsächlich jeden einzelnen Soldaten brauchen. Vater und Sohn sahen sich mit einer gewaltigen Aufgabe konfrontiert: Viele Städte und Dörfer überall in der Provinz Judäa mussten unter Kontrolle gebracht werden, und laut Josephus (der hier übertreibt) hatte jede dieser Gemeinden wenigstens 15 000 Einwohner. Hinzu kam, dass die römischen Truppen für die militärische Taktik des jüdischen Guerillakrieges weder gut gerüstet noch entsprechend trainiert waren. Sollten sich die Juden in ihre Bergfestungen zurückziehen, müssten sich die Römer auf lange, zermürbende Belagerungen einstellen. Bei diesen Herausforderungen agierten die beiden Männer weniger als Vater und Sohn denn als gleichrangige Partner. Sie waren sich einig, dass sie sich als Feldherrn ein Scheitern in Judäa nicht leisten konnten. Auch ließ sich durch Plünderungen und den Verkauf von Gefangenen in die Sklaverei eine Menge Geld verdienen. Eine erfolgreiche Beendigung der Rebellion würden ihnen außerdem viel Ruhm und Anerkennung einbringen.

Während Vespasian im Winter 66/67 n. Chr. seine Armee in Syrien auf den Krieg vorbereitete, traf auch der Kommandant des jüdischen Widerstandes in Galiläa seine Vorkehrungen. Josephus übernahm die Aufgabe, in den nördlich von Judäa gelegenen Städten Galiläas den Bau von Verteidigungsanlagen zu organisieren. Daneben befasste er sich auch mit der Ausrüstung und dem Training des jüdischen Heeres. Dabei orientierte er sich, wie er später erklärte, am Modell der römischen Armee: Er war bestrebt, seinen Soldaten Disziplin und Gehorsam beizubringen, bildete sie sorgfältig an der Waffe aus und sorgte für eine klare Befehlsstruktur. Doch diese Aufgabe erwies sich als schwieriges und äußerst mühsames Unterfangen. Der vornehme junge Gelehrte war für die heimatlosen Männer, zornigen Bauern und Dorfbewohner verantwortlich, die noch nie in der Heiligen Stadt gewesen waren. Und nun wurden sie ausgerechnet von einem Aristokraten, einem Außenseiter, aufgefordert, sich geschlossen hinter ihn zu stellen und einen Krieg zu führen, der ein Krieg Jerusalems war. Sich den Respekt seiner Armee zu verschaffen, sollte für sich allein schon eine schwierige Aufgabe sein. Bei all diesen ohnehin schon beträchtlichen Schwierigkeiten warteten in Galiläa noch viel kompliziertere Aufgaben auf ihn.

Ein einheimischer Fanatiker namens Johannes ben Levi, auch bekannt unter dem Namen Johannes von Gischala (nach seiner galiläischen Vaterstadt), kam zu Josephus und erklärte sich bereit, sich ihm mitsamt seinen Anhängern anzuschließen, ein Angebot, das Josephus dankbar annahm. Dieser war sehr davon beeindruckt, wie engagiert und tatkräftig Johannes dann den Wiederaufbau der Mauern von Gischala organisierte. Der positive Eindruck sollte allerdings schnell verfliegen. In seinem im Nachhinein verfassten Bericht über die Kriegsvorbereitungen in Galiläa weichen Josephus' Lobeshymnen sehr bald ausgesprochen boshaften Bemerkungen. Johannes sei »stets mit Lügen zur Hand und ein Meister in der Kunst, seine Lügen glaubhaft zu machen«. Er sei ein machtbesessener Kraftprotz und habe sich mit einer 400 Mann starken Privatarmee von gewalttätigen Banditen umgeben, die bereit seien, für Geld Morde zu begehen.[18] Objektiv gesehen war Johannes nichts weiter als ein Opportunist mit populären Instinkten, der gewillt war, im Kampf gegen eine ausländische Besatzungsmacht zu sehr viel radikaleren Maßnahmen zu greifen als der wohlhabende Priester. Johannes würde alles tun und alles Geld nehmen, um sich Macht zu verschaffen und Rom bekämpfen zu können. Seine Anwesenheit in Galiläa sollte dem sensiblen, gemäßigten Kommandanten das Leben zur Hölle machen. Darüber hinaus brachten die Streitigkeiten zwischen den Extremisten und den Moderaten den Römern, noch bevor sie ihren Fuß nach Judäa gesetzt hatten, einen unverhofften Vorteil.

Als Josephus beispielsweise Johannes erlaubte, die Juden in Syrien mit koscherem Öl zu versorgen, damit sie nicht, gegen die religiösen Vorschriften verstoßend, in der Fremde produziertes Olivenöl verwenden mussten, nutzte dieser die Gelegenheit, um sich das Monopol für galiläisches Öl zu sichern, und löste einen Aufruhr aus. Indem er das Öl zum achtfachen Preis verkaufte, erwarb er ein Vermögen, mit dem er die Kriegskasse und, laut Josephus, auch seine eigene Tasche füllte. Mit den Gewinnen finanzierte er seine Bande und ließ sie die Reichen in Galiläa überfallen. Je chaotischer die Verhältnisse wurden, desto größer wurden auch die Feindseligkeiten zwischen Josephus und Johannes. Ihre Beziehungen waren bald so vergiftet, dass der Kommandant glaubte, er solle von Johannes heimlich aus dem Weg geräumt werden. Josephus wurde ständig von einem bestimmten Szenario verfolgt: Johannes wolle ihn dazu bringen, gegen seine Raubzüge einzuschreiten, um ihn dann in dem Getümmel hinterrücks umzubringen und selbst die Macht zu übernehmen. Josephus hatte wahrlich allen

Grund, sich verfolgt zu fühlen. Es sollte nicht lange dauern, bis sich Johannes tatsächlich mit Mordplänen trug.

Weil er angeblich krank war, erhielt Johannes von Josephus die Erlaubnis, sich in den Bädern der galiläischen Stadt Tiberias zu erholen. Seine eigentliche Absicht war jedoch, durch Bestechung und Vorspiegelung falscher Tatsachen die Menschen gegen Josephus aufzubringen. Als dieser von seinem Vertreter in Tiberias vor der drohenden Gefahr gewarnt wurde, zeigte er den Mut, dessentwegen ihn Hanan vielleicht zum Kommandanten ernannt hatte: Er eilte sofort in die Stadt, ließ die Bürger zusammenrufen und hielt eine eindringliche Rede, mit der er seine Autorität bekräftigen konnte. Johannes aber gab nicht auf. Einige Soldaten aus seiner Privatarmee bahnten sich einen Weg durch die Menge, zückten ihre Schwerter und wollten sich ihm von hinten nähern. Einige Leute in der Menge riefen Josephus zu, er solle sich in Acht nehmen, und so konnte er sich gerade noch – die scharfe Klinge war nur noch eine Handbreit von seiner Kehle entfernt – in Sicherheit bringen. Er sprang von dem Erdhügel, auf dem er seine Rede gehalten hatte, und flüchtete mit Hilfe seiner Leibwächter in ein in der Nähe vor Anker liegendes Boot.[19]

Aufgrund dieses Vorfalls kam es wieder zu einem Umschwung der öffentlichen Meinung zugunsten von Josephus. Die Verschwörer wurden verhaftet, nur Johannes entkam. Der Fanatiker war aus der Stadt geflüchtet und beabsichtigte nun, sich anderswo in Galiläa nach Anhängern umzusehen. Es sollte nicht das letzte Mal sein, dass sich die Wege der beiden Männer kreuzten. Der Zusammenprall zwischen ihnen stand stellvertretend für einen Konflikt, der in der gesamten Provinz schwelte. Überall in Judäa und Galiläa nahmen die Spannungen zwischen der Führungsriege der gemäßigten Priester in Jerusalem und den revolutionären Horden auf dem Lande an Schärfe zu. Während der Kriegsvorbereitungen nutzten die Zeloten, die noch stärker ideologisch ausgerichtet waren als Johannes, das chaotische Durcheinander. In der Stadt Akrabatene hatte ein Bauernführer namens Simon ben Gioras seine eigene revolutionäre Bande aufgestellt und handelte auf eigene Faust, unabhängig von den Kriegsvorbereitungen, die Hanan und die Tempelpriester in Jerusalem trafen. Je heftiger die Spannungen zwischen den jüdischen Fraktionen wurden und je mehr man sich über strategische Fragen zerstritt, umso einfacher sollten es die Römer haben. Doch die Revolutionäre wussten ebenso gut wie die Gemäßigten, dass die internen Machtkämpfe im Frühjahr 67 n. Chr. ein Ende haben mussten. Die Römer waren im Anmarsch.

Vespasians drei Legionen versammelten sich in Ptolemaïs. Sie wurden verstärkt durch Hilfstruppen und reguläre Kohorten aus Caesarea und Syrien sowie durch Truppenverbände, die von den prorömischen Königen in der dortigen Gegend, Agrippa, Antiochus und Soaemus, gestellt wurden. Gestützt auf eine jetzt mindestens 60 000 Mann starke Armee berieten Vespasian und Titus über die Kriegsstrategie. Einige Offiziere des Oberbefehlshabers wollten aufs Ganze gehen und die Widerstandsbewegung in Jerusalem niederschlagen. Nach ihrer Ansicht war dies der schnellste und einfachste Weg, den Aufstand zu beenden. Vespasian war anderer Meinung. Er wusste, aus welchem handfesten Grund Cestius Gallus sich der Heiligen Stadt nicht hatte bemächtigen können: Jerusalem war praktisch uneinnehmbar.

Die Stadt war eine natürliche Festung: Sie lag auf einem Felsplateau, das an der Süd-, Ost- und Westseite von steilen, tiefen Schluchten umgeben war. Außerdem war sie durch drei mächtige, konzentrisch angelegte Mauern zusätzlich geschützt. Selbst wenn Jerusalem in der Ebene gelegen hätte, hätte man die Stadt nicht einnehmen können.[20] Der Versuch, die Stadt zu erobern, so argumentierte Vespasian, war ein ungeheures Wagnis und würde nicht nur die Moral der Soldaten erschüttern, sondern auch sehr viele Römer das Leben kosten. Wenn man den Aufstand in Jerusalem niederschlagen wolle, gebe es nur ein einziges sicheres Mittel: Man müsse zuerst die umliegenden Gegenden unterwerfen. Die Rebellen in den Städten, Dörfern und Guerilla-Hochburgen in Judäa und Galiläa müssten alle unter Kontrolle gebracht werden. Allerdings wusste Vespasian auch, dass die Methode, mit der Rom das Umland zurückgewinnen wollte, riskant war.

Um sich gegenüber den jüdischen Aufständischen einen psychologischen Vorteil zu verschaffen, entschieden sich Vespasian und Titus für die übliche römische Taktik eines Terrorkriegs. Das Hauptprinzip war unbarmherzige Härte: Man müsse jeden Wehrfähigen töten und diejenigen, die keinen Widerstand leisten könnten, in die Sklaverei verkaufen. Alles, was der römischen Armee begegne, solle geplündert und verwüstet werden. Mit einem Wort: Man wollte die Kapitulation Jerusalems durch Terror erzwingen.[21] Der Anblick des römischen Heereszuges war furchterregend. Den leichtbewaffneten Hilfstruppen und Bogenschützen folgte schwerbewaffnetes Fußvolk, von dem einige Zenturien für das Abstecken des Lagers zuständig waren. Dann kamen die Straßenbauer mit ihren Werkzeugen, um schwer begehbare Wege zu ebnen und kurvenreiche Strecken zu begradigen. Eine Einheit der Kavallerie und eine Abteilung von Wurfschützen sicherten das persönliche Gepäck des Feldherrn und der Stabsoffiziere. Hinter ihnen waren die Maultiere zu sehen, die die Kriegsmaschinen, die Rammböcke und Geschütze transportierten. Ihnen schlossen sich Vespasian, Titus und die höheren Offiziere mit ihren Leibwächtern an. Hinter ihnen wurden passenderweise die militärischen Feldzeichen getragen, in ihrer Mitte das Symbol des Adlers. »Als König und stärkster aller Vögel ist er ihnen ein Sinnbild der Herrschaft.«[22] Die Standarten trennten die Generäle von der Hauptmasse des Heeres, dem die Sklaven und Söldner als Nachhut folgten.

Vespasian drang von Westen in Galiläa ein und griff zuerst die Stadt Gabara an, in der Johannes von Gischala die Aufständischen anführte. Während dieser ein weiteres Mal entkommen konnte, um anderswo den Widerstand zu organisieren, hatte die Stadt weniger Glück: Sie wurde im ersten Ansturm genommen. Nach seinem Einmarsch in Gabara führte Vespasian seinen Plan aus: Er verschonte weder Jung noch Alt, ließ alle außer den Kleinkindern töten und dann die Stadt und die umliegenden Dörfer niederbrennen. Als er erfuhr, dass der Kommandant von Galiläa Jotapata zur stärksten Festung des jüdischen Widerstandes gemacht hatte, wurde diese Stadt sein nächstes Ziel und zum Schauplatz einer ebenfalls blutigen Auseinandersetzung: Vespasian war fest entschlossen, so weiterzumachen, wie er begonnen hatte.

Das auf einem steilen Felsen gelegene Jotapata war eine natürliche Bergfeste, die auf allen Seiten, außer im Norden, durch tiefe Schluchten geschützt war. In der Stadt wartete Josephus auf die heranrückenden Römer. Obwohl der Kommandant Galiläas durch seine bloße Anwe-

senheit den Kampfesmut der Rebellen gestärkt hatte, fühlte er sich
zwischen Verstand und Gefühl hin und her gerissen: Seine Vernunft
sagte ihm, dass es zwecklos sei, sich der römischen Macht widersetzen
zu wollen. Er hatte sogar eine entsprechende Prophezeiung gemacht:
Die Stadt werde am 47. Tag fallen. Die einzige wirkliche Hoffnung auf
Rettung bestand in ihrer sofortigen Kapitulation. Josephus tröstete sich
sogar mit dem Gedanken, dass ihn die Römer, wenn er zu ihnen über-
liefe, begnadigen würden. Warum also sollte man kämpfen? Dennoch
behielt sein Gefühl die Oberhand: Er wollte lieber sterben als sein Vaterland verraten und das Vertrauen missbrauchen, das sein Bauernheer
in ihn setzte.[23] So zumindest stellt es Josephus dar. Dies lässt darauf
schließen, dass er in seinem *post festum* geschriebenen Geschichtswerk
auch versucht, sich vor seiner römischen Leserschaft in einem positiven
Licht zu präsentieren. Eines war sicher richtig: Josephus, ein Sympa-
thisant der Römer und ein nicht gerade überzeugender Truppenfüh-
rer, lernte dieselbe Brutalität kennen, mit der das römische Imperium
errichtet worden war und mit der nun auf blutige Weise alle Gegner
des Reiches ausgemerzt werden sollten.

Es dauerte nur vier Tage, bis ein ausreichend breiter Weg angelegt
war, auf dem sich das Heer von Norden her Jotapata nähern konnte.
Nachdem Vespasian sein Lager bezogen hatte, begann der Angriff. In
den ersten fünf Tagen zeigten sich die Juden der römischen Übermacht
gegenüber äußerst respektlos. Gedeckt durch die Wurfschützen auf der
Stadtmauer machten Josephus und seine Männer immer wieder wage-
mutige Ausfälle gegen die römischen Angreifer, während Vespasian
versuchte, den Abhang hinaufzusteigen und die Stadt zu erreichen.
Nach fünf Tagen tapferer Verteidigung wuchs bei den Juden das Selbstvertrauen. Daraufhin änderte Vespasian seine Taktik. Um seine Angreifer zu schützen, ließ er an der nördlichen Mauer Belagerungstürme
errichten. Doch immer wieder wurde der römische Ansturm durch
den Einfallsreichtum der Juden verhindert.

Während die Römer versuchten, die Soldaten, die die Belagerungstürme errichten sollten, durch Schutzdächer abzuschirmen, erschwerten
ihnen die Juden die Arbeit, indem sie Steine von den Mauern warfen
und die römischen Verteidigungsanlagen zerstörten. Als die Römer die

Belagerungstürme immer höher bauten, ließ Josephus die nördliche Mauer ebenfalls erhöhen. Seine Arbeiter schützten sich, indem sie Pfähle in die Erde rammten und darüber frisch abgezogene Ochsenhäute spannten. Als Nächstes setzte Vespasian die Abteilung der Wurfschützen ein, die – gedeckt durch Schutzdächer und den Feuerhagel aus 160 im Halbkreis aufgestellten Wurfmaschinen – für die Bedienung des Rammbocks zuständig waren. (Dessen vorderes Ende war mit schwerem Eisen in Form eines Widderkopfes beschlagen, woher er auch seinen Namen hatte.) Als der Rammbock schließlich gegen die Stadtmauer gerichtet wurde und sie zu erschüttern begann, ließen die Juden große mit Lappen gefüllte Säcke hinab, um die Wucht der Stöße abzumildern.

Doch die Römer erhöhten ebenfalls ihren Einsatz. Als bei einem Zusammenstoß Vespasian von einem Pfeil am Fuß getroffen wurde, unterdrückte er tapfer seine Schmerzen und feuerte seine Soldaten zu noch größerem Kampfeseifer an. Josephus sah, wie einem Mann »von einem Stein der Kopf abgerissen und drei Stadien weit weggeschleudert« wurde.[24] In ähnlicher Weise wurde auch eine schwangere Frau von einer Steinschleuder getroffen und 100 m weit fortgerissen. Der erbitterte Widerstand der Juden wurde begleitet von dem Sausen der herannahenden Geschosse, dem Stöhnen der Sterbenden und dem dumpfen Geräusch, mit dem die von den Mauern stürzenden Toten auf der Erde aufschlugen.

Schließlich hatten die römischen Angreifer doch einen Erfolg zu verbuchen: Es war ihnen gelungen, eine Bresche in die Mauer zu schlagen. Aber als sie näher herankamen und sich einen Weg in die Stadt bahnen wollten, hatten die Juden noch eine letzte Überraschung für sie bereit. Um sich vor dem Geschosshagel zu schützen, bildeten die Römer eine sogenannte Testudo-Formation (nach dem lateinischen Wort für Schildkröte). Dafür brauchte es 27 Männer, die in vier Reihen aufgestellt waren: Während einige mit ihren Schilden die Abteilung seitlich deckten, hielten andere die Schilde so über ihre Köpfe, dass sie ein geschlossenes Dach bildeten. Unter diesem Schutzpanzer rückte die Einheit langsam auf die nördliche Mauer zu. Doch Josephus hatte auch jetzt ein Mittel bereit: Als die Römer näher-

rückten, wurden sie von den Juden mit kochendem Öl übergossen.
Die heiße Flüssigkeit drang durch jeden kleinen Spalt der *testudo* und
versetzte die römischen Truppen in panische Todesangst. Einige Soldaten konnten sich dennoch befreien und legten Planken in die Mau-
erbresche. Aber die Juden wussten auch darauf eine Antwort: Sie schüt-
teten einen Ölschlick aus abgekochtem griechischem Heu auf die Bretter, sodass die Römer immer wieder ausrutschten. Doch trotz ihres
Einfallsreichtums und ihres Heldenmuts konnten die Juden die Römer
nicht auf Dauer zurückschlagen.

Am 47. Tag der Belagerung, kurz vor Tagesanbruch, führte Titus
eine Todesschwadron geräuschlos durch die Bresche. Die Juden waren
so erschöpft und ausgelaugt, dass die Römer bis zu den vor sich hin dö-
senden Wachposten vordringen, sie niederstechen und in Jotapata ein-
dringen konnten. Schnell wurde Alarm gegeben, doch die Juden hatten
keine Zeit mehr, die Legionäre, die sich nun wie Ameisen in der Stadt
verbreiteten, aufzuhalten. Voller Panik drängten die Rebellen durch die
engen Gassen. Manche ergaben sich, andere wehrten sich noch eine
Weile, während wieder andere verzweifelt versuchten, sich in Gruben
und Höhlen in Sicherheit zu bringen. Die meisten Aufständischen gaben freiwillig auf und wurden anschließend überwältigt. Bei der Eroberung der Stadt hatten die römischen Soldaten jedoch Schwierigkeiten,
die Rebellen von den friedfertigen Zivilisten zu unterscheiden. Als ein
Jude einen römischen Zenturio bat, ihm aus seiner Höhle herauszuhel-
fen, war der Römer gern dazu bereit. Zum Lohn dafür stieß ihm der
Jude einen Speer in den Unterleib und tötete ihn auf der Stelle. Die Römer suchten weiterhin überall nach den Aufständischen, und vor allem
einer von ihnen musste noch ausfindig gemacht werden.

Der Mann, der richtig vorhergesagt hatte, dass die Stadt am 47. Tag
fallen werde, hatte sich zusammen mit 40 anderen Rebellen ebenfalls
in einer Höhle versteckt. Zwei Tage hielten sie dort aus, doch als sich
in der dritten Nacht jemand aus ihrer Gruppe herausschlich, um Lebensmittel zu besorgen, fiel er den Römern in die Hände und verriet
ihnen Josephus' Aufenthaltsort. Vespasian schickte umgehend zwei
Militärtribunen, die den Kommandanten unter Zusicherung freien
Abzugs zum Verlassen der Höhle bewegen sollten. Josephus und seine

Männer lehnten ab. Die einfachen Soldaten am Höhleneingang wollten
sein Blut. Doch einem herbeieilenden dritten römischen Offizier namens Nikanor gelang es, sie zurückzuhalten.

Nikanor, ein Freund des Josephus, dem der Priester vermutlich in
Jerusalem begegnet war, schwor bei ihrer Freundschaft, dass Vespasian
gewillt sei, dem Kommandanten, der die Stadt so überaus tapfer verteidigt habe, das Leben zu schenken. Unten in der Höhle aber löste
dieses Angebot eine wütende Diskussion aus. Josephus wollte sich ergeben: Seine letzten Träume hatten ihn zu der Überzeugung geführt,
dass Gott den Juden zürne und den Erfolg der Römer wolle. Die anderen aber waren empört, dass man eine Kapitulation überhaupt in
Betracht ziehen könne, und bezeichneten Josephus als Feigling und
Verräter. Für sie alle gab es nur einen einzigen ehrenvollen Ausweg:
Selbstmord. Sollte Josephus sich dem verweigern, würden sie ihn, so
sagten sie, trotzdem töten.

Josephus war in der Zwickmühle und berief sich zunächst darauf,
dass Selbstmord ein Verstoß gegen das Gebot Gottes sei. Das Argument
machte die anderen Rebellen so wütend, dass sie zur Gewalt griffen,
sich mit gezückten Schwertern auf ihn stürzten und ihn lauthals bedrohten. »Wie das eingekreiste Wild sich stets gegen den wendet, der
es gerade angreifen will«, zog Josephus alle Register, um seine Kameraden zu überzeugen, »indem er den einen bei seinem Namen anrief,
den anderen mit dem Blick des Feldherrn anschaute, einen dritten bei
der Hand ergriff, einen vierten durch Bitten [umzustimmen ver-
suchte].«[25] Es nützte nichts. Schließlich erklärte sich Josephus mit dem
kollektiven Selbstmord einverstanden. Doch er schlug ein spezielles
Verfahren vor.

Um gegen Gott keinen Frevel zu begehen, solle das Los entscheiden,
wer wen töten solle. Der Ausgeloste solle durch die Hand dessen, der
nach ihm ausgelost werde, fallen. »Auf diese Weise wird das Todeslos
alle treffen, ohne dass der Einzelne darauf angewiesen ist, sich selbst zu
töten.«[26] So kam es zu der schrecklichen Szene, dass Juden Juden nie-
derstachen. Während die leblosen Körper der Aufständischen zu Boden sanken, wurde aber ein Mann immer wieder ausgelassen und blieb
am Leben. Da Josephus als gebildeter Mann wahrscheinlich über sehr

gute mathematische Kenntnisse verfügte, konnte er anscheinend das Verfahren so beeinflussen, dass er immer zu den beiden Überlebenden gehörte. Auf diese Episode bezieht sich eine mathematische Aufgabe, die später als »Josephus-Problem« bezeichnet wurde. Wir werden niemals wissen, ob Josephus nur Glück hatte oder sich auf seine Rechenkünste verlassen konnte. In jedem Fall ergriff er nun seine Chance, wandte sich an seinen noch verbliebenen Gefährten und versuchte verzweifelt, ihn zur Aufgabe des Selbstmordpaktes zu bewegen. Nachdem so viele seiner Kameraden gerade umgebracht worden waren, musste er vermutlich alle seine Überredungskünste aufbieten, um nicht wegen Wortbruchs getötet zu werden. Beide Männer ergaben sich.

Später führte Josephus sein Überleben auf den Willen Gottes zurück. Allerdings bedeutete dies noch lange nicht das Ende seiner Probleme. Der Kommandant von Galiläa, der junge Beauftragte Hanans und der Jerusalemer Tempelpriester, hatte seine Aufgabe, den Römern Widerstand zu leisten, nicht erfüllt. Er war jetzt ein Gefangener Vespasians. Galiläa war so gut wie verloren, und Josephus selbst musste mit Gefängnis, einer langen, beschwerlichen Reise nach Rom und vielleicht auch seiner Hinrichtung rechnen. Und doch sollte Vespasians, Titus' und auch Josephus' Schicksal jetzt eine Wende erfahren. Gleichzeitig würde der Krieg in Judäa nun mit erhöhtem Einsatz weitergeführt werden.

Wechselfälle des Schicksals

Während die Massen jüdischer Gefangener in den Straßen von Jotapata schrien und johlten und die römischen Soldaten Beleidigungen ausstießen, ihre Ellbogen fliegen ließen und Josephus' Tod forderten, wurde dieser aus seinem Versteck gezerrt und in Vespasians Lager abtransportiert. Nach dem Zeugnis des Josephus war es sein nobles Auftreten, das Titus, den Sohn des Generals, Mitleid mit dem jüdischen Rebellenführer empfinden ließ. Angeblich beschäftigte ihn das ungewöhnliche Schicksal des Gefangenen, und so bat er seinen Vater, Josephus am Leben zu lassen. In Wirklichkeit war wohl alles viel banaler. Josephus sollte

nicht wegen seines edlen Gebarens am Leben bleiben. Das Los, das ihn
erwartete, war das von Hunderten anderer Heerführer ausländischer
Feinde, die von den Römern besiegt worden waren: Man würde Josephus in die Hauptstadt bringen, ihn in Ketten bei einem Triumphzug
zur Schau stellen und dann vermutlich auf dem Forum nach dem üblichen Zeremoniell hinrichten. Doch bevor all dies geschehen konnte,
ließ er sich auf das größte Wagnis seines Lebens ein.

Josephus bat Vespasian und Titus um eine Privataudienz. Nachdem
man diesem Wunsch stattgegeben hatte, nahm er all seinen Mut zusammen: Seine Worte würden ihn retten oder vernichten. Er sagte
ihnen, er sei von Gott gesandt. Es sei, fügte er hinzu, nicht sinnvoll,
ihn zu Nero zu schicken, da dieser Mann nicht mehr lange Kaiser sein
werde. Die künftigen Kaiser von Rom, prophezeite er, ständen vor
ihm. Vespasian muss über eine solch groteske Ankündigung schallend
gelacht haben. Schließlich waren die römischen Kaiser immer aus
einem einzigen Herrscherhaus des höchsten Hochadels gekommen.
Vielleicht wurde er sogar wütend, weil er glaubte, dass sich Josephus
sowohl über Rom wie auch über ihn selbst, einen gewöhnlichen römischen Aufsteiger, lustig machen wolle. Gewiss nahm er an, dass der
gelehrte Priester dies alles nur vorbrachte, um seine Haut zu retten.[27]

In Wahrheit hatte sich Josephus auf eine messianische Prophezeiung
aus dem 4. Buch Mose gestützt, die besagte, dass aus Israel ein Retter
kommen werde, hatte sie aber nicht auf einen Juden, sondern einen
Römer bezogen. Als ein gleichfalls anwesender Offizier fragte, warum
Josephus, wenn er sich mit Prophezeiungen so gut auskenne, weder
die Zerstörung der Stadt noch seine eigene Gefangennahme vorausge-
sagt habe, gab dieser zur Antwort, dass er genau das getan habe. Durch
dieses ungewöhnliche Gespräch war Vespasians Interesse ausreichend
geweckt, um Josephus' Aussage überprüfen zu lassen. Ein Bote kam
bald zurück und bestätigte seine Worte: Jotapata sei am 47. Tag gefallen, ganz so, wie es Josephus angekündigt habe. Möglicherweise witterten Titus und Vespasian jetzt eine Chance: Vielleicht könnte dieser
Mann ihnen doch noch auf irgendeine Weise nützen? Was Josephus
anging, so war seine Rechnung aufgegangen. Er war nicht nur gerettet,
sondern sein Schicksal hatte sich mit einem Schlag erneut völlig ge-

wandelt. Vespasian schenkte ihm Kostbarkeiten und Kleidung und behandelte ihn äußerst zuvorkommend. Josephus war zwar noch ein Gefangener, aber einer, den man als Glücksbringer schätzte.

Vespasian und Titus waren bald wieder mit konkreteren Kriegsfra-
gen befasst. Die Terrorkampagne in Judäa und Galiläa hatte gerade erst
begonnen. In Tarichaea, dem Reich des römischen Vasallenkönigs
Agrippa, wurden 6000 Juden umgebracht, als Titus den unbefestigten
Teil der an einem See gelegenen Stadt zu Wasser und zu Lande be-
stürmte. Nach Einnahme der Stadt trennte Vespasian die Zivilisten von
den Aufständischen, um die einheimische Bevölkerung nicht durch
Massenhinrichtungen gegen sich aufzubringen und es für Agrippa
leichter zu machen, künftig für Frieden zu sorgen. Er versprach, die
gefangen genommenen Bürger zu verschonen, doch auf Rat seiner
Offiziere, die einen neuen Aufstand befürchteten, brach er sein Wort.
»Man müsse das Nützliche dem Anständigen vorziehen«[28], lautete ihre
Botschaft. Später ließ er die freigelassenen Juden in der Rennbahn zusammenkommen. Die Alten und Schwachen, 1200 an der Zahl, wurden getötet. Von den jüngeren Leuten wurden die 6000 Kräftigsten
nach Griechenland geschickt, um als Sklaven an Neros Kanalprojekt
am Isthmos von Korinth mitzuarbeiten. Vespasian gab etwa 8500 Untertanen an Agrippa zurück und verkaufte die restlichen 30 400 in die
Sklaverei. In ähnlicher Weise rächten sich die Römer für den jüdischen
Widerstand in Gamala, wo 4000 Juden den Tod fanden. Die noch ver-
bleibenden 5000 Aufständischen hatten sich bereits durch einen Sprung
in eine tiefe Schlucht das Leben genommen.

Während Vespasian in Richtung Süden nach Judäa marschierte und
unterwegs die Küstenstädte »befreite«, konzentrierte sich Titus auf das
Ausheben der übrigen Widerstandsnester in Galiläa. Bei der letzten
Kampfhandlung des Feldzugs von 67 n. Chr. hatte Johannes von Gischala für den römischen General noch eine Überraschung bereit. Er hatte
eifrig Bauern um sich geschart und sie für eine Erhebung auf den Go-
lanhöhen und in seiner Heimatstadt trainiert. Mit den meisten Rebellen
hatte Titus leichtes Spiel. Doch als er zum Sturm auf Gischala ansetzte,
bat Johannes den römischen Kommandanten, die Stadt nicht am Sabbat
anzugreifen, sondern noch einen Tag zu warten. Nachdem Titus diesem

kurzen Aufschub zugestimmt hatte, nahm er die Stadt ein und musste feststellen, dass Johannes verschwunden war. Wieder einmal war dem Rebellenführer in letzter Minute eine dramatische Flucht gelungen. Dieses Mal war sein Ziel jedoch leichter vorhersehbar: Jerusalem.

Die Heilige Stadt war der Zufluchtsort aller Widerstandskämpfer, die dem Tod oder der Versklavung durch die römischen Legionen entkommen konnten. Die seit ihrer Ankunft in Jerusalem kursierenden Gerüchte sorgten bei der Kriegsleitung für Verwirrung. Viele Rebellen warteten nur mit schlechten Nachrichten auf. Galiläa sei verloren, sagten sie, und die Römer schwenkten jetzt langsam, aber unaufhaltsam nach Süden. Andere jedoch widersprachen heftig. Als Johannes und seine Gefolgsleute in Jerusalem einzogen, behaupteten sie, eine Niederlage der Römer sei durchaus im Bereich des Möglichen, die Juden könnten sie noch immer besiegen.[29] Als die Meinungen immer heftiger aufeinanderprallten und sich die Fronten zwischen den einzelnen jüdischen Fraktionen immer mehr verhärteten, befand sich eine Gruppe im Mittelpunkt der Kontroverse.

Die Kriegführung Hanans und der Tempelpriester, so der Vorwurf der nationalistischen Anführer, habe nur einen Misserfolg nach dem anderen gezeigt. Sei der jüdische Widerstand deshalb so schwach und wirkungslos gewesen, weil die gemäßigten Priester von Anfang an die Stadt und Judäa an die Römer ausliefern wollten? Mit der Zeit wurde die Diskussion immer hitziger geführt, und am Ende des Jahres war es mit der Geduld der extremistischen Gruppen endgültig vorbei. Johannes' Anhänger nahmen die Gemäßigten gefangen und brachten sie später um. Danach richteten sie ihre Angriffe gegen Hanan und die religiöse Elite. Johannes' Fraktion denunzierte sie als Verräter, trieb sie aus dem Tempel und übernahm die Kontrolle über den Tempel und seine Schätze. Bald glich der Tempelbezirk einem Schlachtfeld und im Dezember waren Hanan und drei andere Führer aus der Priesterelite tot. Ihr Tod war, wie Josephus schreibt, der Anfang vom Ende Jerusalems.[30]

In dem Machtvakuum, das nach dem Tod der gemäßigten Führer entstanden war, fiel die Stadt in die Hände rivalisierender nationalistischer Gruppen, die alle um die Vormacht stritten. Im nächsten Jahr wuchs ihre Zahl weiter an. Als Vespasians Armee im Jahre 68 n. Chr. durch Judäa, Peräa und Idumäa zog, floh schließlich auch der Bauern-führer Simon ben Gioras mit seinem Heer nach Jerusalem. Seine An-kunft führte zu weiteren Konflikten. Durch Überläufer über die inter-nen Machtkämpfe unter den Juden informiert, bedrängte Vespasians Kriegsrat den Kommandanten: Jetzt sei die Zeit gekommen, Jerusalem anzugreifen. Doch Vespasian lehnte auch diesmal einen direkten An-griff auf die Heilige Stadt ab. Die Juden, so meinte er, sollten sich ruhig selbst vernichten. Wenn sich die Rebellen gegenseitig umbrächten oder zu den Römern überliefen, würden die Juden von Jerusalem den Römern die Arbeit abnehmen. Doch dies war nicht der Grund, wes-halb im Juli 68 n. Chr. die römischen Operationen in Judäa plötzlich eingestellt wurden.

Der Selbstmord von Kaiser Nero stürzte das Römische Reich in die größte Krise seiner Geschichte. Vespasian wusste, dass er nach der Ver-fassung vom neuen Kaiser in seinem Oberbefehl bestätigt werden musste, bevor er den Krieg fortsetzen konnte. Deshalb unterbrach er, bis ein Nachfolger ernannt wäre, erst einmal seinen Feldzug.[31] Doch die sich abzeichnende Veränderung war sehr viel mehr als nur ein ein-facher Austausch von Personen. Eine Revolution zeichnete sich ab, die das Römische Reich in einen blutigen Bürgerkrieg führen sollte. Zwei Fragen standen im Mittelpunkt: Wer sollte als Kaiser das Reich regie-ren und nach welchen Kriterien sollte er berufen werden? Unter der ersten Herrscherdynastie, dem julisch-claudischen Kaiserhaus, war die Nachfolge praktisch erblich, auch wenn der Thronanwärter im Prinzip durch den Senat und das Volk von Rom bestätigt werden musste. Doch dieses System wurde nun durch eine schockierende Erkenntnis in Frage gestellt: Die Macht, neue Kaiser zu ernennen, lag nicht in Rom allein, sondern auch bei den Armeen in den Provinzen, die sich für ihre eigenen Generäle einsetzten. Man hatte »das Mysterium des Reiches der großen Masse überantwortet […], dass nämlich die Mög-lichkeit bestehe, auch anderswo als in Rom zum Staatsoberhaupt er-hoben zu werden«.[32]

Vom östlichen Rand des Reiches aus wurden Vespasian und Titus Zeugen einer Reihe unglaublicher Wechselfälle des Schicksals. Als

Neros erster Nachfolger, Servius Sulpicius Galba, den Soldaten anlässlich seiner Thronbesteigung das übliche Geldgeschenk verweigerte, entzogen ihm die Armeen, die ihn an die Macht gebracht hatten, die Unterstützung, und so war seine Regierung rasch beendet. Man schlug ihm den Kopf ab, und die Prätorianergarde in Rom rief Marcus Salvius Otho zu seinem Nachfolger aus. Die Macht des neuen Kaisers endete jedoch an der Stadtgrenze, und nach kurzer Zeit sprach die Rheinarmee in Germanien ihrem Kommandanten Aulus Vitellius das Vertrauen aus. Nach der Niederlage seiner Truppen in der Schlacht bei Cremona nahm sich Otho das Leben und Vitellius wurde Kaiser. Aber auch die Herrschaft dieses Aristokraten war wie die seiner beiden Vorgänger nur von kurzer Dauer. Ein Mann, der keiner bedeutenden Familie entstammte, aber ein erfahrener Militär war, ein Mann, der auf eine breite Unterstützung nicht nur im Senat und Volk von Rom, sondern auch in den Heeren der östlichen Provinzen bauen konnte, sollte das mächtigste Amt der antiken Welt übernehmen.

Am 9. Juli 69 n. Chr. riefen die Truppen in Judäa Vespasian zum Kaiser von Rom aus. Ihnen folgten sogleich die Donauarmeen. Während Vespasian die Kontrolle über die äußerst wichtige Provinz Ägypten übernahm, zogen zwei Heere nach Italien, um ihn zu unterstützen. Bei dem einen handelte es sich um Legionen aus dem Osten unter der Führung des Statthalters von Syrien, Gaius Licinius Mucianus, bei dem anderen um die Donaulegionen unter dem Kommando von Marcus Antonius Primus. Die an der Donau stationierten Truppen trafen vor den östlichen in Italien ein und bereiteten sich darauf vor, gegen die Armee des Vitellius zu kämpfen. Wieder trafen bei Cremona zwei römische Heere aufeinander. Nach einem furchtbaren Massaker trugen die Anhänger Vespasians den Sieg davon. Doch das brutale Gemetzel war noch längst nicht vorüber.

In der Hauptstadt erhob sich Vespasians Bruder Flavius Sabinus gegen die Truppen des Vitellius, bevor die Armeen des Antonius und Mucianus ihm zu Hilfe eilen konnten. Das Unternehmen schlug fehl, und Sabinus und seine Anhänger flüchteten auf das Kapitol. Bei dem sich anschließenden Kampf ging der alte Jupiter-Tempel in Flammen auf. Sabinus und seine Männer mussten aus dem Tempel fliehen, wur-

den zu Vitellius gebracht und sofort hingerichtet. Die Rache sollte indes nicht lange auf sich warten lassen. Vespasians Soldaten bahnten sich
brutal ihren Weg in die Stadt und besiegten das Heer des Vitellius.
Suchtrupps fahndeten überall nach dem Kaiser. Schließlich fanden sie
ihn: Er hatte sich in einer Pförtnerloge neben dem Palast versteckt und
die Tür mit einem Bett und einer Matratze notdürftig verrammelt. Daraufhin wurde er halbnackt aufs Forum geschleppt, öffentlich gefoltert,
enthauptet und in den Tiber geworfen.[33]

Die Siegesmeldung erreichte Vespasian im Dezember 69 n. Chr., als
er noch in Ägypten war. Bei den Feiern wird sich der Jubel allerdings
in Grenzen gehalten haben, da seinem Amtsantritt ein entsetzliches
Blutbad vorausgegangen war, bei dem Tausende von Römern ihr Leben verloren hatten. Es war kaum der ruhmreiche Beginn des Prinzi-
pats, den sich Vespasian gewünscht hatte. Wenn er rechtfertigen wollte,
dass er durch Gewalt an die Macht gekommen war, und wenn er die
Bürger des Imperiums dazu bringen wollte, sich geschlossen hinter ihn
zu stellen, brauchte der neue Kaiser einen großen militärischen Sieg,
und er brauchte ihn rasch. Er dachte dabei an Judäa. Seinen Sohn Titus
ernannte er zum Oberbefehlshaber und teilte ihm mit, dass mit der
Berufung auch ein neues Kriegsziel verbunden sei: Die Juden mussten
sofort besiegt werden, koste es, was es wolle. Die Zukunft der neuen
flavischen Dynastie stand und fiel mit einem Erfolg in Judäa.[34]

Die Nachricht war der vorläufige Höhepunkt einer ungewöhnlichen
Karriere. Plötzlich war der junge Feldherr Titus von einem Legionsle-
gaten in schwindelerregende Höhen aufgestiegen: Er war nun Sohn und
Erbe des Kaisers von Rom. Jetzt bekam er grünes Licht für einen seinem
neuen Status angemessenen Auftrag: Er sollte die Stadt angreifen, um
die Vespasian und er fast drei Jahre lang einen Bogen gemacht hatten –
Jerusalem. Doch Titus war nicht der Einzige, der sich nun auf eine völlig neue Aufgabe konzentrieren konnte. Da sich Josephus' Prophezeiung bewahrheitet hatte, rief Vespasian den Gefangenen zu sich, ließ ihm
die Ketten abnehmen und schenkte ihm die Freiheit.

Und doch musste Josephus, obwohl er rehabilitiert war, bald feststellen, dass er noch nicht ganz aus der Schusslinie geraten war. In den
Augen des jungen Gelehrten konnte Vespasians Aufstieg als Beweis

dafür gelten, dass Gott aufseiten der Römer war und der Sieg über die Juden bereits feststand. Titus sah das anders. Der neue Oberbefehlshaber der römischen Truppen in Judäa brauchte Josephus' Hilfe, um sich der größten Herausforderung seines Lebens zu stellen.

Jerusalem

Im März des Jahres 70 n. Chr. ließ Titus seine Armee vor den hohen Mauern der Heiligen Stadt aufmarschieren. Zusätzlich zu seinen Auxiliartruppen, der 5., 10. und 15. Legion hatte Titus nun noch eine weitere Legion aufgeboten – die 12., eben die Legion, die unter dem Kommando des Cestius Gallus von den Juden so schmachvoll besiegt worden war. Diese Soldaten sannen nun auf Rache. Aber trotz des massiven römischen Truppenaufgebots vor den Toren Jerusalems waren die von Johannes von Gischala, Simon ben Gioras und Eleazar ben Simon (dem Anführer der Zeloten) befehligten Aufständischen in der Stadt voller Tatendrang und machten sich große Siegeshoffnungen. Schließlich war es jetzt nach beinahe vier Jahren das erste Mal, dass sich vor der Stadt wieder römische Soldaten zeigten. Cestius Gallus hatte es, so konnten sie sich sagen, 66 n. Chr. nicht geschafft, Jerusalem zu erobern, und seitdem hatten die Römer nicht einmal versucht, sich der Stadt zu bemächtigen.

Viele, die sich in der Stadt aufhielten, waren davon überzeugt, dass eine Belagerung Jerusalems praktisch aussichtslos war. Die Juden hatten genug Nahrung und Wasser, um viele Jahre durchzuhalten, während den Römern im Hügelland der Wüsten und in den Wäldern vor der Stadt schnell die Nahrungsmittel ausgehen würden. Außerdem war der große Felsen von Jerusalem eine natürliche Festung, zusätzlich gesichert durch massive Verteidigungsanlagen: drei gewaltige Mauern, die von den Aufständischen, als die Römer ihren Angriff auf Jerusalem immer wieder hinauszögerten, sogar noch weiter verstärkt worden waren. Obwohl sie vor Titus' Ankunft viel Zeit mit internen Streitigkeiten vergeudet hatten, hatten die Juden die noch im Bau befindliche Nordmauer teilweise fertig gestellt. Sie war nun 10 m hoch.

Dass man in Jerusalem mit einem Sieg rechnete, hing ausgerechnet mit dem starken römischen Truppenaufgebot zusammen. Hatte sich Rom nicht verkalkuliert, als es fast ein Viertel seiner Streitmacht in Judäa zusammenzog? Die auswärtigen Feinde Roms würden sich doch gewiss den Krieg in Judäa zunutze machen. Statt sich auf einen langwierigen Konflikt einzulassen und andere Teile des Imperiums der Schutzlosigkeit auszusetzen, würden die Römer bestimmt eine Einigung vorziehen. Wären sie nicht gezwungen, Judäa seine Unabhängigkeit zu gewähren? Die Juden waren sich ihrer Vorteile klar bewusst. Als jetzt Titus seinen Freund Nikanor zusammen mit Josephus an die Stadtmauer schickte, um Friedensvorschläge zu unterbreiten, zeigten die Juden ihre Unnachgiebigkeit, indem sie die Unterhändler beschossen.

Einige der Wachposten auf der Mauer kannten Josephus sehr gut. Als er zu nahe kam, würdigten sie den verhassten Verräter keines Wortes. Stattdessen flog ein einzelner Pfeil durch die Luft, verfehlte knapp Josephus und traf stattdessen Nikanor an der linken Schulter. Aufgrund dieses einen Pfeilschusses ließ Titus die römischen Lager verlegen: Sie waren nun 400 m von der ersten Mauer entfernt. Bei der Erkundung des Geländes ermittelte er, wo die Schwachstellen in der Mauer waren, durch die man zur oberen Stadt, der Burg Antonia und zum Tempelkomplex vordringen konnte. Als Nächstes ließ er Holz sammeln und drei Belagerungstürme bauen. Die beweglichen 21 m hohen Türme wurden vor der Nordwand aufgestellt und sollten den Soldaten, die am Fuße der Mauer die Rammböcke betätigten, die notwendige Deckung bieten. Dies war der eigentliche Beginn der großen Belagerung Jerusalems. Josephus' ausführlicher Augenzeugenbericht hat ihren Ablauf genau beschrieben.[35]

Die Truppen von Simon ben Gioras verfügten zwar über die römischen Wurfmaschinen, die sie bei Gallus' Angriff erbeutet hatten, kannten sich in ihrer Bedienung aber immer noch nicht richtig aus. Infolgedessen konnten sich die römischen Abteilungen den Mauern unbehelligt nähern und ihre Rammböcke einsetzen. Trotz einiger überraschender Guerillaangriffe vonseiten der Juden schlug der größte dieser Rammböcke mit dem Spitznamen Victor (»Sieger«) schließlich eine Bresche in die Mauer. Der römische Trupp drang ein, erkämpfte sich seinen Weg zu den Toren, öffnete sie und zwang die Juden zum Verlassen des ersten Mauerrings. Vier Tage später hatte die römische Kriegsmaschinerie auch die zweite Mauer überwunden. Doch diesmal machte Titus einen verhängnisvollen Fehler.

Die römischen Soldaten waren so schnell vorgerückt, dass sie vergessen hatten, einen größeren Teil der Mauer, die sie gerade durchbrochen hatten, niederzureißen. Bei ihrer Gegenwehr drängten die Juden die anstürmenden Römer gegen die zweite Mauer und trieben sie so in die Falle. Als diese sich durch die schmale Lücke in der Mauer zurückziehen wollten, wurden sie von den Juden, die ihren Vorteil nutzten, niedergemetzelt. Angesichts ihres ersten Erfolges gerieten die Rebellenführer Johannes und Simon in Euphorie und rechneten, von neuer Hoffnung beseelt, schon mit einem Massaker an den Römern. Doch ihre Freude sollte schnell verfliegen. Titus ließ nämlich sofort seine Bogenschützen an beiden Enden der Straße, in der der Kampf am heftigsten tobte, Stellung beziehen. Auf diese Weise hielt er den Feind auf Abstand, während sich die Römer in Sicherheit brachten. Simon und Johannes waren so skrupellose Kämpfer, dass sie die Bresche in der zweiten Mauer vorübergehend mit den Leichnamen Gefallener verbarrikadierten. Trotz dieser grauenhaften Barriere fiel schließlich auch der zweite Mauerring an die Römer, und Simons und Johannes' Truppen sahen sich ein weiteres Mal zum Rückzug gezwungen.

Nun setzte Titus die Bestürmung kurzfristig aus. Denn wenn er Belagerungsmaschinen vor der dritten Mauer in Stellung bringen wollte, um von da aus die Burg Antonia und den Tempel zu attackieren, musste er erst einmal gewaltige Dämme errichten, auf denen die Maschinen festen Stand hätten. Vielleicht würde die Atempause, so dachte er, den Aufständischen auch Zeit geben, über das römische Friedensangebot und die Vorteile einer Kapitulation nachzudenken. Während die Soldaten in immer größerer Entfernung nach Holz suchten und mit dem Bau der Dämme begannen, wurden die Kampfhandlungen der vergangenen Wochen nun durch einen psychologischen Krieg zwischen den Römern und Juden abgelöst. Er sollte genauso brutal geführt werden.

Titus eröffnete das grausame Spiel. Dadurch dass er ihnen die ganze Stärke der römischen Kriegsmaschine vor Augen führte, wollte er Johannes und Simon demoralisieren. Vier Tage lang marschierten Titus' Truppen um die Stadt und traten in voller Kriegsausrüstung an, um ihren Sold in Empfang zu nehmen. Die Juden in der Stadt wurden immer mutloser. Die Parade führte ihnen ihre eigene Schwäche zu Bewusstsein. Da sie mit ihren Lebensmitteln über die Jahre hin allzu verschwenderisch umgegangen waren, wurden die Vorräte jetzt knapp und Tausende von Männern, Frauen und Kindern waren am Verhungern. Johannes' und Simons Antwort auf Titus' Machtdemonstration war Terror an der Bevölkerung. Die Häuser der Wohlhabenden wurden für eine Handvoll Korn oder einen Laib Brot geplündert, und die Juden, die im Verdacht standen, fliehen zu wollen, wurden bedroht und getötet.

In der verzweifelten Suche nach Nahrung verließen einige Juden bei Nacht heimlich die Stadt. Wenn sie den Römern in die Hände fielen, statuierte Titus ein Exempel: Die Geflohenen wurden vor den Augen derer, die noch in der Stadt waren, gefoltert und ans Kreuz geschlagen. Die verrohten, hartgesottenen Soldaten machten sich einen grausamen Spaß daraus, sie in ordinären und unnatürlichen Stellungen zu kreuzigen.[36] Als die Entschlossenheit einiger Juden bei diesem Anblick ins Wanken geriet, verstärkten Johannes und Simon wiederum den psychologischen Druck: Sie zwangen die Wankelmütigen, die gekreuzigten Körper anzuschauen, und behaupteten, dass die Leute, die von den Römern so brutal verstümmelt worden waren, keine Kriegsgefangenen gewesen seien, sondern bei ihnen als Bittsteller um Frieden nachgesucht hätten. So wurde der Krieg, mit dem die Jerusalemer Bevölkerung zur Aufgabe gezwungen werden sollte, immer erbitterter geführt. Als Nächstes setzte Titus seine Geheimwaffe ein.

Josephus wurde ein weiteres Mal um die Stadtmauer geschickt. Er unterbreitete den Wachposten Friedensvorschläge und forderte sie zur Kapitulation auf. Rettet euer Leben und das eures Volkes, rettet euer Land und euren Tempel, rief er aus. Sei es ihnen denn noch immer nicht klar, dass Gott nicht mehr auf der Seite Judäas, sondern auf der Italiens stehe? Die Römer seien unbesiegbar, legte er dar. Sie seien die

Herren der ganzen Welt und die Unterwerfung großer Nationen sei ihnen ein Leichtes. Nun, da Judäa eine Provinz Roms sei, sei es viel zu spät, den Kampf aufzunehmen, »wenn sie aber [...] noch das Joch abschütteln wollten, so heiße das nicht nach Freiheit, sondern nach dem Tod verlangen.«[37] Seine Appelle führten jedoch nur dazu, dass man ihn verspottete, beleidigte und mit Steinen bewarf.

Nach 17-tägiger pausenloser Arbeit waren die Dämme fertiggestellt. Die römische Kriegsmaschinerie sollte nun mit voller Kraft gegen die dritte Mauer eingesetzt werden. Die Römer hatten gewiss schon einen strahlenden Sieg vor Augen. Doch Johannes von Gischala durchkreuzte ihre Erwartungen. Während der Gefechtspause hatte er einen Plan entworfen, den er nun in die Tat umsetzte. Zusammen mit seinen Anhängern arbeitete er Tag und Nacht, um den Boden unter den von den Römern errichteten massiven Dämmen zu untertunneln. Den unterirdischen Gang stützten sie durch Pfähle ab. In der festen Überzeugung, dass jüdischer Einfallsreichtum die römische Macht besiegen könne, trieb der Rebellenführer seine Arbeiter an, bis die Stelle unter einem der Dämme völlig unterhöhlt war. Dann brachte er mit Pech und Bitumen bestrichenes Holz in den Tunnel, zündete alles an und machte sich eilig davon.

Als das Feuer die hölzernen Stützen verbrannte hatte, gab der Boden plötzlich nach. Der gewaltige römische Damm mit den auf ihm stehenden Männern und Maschinen brach mit heftigem Getöse zusammen – die Römer hatten die wochenlangen Strapazen umsonst auf sich genommen. Von Johannes' Beispiel inspiriert, griff Simon nun mit fanatischem Eifer die anderen Dämme an. Mit Fackeln in den Händen stürmte die jüdische Vorhut los, »als wenn sie Freunden entgegenzögen und nicht dichtgedrängten Feinden«, und versuchte die anderen Maschinen und Rammböcke in Brand zu setzen. Als die Römer herbeistürzten, um ihre wertvollen Konstruktionen zu retten und die Flammen zu löschen, ließen immer mehr Juden ihre eigene Sicherheit außer Acht, warfen sich ins Kampfgetümmel und opferten ihr Leben, um das Feuer nicht ausgehen zu lassen.[38]

Das Ausmaß des Schadens stürzte die Römer in tiefe Niedergeschlagenheit. Titus wusste, dass sein Sieg desto glanzloser wäre, je länger

sich der Krieg hinzöge. Ansehen erwarb man sich nur durch schnelle
Erfolge. Deshalb berief er eiligst den Kriegsrat ein. Einige seiner Offiziere plädierten für einen Großangriff und den Einsatz der gesamten
Armee, was Titus aber ablehnte. Andererseits kam der Bau neuer Dämme ebenso wenig in Frage: Da es in der Gegend zu wenig Holz gab,
müsste man es aus einer Entfernung von bis zu 16 km herbeiholen, und
es wäre unmöglich, die Soldaten vor Guerillaangriffen zu schützen. Es
war Zeit für eine andere Strategie, eine, die raschen Erfolg brächte,
ohne die Sicherheit der eigenen Leute zu gefährden: Es galt die Juden
auszuhungern und sie so zur Übergabe ihrer Stadt zu zwingen.

Mit dem für die Römer typischen Ehrgeiz, der ihnen zur Herrschaft
über die antike Welt verholfen hatte, wies Titus seine Offiziere an, den
Bau einer Ringmauer zu organisieren. Sie sollte die Stadt hermetisch
von der Außenwelt abriegeln und verhindern, dass jemand die Stadt
verlassen und Nahrungsmittel besorgen könne. Allein die Zahlen sind
atemberaubend: Innerhalb von nur drei Tagen bauten die römischen
Legionäre eine Mauer von 7 km Länge und verstärkten sie mit 13 Kastellen. Kleine Unternehmungen, sagte Titus, seien der Römer nicht
würdig. Die Legionen und Kohorten versuchten sich gegenseitig zu
übertreffen, um diese Aufgabe gut und schnell zu erledigen. Als Titus
zu Pferde die Arbeiten inspizierte, sah er, wie »der Soldat [...] dem Dekurio, der Dekurio dem Zenturio und dieser dem Tribun zu gefallen
[suchte]; der Ehrgeiz der Tribunen strebte nach dem Beifall der Legaten, und deren Wetteifer belohnte der Caesar«.[39] Erst wenn, so lautete der Plan, die Belagerung den jüdischen Widerstand hinreichend
gebrochen hätte, sollten neue Dämme errichtet und die Angriffe wieder aufgenommen werden. Es sollte, wie Josephus in seinem schaurigen Bericht erzählt, nicht lange dauern, bis der römische General die
Früchte seiner grausamen Unternehmung ernten konnte.

Angeblich hatte der Hunger eine Frau dazu getrieben, ihr Neuge-
borenes zu essen. In den Straßen von Jerusalem häuften sich die Leichen und auf den Dächern sahen die Römer die Körper von Männern
und Frauen, die zu schwach waren, um sich aufrecht zu halten. Als die
Römer die Juden noch dadurch verhöhnten, dass sie vor ihnen Speisen
zur Schau stellten, waren Simon und Johannes so wild entschlossen

weiterzukämpfen, dass sich sogar einige ihrer treuesten Untergebenen von ihnen abkehrten. Als einer der für die Bewachung der Türme zuständigen Männer, Judas mit Namen, zehn Leute auf seine Seite gezogen hatte und den Römern zurief, dass sie gemeinsam desertieren wollten, durchkreuzte Simon ihren Plan, indem er in den Turm eindrang und sie alle niedermachte. Anderen Juden, die so taten, als wollten sie kämpfen, gelang zu Hunderten die Flucht. Sie ergaben sich den Römern, nur um festzustellen, dass die Sättigung tödlicher war als der Hunger, den sie bis dahin gelitten hatten. Anstatt langsam zu essen und ihre Körper wieder an Nahrung zu gewöhnen, überluden sie sich den Magen und brachten sich auf diese Weise selbst um.

Unter den Menschen, die dem Horror der Belagerung ausgesetzt waren, gab es zwei, um die sich Josephus die größten Sorgen machte: seine Mutter und seinen Vater. Er hatte erfahren, dass sie im Gefängnis waren. Vielleicht fürchtete er um ihr Leben, als er sich den Mauern näherte und die Juden noch einmal aufforderte, sich zu ergeben. Diesmal verfehlten sie ihr Ziel nicht: Josephus wurde von einem Geschoss am Kopf getroffen und stürzte bewusstlos zu Boden. Die Juden eilten aus der Stadt, um sich des Körpers des meistgesuchten Mannes zu bemächtigen, doch die Römer waren vor ihnen zur Stelle und brachten ihren Unterhändler in Sicherheit.

Es dauerte 21 Tage, bis man genügend Bauholz gesammelt und neue Dämme errichtet hatte. Die Römer hatten das Gelände um Jerusalem völlig kahl geschlagen: Staub bedeckte die Erde, das Land war trocken und verödet, und die Stümpfe toter Bäume ragten traurig in den Himmel. Während die Römer durch all die Strapazen völlig erschöpft waren, verfügten Johannes' und Simons Truppen über fast übermenschliche Energiereserven. Sie tauchten auf wie Geister, bezogen aus dem Hunger, der Müdigkeit und den internen Machtkämpfen ihre Stärke, griffen die Römer immer wieder an und störten sie bei ihren Vorbereitungen. Obwohl diese Guerillaausfälle oft erfolglos blieben, waren die Juden aufgrund ihres Durchhaltewillens die moralischen Sieger.

Bald darauf bestürmten die Römer ein weiteres Mal den letzten Mauerring: Gedeckt durch Schilde, die sie vor dem Hagel von Geschossen, Steinen und Pfeilen schützten, schufteten die Arbeiter mit

Rammböcken, mit bloßen Händen und mit Brecheisen, um die Fundamente zu lockern und eine Bresche in die Mauer zu schlagen. Allerdings war es dann nicht ihre Zähigkeit, sondern der von Johannes gegrabene Tunnel, der den Römern zum Durchbruch verhalf. Während die Juden dank dieses Tunnels zuvor die Dämme zerstören konnten, erwies er sich nun als Hilfe für die Römer: Er stürzte ein und die Mauer sackte plötzlich zu einem riesigen Steinhaufen zusammen. Titus befahl seinen tapfersten Legionären, die Chance sofort zu nutzen. Um zwei Uhr morgens stürmte ein römischer Vortrupp in den halb verschütteten Tunnel und stieß mit Johannes' und Simons Soldaten zusammen, die bereits auf sie warteten. In den engen Gassen der Stadt hieben die Römer mit ihren kurzen Schwertern blindlings um sich, kaum in der Lage, einen Juden von einem Römer zu unterscheiden. Auch wussten sie bald nicht mehr, ob sie auf dem Vormarsch oder auf dem Rückzug waren. Körper wurden zu Tode getrampelt und Stöhnen und Schreie erfüllten die engen, stickigen Gassen. Letzen Endes konnte sich die römische Infanterie hauend und stechend doch noch durchkämpfen, und die Juden wurden gezwungen, sich in den heiligsten Teil der Stadt, den Tempelkomplex, zurückzuziehen.

Titus hatte sich bereits die Kontrolle über die Burg Antonia, die an die Säulenhalle des Tempelbezirks angrenzte, gesichert. Nun erteilte er den Befehl, sie dem Erdboden gleichzumachen und einen breiten Weg zum Tempel zu ebnen, auf dem seine vier Legionen zum Tempel hinaufmarschieren konnten. Doch bevor Titus das Signal gab, unterbreitete er den Rebellen ein letztes Angebot und wandte sich deshalb noch einmal an Josephus. Dieser stellte sich so, dass er von den Juden, die hinter der Tempeleinfriedung Schutz gesucht hatten, gut gesehen werden konnte und sprach dann auf Aramäisch zu Johannes. Er solle aufgeben, das Volk und die Stadt retten, so seine Worte, dann würden ihm die Römer doch noch verzeihen. Dies sei seine letzte Chance. Wenn er weiterkämpfe und den Tempel entweihe, werde Gott ihn strafen. Johannes aber überhäufte Josephus mit Schmähungen und bezeichnete ihn als Verräter. Schmerzlich getroffen gab der junge Priester und Gelehrte auf und rief mit tief bewegter Stimme: »Der Gott also, Gott selbst führt mit den Römern das Feuer heran, das den Tempel reinigen und die so mit Greueln belastete Stadt vernichten soll!«[40] Nach diesen Worten nahm das Unheil seinen Lauf.

Der Tempelkomplex war der am besten befestigte Teil der Stadt. Sechs Tage lang hatte man die Mauern des äußeren Hofs mit Rammböcken bestürmt und überhaupt nichts erreicht. Schließlich wurde an die silbernen Tore Feuer gelegt, und als das Metall schmolz, setzten die Römer die Säulenhalle Stück für Stück in Brand und drangen in den Tempelbezirk ein. Bevor man zum Sturm auf den inneren Hof und das Heiligtum ansetzte, kam es zwischen Titus und seinen Offizieren zu einer hitzigen Debatte: Wie sollte man mit dem Tempel verfahren? Manche sagten, er müsse zerstört werden, da es andernfalls in der römischen Provinz Judäa niemals Frieden gäbe. Der Tempel bliebe ein Symbol, um das sich die Juden der ganzen Welt versammeln würden. Andere sprachen sich dagegen aus. Das Heiligtum solle, sagten sie, verschont werden, jedenfalls so lange, wie die Juden nicht versuchten, sich in ihm zu verteidigen. Wenn das geschähe, wäre es kein heiliger Ort mehr, sondern eine militärische Festung, die man dann, ohne sich der Gottlosigkeit schuldig zu machen, angreifen dürfe. Titus hörte sich alles an, war aber von Josephus' Argumenten vermutlich am meisten beeindruckt. Der junge General bezeichnete den Tempel als wertvolles Kunstwerk, das er retten wolle, damit es dem Kaiser und dem römischen Volk als herrliches Ruhmesdenkmal erhalten bleibe.[41]

Mitte Juli des Jahres 70 n. Chr., über drei Monate nach Beginn des von Titus geführten Feldzugs, tobte die Schlacht um den äußeren Tempelhof noch immer. Auf römischer wie auf jüdischer Seite war die schwere Infanterie aufgezogen und man bekämpfte sich mit Speeren, Pfeilen und Geschossen aller Art. Allmählich rückten die römischen Truppen in Achterreihen immer weiter vor und trieben die Juden in den inneren Tempelhof. Als nach einigen Tagen die jüdische Schlachtordnung zusammenbrach und die Truppe versprengt wurde, drangen die Römer in den inneren Hof ein. Dieser Augenblick brachte das Blut der Legionäre zum Überkochen und sie kannten kein Halten mehr. Nach fast vier langen und zermürbenden Kriegsjahren ließen die Römer ihrem unbändigen Hass auf die Feinde nun freien Lauf, drängten

durch alle Eingänge und metzelten, ohne zwischen Zivilisten und Soldaten zu unterscheiden, alle nieder. Die Stufen des Heiligtums waren
blutüberströmt. Dort und um den heiligen Altar türmten sich die Leichen, und manchmal glitten Körper, die oben lagen, zu Boden. Und
das war noch nicht einmal der Höhepunkt des Gemetzels.

Inmitten dieses Chaos warf ein römischer Soldat ein brennendes
Holzscheit durch eine kleine Tür in das Heiligtum. Das Bauwerk stand
rasch in Flammen. Als Titus durch einen Boten davon erfuhr, sprang
er auf und eilte, während seine Leibwache hinter ihm herkeuchte, zum
Tempel. Dort sah er, dass dem Feuer noch Einhalt geboten werden
konnte. Er schrie seinen Soldaten zu, sie sollten die Flammen löschen,
doch niemand hörte auf ihn. Sie waren zu gierig und wollten endlich
ihren gerechten Lohn. Nach dem Blutbad an den Juden kam es nun zu
massenhaften Plünderungen. Die Soldaten stürzten durch die lodernden
Flammen, fielen über den Tempelschatz her und trugen alles davon,
dessen sie habhaft werden konnten. Alte Becher und Schalen aus purem
Gold, Vorhänge und mit Juwelen besetzte Gewänder fielen den ruch-
losen römischen Soldaten ebenso in die Hände wie die wertvollsten
Kultobjekte – der heilige siebenarmige Leuchter, der Tisch für die
Schaubrote und die silbernen Trompeten. Das Allerheiligste des Tempels, der symbolische Mittelpunkt des jüdischen Glaubens, wurde erst
ausgeplündert und dann den Flammen überlassen.

Nicht nur der Tempel wurde ausgeraubt. Im äußeren Hof befand
sich in einem Teil des Säulengangs die Schatzkammer, in der die Juden für die Zeit der Belagerung all ihr Gold und alle ihre Wertgegen-
stände deponiert hatten. Die Römer nahmen auch hier alles an sich,
bevor sie den Bau in Brand setzten. Dort hatte sich zur selben Zeit
eine riesige Menschenmenge von 6000 Zivilisten, Männern, Frauen
und Kindern, eingefunden in der Hoffnung, hier die göttlichen Zeichen ihrer Rettung zu schauen. Nach dem Zeugnis des Josephus hatten Johannes und Simon falsche Propheten mit dieser Ankündigung
beauftragt, weil sie weitere Desertionen verhindern und auf diese
Weise die Moral der Leute während des Kampfes um den Tempel
stärken wollten. Alle diese Zivilisten wurden nun ein hilfloses Opfer
der Flammen.

Der Aufstand der Juden war niedergeschlagen. Die Rebellen, die im inneren Tempelhof noch immer kämpften, durchbrachen nun den Belagerungsring und flohen in die obere Stadt. Die Todesschwadronen römischer Soldaten kletterten mühsam über die Berge von Leichen, die den Boden des äußeren Hofes bedeckten, und verfolgten in blinder Wut die Aufständischen, um sie endlich zur Strecke zu bringen. Johannes und Simon aber konnten entkommen. Zum Zeichen ihres Sieges brachten die Römer ihre heidnischen Feldzeichen in den Tempelkomplex und pflanzten sie gegenüber dem östlichen Tor auf. Sie opferten zu Ehren des Kaisers und feierten Titus als Sieger. Als die Stadt in Flammen stand, wurde er aus rauen Kehlen mit dem Ruf »Imperator! Imperator!« begrüßt. Alle Soldaten waren reich mit Beute beladen. Als sie später ihr Gold verkauften, gab es davon so viel auf dem Markt, dass in Syrien der Goldpreis um die Hälfte fiel.[42]

In der oberen Stadt saßen Johannes, Simon und die jüdischen Überlebenden in der Falle, eingeschlossen von der römischen Ringmauer. Da sie nicht mehr herauskamen, hatten sie keine Wahl: Sie mussten Titus um eine Unterredung bitten. Viele ihrer inzwischen mutlos gewordenen Anhänger hofften auf Begnadigung. Die Hardliner unter den Anführern waren zwar bereit, die Stadt den Römern zu überlassen, sie selbst aber wollten mit ihren Kameraden, die auch dem Inferno entkommen waren, friedlich in der Wüste leben. Der römische Feldherr war wütend. Die Feinde waren besiegt, und dennoch wollten sie jetzt ganz unverfroren Bedingungen aushandeln, als ob sie die Sieger wären. Titus stellte sich auf eine Mauer, die den Tempel mit der oberen Stadt verband, und versuchte, nicht die Beherrschung zu verlieren. Sich an Johannes und Simon wendend, kritisierte er die Juden für ihre Undankbarkeit gegenüber Rom, der Macht, die Judäa beherrsche.

»Somit hat euch nichts anderes gegen die Römer in Waffen gebracht als deren Milde. Wir gaben euch das Land in Besitz, wir setzten über euch Könige aus eurem eignen Stamm, wir beließen euch eure heimischen Gesetze und erlaubten euch, nicht allein zu Hause, sondern auch unter Fremden nach eurem Gutdünken zu leben; vor allem gestatteten wir euch, für euren Gottesdienst Steuern zu erheben und Gaben zu sammeln, ohne die Spender zu rügen oder zu hindern, sodass ihr reicher wurdet als wir selbst und euch mit unserem Gelde gegen uns rüstetet. Dann wurdet ihr durch den Genuss so bedeutender Vergünstigungen übermütig, wandtet euch gegen die, die sie euch gewährten, und bespritztet nach Art unzähmbarer Schlangen mit eurem Gift, die euch schmeichelten [...]. Als mein Vater ins Land kam, verwüstete er nur Galiläa und die Nachbargebiete, um euch Zeit zur Besinnung zu lassen. Doch seine Menschenfreundlichkeit hieltet ihr für Schwäche, und unsere Milde ließ eure Tollkühnheit nur noch größer werden [...]. Ich führte nur mit Zögern meine Maschinen gegen eure Mauern heran, hielt die Mordlust meiner Soldaten im Zaum und bot euch nach jedem Sieg, als wäre ich besiegt, Frieden an [...]. Und nun, ihr Verdammten, ladet ihr mich zu Unterhandlungen ein?«[43]

Die Juden hatten die *Pax Romana* gebrochen. Dennoch machte ihnen Titus noch ein letztes Angebot: Wenn sich die Aufständischen jetzt ergäben, würde er ihnen zumindest das Leben schenken. Als Johannes und Simon ihre Forderungen trotzig bekräftigten, überließ Titus den Rest der Stadt seinen Soldaten. Sie hatten den Befehl, Jerusalem zu plündern, niederzubrennen und dem Erdboden gleichzumachen.

Epilog

In den nächsten Tagen wurden alle wichtigen Gebäude Jerusalems, einschließlich des Ratsgebäudes, zerstört und die noch verbliebenen Reichtümer den Römern übergeben. Diejenigen, die den römischen Terror überlebt hatten, wurden in einem Teil des Tempelkomplexes, dem sogenannten Frauenhof, zusammengetrieben. Die Alten und Kranken wurden getötet und Tausende von Aufständischen hingerichtet. Die Gesamtzahl derer, die während der Belagerung umgekommen waren, belief sich auf 1 100 000, die übrigen 97 000 wurden in die Sklaverei verkauft. Die jungen Männer schickte Titus zur Zwangsarbeit nach Ägypten oder verschenkte sie in die Provinzen, wo sie in den römischen Arenen entweder durch das Schwert der Gladiatoren oder durch wilde Tiere umkommen sollten. Die größten und ansehnlichsten der Rebellen wurden jedoch für den Triumphzug in Rom verschont.

Nachdem sie sich wochenlang in unterirdischen Gängen versteckt hatten, gaben Johannes und Simon schließlich auf und wurden ebenfalls für den Triumph am Leben gelassen.

Nach ihrer Rückkehr in die Hauptstadt wurden Kaiser Vespasian und Titus von der römischen Menge stürmisch gefeiert. Die Leute strömten auf die Straßen, um einen Blick von dem siegreichen General zu erhaschen. Im kaiserlichen Gefolge, das in die Stadt einzog, befand sich auch Josephus. Er sollte bald mit dem römischen Bürgerrecht und einer stattlichen Pension ausgezeichnet werden. Außerdem bekam er das Haus, in dem Vespasian vor seiner Thronbesteigung gelebt hatte. Dort würde er seine Geschichte des jüdischen Aufstands niederschreiben. Einige Tage nach Titus' Rückkehr erhielten auch Vater und Sohn ihren Lohn: einen prächtigen Triumph.

Mit dem Lorbeerkranz auf dem Haupt und im traditionellen, mit silbernen Sternen durchwirkten Purpurmantel des triumphierenden Feldherrn zogen sie in einer eindrucksvollen Prozession durch Rom. Sie begaben sich zuerst zur Halle von Augustus' Schwester Antonia, wo sie von den Senatoren und Rittern erwartet wurden. Vespasian bestieg die dort errichtete Tribüne und bat die Soldaten und Bürger, die ihre besten Kleider angelegt hatten und ihm tosenden Beifall spendeten, um Ruhe. Nach Art eines Priesters zog er die Toga über den Hinterkopf und betete zu den Göttern.

Dann zog die Prozession weiter. Abgesehen von den Tausenden gefangener Sklaven gab es große, bis zu drei oder vier Stockwerke hohe Festzugswagen, die, mit Gold und Elfenbein verziert, riesige Bilder mit dramatischen Szenen aus dem Krieg in Judäa präsentierten. Damit wurden alle Römer zu Zeugen des Kriegsgeschehens, ganz so als wären sie selbst dabei gewesen, und konnten zu Recht den römischen Sieg mit feiern. Der Menge verschlug es auch angesichts der Beutestücke den Atem. Erlesene goldene und silberne Kostbarkeiten schienen wie ein Fluss durch die Stadt zu strömen. Besonders herausgestellt waren die Tempelschätze und die Schriftrollen des jüdischen Gesetzes, der sogenannten Thora.

Jetzt näherte sich der Zug dem Jupiter-Tempel auf dem Kapitol. Dieser zeigte vermutlich noch die Spuren der Gewalttätigkeiten, zu denen es bei der Ankunft von Vespasians Truppen, die ein Jahr zuvor den Bürgerkrieg beendet hatten, gekommen war. Die Prozession machte nun Halt und wartete auf Nachrichten vom Forum. Dort wurde gemäß römischer Sitte Simon ben Gioras, den man aus dem im Nordwesten des Forums gelegenen Mamertinischen Kerker herbeigeschleppt hatte, ausgepeitscht und hingerichtet. Das Urteil über Johannes von Gischala war milder ausgefallen: lebenslange Gefangenschaft und Zwangsarbeit. Die Nachricht von Simons Tod erreichte Vespasian auf dem Kapitol. Nach der Darbringung von Opfern gab es ein öffentliches Festgelage.

Die kaiserliche Propagandamaschine lief weiter: Die neue Dynastie der Flavier wurde gegründet und auch in Stein verewigt. Gewinne aus dem Krieg in Judäa flossen in den Bau des Colosseums, der zudem durch den Verkauf jüdischer Sklaven finanziert wurde. Das Colosseum wurde nach dem Tode Vespasians von Titus im Jahre 80 n. Chr. vollendet und bleibt eines der eindrucksvollsten Symbole römischer Macht. Außerdem ließ Vespasian ein Forum erbauen und schmückte den Kapitolinischen Hügel mit einer prächtigen Tempelanlage. Die Botschaft an die Juden und an alle Rebellen überall im Imperium konnte klarer nicht sein: Wir haben, so lautete sie, eure heiligsten Stätten zerstört, jetzt müsst ihr für den Wiederaufbau der unseren aufkommen. Der Kaiser weihte sein Forum dem Frieden. Als der beliebte Titus nach nur zweijähriger Regierungszeit starb, errichtete sein Bruder, Kaiser Domitian, ihm zu Ehren den Titus-Bogen. Bis auf den heutigen Tag bewahrt er die Erinnerung an die römische Verletzung der jüdischen Unabhängigkeit.

In Judäa wurden die römischen »Säuberungsaktionen« wahrscheinlich noch bis ins Jahr 74 n. Chr. fortgesetzt. Obwohl keines der noch vorhandenen Widerstandsnester für Rom eine wirkliche Bedrohung darstellte, befahl Vespasian ihre Zerschlagung. Der dramatischste Konflikt wurde in Masada ausgetragen. Hier hatte sich eine jüdische Sekte, die sogenannten Sikarier (»Dolchträger«), unter Führung des Eleasar ben Yair in die auf einem mächtigen Felsen gelegene Festung zurückgezogen. Sie hielten dort jahrelang aus, bis die Römer eine mächtige Belagerungsrampe bauten, die ihnen den Zugang über den steilen

Hang ermöglichte. Doch als die Soldaten die Festung erreichten, mussten sie feststellen, dass sämtliche 966 Rebellen den kollektiven Selbstmord der Versklavung durch die Römer vorgezogen hatten. Nur eine Frau und ihre fünf Kinder überlebten und berichteten über das Vorgefallene. Von der Entschlossenheit, mit der Vespasian die totale Zerschlagung des jüdischen Widerstands betrieb, vermitteln die eindrucksvollen archäologischen Überreste von den römischen Operationen in Masada noch heute einen lebendigen Eindruck.

Als der Krieg schließlich zu Ende war, erhielt die römische Verwaltung von Judäa einen besonderen Status. Die verödete Provinz hatte nun eine ständige Besatzung und war einem Legaten des Kaisers unterstellt. Jerusalem selbst blieb die nächsten 60 Jahre unbewohnbar. Mit der Zeit fand das rabbinische Judentum Mittel und Wege, den Gottesdienst auch ohne den Tempel abzuhalten. Unter Kaiser Hadrian verschlechterte sich die Lage sogar noch. Als er auf den Trümmern Jerusalems eine römische Kolonie, Aelia Capitolina, gründen wollte, kam es zu einem zweiten Aufstand, der im Jahre 135 n. Chr. niedergeschlagen wurde. Nach christlichen Quellen wurden die Juden für immer aus der Heiligen Stadt verbannt.

Dem Römischen Reich aber war eine goldene Friedenszeit beschieden.

Hadrian

76 n. Chr., sechs Jahre nach der Thronbesteigung Vespasians, wurde Publius Aelius Hadrianus in Rom geboren. Obwohl er in keiner Verbindung zur Dynastie der Flavier stand, unter deren Herrschaft er das Licht der Welt erblickte, sollte er fast genau 40 Jahre später der 14. Kaiser Roms werden und dazu der erste, der einen Bart trug. Dieser war kurz und sorgfältig gestutzt, aber es war unzweifelhaft ein Bart. Angeblich hatte Hadrian ihn sich nur wachsen lassen, um die Unreinheiten seines Gesichts zu verdecken. Diese Barttracht wurde zu einem Sinnbild seiner Zeit und war *in nuce* bezeichnend für eine weitere Umwälzung, eine weitere einschneidende Veränderung in der langen Geschichte des Römischen Reiches. Sie symbolisierte, wie wir noch sehen werden, die Ära der »guten Kaiser«, die Blütezeit des römischen Staates, das Zeitalter des Friedens, das, nur durch einige kritische Jahre unterbrochen, über 140 Jahre andauerte. Diese »goldene Zeit« war im Keim schon in der Regenschaft von Hadrians Vorgänger angelegt – der seines bartlosen Vetters Trajan.

Der letzte Eroberer

Plinius der Jüngere, ein Senator und Provinzstatthalter, der regelmäßig mit dem Kaiser korrespondierte, beschreibt Trajan als einen Mann von »erstklassiger Haltung und hochgewachsener Statur« und lobt seinen »wohlgeformten Schädel« und seine »edlen Gesichtszüge«. Selbst das schütter werdende Haar und die beginnende Glatze trügen, so Plinius, zu »seinem majestätischen Aussehen« bei.[1] Das Porträt war stimmig: Trajan war ein Mann der alten Schule, ein hervorragender, heldenhafter Feldherr und *imperator* (Kaiser) – er trug den Titel, den Augustus als Erster angenommen hatte und der ihn als Träger der höchsten militärischen Befehlsgewalt auswies, mit der die Kaiser die bekannte Welt regierten. Bei seiner Thronbesteigung im Jahre 98 n. Chr. sah sich Trajan hohen Erwartungen ausgesetzt. Sein Vater hatte sich unter Vespasian und Titus als Kommandant der 10. Legion während des jüdischen Aufstandes ausgezeichnet und war zum Statthalter der strategisch wichtigen Provinz Syrien aufgestiegen. Infolgedessen wählte Trajan die altmodische Form der römischen Expansions- und Eroberungspolitik, um es mit den Leistungen seines Vaters aufzunehmen. Das Gebiet, das ihm wie eine reife Frucht in die Hände fallen sollte, war das Königreich Dakien.

Die Römer hatten schon lange ihre begehrlichen Blicke auf Dakien gerichtet. Das in Osteuropa nördlich der Donau gelegene Land besaß alles, was es für die *Pax Romana* äußerst attraktiv machte: Es war ein von Decebalus regiertes unabhängiges Königreich (Rom interpretierte diese Unabhängigkeit natürlich als Bedrohung), es war hochkultiviert und dank seiner ergiebigen Gold- und Silberminen, um die es von nah und fern beneidet wurde, sehr wohlhabend. Irgendwann hatte es den elementaren Fehler begangen, Rom einen Kriegsgrund an die Hand zu liefern: Während der Herrschaft Domitians, des letzten flavischen Kaisers, hatte Decebalus die unerhörte Frechheit besessen, über die Donau zu gehen und in römisches Territorium einzufallen. In dem sich anschließenden kurzen Krieg waren zwei römische Heerführer gefallen, und Domitian sah sich schließlich zu einem unbefriedigenden und unehrenhaften Frieden gezwungen. Trajan war nun bestrebt, dies zu korrigieren. Die Römer wollten die ihnen gebührende Rache, »Gerechtigkeit«, Wiedergutmachung.

Zwischen den Jahren 101 und 106 führte Trajan zwei Kriege gegen die Daker. Während er bei seinem Aufbruch noch keine eigenen militärischen Siege vorzuweisen hatte, konnte er bei seiner Rückkehr auf große Erfolge zurückblicken. Sein Feldzug war der größte Angriffskrieg seit der Eroberung Britanniens durch Claudius. Niemand hatte damit gerechnet, wie furchtbar diese Kämpfe sein würden. Selten in der gesamten – an Gräueltaten nicht eben armen – römischen Geschichte wurden Kriege mit einer solch skrupellosen Brutalität geführt. Trajan wollte weit mehr als den Sturz des Decebalus und einen »Regimewechsel«. In den dakischen Kriegen ging es um nichts weniger als um Völkermord – die Ausrottung einer alten »barbarischen« Zivilisation, die Gründung von eigenen, treuen, zivilisierten Kolonien römischer Bürger und die Ausplünderung des Landes zum Wohle des Imperiums. Die ganze traurige Geschichte ist in Dakiens modernem Namen prägnant zusammengefasst: Rumänien.

Nur die Römer konnten diesen »Sieg« mit solchem Stolz und solch extravaganter Prachtentfaltung feiern. Trajans immense Kriegsbeute wurde nach Ostia, den Hafen Roms, geschafft. Dort gab es ein neu gebautes Hafenbecken mit Anlegeplätzen und Rampen, dort gab es Lagerhäuser und Kais, Verwaltungsbüros für jede Provinz (vielleicht mit passenden Mosaiken, die zeigten, welche Produkte aus welchem Teil der jeweiligen Provinz kamen) sowie Großmärkte für Fisch, Wein und Öl. Der alte Circus Maximus wurde noch einmal erweitert und bot nun 150 000 Zuschauern Platz. Im Herzen der Stadt wurde mit dem Bau eines prächtigen römischen Einkaufszentrums begonnen. Die weitläufige, mit Marmor ausgelegte Piazza bot Raum für mobile Verkaufsstände. Der Platz selbst war umgeben von eleganten mehrstöckigen Gebäuden, die, in einem Halbkreis terrassenförmig angelegt, Läden und Büros beherbergen sollten. Doch diese Anlage war nicht der größte Blickfang, der an den Sieg über Dakien erinnerte.

Die heute noch in Rom zu bewundernde Trajanssäule ist 30 m hoch und besteht aus 20 wuchtigen Blöcken carrarischen Marmors. Der lange, sich spiralförmig nach oben windende plastische Fries ist mit 155 Szenen des dakischen Feldzugs geschmückt. Sie zeigen – mit einer großen Liebe zum Detail – viele typische Szenen. Hier spricht Trajan zu seinen Truppen, dort opfern die Soldaten einen Eber, Widder und Stier, um sich vor der Schlacht zu entsühnen. Man sieht Männer, die Schiffe beladen und ein Kastell errichten. Immer wieder beschießen die Soldaten ihre Feinde mit schweren Geschützen und stoßen den Dakern das Schwert in den Leib. Während die Römer sehr geordnet vorgehen, herrscht bei den Dakern ein großes Durcheinander – so fällt z. B. ein Bote von seinem Pferd. Die Säule verherrlicht auf makabre Weise einen Völkermord, ist aber auch ein höchst aufschlussreiches historisches Dokument. Sie demonstriert das ganze Ausmaß des Unternehmens, die Organisation und den Ehrgeiz, die einem römischen

Eroberungskrieg zugrunde liegen. Im Inneren des Monuments gibt es eine bis zur Säulenspitze führende Wendeltreppe, ein weiteres Meisterwerk der Technik. In der Kammer an der Basis sollte später der Eroberer Dakiens beigesetzt werden.

Vor seinem Tod plante Trajan noch einen weiteren ehrgeizigen Feldzug. Nachdem er die Leistungen seines Vaters auf spektakuläre Weise übertroffen hatte, wollte er sich mit einer anderen Persönlichkeit messen und es nun mit keinem Geringeren als Alexander dem Großen aufnehmen. Also wandte er seinen Blick nach Osten. Die Parther waren die Erzrivalen Roms. Ihr reicher Staat erstreckte sich von der Türkei und der Grenze des römischen Syriens über den Irak (Mesopotamien) bis nach Iran und Afghanistan. Auf seinem Eroberungszug würde Trajan bis an die Grenze kommen, die auch Alexander erreicht hatte: Indien. Der Krieg wurde auf die übliche Weise gerechtfertigt: Der parthische Herrscher mischte sich wieder einmal in Armenien, dem romtreuen Puffer- und Satellitenstaat, ein. Das Gleichgewicht der Kräfte an Roms Ostgrenze drohte erneut zu kippen. Es musste dringend etwas unternommen werden.

Im Jahr 114 zog Trajan mit seiner Armee gen Osten. Der von den Parthern inthronisierte König von Armenien erklärte sofort seine Kapitulation, und sein Reich wurde wenig später zur römischen Provinz. Dasselbe Schicksal ereilte auch das nördliche Mesopotamien – es lag auf der Marschroute der Römer zu ihrem Überfall auf Medien (den heutigen Nordiran). Im Jahr 116 dehnte Trajan das römische Herrschaftsgebiet noch weiter aus. In jenem Jahr erreichte er den westlichsten Zipfel des Persischen Golfes, machte an der Küste Halt und schaute übers Meer. Er blickte hinüber zu dem symbolträchtigen Land, das es bisher nur in seiner Vorstellung gegeben hatte. Wäre er jünger, bemerkte er resignierend, wäre er auf den Spuren Alexanders bis nach Indien weitergezogen.[2] Jetzt aber, erschöpft durch den zweijährigen Feldzug in der erbarmungslosen Hitze der arabischen Wüste, musste er zugeben, dass der griechische Eroberer ihm überlegen war. Dennoch hatte er bemerkenswerte Erfolge zu verzeichnen. Dem Senat in Rom schickte er eine lange Liste mit den unbekannten und unverständlichen Namen all der Völkerschaften, die er auf seinem Feldzug unterworfen

hatte. Diese Siege hätten ihm eine beispiellose Fülle von Triumphen
bescheren können, aber Trajan sollte nicht einen davon erleben.

Die Erfolge verflogen sogar noch schneller, als sie gekommen waren.
Je weiter er nach Osten vorgerückt war, desto gefährlicher und schwieriger wurde es, die bereits unterworfenen Gebiete zu kontrollieren. Im
Jahre 117 wurde Trajan krank und trat mit seinem Gefolge und einer
Kolonne Soldaten den traurigen Rückzug nach Italien an. Im August
hatte der geschwächte Kaiser Selinus an der südtürkischen Küste erreicht, wo er an den Folgen eines Schlaganfalls verstarb. Er war Anfang
70 und kinderlos. Dennoch hinterließ er einen Erben.

Das verbreiteten zumindest diejenigen, die an seinem Bett gesessen
hatten – seine Frau Plotina und seine Nichte Matidia. Die Tinte auf dem
von ihnen unterschriebenen offiziellen Nachfolgedokument war noch
nicht getrocknet, als sie bekanntgaben, dass Trajan den derzeitigen Statthalter von Syrien adoptiert und zu seinem Nachfolger bestimmt habe.
Dieser Mann war sowohl Trajans Vetter wie auch ein enger Freund Plo-
tinas und der Ehemann von Matidias Tochter Sabina.

Ein neuer Kurs

Als die Armee Trajans Kandidaten anerkannte und als Kaiser begrüßte,
war Hadrians Anspruch auf den Thron zwar nicht ganz eindeutig und
unumstritten, aber durchaus fundiert. Um ihn durchsetzen zu können,
musste er aber auf Nummer sicher gehen. Hadrian wies zwar bis ans
Ende seiner Tage jegliche Beteiligung von sich, aber nach der Be-
kanntgabe des neuen Thronfolgers wurden in Rom binnen weniger
Tagen vier Männer – einflussreiche, fähige Senatoren und ehemalige
Konsuln – umgebracht. Angeblich hatten sie den Sturz Hadrians geplant. Laut Dio mussten sie jedoch sterben, weil man ihren Reichtum
und ihre Macht als Bedrohung empfand.[3] Hadrian wurde am 11. August 117 in der syrischen Hauptstadt Antiochia inthronisiert.

Nachdem seine Position als Oberhaupt des riesigen Römischen
Reiches gesichert war, verließ Hadrian die Provinz Syrien und machte
sich auf den Weg in die Hauptstadt des nun von ihm regierten Impe-

riums. Der Mann, der jetzt die Kaiserwürde trug, war 51 Jahre alt, großgewachsen und ein Herrscher ganz neuen Schlages. Hadrians familiärer Hintergrund war ebenso wie der Trajans höchst ungewöhnlich. Er kam nicht aus Rom, ja nicht einmal aus Italien, sondern entstammte einer alten begüterten Familie, die in der Nähe der südspanischen Stadt Sevilla lebte. Seine italischen Vorfahren hatten sich während der römischen Eroberung Spaniens um das Jahr 200 v. Chr. dort als Siedler niedergelassen. Sie hatten ihr Geld in die Landwirtschaft und in einheimische Silberminen investiert und das Vermögen, das sie auf diese Weise erwarben, machte sie zu einem Grundpfeiler der lokalen wohlhabenden römischen Elite. Man konnte Hadrian seine provinzielle Herkunft anhören. Lateinisch sprach er mit einem ausgeprägten Akzent, was ihm sehr peinlich war. Als Trajans früherer Redenschreiber wurde er immer ausgelacht, sobald er nur den Mund auftat. Und dann war da noch die Sache mit seinem Bart.

Trajan, der erste »spanische« Kaiser, war ein klassischer Kriegsheld und wie Julius Caesar, Augustus und sämtliche römische Kaiser vor ihm, glattrasiert. Er trug sein Haar kurz und nach vorn gekämmt. Hadrians Haar hingegen war weich und gelockt und seine Frisur, verglichen mit der seiner Vorgänger, eher salopp. Wodurch er sich jedoch am schärfsten von ihnen abgrenzte, war sein Bart. Manche werteten ihn vielleicht als Hinweis auf die Disziplinlosigkeit eines gewöhnlichen Soldaten, doch das war ein Trugschluss. Hadrian hatte sich in Dakien als Feldherr hervorgetan und war zweimal mit den höchsten militärischen Auszeichnungen geehrt worden. Er war leutselig und pflegte mit Soldaten aller Dienstgrade Kontakt. Auch nach seiner Thronbesteigung behielt er seine entspannte, offene Art bei; hinter dieser verbarg sich allerdings, wie manche behaupteten »ein rücksichtsloser, eifersüchtiger und lüsterner Charakter«.[4] Auch als Kaiser ernährte er sich wie ein Soldat weiterhin von Käse und Speck, verabscheute weiche Matratzen und konnte beeindruckend große Mengen Alkohol vertragen, eine Fähigkeit, die er im Feld, als Mitglied von Trajans innerem Kreis, kultiviert hatte.

Aber der Bart sollte noch etwas anderes über Hadrians komplexen Charakter und die Richtung, in die er das römische Imperium zu füh-

ren gedachte, aussagen. Hadrian wollte nicht nach Art der Römer in
den Krieg ziehen und neue Länder erobern, sondern ihm lagen die
Kultur, die Gelehrsamkeit und die reflektierende Intellektualität der
alten Griechen am Herzen. Den Zugang zu dieser Welt, der Leidenschaft seines Lebens, verdankte er seiner aristokratischen Erziehung. Er
schrieb Gedichte und war stolz auf sein gekonntes Lyra- und Flöten-
spiel, doch vor allem begeisterte er sich für die Geometrie und die
Bildhauerkunst. In seiner Jugend hatte er in Athen studiert und dort
den Spitznamen »kleiner Grieche« bekommen. Wie Nero aber sollte
er seinen philhellenischen Neigungen weitaus stärker nachgehen, als es
für einen gebildeten römischen Aristokraten und erst recht für einen
künftigen Kaiser angemessen schien.

Sein ausgeprägter Ehrgeiz und seine Wissbegierde machten ihn
auch zu einem hervorragenden und experimentierfreudigen Architekten. Mit einem neuen Venus-Tempel drückte er der Stadt seinen
ersten Stempel auf. Die Pläne zu diesem ersten markanten Zeichen
seiner Herrschaft hatte er selbst entworfen und sie voller Ehrerbietung
Apollodorus, dem berühmtesten Architekten der damaligen Zeit, zur
Begutachtung zugesandt. Als dieser jedoch die Proportionen der Säulen kritisierte, ließ ihn der leicht aufbrausende, nachtragende Hadrian
sofort umbringen. Die Kritik schreckte ihn indes nicht ab, sondern
verlieh ihm eher noch Flügel. Seine innovativste architektonische
Leistung war das Pantheon in Rom, der ehrgeizige Wiederaufbau
eines Gebäudes, das Agrippa unter dem ersten Kaiser Augustus errichtet hatte. Die Idee eines Tempels, der nicht nur einem Gott, sondern
allen Gottheiten des Römischen Reiches gewidmet war, war Ausdruck eines typisch römischen Geltungsbedürfnisses. Derselbe Geist
spiegelte sich auch in der spektakulären Architektur des Bauwerks.
Dank des Betons, den die Römer mittlerweile erfunden hatten, konnte Hadrian neue Wege einschlagen und mit innovativen, nicht-klas-
sischen Formen experimentieren. Mit der Kuppel des Tempels, die
sogar noch größer ist als die des Petersdoms im Vatikan, stellte er auch
den Gründungsvater des neuen römischen Imperiums in den Schatten. Selbst für uns heute ist das Pantheon der perfekteste der erhaltenen Bauten des antiken Roms. Wie wir noch sehen werden, sollte

auch das Reich insgesamt von Hadrians kreativer Liebe zur Architektur profitieren.

Auch in seinem Privatleben orientierte sich Hadrian am Vorbild der alten Griechen. Die Antike hatte andere sexuelle Normen als wir. So war bei den Griechen beispielsweise die Beziehung zwischen einem Erwachsenen und einem Jüngling an der Schwelle zum Mannesalter voll und ganz akzeptiert (ein junger Mann war dann am attraktivsten, wenn sich auf seinen Wangen der erste Flaum zeigte). Im Gegensatz dazu galt eine homosexuelle Beziehung zwischen gleichaltrigen und gleichrangigen Partnern als nicht hinnehmbar. Der Philhellene Hadrian übernahm die griechische Rolle des älteren Liebhabers. Während der Jahre, die er in Trajans innerem Kreis verbrachte, war er dafür bekannt, dass er den jungen Männern, den Nachwuchskräften im kaiserlichen Führungsstab, leidenschaftlich zugetan war. Später, im siebten Jahr seiner Regierung, reiste Hadrian mit seiner Frau Sabina in die Türkei und begegnete dort dem jungen, gut aussehenden Antinous. Der Kaiser war wie vom Blitz getroffen. Antinous schloss sich seinem Gefolge an, und in den nächsten sieben Jahren wich er, sehr zum Ärger vieler Römer, seinem Liebhaber nicht mehr von der Seite. (Sex war nicht das Problem; anstößig war vielmehr, dass der Kaiser dem jungen Mann so tief verbunden schien.) Der 30 Jahre jüngere Antinous teilte Hadrians Leidenschaft für die Griechen. Sie diskutierten im Museum von Alexandria und besuchten während ihres Aufenthaltes in Ägypten die Grabstätten von Alexander dem Großen und Pompeius Magnus.

Die Welt, die Hadrian als Kaiser regierte, war im Wesentlichen griechisch geprägt. Die Kultur der Römer hatte sich teilweise aus der altgriechischen Kultur entwickelt, teils war sie ihr nachempfunden, teils aber auch ein bewusster Gegenentwurf. In der antiken Literatur hätte es ohne die *Odyssee* und die *Ilias*, die Epen Homers, Vergils *Aeneis* nicht geben können. Ohne die Philosophenschule der Stoa hätten Cicero und Seneca ihre philosophischen Werke so nicht geschrieben und ohne Epikur (Hadrians Lieblingsphilosophen) wäre ein Lukrez nicht denkbar. Tatsächlich war für die halbe römische Welt (die Osthälfte) Griechisch, nicht Latein die Muttersprache. Jetzt stand ein Mann neuen Schlages an der Spitze dieses griechisch-römischen Imperiums. Er

war ein erfolgreicher Feldherr, er war durch und durch Soldat und bei
seinem Heer sehr beliebt. Er besaß Legitimität, und dass sein Anspruch
auf den Thron berechtigt war, stand außer Frage. Er nahm seine griechischen Interessen ernst und war von dem Wunsch besessen, stets der
Beste zu sein. Unter der Regierung dieses Mannes wurde die alte Vorstellung, dass die römische Welt nur von Krieg und Eroberungen beherrscht sei, kurzerhand über Bord geworfen.

Der Wandel zeigte sich gleich nach seinem Regierungsantritt. Hadrian stellte Trajans östliche Feldzüge ein. Ihr Scheitern hatte die römische Eroberungspolitik diskreditiert, und der politische Richtungswechsel war ganz im Sinne des Senats. Nicht mehr Expansion, sondern
Gebietssicherung und Stärkung der bestehenden Grenzen hatten nun
die oberste Priorität. 121 n. Chr. verließ Hadrian Italien und begab sich
an die Rheingrenze. Ihre strategische Bedeutung ließ sich an der hohen
Zahl der dort stationierten Legionen ablesen − allein in Germanien
waren es acht. Nach seiner Ankunft im Norden kümmerte sich Hadrian den Rest des Jahres darum, dass die römischen Kastelle, Schutzwäl-
le und Wachtürme weiter befestigt wurden und dass die am Rhein und
an der Donau stehenden Truppen eine hervorragende militärische
Ausbildung erhielten. Um auch die nördlichste Reichsgrenze in der
gleichen Weise zu sichern, reiste Hadrian im Jahre 122 nach Britannien. Damals begann er vielleicht mit dem Bau des Pons Aelius, der
eindrucksvollen nach ihm benannten römischen Brücke, die die breite
Tyne-Mündung bei Newcastle überspannte. Am Nordufer des Flusses
stand er genau an der Stelle, wo sich später sein Wall erheben sollte.
Der mächtige Hadrianswall, ein Symbol römischer Abwehr, gehört
heute zum Weltkulturerbe.

Grenzen

Allein das Ausmaß von Hadrians ehrgeizigem Unternehmen verschlägt
einem noch immer die Sprache. Der Bau des von ihm in Auftrag gegebenen 118 km langen, von der Nordsee quer durchs Land bis an die
Irische See führenden Grenzwalls nahm zehn Jahre in Anspruch. Die

Oberaufsicht hatte der neue Statthalter des römischen Britanniens, Aulus Platorius. Während der Wall zu fast zwei Dritteln aus Stein errichtet war, bestand das restliche Drittel (der östlichste Teil) aus Holz, Erde und Grasnarbe. Die Höhe und Breite waren genauso beeindruckend wie die Länge. Die Steinmauer war 3 m breit und 4,2 m hoch. Der Erdwall hatte dieselbe Höhe, aber eine Breite von 6 m. In einer Entfernung von etwa 20 Schritt verlief nördlich des Walls ein Graben. Er wies ein V-Profil auf und war 8 m breit und 3 m tief. Oben auf dem Wall war ein Gehweg angelegt, der durch eine mit Zinnen versehene Brustwehr geschützt war. Ein römischer Soldat, der hier entlang ging, traf im Abstand von jeweils einer römischen Meile (etwa 1,5 km) auf ein turmbewehrtes befestigtes Tor. Dazwischen, alle 500 m, erhob sich ein Beobachtungsturm. Außerdem waren 16 Unterstützungslager in die Wallanlage integriert.

In einem historischen Werk über die Herrschaft Hadrians heißt es schlicht, der Wall habe »die Römer und die Barbaren voneinander getrennt«.[5] Als heutiger Besucher ist man geneigt, ihn als ein mächtiges, rein defensives Bollwerk gegen einen unbestimmten barbarischen Feind zu interpretieren. So war er aber, wie moderne Geschichtswissenschaftler betonen, von Hadrian nicht gemeint. Hier ist ein Vergleich mit einem anderen technischen Meisterwerk der Römer aufschlussreich. Hadrians Vorgänger Trajan hatte die breite Donau eindeichen und dann eine spektakuläre Brücke errichten lassen, die er quasi als Sprungbrett nutzte, um in Dakien einzufallen. (Im Osten wollte er zwischen dem Euphrat und dem Tigris sogar einen Kanal für seine Flotte bauen, wozu es dann aber doch nicht kam.) Wie Caesars Rheinbrücke, so sollte auch Trajans Bauwerk in Dakien die Natur dem römischen Willen unterwerfen und sie in den Dienst des Imperiums stellen. Die Brücke verkündete in der klaren und majestätischen Sprache der Architektur und Technik die Macht und Größe Roms.

Der Hadrianswall sollte vielleicht eher als Versuch des Kaisers gewertet werden, in ähnlicher Weise seine eigene Macht und die des Imperiums zu demonstrieren.[6] Andere Indizien weisen ebenfalls daraufhin, dass er nicht nur defensiven, sondern auch aggressiven Zwecken diente. Von diesem raffiniert angelegten, mächtigen Bollwerk aus konnten auch Angriffe und Überfälle in den Norden des Landes gestartet werden. Der Wall war nicht nur eine Barriere, sondern auch ein wichtiger Verbindungsweg zu dem ausgedehnten Straßennetz, das sich über das gesamte Römische Reich erstreckte. Die Verwaltung und die Kontrolle der römischen Welt waren von solchen Verkehrsverbindungen abhängig. Einen weiteren Beweis dafür, dass der Hadrianswall nicht als Grenzschutz gedacht war, liefern die zahlreichen römischen Kastelle, die damals im Norden des Walls in Betrieb waren. Als die Anlage errichtet wurde, herrschte zwischen der römischen Armee und den einheimischen Briten auf beiden Seiten der Grenze weitgehend Frieden. Die im Norden und Süden lebenden Völkerschaften ließen sich kaum in »Barbaren« und »Römer« unterscheiden. Wie in vielen Grenzgebieten heutzutage unterlagen sie einem starken wechselseitigen kulturellen Einfluss. So hatte der Wall mehrere Funktionen: Er diente der Verteidigung, war aber auch und vor allem Ausdruck des Stolzes, der Flexibilität und Dynamik.

Der Wall verlieh den Römern insbesondere in einer Hinsicht eine große Macht: Die dort stationierten Garnisonen konnten kontrollieren, wer das Römische Reich betrat oder verließ, sie konnten feststellen, wer dort Handel trieb, wer welche Sprache sprach und welche Kleidung trug, wer Steuern zahlte und wie diese Steuern verwendet wurden. Der Wall betonte die Herrschaft der Römer über ihre Welt. Erst später, als die Blütezeit vorbei und das Imperium nicht mehr sicher war, würde er seine ursprüngliche Bedeutung verlieren, ein Schicksal, das er mit anderen historischen Befestigungsanlagen teilt. Dann würde er zu einem Symbol der Abwehr werden, zu einer undurchdringlichen Grenze, zum kläglichen Vorposten einer einst dynamischen Großmacht.

Der Hadrianswall symbolisiert die neue Richtung, in die der Kaiser sein Reich führen sollte. Doch der neue Kurs lief nicht auf eine einfache Kehrtwende hinaus. Der Wall wurde nicht errichtet, weil man glaubte, dass das Reich verwundbar war oder sich auf dem Rückzug befand. Das Gegenteil war der Fall.

Verwaltungsstrukturen

Wie sah das floriende Weltreich damals aus, als der Hadrianswall seine nördlichste Grenze bildete? Ein kleines Porträt des in Frieden lebenden Imperiums könnte mit den Soldaten beginnen, die in den Kasernen unweit des Walles stationiert waren. Die verschiedenen lateinischen Dialekte und die vielen anderen Sprachen, die hier zu hören waren, ergaben ein äußerst vielfältiges Bild. Die Soldaten kamen nicht nur aus Britannien, sondern auch aus Belgien, Spanien, Gallien und Dakien. In Arbeia (einer Festung im heutigen South Shields) stand sogar eine Marineeinheit von mesopotamischen Hilfstruppen.[7] Der sorgfältig gearbeitete Grabstein der Regina, der britischen Frau eines gewissen Barates, erzählt eine ähnlich faszinierende Geschichte: Dieser Mann, wahrscheinlich ein Soldat oder Trossangehöriger, kam den langen Weg von Palmyra in Syrien, verliebte sich in seine Sklavin aus Hertfordshire, kaufte sie frei, heiratete sie und ließ sich mit ihr in Britannien häuslich nieder. Die Inschrift, mit der er seiner toten Frau Lebewohl sagt, ist in Aramäisch, seiner Muttersprache, verfasst. Der Name eines Arterius Nepos ist ähnlich aufschlussreich. Er ist in Armenien und Ägypten dokumentiert, später dann im nördlichen Britannien.

Fluktuation ist ein wichtiges Stichwort. Die römischen Heere an den Grenzen bildeten keine festen Garnisonen. Die Legionen und Hilfstruppen wurden vor Ort und mal in dieser, mal in jener Provinz ausgehoben und sehr flexibel eingesetzt. Aufgrund dieser Mobilität konnte die römische Armee an vielen Orten Präsenz zeigen und somit ein sehr viel größeres Gebiet, als es für eine feste Besatzung möglich gewesen wäre, erfolgreich kontrollieren.

In einem unweit des Walls gelegenen Kastell namens Vindolanda wurde in den 70er und 80er Jahren des vergangenen Jahrhunderts ein sensationeller Fund gemacht – man entdeckte an einer einzigen Ausgrabungsstätte mehrere Hunderte hölzerner Schreibtafeln. Während viele dieser Schreiben Verwaltungsangelegenheiten wie z. B. Bilanzen und Urlaubsgesuche betreffen, bieten andere eine unterhaltsamere Lektüre. So lädt beispielsweise die Ehefrau eines Garnisonskommandanten eine andere Frau sehr herzlich zu ihrer Geburtstagsfeier ein, und ein Soldat bestätigt den Empfang von neuen Socken, Sandalen und warmer Unterwäsche für den Winter. Diese Briefe, die auch aus entfernten Reichsgebieten kamen, wurden den einzelnen Kastellen durch den kaiserlichen Kurierdienst zugestellt. Auf einem 90 000 km langen Straßennetz, das das nordenglische Carlisle mit dem ägyptischen Assuan verband, gelangten die Briefe durch den *cursus publicus* (den offiziellen, staatlichen Zwecken dienenden Postdienst) bis an den Hadrianswall. Die Antworten wurden auf demselben Weg zurückgeschickt. Die Kuriere, die diese Briefe einsammelten und verteilten, machten unterwegs in Wirtshäusern Station. Die Straßen, auf denen sie reisten, dienten der Entwässerung und waren von Meilensteinen gesäumt.

Die durch die kaiserliche Post beförderte Korrespondenz gibt auch Einblick in die Art und Weise, wie Hadrians Reich verwaltet wurde. Erstaunlicherweise konnte theoretisch jeder der 70 Millionen römischen Bürger des Imperiums den Kaiser um Hilfe bitten. Er war die letzte Entscheidungsinstanz. Genauso überraschend ist es, dass die Bürger mit einer Antwort rechnen durften. Wie wir noch sehen werden, legten Kaiser wie Hadrian großen Wert darauf, sich volksnah zu präsentieren. Die Wirklichkeit sah natürlich ganz anders aus. Dies ergibt sich allein schon aus den Unmengen von Petitionen, die die einzelnen Gemeinden an den Kaiser richteten, und aus den zahllosen Bitten um eine juristische Begutachtung privater Rechtsfälle. Wir kennen zwar nicht die genauen Zahlen, doch nach einer Quelle soll in diesem goldenen Zeitalter der Statthalter von Ägypten an einem einzigen Tag 1208 Petitionen erhalten haben. Man kann sich vorstellen, wie viele dann erst Kaiser Hadrian in Rom bekommen haben muss.

Natürlich stützten sich der Kaiser und die Provinzstatthalter bei der Bewältigung all dieser Bittgesuche auf einen riesigen Apparat von Mitarbeitern, die weitreichende, wenn auch fest umschriebene Kompetenzen hatten. Die erhaltene Korrespondenz zwischen dem römischen Gouverneur von Bithynien, Plinius dem Jüngeren, und Kaiser Trajan spiegelt die lebendige Beziehung zwischen den beiden, zeigt aber auch, wo jene Grenzen der Verantwortlichkeit lagen. Plinius' Briefe an Trajan und andere Adressaten gehören zur Weltliteratur. In dem umfangreichen amtlichen und rein sachlichen Briefwechsel war jedoch kein Raum für literarische Kreativität, und so beklagt sich Plinius in einem Schreiben darüber, dass es zu den lästigen Pflichten eines öffentlichen Bediensteten gehöre, »sehr viele, aber höchst unliterarische Briefe schreiben zu müssen«.[8]

Man kann sich denken, dass der römische Kaiser, der Statthalter oder Kommandant die Antworten auf die massenhaften alltäglichen Gesuche, die sie oder ihre nachgeordneten Bediensteten bearbeitet hatten, nur routinemäßig abzeichneten, dennoch ist eines klar: Die Stellungnahmen und Lösungen für die vorgelegten Probleme – sei es ein Grundstücksstreit, eine Scheidungsfrage oder eine Bürgerrechtsangelegenheit – hatten großen Einfluss auf das Leben der Antragsteller. Um eine erfolgreiche Verwaltung des Reiches und das Glück der Bürger zu gewährleisten, mussten die Aufgaben daher auf viele Schultern verteilt werden.

Wie konnten der römische Kaiser, der römische Statthalter oder der römische Befehlshaber sicherstellen, dass ehrbare und bewährte Leute auf die Posten in der kaiserlichen Verwaltung berufen wurden und die an sie gestellten Anforderungen auch erfüllten? Wie die in Vindolanda aufgefundenen Holztäfelchen zeigen, beförderte die kaiserliche Post auch die überaus wichtigen Empfehlungsschreiben. Hier kann man z. B. nachlesen, wie ein Freund einem anderen die Vorzüge und Qualitäten eines dritten anempfiehlt. Derartige Referenzen entschieden darüber, wer in der Pyramide der bürokratischen Verwaltung einen Platz fand. Kurzum, die Aussagen eines Freundes waren für den Ruf und die Vertrauenswürdigkeit eines Kandidaten ausschlaggebend. Die Logik dieses Systems war einfach und effizient. Je mehr Leute auf ihren guten Leumund bedacht waren, desto weniger wahrscheinlich war es, dass sie sich für Nieten einsetzten und auf diese Weise ihr eigenes Ansehen gefährdeten.

Die meisten Probleme wurden von den Verwaltungsangestellten, die aufgrund dieser persönlichen Empfehlungen ernannt worden waren, vor Ort geregelt. Nur sehr kritische Fälle wurden dem Kaiser zur Entscheidung vorgelegt. Abgesehen von diesem grundlegenden Regierungskonzept hatte Hadrian noch eine andere Möglichkeit gefun-

den, sich den Bürgern seines Reiches als volksnaher Herrscher zu präsentieren. Unter seinem Regime war der Kaiser weitaus gegenwärtiger
als zu früheren Zeiten. Dafür gab es einen einfachen Grund: Hadrian
war gern auf Reisen.

Er verbrachte nicht weniger als die Hälfte seiner 21-jährigen Herrschaft im Ausland. Zwischen 121 und 125 führten ihn seine Reisen
von seinem Grenzwall im nördlichen Britannien bis nach Südspanien,
Nordafrika, Syrien, ans Schwarze Meer und nach Kleinasien. Später,
zwischen 128 und 132, besuchte er Griechenland, Judäa und Ägypten.
Ob in York, Sevilla, Karthago, Luxor, Palmyra, Trapezunt oder Ephesus, Hadrian war immer in einem einzigen politischen Staat, in dem
die Menschen Griechisch und Latein sprachen und in dem er die absolute Macht ausübte. Er reiste stets mit seiner Frau Sabina, und das
kaiserliche Gefolge, bestehend aus Freunden, Gepäckträgern, Wachposten, Sklaven und Sekretären, wohnte entweder im Palast des lokalen Statthalters oder im Haus eines angesehenen einheimischen Aristokraten. Die Reiserouten wurden sorgfältig geplant und eingehalten,
und manchmal kampierte die kaiserliche Gesellschaft auch in einer unterwegs eigens errichteten Zeltstadt.

So war Hadrian – im Gegensatz zu Nero, der Italien nur einmal
(für Griechenland) verlassen hatte – für eine sehr viel größere Zahl
seiner Untertanen sicht- und ansprechbar als die meisten römischen
Kaiser. Dies erhöhte seine Popularität und verschaffte ihm das Image
eines zugänglichen Kaisers, eines Kaisers »zum Anfassen«. Eine Anek-
dote unterstreicht die Bedeutung seiner Präsenz. So sah einmal eine
alte Frau auf einer Straße den kaiserlichen Tross. Sie kam näher, versuchte Hadrians Kutsche anzuhalten und ihm eine Frage zu stellen.
Doch der Wagen fuhr an der Frau vorbei und ihre Worte verhallten
ungehört. Da sie sich nicht so schnell unterkriegen ließ, gelang es ihr,
Hadrian einzuholen. Wenn er nicht die Zeit habe, anzuhalten und
sich ihre Bitte anzuhören, solle er, so schimpfte sie, auch nicht mehr
Kaiser sein. Daraufhin machte Hadrian Halt und hörte ihr zu. Sein
Renommee und seine Popularität waren ebenso wie bei allen Kaisern
in der Blütezeit des Imperiums von der öffentlichen Meinung abhängig. Doch die Tatsache, dass er sehr »sichtbar« war, machte ihn noch

längst nicht für alle zu einem »guten Kaiser«. Die lange Abwesenheit
von Rom war auch das Charakteristikum eines pflichtvergessenen
»schlechten Kaisers«.

Hadrians beliebtestes Reiseziel war natürlich Athen, das alte Zentrum des kulturellen Erbes und der Gelehrsamkeit, dem er drei Besuche abstattete. »In fast jeder Stadt ließ er irgendetwas bauen und veranstaltete Spiele«, heißt es in einem Bericht über seine Regierungszeit.[9]
Die Bauprojekte allein in Athen sprechen zu seinen Gunsten und bezeugen sein Philhellenentum. So schenkte er der Stadt eine große Bibliothek, einen ganz neuen Marktplatz und ein herrliches Marmortor.
So bekam das antike Herz der Stadt ein neues römisches Gepräge.
Doch Hadrian verewigte sich auch noch auf andere Weise. Das berühmteste Heiligtum z. B. gehörte Zeus, dem griechischen Göttervater, dem Äquivalent des römischen Gottes Jupiter. Der Tempel, mit
dessen Bau man gleich zu Beginn der Klassik im 6. Jahrhundert v. Chr.
begonnen hatte, war im Jahre 132 n. Chr. vollendet und wurde von
dem Mann, mit dessen Herrschaft jenes klassische Zeitalter zu Ende
ging, höchstpersönlich geweiht. Die Errungenschaften der beiden Zivilisationen, von denen die eine in der Antike, die andere in der kaiserlichen Gegenwart angesiedelt war, verschmolzen zu einer Einheit
und wurden als eine einzige Kultur gefeiert.

Die klassischen Tempel, Bauwerke und Monumente, die er (nicht
nur in Athen, sondern auch in so weit entfernten Orten wie Smyrna
in der heutigen Türkei und in seiner spanischen Heimatstadt Italica)
einweihte, wurden mit dem Namen des Kaisers und einer Inschrift
versehen. Die Honoratioren der von Hadrian beschenkten Städte revanchierten sich mit Statuen, Schreinen und Porträtbüsten des Kaisers.
Seine Bildnisse zierten Häuser, Tempel und Marktplätze. In seinem
geliebten Athen wurde ein Standbild Hadrians im Dionysos-Theater
errichtet. Selbst in Ortschaften, denen er seine Gunst nicht schenkte,
huldigten die Stadtväter dem göttlichen Kaiser. Damit konnten sie ihre
Loyalität beweisen, die Beziehung zwischen ihrer Gemeinde und dem
Kaiser verbessern und ihn moralisch verpflichten, sich ihrer anzunehmen. Durch diese Symbole des Herrscherkults blieb man sich auch
in Orten, in die ihn seine Reiselust nicht führte, seiner einzigartigen

Größe bewusst. Dieselbe Funktion hatten auch die mit dem kaiserlichen Porträt versehenen Münzen, die überall im Imperium als Zahlungsmittel kursierten.

Zivilisation und Sklaverei

Der Hadrianswall bildete die nördliche Grenze eines Imperiums, in dem nicht nur dieselbe Währung galt, sondern auch dieselben Sprachen gesprochen wurden und das von einer klassischen griechisch-römischen Zivilisation geprägt war. Innerhalb des Reiches sprachen die Römer Latein und Griechisch, außerhalb herrschte das »Barbarbar« der Barbaren. (Wegen der unverständlichen Laute, die sie von sich gaben, waren die Völker anderer Kulturkreise von den Griechen seit alters als Barbaren bezeichnet worden und die Römer hatten sich dem angeschlossen.) Im Jahre 234 v. Chr., mitten in der Zeit der ersten großen Revolution in der römischen Geschichte, mit der das vorliegende Buch beginnt, gab es 270 773 männliche römische Bürger. Es ist kaum vorstellbar, aber unter Hadrian war ihre Zahl um das 320-Fache gestiegen. Angesichts der geringen Lebenserwartung und des nur langsamen Bevölkerungswachstums brauchte das Imperium, um weiter existieren zu können, ständig neues Blut. Der römische Staat musste also unbedingt neue Völkerschaften integrieren.

Tacitus zeichnet ein zynisches Bild davon, wie beispielsweise in Britannien sein Schwiegervater Agricola die Söhne der britischen Elite »romanisierte«. Unter seiner energischen Statthalterschaft lernten die Briten, wie er berichtet, die Sprache der Römer zu sprechen und »immer häufiger« die Toga anzulegen. Außerdem seien sie den römischen »Lastern« erlegen und würden nun gerne baden, unter Kolonnaden flanieren und Gelage besuchen. Die feine römische Bildung sei, so Tacitus, nichts weiter als eine unter einem anderen Namen auftretende Unterwerfung. Auch die neue »Zivilisation« hatte ihren Preis.[10] Im Osten war die »Romanisierung« in Wirklichkeit eine »Hellenisierung«: Männer aus den östlichen Eliten nutzten ihre Bildung und das Erbe der griechischen Philosophie, Rhetorik, Literatur und Kunst, um in Rom politischen Einfluss zu gewinnen. Hinter dieser griechisch-römischen Kultur verbarg sich jedoch eine Welt barbarischer Grausamkeit und scharfer Kontraste.

Der hochgebildete und kultivierte Hadrian war z. B. auch ein leidenschaftlicher Jäger. Seine Vorliebe für diesen alten aristokratischen Sport fand ihren populären Ausdruck in den von ihm veranstalteten spektakulären blutigen Spielen. Zur Feier seines Geburtstages im Januar 119 wurden vor einem römischen Publikum 100 Löwen und 100 Löwinnen abgeschlachtet. Um die Zuschauer bei den römischen Spielen mit immer neuen, sich stets überbietenden Sensationen zu beeindrucken, war in der Blütezeit des Reiches die Latte immer höher gelegt worden. Schließlich lag sie so hoch, dass zur Unterhaltung der Metropole immer exotischere wilde Tiere aus allen Teilen des Imperiums herbeigeschafft werden mussten.

Löwen und Tiger kamen beispielsweise aus Syrien und dem römischen Osten, Wildschweine aus Germanien und Gallien, Stiere aus Griechenland, Pferde aus Spanien, Kamele und Rhinozerosse, Leoparden, Wildesel, Giraffen und Gazellen aus Nordafrika. Trajan hatte eine Vorliebe für ägyptische Krokodile und ließ deshalb einmal das Colosseum fluten, damit die Gladiatoren mit ihnen kämpfen konnten. Auch war für solche Extravaganzen kein Mangel an Gelegenheiten. Unter Hadrian gab es die meisten Feiertage in der Geschichte des Römischen Reiches. Seine blutrünstigen Geburtstagsspiele fanden noch einen letzten Höhepunkt: Sowohl im Theater wie auch im Circus Maximus wurde eine Lotterie veranstaltet, und hoffnungsfroh begaben sich die Leute mit ihren Losen in Form kleiner Holzkugeln auf den Heimweg.[11]

Andere damals herrschende Gegensätze waren weitaus ernüchternder. Hadrians florierendes Friedensreich war vor allem durch extreme Ungleichheiten gekennzeichnet. Die Sklaven waren z. B. deutlich in der Überzahl, und allein diese Tatsache ließ die Bürger nervös werden: Wenn sich die Sklaven organisierten, könnten sie als kollektive Kraft sehr viel Macht ausüben. Eine weitere Bruchlinie bildeten die Vermögensverhältnisse. Der starke Staat bediente und schützte mehr die Interessen der Großgrundbesitzer als die auf deren Ländereien

arbeitenden Bauern. Während die wenigen Reichen von dem weit
verzweigten Handelsstraßennetz des Mittelmeerraumes profitierten
und ihre Freunde mit Pfauen aus Arabien bewirteten, lebte die Mehrheit der Armen mehr schlecht als recht von den einheimischen Produkten. Auch die Tatsache, dass nicht alle Reichsbewohner im Besitz
der Bürgerrechte waren, bot Anlass zu Konflikten. Die Nichtbürger
konnten zwar das römische Bürgerrecht erwerben, aber meist nur
durch einen lebenslangen Militärdienst in der kaiserlichen Armee.

Trotz der langen Friedenszeit blieb die Welt unsicher und gefährlich. Fern der großen Städte und der Gemeinderäte vor Ort waren
viele Lebensbereiche nicht geregelt und ließen sich auch nicht regeln.
Die römische Justiz war wenig hilfreich, da das System die Besitzenden
bevorzugte. Recht bekamen in der Hauptsache nur die Privilegierten,
Leute, die die Fähigkeit, die Zeit und die Mittel hatten, ihren Fall vor
Gericht zu bringen. Diese Realität fand im römischen Gesetzbuch ihren Niederschlag. Unter Hadrian entwickelte sich nun ein höchst be-
denkliches juristisches Zweiklassensystem, das zwischen zwei Sorten
Menschen unterschied. Die gesetzmäßigen Strafen wie z. B. Auspeit-
schung, Tortur, Enthauptung, Kreuzigung und Deportation wurden
nur an den besitzlosen »niederen« Bürgern vollzogen, während die
»besseren Leute«, Veteranen der Armee, Stadträte, Ritter und Senatoren, vor dem scharfen Beil des römischen Gesetzes geschützt waren.[12]
Dieser Unterschied sollte sich mit der Zeit noch weiter vertiefen.

Auch in anderer Hinsicht hatte das goldene Zeitalter Hadrians die
strenge gesellschaftliche Hierarchie, die für die zwei Jahrhunderte zu-
rückliegende alte römische Republik charakteristisch war, nicht überwunden. Trotz der gemeinsamen Sprache waren die meisten Bürger im
Reich Analphabeten. Zwar waren viele durchaus in der Lage, mit Hee-
resberichten und Handwerkerrechnungen umzugehen, und die Städter
waren offensichtlich imstande, Graffiti an die Wände zu malen und sich
über sie zu amüsieren, doch die Fähigkeit der gebildeten Minderheit,
sich schriftlich bestens ausdrücken zu können, verschaffte ihr den anderen gegenüber beträchtliche Vorteile. Ein genauerer Blick auf die sozi-
ale Hierarchie fördert jedoch auch Überraschungen zutage. Die wohlhabende Oberschicht war stolz auf ihre privaten Bibliotheken. Um die

Bestände zu pflegen, waren oft Sklaven angestellt, die die Texte kopierten und sich als Sekretäre betätigten. Infolgedessen waren diese manchmal sehr viel gebildeter und qualifizierter als die Millionen mittelloser, aber freier römischer Bürger. Ciceros Sekretär Tiro war z. B. einer dieser gelehrten Sklaven. Er wurde ein enger Freund des römischen Senators, bekleidete in dessen Haus eine einflussreiche Stellung und wurde schließlich freigelassen. Unter Hadrian, ungefähr 150 Jahre später, gab es noch sehr viel mehr wohlhabende »Cicerones« – sie waren keine *homines novi* aus den italischen Provinzen Roms, sondern kamen aus allen Teilen des Imperiums –, und jeder von ihnen hatte einen kleinen Kreis von hochgebildeten »Tirones« um sich versammelt.

Die letzten Jahre von Hadrians Herrschaft standen unter keinem guten Stern. Auf einer gemeinsamen Ägyptenreise im Jahre 130 ertrank sein junger Geliebter Antinous bei einem mysteriösen Bootsunfall im Nil. Um seinen Schmerz zu lindern, setzte Hadrian der Liebe seines Lebens ein Denkmal, indem er am Ort des Unglücks eine Stadt gründete, die er Antinoopolis nannte, und die Vergöttlichung des Jünglings bekanntgab. Von da an wurde Antinous überall im Reich als Gott verehrt. Im Jahre 132 stellte Hadrian seine Reisen ein und zog sich in seine prächtige neue Villa in Tivoli, 25 km außerhalb von Rom, zurück. Dies war ein angemessener Ort, um seine Regierung ausklingen zu lassen. Auf exquisite, spielerische und künstlerische Weise ist diese Anlage eine grandiose Landkarte der Orte, die der Kaiser im Laufe seines Lebens besucht hatte. So ließ er z. B. die »Akademie«, Platons Philosophenschule in Athen, und den Kanal Canopus, der die gleichnamige ägyptische Stadt mit Alexandria verband, nachbauen. Dem Leben nach dem Tod, von dem Hadrian fasziniert war, war ebenfalls ein Denkmal gesetzt: So gab es, benannt nach den Örtlichkeiten in der Unterwelt, »Elysische Gefilde« und einen »Hades«. Zur Anlage gehörten außerdem ein Teich, in dem sich ausgefallene farbenprächtige Fische aus allen Teilen des Imperiums tummelten, dazu ein griechisches Theater, ein Säulengang, einige Bäder und eine üppig ausgestattete private Bibliothek. Hadrian hatte für seine Villa keine Kosten gescheut, und an diesem wenigstens 100 ha großen Refugium war genauso lange gebaut worden wie an seinem Grenzwall in Britannien.

Das goldene Zeitalter mit all seinen Herrlichkeiten war mit Hadrians Tod im Jahre 138 noch lange nicht zu Ende. Unter Kaiser Antoninus Pius herrschten weiter Frieden und Stabilität, doch während der Herrschaft Mark Aurels, eines weiteren barttragenden Philosophenkaisers, geriet die *Pax Romana* durch Invasionen germanischer Völker in Gefahr. Welch eine Ironie des Schicksals: Um sein Reich zu schützen, sah sich der Friedensmann Aurelius gezwungen, fast ständig gegen Armeen der Barbaren Krieg zu führen, die von Norden her in das Imperium einfielen. Unter seinem Sohn Commodus, einem armseligen, flatterhaften Kaiser, der sich mehr für Spiele und Gladiatoren als für die Sicherheit des Reiches interessierte, schwanden die Erfolge, die sein Vater in den Germanenkriegen errungen hatte, wieder dahin. Im Jahr 193 ließ die Dynastie der Severer, begründet von Roms erstem afrikanischen Kaiser, Septimius Severus, Hadrians goldenes Zeitalter noch einmal aufleben. Aber der sich abzeichnende Untergang des Reiches war nicht mehr aufzuhalten. In der Mitte des 3. Jahrhunderts n. Chr. wurde Rom erneut von einer existentiellen Krise heimgesucht und stand am Rande des Abgrunds.

Um das Imperium zu retten, brauchte der Mann, der Roms nächste große Revolution herbeiführte, vor allem soldatischen Heldenmut und ein sicheres Gespür für den Umgang mit der Armee. Mit seiner Thronbesteigung kam eine bei den Kaisern verbreitete Gepflogenheit von einem Tag auf den anderen aus der Mode. Bärte waren out. Jetzt war wieder der gepflegt glattrasierte Soldatenkaiser angesagt.

Konstantin

In der fernen Provinz Pontus-Bithynien verursachte ein Gerichtsverfahren dem römischen Statthalter Kopfzerbrechen. Plinius der Jüngere war ein vermögender Senator, ein literarisch hochgebildeter Mann und ein begeisterter Gartenfreund. Zu Hause in Italien besaß er drei herrliche, in einer idealen Landschaft gelegene Villen (zwei in der Nähe des Comer Sees und eine in Umbrien) und galt als der aufgeklärte Herr von nicht weniger als 500 Sklaven. Doch jetzt im Jahre 111 n. Chr., im tiefsten Kleinasien nicht weit vom Schwarzen Meer, schienen diese Freuden unendlich weit weg zu liegen. Der ihm vorgelegte komplizierte Rechtsfall sollte ihm viel Ärger einbringen.

Als Plinius seine Provinz bereiste, um Recht zu sprechen, hatte man eine Gruppe von Leuten zu ihm gebracht, die von einigen Einheimischen angezeigt worden waren, weil sie angeblich Christen waren. Plinius baute ihnen goldene Brücken, damit sie ihre Unschuld beweisen könnten. Doch beim Verhör bekannten einige, Anhänger Christi zu sein. So gab er ihnen, nachdem er sie daran erinnert hatte, dass auf ihr Verbrechen die Todesstrafe stehe, eine neue Chance. Doch sie zeigten auch nach der zweiten und dritten Befragung keine Reue, sondern »Eigensinn« und »unbeugsame Halsstarrigkeit«. Ihr Glaube, so seine Schlussfolgerung, sei »Fanatismus«.[1] Dem Statthalter blieb keine Wahl: Die Schuldigen wurden, sofern sie das römische Bürgerrecht besaßen, zu einem offiziellen Gerichtsverfahren nach Rom geschickt, während man die Nichtbürger auf der Stelle hinrichtete. Falls Plinius der Jüngere allerdings glaubte, dass die Sache damit erledigt sei, musste er sich eines Besseren belehren lassen.

Die Nachricht von diesem Prozess verbreitete sich überall in der Provinz. Bald darauf erhielt Plinius einen anonymen Brief mit den Namen Hunderter von Leuten, die sich angeblich desselben Verbrechens schuldig gemacht hatten. Was die Angelegenheit erschwerte: Vor seinem Richterstuhl bestritten sie die Vorwürfe. Doch der Gouverneur sollte sich in der Ausübung des römischen Rechts nicht beirren lassen. Um die Schuldigen von den Unschuldigen zu unterscheiden, griff er zu einem genialen Trick: Er sprach ihnen ein an die heidnischen römischen Götter gerichtetes Gebet vor und forderte die Angeklagten auf, es zu wiederholen. Außerdem sollten sie dem Kaiser Wein und Weihrauch opfern. Der letzte Teil des Tests bestand in einer Verfluchung Christi. Einige von denen, die abstritten, Christen zu sein, befolgten brav alle Anweisungen. Andere erklärten, sie seien zwar früher Christen gewesen, hätten sich jetzt aber vom Christentum losgesagt, und waren daher ebenfalls bereit, Plinius' Aufforderung nachzukommen. Somit ließ sich aufgrund dieses Tests kein abschließendes Urteil fällen. Zwar gaben einige zu, Christen gewesen zu sein, doch rechtfertigte dies einen Schuldspruch? Daraufhin ließ Plinius, um den in der Vergangenheit begangenen Verbrechen auf den Grund zu gehen, zwei Dienerinnen der frühen Kirche, sogenannte Diakonissen, foltern. Er fand keine Indizien für unzüchtiges Verhalten oder Kannibalismus, wie er in seiner Voreingenommenheit vielleicht erwartet hatte, sondern konnte nur »einen verworrenen, maßlosen Aberglauben« feststellen.[2] Was sollte er mit diesen Leuten tun? Waren sie schuldig oder unschuldig? Da er nicht weiter wusste, bat er Kaiser Trajan schriftlich um Rat.

Der Kaiser antwortete, dass sie freigesprochen werden sollten, selbst wenn sie sich in der Vergangenheit verdächtig gemacht hätten. Außerdem forderte er Plinius auf, auf eine Hexenjagd zu verzichten und nach den Christen nicht eigens zu suchen. An dieser Entscheidung wurden die auf Trajan folgenden Kaiser gemessen und für »gut« befunden oder nicht. Doch der ungewöhnliche Briefwechsel zwischen dem Kaiser und seinem Statthalter offenbart noch sehr viel mehr: Im Jahre 111 n. Chr. waren Gerichtsverfahren und Hinrichtungen von Christen zwar juristisch kompliziert, aber akzeptierte Praxis.

Die Christenverfolgungen hatten etwa 50 Jahre früher mit dem Prozess des heiligen Paulus in Rom begonnen, der als erster großer Missionar die christliche Botschaft im römischen Osten verbreitet hatte. Kurz darauf hatte Kaiser Nero die wachsende christliche Gemeinde in der Reichshauptstadt zum Sündenbock gemacht. Bekanntlich hatte er die Christen kreuzigen oder in den Gärten seiner Residenz bei lebendigem Leibe anzünden lassen, um den Vorwurf zu entkräften, er selbst habe, um Platz für den Bau eines neuen Palastes zu schaffen, Rom in Flammen aufgehen lassen. Kaiser Domitian wurde eine ähnliche Behandlung der Christen angelastet. Obwohl Trajan in Plinius' Fall Milde zeigte, stellten die Christen für die Römer ein Problem dar. Es war einfach nicht hinnehmbar, dass sie sich zu Gemeinden zusammenschlossen, den christlichen Gott verehrten und sich von den althergebrachten Göttern abkehrten. Man machte ihnen den Prozess, und im Falle eines Schuldspruchs behandelte man die unglücklichen Anhänger dieser fremdartigen Religion nicht anders als Verbrecher oder Kriegsgefangene. Des Öfteren war ihnen auch ein ähnliches Ende beschieden – ein grausamer Tod in der römischen Arena.

Trotz der Feindseligkeiten und Strafen, denen die Christen ausgesetzt waren, fand der neue Glaube immer mehr Anhänger und hatte sich bis zum Beginn des 4. Jahrhunderts überall im Imperium verbreitet. Schätzungsweise waren damals etwa 10 % der Bevölkerung Christen. In allen Teilen der römischen Welt wuchs die Zahl der Kirchen. Eine Hierarchie bildete sich heraus, bestehend aus Bischöfen, Presbytern und Diakonen. Ganz unterschiedliche Menschen – angefangen bei den Sklaven und Mittellosen bis hin zu den Adligen – waren zum Christentum übergetreten.[3] Da die Kirche immer größeren Zulauf hatte und zur Institution wurde, die man als Bedrohung empfand, kam es im Jahre 303 zu der bisher größten Christenverfolgung: Per Edikt verfügte Kaiser Diokletian die Zerstörung der Kirchen und die Verbrennung der heiligen Schriften; einige Christen wurden ihrer Ämter enthoben, andere versklavt.

Und doch wurde während seines 20 Jahre anhaltenden Kampfes gegen die Christen alles anders. Der Status des Christentums erfuhr eine radikale Wandlung: Aus der am meisten verachteten Religion wurde die Religion, die den stärksten Zulauf fand. Spätestens bis zum Jahre 324 war das Christentum mit den übrigen Religionen gleichgestellt und als eine Staatsreligion der römischen Welt offiziell anerkannt. Zwar wurden die traditionellen römischen Götter weiterhin verehrt, doch jetzt war dieser Kult – mochte dies für die Menschen der dama-

ligen Zeit auch noch so unfassbar sein – nicht länger ein unabdingbarer
Teil dessen, was einen Römer ausmachte.[4]

Der Mann, der diese Veränderung einleitete, war Konstantin, der
erste christliche Kaiser und der erste Kaiser, der die christliche Kirche
öffentlich förderte. Seine Entscheidung für das Christentum war vielleicht der folgenreichste Wendepunkt in der römischen Geschichte,
wenn nicht sogar in der Geschichte der Welt. Dank seiner konnte sich
das Christentum überall im Römischen Reich entfalten und zu der
Weltreligion entwickeln, die es heute darstellt. Auslöser dieser Revolution war die Exklusivität des Christentums, der Glaube an einen einzigen Gott. Deswegen wurde das Christentum jahrhundertelang verfolgt, doch ironischerweise war es gerade diese Ausschließlichkeit, die
Konstantin höchst dienlich war und die er hegte und pflegte. Indem er
sich den christlichen Glauben zunutze machte, führte Konstantin das
römische Imperium zu einer letzten Blüte, und seine Regierungszeit
sollte als Roms letztes goldenes Zeitalter gefeiert werden.

Dabei war der Mann, der für diese einschneidende Veränderung die
Verantwortung trug, beileibe kein Vorzeigechrist. Flavius Valerius
Constantinus war ein Mann voller Widersprüche: Er war ein Soldat
und hervorragender Feldherr und dann wiederum ein gerissener, ver-
schlagener Politiker. Aber war er auch ein Mann echten Glaubens, der
ehrlichen Herzens zum Christentum übergetreten war? Oder war er in
Wirklichkeit doch nur ein selbstsüchtiger Opportunist und eine Inkarnation des Bösen? Das Verständnis und die Bewertung seiner Persönlichkeit steht und fällt mit den antiken Quellen: Die heidnischen Autoren sind ihm gegenüber sehr kritisch eingestellt, während die christlichen Schriftsteller, allen voran Eusebius, der Bischof von Caesarea,
und Laktanz, eindeutig parteiisch sind und ihn in fast lyrischen Tönen
zum Heiligen hochstilisieren. Trotz der widersprüchlichen Quellenla-
ge sind die Beweggründe seines Handelns klar.

Um die eigene Macht zu sichern und gleichzeitig der christlichen
Religion zum Sieg zu verhelfen, bedurfte es weniger der christlichen
Tugenden der Unterwürfigkeit, Friedfertigkeit und Vertrauenswürdigkeit als vielmehr der altrömischen »Tugenden« der Brutalität, des
immensen Ehrgeizes und der beispiellosen Rücksichtslosigkeit, Eigen-

schaften also, die die Römer seit jeher auszeichneten. Die Menschen, die unter diesen Charakterzügen Konstantins zu leiden hatten, waren nicht nur seine politischen Feinde, sondern auch seine engsten Familienangehörigen.

Vier Kaiser

Im 3. Jahrhundert n. Chr. erlebte die römische Welt eine Krise nach der anderen. Innerhalb von 50 Jahren (235–285) gab es nicht weniger als 20 Kaiser, die in rascher Folge entweder aus politischen Gründen ermordet wurden oder auf dem Schlachtfeld ihr Leben ließen. Aber nicht nur der Regierung fehlte es an Stabilität. Auch das Reich war ständig in Gefahr. Im Jahr 251 durchbrachen die nördlich des Schwarzen Meeres beheimateten Goten die Forts, Wachposten und Befestigungsanlagen an der Donau. Sie besiegten Kaiser Decius auf dem Schlachtfeld und plünderten anschließend Athen. 259 überwanden zwei germanische Völkerschaften, die Alemannen und Juthunger, dieselbe Grenze und drangen in Italien ein. 260 war wahrscheinlich das schlimmste Jahr: Die Franken überschritten den Rhein, zogen marodierend durch Gallien und plünderten Tarraco, das heutige Tarragona. Doch das wurde noch von den Geschehnissen an der Ostgrenze überboten: Kaiser Valerian wurde von den Persern gefangen genommen und versklavt und musste den Rest seines Leben in gebückter Haltung verbringen, sodass König Schapur ihn als lebenden Trittschemel benutzen konnte, um auf sein Pferd zu steigen.[5] Valerian starb in der Gefangenschaft, doch in gewissem Sinne lebte er weiter: In einer makabren Umkehrung der Vergöttlichung wurde sein Leichnam mit Stroh ausgestopft und in einem persischen Tempel als warnendes Zeichen für spätere römische Delegationen aufgehängt. So schockierend diese Ereignisse auch waren – die Römer sollten noch Schlimmeres erleben.

Innerhalb von weniger als 15 Jahren trennten sich die römischen Provinzen Britannien, Gallien und Spanien vom Reich, und im Jahre 272 verloren die Römer für immer Dakien (das heutige Rumänien). Der vielleicht spektakulärste Angriff auf Rom wurde von Palmyra aus geführt, einer wohlhabenden, teilautonomen Stadt an der Grenze zu Syrien. Nach dem Tod des Königs Septimius Odaenathus bestieg seine Witwe, die für ihre außergewöhnliche Schönheit, Intelligenz und Keuschheit bekannte Königin Zenobia, den Thron. Sie organisierte und befehligte die Eroberung des römischen Ostens und brachte so Ägypten, Palästina, Syrien, Mesopotamien und zahlreiche römische Provinzen Kleinasiens in ihre Gewalt, bevor sie ihren Sohn zum Kaiser ausrief und selbst den Titel Augusta (Kaiserin) annahm.

Die Römer wehrten sich an allen Fronten. Dabei war Kaiser Aurelian (270–275) am erfolgreichsten. In nur fünf brillanten Jahren gewann er den östlichen Mittelmeerraum zurück, besiegte Zenobia und brachte sie nach Rom, um sie als seine wertvollste Gefangene in seinem Triumphzug zur Schau zu stellen. Doch die Rückeroberung des römischen Ostens war nur eine von vielen außergewöhnlichen Leistungen, die Aurelian in seiner kurzen Regierungszeit vollbrachte. So verjagte er auch die germanischen Invasoren aus Italien, trieb sie wieder über die nördlichen Grenzen und schloss Frieden mit ihnen. Danach führte er die abgefallenen Provinzen Britannien, Gallien und Spanien ins Reich zurück.

Aber all diese ruhmreichen Taten konnten über eine Tatsache, die im 3. Jahrhundert n. Chr. offenkundig wurde, nicht hinwegtäuschen: Roms Verwundbarkeit. Die Ambivalenz dieser Situation kommt am besten in Aurelians steinernem Vermächtnis zum Ausdruck: Zum ersten Mal seit langem hielt es ein Kaiser für notwendig, Rom wieder mit einer starken Mauer zu umgeben und so vor möglichen Angreifern zu schützen. Nach seinem Tod wurde die Anlage von Kaiser Probus (einem weiteren erfolgreichen Kaiser dieser Zeit) vollendet. Reste sind noch heute zu sehen. Im Jahre 285 sollte jedoch ein Mann an die Macht kommen, der dieses Sicherheitsbedürfnis auf das gesamte Reich ausdehnte.

Wie viele andere Kaiser des 3. Jahrhunderts n. Chr. entstammte Gaius Aurelius Valerius Diocletianus (Diokletian) nicht der römischen Senats- oder Amtselite. Er war als Sohn einfacher Eltern in der Provinz Illyrien geboren und hatte sich vom Soldaten bis zum Kaiser hochgedient. Die meiste Zeit seines Lebens hatte er nicht in Rom, sondern an den Grenzen verbracht. Die Hauptstadt des Imperiums besuchte er nur ein einziges Mal. Vielleicht hatten ihn seine Erfahrungen an der Donau gelehrt, dass das Römische Reich nach den vorausgegangenen kritischen Jahrzehnten nur mit Hilfe von Reformen überleben konnte. Folglich setzte er alles daran, das Reich umzustrukturieren. Seine Reformen betrafen vor allem die Finanzen und das Heer.

Das offizielle Verzeichnis der stehenden Armee, die *notitia dignitatum*, zeigt, wie er die Grenzen durch die Schaffung neuer Legionen sicherte. Er unterstellte das Heer einem zentral geführten Kommando und verbesserte den Sold und die Verpflegung der Soldaten. Um dies finanzieren zu können, musste auch das Wirtschaftssystem des Imperiums radikal umgestaltet werden. Im Verlaufe des 3. Jahrhunderts kam es zu einer so hohen Geldentwertung, dass man wieder zur Naturalienwirtschaft überging. Deshalb erhöhte Diokletian das Gewicht der Gold- und Silbermünzen und vereinheitlichte ihren Wert. Er bekämpfte auch die Inflation und erließ strenge Sozialgesetze, um einen fortlaufenden Anstieg der Steuereinnahmen zu gewährleisten. Gleichzeitig stellte er einen regulären Haushalt für die Verwaltung des gesamten Imperiums auf.[6]

Schließlich wurden auch die Provinzen neu organisiert. Diokletian unterteilte sie in kleinere Regionen, die wiederum zwölf größeren Verwaltungseinheiten, sogenannten Diözesen, zugeordnet wurden. Das neue System ermöglichte zum einen eine bessere Kontrolle durch die Zentralregierung, zum anderen erhielten die lokalen Gouverneure und ihr Stab überall im Reich ihre Befugnisse im Rechts- und Finanzwesen zurück. Doch diese eindrucksvollen innovativen Maßnahmen waren nicht die Leistungen, für die Diokletian am meisten gefeiert wurde. Die große Idee, mit der er in die Geschichte eingehen sollte, war sein Beschluss vom 1. März 293: Er setzte ein Kollegium von vier Kaisern ein, die von nun an das römische Imperium regieren sollten. Damit war er der erste Kaiser, der sich eingestand, dass ein einziger Mann mit der Verwaltung eines so großen Reiches überfordert war.

Das neue System, die sogenannte Tetrarchie (Regierung durch vier Kaiser), funktionierte nach folgendem Muster: Die beiden Seniorkaiser (Oberkaiser) trugen den Titel Augustus. Diokletian herrschte über die

Osthälfte des Imperiums, sein Partner Marcus Aurelius Valerius Maximianus (Maximian) über die Westhälfte. Die beiden Augusti bestimmten jeweils einen Juniorkaiser (Unterkaiser), der wiederum den
Titel Caesar erhielt. Gaius Galerius Valerius Maximianus (Galerius)
folgte Diokletian in den Osten, während Flavius Valerius Constantius,
der Vater des späteren Kaisers Konstantin, Maximian im Westen unterstützte. Zu ihren Residenzen wählten die vier Herrscher bewusst
Städte, die relativ nah an den römischen Grenzen lagen (vgl. Karte,
S. 328). Diokletians Hauptsitz im Osten war Nikomedia (das heutige
Izmit in der Türkei), der des Galerius das heutige Thessaloniki (Grie-
chenland). Maximians Regierungssitz im Westen war Sirmio (Mitro-
vitz im heutigen Serbien) und der des Constantius Trier (Germanien).
Durch diese regionale Funktionsteilung der obersten Gewalt stellte
Diokletian sicher, dass der römische Kaiser in vielen verschiedenen
Reichsgebieten gleichzeitig präsent war.

Damit die vier Herrscher über gleich viel Ansehen und Würde verfügten, mussten alle gleich ausgestattet sein. So besaß jede Stadt einen
Kaiserpalast, einen Audienzsaal und ein Hippodrom. Jeder Kaiser hatte sein eigenes Verwaltungspersonal, einen eigenen Hofstaat und eine
eigene Garde. Diokletians Hof in Nikomedia war ein Abbild der Residenzen östlicher Potentaten: Die Untertanen nannten den Kaiser
»Herr« und warfen sich vor ihm zu Boden. Unter den vier Kaisern traten die despotischen Züge des Systems ganz unverhohlen zu Tage.[7] Die
Strenge der Tetrarchie wurde auch dadurch offenkundig, dass sich jeder der Kaiser einen Beinamen gab, der die gleichsam göttliche Basis
seiner Autorität unterstrich: So wählte Diokletian den Namen Jovius
(nach dem Gott Jupiter), während Maximian sich Herculius (nach
Herkules, dem Helden der »zwölf Arbeiten«) nannte. Die neue Herrschaftsform orientierte sich eindeutig an althergebrachten heidnischen
Mustern. Doch von Diokletians Drang nach Uniformität war ein Bereich ausgenommen: die christliche Religion.

Das Einzige, was ihm im Zusammenhang mit seiner Reichsreform
Schande macht, ist sein unbarmherziger Kampf gegen die Christen.
Warum waren sie so verhasst? In der Geschichte des Reiches galt die
Gunst der römischen Götter immer als Voraussetzung für die Schaf-

fung und das Überleben des Imperiums. Mit der Eroberung neuer
Gebiete waren immer auch neue Kulte und Religionen nach Rom
gekommen. Die kosmopolitischen Römer zeigten sich ihnen gegenüber nicht nur tolerant, sondern hießen sie sogar ausdrücklich willkommen: So wie die neuen Völker zu römischen Bürgern wurden,
so wurden auch ihre Götter in das Pantheon der römischen Gottheiten aufgenommen. So hielten beispielsweise Kybele aus Kleinasien,
Mithras aus Persien (dem heutigen Iran), Isis und Serapis aus Ägypten
und die Göttin Tanit aus Karthago zusammen mit ihren Kulten Einzug in Rom. Sie bekamen römische Züge, und dadurch, dass sie von
den Römern akzeptiert und verehrt wurden, gewannen sie zusätzlich
Profil. Die mit ihrer Integration verbundene Botschaft war klar: Selbst
die Götter der ehemaligen Feinde schenkten ihre Gunst nun den Römern. Auf diese Weise sollte die Loyalität der Untertanen gegenüber
dem Reich gestärkt werden.

Es gab allerdings eine Grenze für die römische Toleranz gegenüber
fremden Kulten, die niemals überschritten werden durfte. Einige
kleinere, individuelle Kulte stellten für die staatlich anerkannten Religionen keine Bedrohung dar, sondern erschienen eher als Bereiche-
rung. Das aber war bei einer organisierten alternativen Gemeinde anders.[8] Die Römer hassten die Christen, weil sie ihre Verehrung eines
einzigen Gottes für gefährlich exklusiv hielten. Der christliche Glaube
war ein Angriff auf alles, was einen Römer ausmachte. Mit ihrer Weigerung, die römischen Götter anzubeten, lehnten die Christen das römische Volk und die römische Sicht der Dinge ab. Doch mit dem
Christentum war noch eine viel größere Gefahr verbunden. Nach
Jahrzehnten der Krise war der »Friede der Götter« (Pax Deorum), der
ungeschriebene Vertrag, demzufolge die Götter zum Dank für die ihnen entgegengebrachte Verehrung ihre Hand schützend über das Imperium hielten, mehr als nur ein hohes Gut, das es zu schützen galt.
Dieser Vertrag war die Voraussetzung für die Stabilität des gesamten
Reiches und für die Wiederherstellung von Sicherheit und Ordnung
unabdingbar. Durch die Verehrung eines christlichen Gottes geriet
diese Sicherheit in Gefahr. Schwere Krisen erforderten harte Maßnahmen.

Zur ersten groß angelegten Christenverfolgung kam es im Jahre 250. Als die nördlichen Reichsgrenzen von den Goten bedroht wurden, forderte der Kaiser Decius von allen Bürgern, ihm zu Ehren Opfer darzubringen, um sich auf diese Weise des göttlichen Beistands zu versichern. Jedem Bürger, der die Anordnung befolgt hatte, wurde dies schriftlich bescheinigt. Die Christen, die sich geweigert hatten, wurden gefoltert und hingerichtet. Die Verfolgungen wurden zwar irgendwann eingestellt, das Problem aber blieb bestehen. 40 Jahre später, unter Diokletians Tetrarchie, hatte die römische Kontrolle über den Glauben wieder einen sehr hohen Stellenwert. Tradition, Disziplin und die Respektierung der alten Götter bildeten die wichtigste Grundlage für Diokletians Reformen und die Erneuerung des Imperiums. Abweichungen durfte es nicht geben. Wie nicht anders zu erwarten, war es nur eine Frage der Zeit, bis ein Funke das Feuer erneut entfachte und der Kampf gegen die Christen wieder aufloderte.

Im Jahre 299 hörte Diokletian davon, dass etliche heidnische Priester versucht hatten, den Willen der Götter zu erkunden. Als sie keine günstigen Omina erwirken konnten, gaben sie einigen christlichen Soldaten, die sich bekreuzigt hatten, die Schuld. Der Kaiser kannte kein Erbarmen. Als Erstes befahl er eine Säuberung der Armee. Nach seinen vergeblichen Bemühungen, das Christentum auszurotten, schlug er einen anderen Kurs ein und versuchte seine Strukturen zu zerschlagen. Er beauftragte eine Abteilung der Prätorianer, die christliche Kirche in seiner eigenen Kaiserstadt Nikomedia in Brand zu stecken. Nachdem sich das Feuer gelegt hatte, befahl er seinen Soldaten, ihr Werk mit Äxten und Brecheisen fortzusetzen und die Kirche dem Erdboden gleichzumachen.

Anschließend erließ er für das gesamte Reichsgebiet ein Edikt: Die christlichen Versammlungsräume sollten zerstört, die heiligen Schriften verbrannt und die Christen ihrer Ämter enthoben werden. Indem man ihnen ihren Status nahm, wurden sie rechtlich zu Freiwild. Infolgedessen konnten sie ohne Prozess gefoltert und hingerichtet werden. Christliche Freigelassene wurden wieder zu Sklaven gemacht. Schließlich wurde der Bischof von Nikomedia enthauptet, viele andere wurden inhaftiert und der Folter unterzogen. Durch die Vernichtung des Christentums wollten die Verfolger die traditionelle Religion stärken, fanden dafür aber im Volk keine Unterstützung. Die Aktion bestätigte nur, wie weit verbreitet und fest verankert das Christentum inzwischen war. Die blutige Kampagne war ein gewaltiger Fehlschlag in Diokletians ansonsten außerordentlich erfolgreicher Politik.[9] Im Jahre 305, zwei Jahre nach ihrem Beginn, stellte der Kaiser die Verfolgungen wieder ein.

Im selben Jahr zog sich Diokletian nach Spalatum (das heutige Split in Kroatien) zurück. Die Anlage seines herrlichen an der Küste gelegenen Palastes lässt sich noch heute am mittelalterlichen Stadtbild erkennen. Er war der erste und einzige römische Kaiser, der freiwillig abdankte. Nach der Vollendung seines strengen, autoritären Reformwerkes konnte er jetzt, so hoffte er jedenfalls, die Schönheiten der dalmatinischen Küste sorglos genießen. Doch mit seinem Rücktritt begann auch der Niedergang der von ihm begründeten Tetrarchie.

Diokletian wollte mit der neuen Regierungsform nicht nur das Sicherheitsproblem lösen, sondern auch dem raschen Wechsel der Kaiser, der das Imperium destabilisierte, ein Ende setzen. Mit der Berufung zweier Caesaren, die den Augusti unterstellt waren, war die Nachfolge ganz klar geregelt, was, wie man hoffte, mögliche Usurpatoren abschrecken würde. Doch in diesem Punkt erwies sich sein System, das sich bei den anderen Innovationen und Reformen bestens bewährt hatte, als kompletter Fehlschlag. Es führte lediglich zu noch heftigeren Machtkämpfen, zu einem erneuten Anstieg der Rivalität und Konkurrenz. Schnell wurde deutlich, dass die Tetrarchie nur funktionierte, wenn sich die vier Kaiser untereinander einig waren. Andernfalls würde diese Herrschaftsform wie ein Kartenhaus zusammenbrechen.[10]

Bei dem Nachfolgezeremoniell am 1. Mai des Jahres 305 sollten die Risse prompt zum Vorschein kommen. Als die früheren Caesaren, Constantius und Galerius, zu Augusti aufstiegen und somit Maximian und Diokletian ablösten, war bei der Feier im Osten ein Mann zugegen, der sich große Hoffnungen auf den Titel des Caesars machte. Doch zum neuen Juniorkaiser ernannte Diokletian nicht Konstantin, den Sohn des Constantius, sondern Maximinus Daia, einen zähen, entschieden antichristlich eingestellten Soldaten aus Illyrien. Der übergangene junge Konstantin hatte allen Grund, wütend zu sein. Schließlich war er nicht nur der Sohn eines Caesars, sondern hatte auch selbst Beachtliches geleistet und sich im Krieg gegen die Perser an der Ostgrenze und gegen die Sarmaten im Norden bewährt. Nachdem sein Vater nach Gallien und Britannien entsandt worden war, hatte er am Hofe Diokletians gelebt. Er war ein hochrangiger Offizier, hatte sich aber auch noch auf anderen Gebieten hervorgetan. In der Schlangengrube der Politik und des Kaiserhofes war er vermutlich auch zu einem geschickten Heuchler geworden. Diese Fähigkeit kam ihm bei dem Nachfolgezeremoniell gewiss zugute. Er war jedoch nicht der Einzige, der sich unfair übergangen fühlte.

Am westlichen Kaiserhof in Mailand wurde am selben Tag der neue Caesar der Westhälfte feierlich ernannt. Hier erhielt ein anderer fähiger Heeresoffizier namens Flavius Valerius Severus den Vorzug vor Marcus Aurelius Valerius Maxentius, dem Sohn des westlichen Augustus Maximian. Maxentius war aus gutem Grund über sein Scheitern mehr als verbittert. Die Berufung des Maximinus Daia war ja noch verständlich: Er hatte Verbindungen zum Osten, hatte sich als Feldherr bewährt und war eng mit Galerius befreundet. Aber konnte nicht Maxentius als Sohn eines früheren Augustus mit mehr Berechtigung als Severus Anspruch auf die Würde des westlichen Caesars erheben? Die Enttäuschung schlug um in Argwohn: Severus war ebenso wie Daia ein Waffenbruder des Galerius. Sollten mit seiner Ernennung finstere Absichten verbunden sein? Wollte der Augustus des Ostens auch den Westen unter seine Kontrolle bringen? Die Berufung des neuen Caesars ließ viele Fragen offen. Was Konstantin und Maxentius in ihrem Ehrgeiz noch nicht ahnen konnten: Schon sehr bald sollten sie für den erlittenen Affront Genugtuung erfahren, und das System der Tetrarchie würde in Kürze in sich zusammenbrechen.

Nach Auskunft einiger Quellen kam es zuerst zwischen den beiden neuen Augusti zu Unstimmigkeiten. Constantius fürchtete möglicherweise, dass sein Sohn als politische Geisel am Hof des östlichen Augustus festgehalten werden könne. Jedenfalls schickte er Galerius einen Brief mit der Bitte, Konstantin die Teilnahme an seinen, Constantius' Feldzügen zu gestatten – der Kaiser wollte Gallien und Britannien wieder unter römische Herrschaft bringen. Galerius sträubte sich, vielleicht weil er wusste, dass er, solange Konstantin an seinem Hofe war, seinen Mitaugustus kontrollieren konnte. Erst auf mehrfache Bitten gab er schließlich nach, tat so, als herrsche zwischen den beiden Seniorkaisern das beste Einvernehmen, und gab sich kooperativ. Doch, wie man erzählt, hatte er hinter den Kulissen bereits Konstantins Untergang geplant und Severus beauftragt, den jungen Mann abzufangen und zu töten. Die Falle war gelegt.

Konstantin sollte von dem Komplott rasch Wind bekommen. So wartete er eines Abends, bis sich Galerius in seine Gemächer zurückgezogen hatte, und nutzte die frühen Morgenstunden zur Flucht. Auf dem langen Ritt gen Westen überlistete er geschickt seine Häscher, indem er unterwegs die für den kaiserlichen Dienst bereitstehenden Pferde verletzte und auf diese Weise mögliche Mordkommandos an seiner Verfolgung hinderte. Konstantin war ein kräftiger, athletischer Mann und erreichte nach einem langen, anstrengenden Ritt seinen Vater noch rechtzeitig im gallischen Boulogne, um ihn auf seinem letzten Feldzug zu begleiten – auf einer Expedition über den Ärmelkanal nach Britannien.[11]

Der Krieg gegen die Stämme der Pikten, die seit dem späten 3. Jahrhundert das römische Britannien bedrängten, war ein großer Erfolg, nicht zuletzt dank Konstantin. Für seine Tapferkeit wurde er mit dem Titel *Britannicus Maximus* (›größter Britannier‹) ausgezeichnet. Die Popularität, die er beim Heer in Britannien genoss, sollte sich für seine künftige Karriere als äußerst vorteilhaft erweisen. Doch vielleicht nicht minder wichtig war die Erfahrung, die er dort machen konnte. Sein Vater war ganz anders als die östlichen Herrscher Diokletian und Galerius. Constantius hatte zwar Diokletians Christenverfolgungsedikt formal zugestimmt und z. B. die Zerstörung einiger Kirchen angeordnet. Sein hohes Ansehen aber gründete auf etwas anderem: Er wurde dafür gerühmt, dass er die westlichen Christen vor den Gräueln, die er im Osten beobachtet hatte, bewahrte. Er tat dies nicht etwa aus Menschenfreundlichkeit. Constantius, aus Illyrien stammend, war ein erfahrener und unsentimentaler Feldherr. Seine Entscheidung war rein politischer Natur – er sah, dass ihm Brutalitäten beim Regieren des westlichen Europas nicht helfen würden.

Zu Konstantins großem Kummer konnte er die Begegnung mit seinem Vater nicht lange genießen. Am 25. Juli 306 starb Constantius vorzeitig in Eburacum (dem heutigen York), möglicherweise an Leukämie, worauf der – ihm postum gegebene – Beiname Chlorus (›der Blasse‹) hindeuten könnte. Vor seinem Tod traf Constantius noch eine letzte wichtige Entscheidung. Nach eigener Aussage wurde Konstantin von seinem Vater zum westlichen Augustus bestimmt. Dies war eine sehr problematische Verfügung, da Constantius nicht versucht hatte, sich mit seinen kaiserlichen Kollegen, erst recht nicht mit Galerius, abzusprechen. Dennoch rief das Heer den populären Konstantin voller Freude sofort zum neuen Augustus des Westens aus. Damit war Diokletians Tetrarchie praktisch gescheitert. Konstantin trat in den Machtkampf ein.

Obwohl Galerius, der östliche Augustus, Konstantins politischen Aufstieg akzeptieren musste, schickte er ihm einen Purpurmantel, mit dem er ihn nicht als den neuen Augustus, sondern nur als den rangniedrigeren Caesar anerkannte. Für die Position des westlichen Augustus nominierte er Severus. Konstantins Degradierung zeigte überdeutlich, wie es um das römische Imperium in Wirklichkeit bestellt war. Das Regime der Tetrarchen war nur eine vorübergehende Episode. Die vier Kaiser führten nun einen verdeckten Krieg, um mehr Macht an sich zu reißen. Während des sechs Jahre schwelenden Konflikts kam es immer wieder zum Ausbruch heftiger Bürgerkriege. Der übergangene Maxentius ergriff als Erster die Initiative. Er holte seinen Vater Maximian, der sich nach seiner Abdankung ins Privatleben zurückgezogen hatte, zurück, brachte die Prätorianergarde in Rom auf seine Seite und ließ sich im Jahre 307 zum Augustus und Herrscher über Rom, Italien, Korsika, Sardinien, Sizilien und Nordafrika ausrufen. Galerius beauftragte Severus mit der Niederschlagung der Revolte, doch dieser war den vereinten Truppen des Maxentius und Maximian nicht gewachsen. Vor den Toren Roms wurde er von seinen eigenen Soldaten verlassen. Severus wurde gefangen genommen, zum Rücktritt gezwungen und dann 307 bei einem Ort namens Tres Tabernae außerhalb von Rom getötet.

Von seinem Kaiserpalast in Trier hatte Konstantin alle diese Ereignisse sehr genau verfolgt. Um in diesem sich rasch verschiebenden

Machtgefüge seine Position zu behaupten, hatte er sogar mit Maxentius und dessen Vater Maximian eine Allianz geschlossen, die durch Konstantins Heirat mit Fausta, Maxentius' Schwester, noch besiegelt wurde. Doch viel zu schnell ging das Bündnis zwischen den drei Männern wieder in die Brüche, und das auf höchst spektakuläre Weise. Zuerst wurde Maxentius zum Tyrannen und Usurpator erklärt, während Konstantin, Daia, Galerius und ein neuer Mann, Licinius, gleichzeitig als rechtmäßige Herrscher bestätigt wurden. Maximian kehrte sich von seinem Sohn ab, wandte sich bald darauf auch gegen seinen Schwiegersohn und setzte, ein letztes Mal sein Glück versuchend, alles daran, selbst noch einmal Kaiser des Westens zu werden. Nun sah sich Konstantin gezwungen, selbst in den Bürgerkrieg einzugreifen. Bei Arles in Gallien besiegte er Maximian, der sich daraufhin erhängte. Maxentius' Reaktion auf den Tod seines Vaters ließ keine Missverständnisse zu. Zunächst befahl er dessen Vergöttlichung, anschließend ließ er die Statuen und Bildnisse Konstantins, die Ikonen, die ihn als rechtmäßigen Kaiser auswiesen, zerstören und erklärte so seinem früheren Verbündeten den Krieg. Er wollte, wie er erklärte, den Tod seines Vaters rächen.[12]

Als Galerius im Jahre 311 starb, brach die Tetrarchie endgültig zusammen. Das Ende dieses berüchtigten Christenverfolgers wird von Eusebius auf grausige Weise beschrieben und gefeiert: Die Genitalien des fetten Kaisers waren von eiternden Entzündungen und Geschwüren befallen, und sein kranker, aufgedunsener Körper verbreitete einen fürchterlichen Gestank. Die Ärzte, die ihn nicht heilen konnten, wurden unverzüglich hingerichtet.[13] Wurde er für seine an den Christen begangenen Sünden bestraft? Vielleicht kam Galerius selbst auch zu diesem Schluss: In seinem letzten Edikt, das er kurz vor seinem Tode erließ, setzte er der Christenverfolgung ein Ende. Das Blatt begann sich zu wenden. Er konnte ja nicht ahnen, auf welch spektakuläre Weise dieser Umschwung bald in eine der bedeutsamsten Revolutionen aller Zeiten münden würde.

Nach Galerius' Tod stritten Daia und Licinius um die Kontrolle über den Osten. Auf der Bühne des Westens agierten ebenfalls zwei Hauptdarsteller: der Usurpator Maxentius und sein Schwager Konstantin.

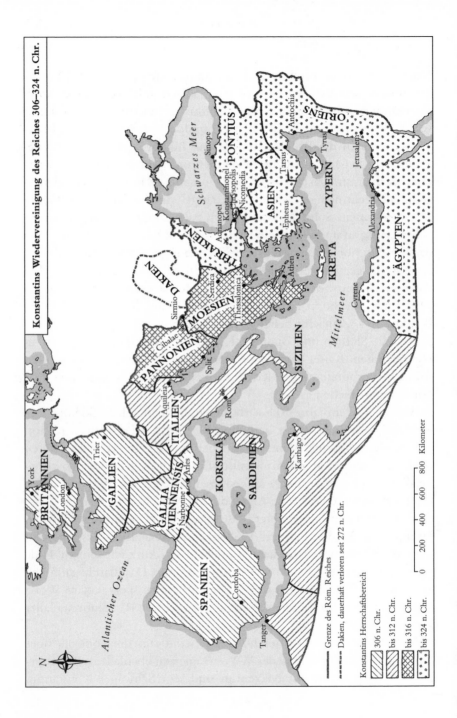

Konstantins Wiedervereinigung des Reiches 306–324 n. Chr.

BRITANNIEN

York
London
Trier
GALLIEN
GALLIA
VIENNENSIS
Narbonne
Arles
Aquileia
ITALIEN
PANNONIEN
Cibalae
Sirmio
Split
Rom
SPANIEN
Cordoba
Tanger
KORSIKA
SARDINIEN
Karthago
SIZILIEN
MOESIEN
Serdica
DAKIEN
Thessalonica
Athen
Mittelmeer
Cyrene
KRETA
Alexandria
ÄGYPTEN
Atlantischer Ozean
Schwarzes Meer
Sinope
THRAKIEN
Adrianopel
Konstantinopel
Nicomedia
Drysopolis
PONTIUS
ASIEN
Ephesus
Tarsus
Antiochia
ORIENS
Tyrus
Jerusalem
ZYPERN

Grenze des Röm. Reiches

Dakien, dauerhaft verloren seit 272 n. Chr.

Konstantins Herrschaftsbereich

306 n. Chr.

bis 312 n. Chr.

bis 316 n. Chr.

bis 324 n. Chr.

0   200   400   600   800 Kilometer

N

Dieser war fest entschlossen, die Westhälfte des Römischen Reiches allein zu regieren. Und diesen Anspruch wollte er mit legitimen Mitteln durchsetzen. Sein öffentlich erklärtes Ziel war »die Rache des Staates an den Tyrannen und all seinen Gefolgsleuten«. Sein Biograph Eusebius, ein Historiker und christlicher Panegyriker, bezeichnet Konstantins Kampf als einen »Akt der Befreiung«.[14]

In Wahrheit ging es Konstantin nur um die Ausschaltung seiner Rivalen. Er wollte, ehrgeizig und opportunistisch, wie er war, das Chaos der Tetrarchie nutzen, um sich zum Alleinherrscher aufzuschwingen. Der Krieg um den Westen wurde zu einem Ereignis von größter Tragweite für die europäische Geschichte und sollte nicht nur das Schicksal des römischen Imperiums besiegeln – das Schicksal der gesamten Welt würde sich verändern.

Die Schlacht an der Milvischen Brücke

Aus der Stadt Rom wurden Gerüchte bekannt, die Konstantin wie gerufen kamen. Der Tyrann und Usurpator Maxentius war angeblich der Inbegriff des Bösen, ein Hexenmeister und Menschenschlächter. Mit Vorliebe entführte und vergewaltigte er verheiratete Frauen. Einmal sollte der Präfekt der Stadt einigen Offizieren der Prätorianer seine eigene Frau als weiteres Opfer überlassen. Doch als diese ihre Tür aufbrachen, hatte sie sich erdolcht, weil sie lieber sterben als von dem selbsternannten Kaiser entehrt werden wollte. Maxentius war der Masse der Bevölkerung gegenüber genau so brutal: Als die Römer den Aufstand probten, schickte er umgehend seine Prätorianer in die Stadt, um sie niedermetzeln zu lassen. Das ist jedenfalls das Porträt, das Konstantins Biograph Eusebius von Maxentius entwirft.[15] Sein aus christlicher Sicht verfasstes Werk, das, mehr als 25 Jahre nach den hier dargestellten Ereignissen geschrieben, Konstantin gegenüber seinen Feinden herausstreichen wollte, darf nicht unbedingt für bare Münze genommen werden. Immerhin konnte sich Maxentius vor dem Krieg von 312 sechs Jahre lang in Rom erfolgreich an der Macht halten. Er muss auch einiges richtig gemacht haben.

Maxentius wusste, wie sich das Selbstwertgefühl der Römer wieder
stärken ließ. Im Jahre 306 war Rom im Niedergang begriffen und nur
noch ein Schatten seiner früheren Herrlichkeit. Die vier Kaiser setzten
nur selten ihren Fuß in die Stadt: Da sie zwischen den neuen, näher an
den Reichsgrenzen gelegenen Kaiserstädten hin- und herreisten, wurde Rom, da es nicht auf der Strecke lag, links liegen gelassen. Die Menschen in Rom und in Italien konnten sich mit Recht beklagen, dass
man sie wie die Bewohner einer x-beliebigen Provinz behandelte. Ein
Jahr vor Maxentius' Machtübernahme hatten die Bürger Italiens die
Steuerfreiheit, die sie fast 500 Jahre lang genossen hatten, verloren.
Auch die römischen Senatoren mussten sich, ob sie wollten oder nicht,
auf die veränderten Zeiten einstellen: Das Verhältnis zwischen ihnen
und dem Kaiser hatte sich sehr gelockert, und außerdem standen sie im
Schatten der Armee. Die Kaiser wurden ja jetzt auch eher von den
Heerführern auf den Schlachtfeldern an den Provinzgrenzen als im Se-
natsgebäude von Rom ernannt. Die Römer hatten zunehmend den
Eindruck, nicht in der bedeutenden Hauptstadt eines herrlichen Imperiums zu leben, sondern irgendwo im Hinterland, in einem Museum
für Touristen, dem es entschieden an Dynamik fehlte.[16] Dies war die
Lage der Dinge, bevor Maxentius seine Kampagne in eigener Sache
begann. Dabei setzte er ganz unverhohlen auf Rom.

Münzen aus seiner Zeit als Usurpator zeigen, wie er Rom wieder
zu Ruhm und Ehre bringen wollte. Sein politischer Slogan lautete:
Romanitas (›Römertum‹). Als Heide berief er sich auf das religiöse Erbe.
Rom war schließlich die Heimat all der Götter, die man aus sämtlichen
Teilen des Imperiums zusammengetragen hatte. Überall in der Stadt
fanden sich reiche Spuren dieses außergewöhnlichen Erbes: Neben den
jahrhundertealten Tempeln, Statuen, Altären und kaiserlichen Mauso-
leen gab es an den Straßenecken jedes Viertels Heiligtümer, die besonderen lokalen Gottheiten geweiht waren. Maxentius erneuerte nicht
nur den Stolz auf Roms uralte Vergangenheit, sondern förderte ihn
auch, indem er der Stadt ein neues Gesicht verlieh. Er setzte sich etliche architektonische Denkmäler. So ließ er an der Via Appia einen
neuen Palast errichten, außerdem ein riesiges Hippodrom, das 15 000
Zuschauern Platz bot, und die Krönung seiner Projekte war die Basi-

lica Nova. Geschmückt mit Marmor und feinen Stuckarbeiten, war
diese Mehrzweckhalle das größte mit einem Kreuzgewölbe versehene
Bauwerk der Stadt. Indem er Rom auf diese Weise seinen Stempel
aufdrückte, versuchte Maxentius, sich als legitimer Herrscher des Westens auszuweisen. Im Laufe der Zeit fand er jedoch immer weniger
Anklang bei den Massen, bis sein Ansehen im Jahre 312 dann den Tiefpunkt erreichte.

Seine Baumaßnahmen kosteten ein Vermögen. Außerdem musste
er Geld für den Unterhalt der Heere auftreiben, mit denen er die Versuche der rechtmäßigen Kaiser, ihn abzusetzen, abgewehrt hatte. Aber
genau dieses Geld war in Rom nicht vorhanden. Die von einem Usurpator regierte Stadt war von den Ressourcen des restlichen Reiches so
gut wie abgeschnitten. Da die Einkünfte aus den Provinzen ausblieben,
mussten die Römer von ihren eigenen Mitteln leben. Um über die
Runden zu kommen, machte Maxentius die gesamte Bevölkerung
steuerpflichtig und zwang die Senatoren und Grundbesitzer, die Staatskasse mit Geldspenden zu subventionieren. Zu allem Unglück hatte
ein anderer Usurpator, Domitius Alexander, die Macht in Nordafrika
an sich gerissen und so die Stadt ihrer wichtigsten Kornkammer beraubt. Die Versorgungsengpässe führten zu Tumulten, und die aufgebrachte Menge richtete ihren ganzen Zorn gegen Maxentius. Um
nicht die Kontrolle zu verlieren, griff er zu repressiven Maßnahmen,
sodass Rom mehr einem Polizeistaat als der glorreichen Inkarnation
der Ewigen Stadt ähnelte. Einem Mann allerdings war das zunehmende
Chaos höchst willkommen. Es war der Mann, den Maxentius als »Hu-
rensohn« bezeichnete, dessen Bildnisse er aus Eifersucht zerstörte und
den er wegen der Ermordung seines Vaters am meisten hasste. Dieser
Mann überquerte gerade die Alpen, um das notleidende Rom zu »befreien« und zu »retten«.

Konstantins Berater waren hinsichtlich des Feldzugs ihres Generals
nicht sehr optimistisch. Unter dem Einfluss heidnischer Priester waren
sie voller Angst und Zweifel und warnten Konstantin, dass die Invasion Italiens unter keinem guten Stern stehe. Sie hatten gute Gründe:
Konstantin müsse auf drei Viertel seiner Armee, die die Rheingrenze
vor einem Überfall der Franken sichern solle, verzichten und mit, nach

Auskunft unserer ältesten Quelle, nur 40 000 Soldaten einem Heer des Maxentius entgegentreten, das durch Hilfstruppen aus Sizilien und Afrika auf 100 000 Mann angewachsen sei.[17]

Diese Bedenken wurden von Konstantin nicht geteilt. Seine Truppen mochten zahlenmäßig unterlegen sein, doch sie hätten sich in den Kriegen in Gallien und Britannien bestens bewährt und seien in guter Verfassung. Dies sollte sich als entscheidender Vorteil erweisen. Nach Überwindung des Mont-Cenis-Passes fiel Konstantin mit seinem Heer in Italien ein und besiegte umgehend die drei Armeen, mit denen Maxentius ihn aufhalten wollte. Im Oktober hatte Konstantin – er war die Via Flaminia entlangmarschiert – mit seinen Truppen die *Saxa Rubra* (›Rote Steine‹), 15 km nördlich der Stadt, erreicht. Das Heer, das dort sein Lager aufschlug, hatte eine etwas ungewöhnliche Zusammensetzung.

Außer den üblichen Offizieren und militärischen Beratern gehörten auch Christen zu Konstantins engstem Stab. Obwohl Maxentius, anders als von Eusebius in *Das Leben Konstantins* dargestellt, kein engagierter Christenverfolger war, hatten die Christen allen Grund, ihn zu hassen. Er hatte drei Bischöfe aus Rom verbannt und es versäumt, den Christen ihr Eigentum zurückzugeben, das während der Verfolgungen Diokletians in den Jahren 303 bis 305 konfisziert worden war. Auf den ersten Blick war Konstantin ein sehr viel sympathischerer Herrscher: Obwohl kein Christ, hatte er 306 in Britannien und Gallien Diokletians Edikt, das die Zerstörung der Kirchen anordnete, außer Kraft gesetzt und den Christen wieder ihre Gottesdienste erlaubt.[18] Aufgrund dieses toleranten Verhaltens fand er das Interesse hochrangiger Christen. Sie hatten ihn am Kaiserhof in Trier aufgesucht, ihm ihre Werke vorgelesen, und jetzt begleiteten ihn einige von ihnen auf seinem Feldzug. Unter ihnen befand sich angeblich Ossius, der Bischof von Córdoba, und vielleicht auch ein über 70-jähriger einflussreicher Mann namens Laktanz.

Der in Nordafrika geborene Lucius Caecilius Firmianus Lactantius hatte den Höhepunkt der Christenverfolgungen am eigenen Leibe miterlebt. In jüngeren Jahren war er nach Nikomedia gereist, wo er zum Christentum übertrat und von Diokletian höchstpersönlich als

Lehrer für lateinische Rhetorik an den Kaiserhof berufen wurde. Während der gewaltsamen Auseinandersetzungen der Jahre 303 bis 305 verlor er dann seinen Posten und floh, um sein Leben zu retten, schließlich an Konstantins westlichen Hof nach Trier. Er begegnete dem Kaiser, verfasste 308/309 das christliche Werk *Divinae institutiones* (*Göttliche Unterweisungen*), das er Konstantin widmete, und wurde später der Erzieher von Julius Crispus, den Konstantin – vor seiner Ehe mit Fausta – mit einer Mätresse gezeugt hatte. Falls Laktanz jetzt im kaiserlichen Lager war, wartete er vermutlich auf den passenden Augenblick. Die Christen in Konstantins Gefolge waren gewiss glücklich, an seiner Seite zu sein, und wollten den Einfluss, den sie sich über Jahre hinweg aufgebaut hatten, endlich auch nutzen. Sobald sich eine Gelegenheit dazu böte, würden sie zuschlagen.

Maxentius, der südlich des Konstantinischen Lagers stand, war ebenfalls von Priestern umgeben. Doch im Unterschied zu den Geistlichen im feindlichen Lager handelte es sich hier um Heiden, und sie konnten, anders als Laktanz, sicher sein, dass der Kaiser auf sie hörte. Am 27. Oktober 312, am Vortag der Schlacht, war Maxentius in Panik. Er war so in Sorge, ob die Unterstützung des römischen Volkes für einen Sieg ausreiche, dass er sich an seine Priester wandte und sie bat, Omina einzuholen. Er brauchte dringend Ermutigung und nur ein Zeichen der traditionellen Götter Roms konnte sein Selbstvertrauen stärken. Die Priester öffneten den Bauch eines jungen Opfertieres, tauchten ihre Hände in den Kadaver und betasteten die Eingeweide. Die Zeichen verhießen nichts Gutes.

Die Eingeweide deuteten angeblich darauf hin, dass der Feind Roms eine Niederlage erleiden werde.[19] Im Tempel herrschte eine gespannte Atmosphäre. Um zu verhindern, dass Maxentius' Kampfmoral auf den Tiefpunkt sank, brach wahrscheinlich ein taktvoller Senator oder Hofbeamter das eisige Schweigen. Mit Sicherheit, so sagte er, sei Konstantin der Feind Roms und somit sei zweifellos sein Untergang gemeint. Zumindest wollte Maxentius die priesterliche Prophezeiung auch so verstehen. Das kaiserliche Gefolge seufzte erleichtert auf. Man hatte in der Tat gute Gründe, optimistisch in die Zukunft zu schauen. Abgesehen von der numerischen Überlegenheit hatte man auch einen

schlauen Plan entworfen, um Konstantins Angriff auf die Stadt abzuwehren.

Wenn Konstantin mit seinem Heer Rom von Norden aus einnehmen wollte, musste er den Tiber über die Milvische Brücke überqueren. (Dort steht heute eine Rekonstruktion, der sogenannte Ponto
Milvia.) Maxentius und seine militärischen Berater machten dies nun
zum zentralen Punkt ihrer Verteidigungsstrategie. Maxentius ließ einen Teil der Brücke abreißen, um den Übergang zu verhindern, und
direkt daneben eine provisorische Floßbrücke errichten. Diese bestand, und das war der Trick, aus zwei Teilen, die durch bewegliche
Eisenklammern miteinander befestigt waren. Über diese Brücke würden Maxentius' Truppen kommen und Konstantins Armee gegen-
übertreten. Sollten aber dessen Soldaten Maxentius in die Stadt zu-
rücktreiben, könnten sich die Verteidiger Roms über die Brücke zurückziehen und sich dann darauf verlassen, dass der Feind sich ihnen
an die Fersen heften würde. In dem Fall würden sie rasch die Eisenklammern herausziehen, die provisorische Brücke würde auseinander-
brechen und Konstantins Soldaten wären an der Verfolgung gehindert.
Vom nach Rom hin gelegenen Tiberufer, so glaubten Maxentius und
seine Ratgeber, würden sie dann zuschauen können, wie die Feinde
Roms wie Lemminge in den Fluss stürzten.[20]

So vielversprechend diese Geheimwaffe auch war, Konstantin und
seine Armee sollten sich einen psychologischen Vorteil verschaffen, der
ihre zahlenmäßige Unterlegenheit wettmachen und ihre Aussicht auf
Erfolg entscheidend verbessern würde. Dieser Trumpf sollte als einer
der zentralen, zugleich aber auch umstrittensten Momente in die Geschichte eingehen.

Einige Zeit vor der Schlacht hatte Konstantin eine Vision. Laut Eusebius sah der Feldherr am strahlend blauen Mittagshimmel ein leuch-
tendes Kreuz mit einer Inschrift: »In diesem Zeichen sollst du siegen!«
Nach einem anderen Bericht war es Christus selbst, der mit dem Kreuz
erschien, und das Siegesgeheiß wurde von Engeln gesungen.[21]

Moderne Historiker, denen es verdächtig vorkommt, dass Eusebius
diesen außergewöhnlichen Augenblick in Konstantins Biographie sehr
ausführlich schildert, ihn aber in seiner *Kirchengeschichte* mit keinem

Wort erwähnt, haben rationalere Erklärungsversuche vorgelegt. So könnte die Vision auf ein natürliches astronomisches Ereignis, das sogenannte »Halo-Phänomen«, oder auch auf einen Meteor zurückzuführen sein (es gibt Hinweise, dass genau zu jener Zeit ein Meteor in dieser Gegend Italiens einschlug). Was immer es mit dieser Erscheinung auf sich hatte, viel entscheidender war vermutlich ihre Interpretation. Da er dringend eine Erklärung brauchte, wandte sich Konstantin an die Priester in seinem Gefolge. Ob nun Ossius, der Bischof von Córdoba, oder Laktanz unter ihnen waren, die Christen sahen nun jedenfalls ihre Chance und ergriffen sie mit beiden Händen. Dies sei, so erklärten sie, ein von Gott gesandtes Zeichen. Es bedeute, dass Konstantin den göttlichen Auftrag habe, den Tyrannen Maxentius zu besiegen.[22]

Laut Eusebius war der Kaiser jetzt davon überzeugt, dass die Christen die Wahrheit sagten. Vielleicht war er auch gewillt, zum Christentum überzutreten. Er war in der Vergangenheit militärisch sehr erfolgreich gewesen, aber nun stand ihm, wie er wusste, die schwierigste Schlacht seines Lebens bevor: Er führte seine Soldaten gegen eine deutlich überlegene Streitmacht und wollte die eine Stadt erobern, die zuletzt vor vielen hundert Jahren, 390 v. Chr. von den Kelten, eingenommen werden konnte. Er musste auf irgendjemanden oder auf irgendetwas vertrauen und sich sicher sein können, dass es einen Gott gab, der ihn für seinen Glauben belohnen« und ihn und seine Armee schützen werde. Einst hatten Apoll und der monotheistische Kult des Sol Invictus (›unbesiegbarer Sonnengott‹) diese Funktion erfüllt: Zwei Jahre zuvor hatte Konstantin in einem Tempel dieses Gottes in Gallien oder Britannien ebenfalls eine Vision gehabt.[23] Infolgedessen hatte er nach 310 seine Münzen mit der Inschrift *Sol Invictus* versehen. In seinen Gedanken wurde diese heidnische Gottheit jetzt aber durch den christlichen Gott ersetzt. Denn als er sich nach seiner spirituellen Erfahrung, die er vor der Schlacht gemacht hatte, an seine Berater wandte, erschien ihm die Deutung der Christen am plausibelsten. Konstantin war für das Christentum gewonnen.

Vermutlich konnten die christlichen Priester ihr unglaubliches Glück zuerst gar nicht fassen. Jemand war geneigt, sich zu bekehren – und sie

waren zur richtigen Zeit am richtigen Ort. Endlich würde ein römischer Kaiser ihnen nicht nur zuhören, sondern auch tun, was sie
wollten.

Konstantin verlor keine Zeit. Vor der Schlacht änderte er noch in
letzter Minute radikal seinen Plan. Er wies alle seine Soldaten an, auf
ihre Schilde ein weißes Zeichen zu malen: die griechischen Buchstaben Chi und Rho (»XP«), die Chiffre für Jesus Christus. (Laut Laktanz,
der vier Jahre nach diesem Ereignis schrieb, hatte Konstantin in einem
Traum vor der Schlacht dazu den Befehl erhalten.) Vermutlich gab es
unter den Soldaten einige Christen, aber da die meisten wohl Heiden
waren, müssen sie schockiert gewesen sein, als der Feldherr sie aufforderte, seinem Beispiel zu folgen und sich von den traditionellen Göttern loszusagen. In dem kritischen Augenblick vor dem Gefecht, als sie
am ängstlichsten und am abergläubischsten waren, muss Konstantins
Befehl sie erst recht in Panik versetzt haben. Möglicherweise ging der
Kaiser so weit, die Waffenschmiede in seinem Heer mit einer Umarbeitung der alten römischen Standarten zu beauftragen. Vielleicht wurde sogar das Symbol der heidnischen römischen Armee zu einem Kreuz
umgestaltet.[24] Der General war bereit, das größte Wagnis seines Lebens
einzugehen: Er wollte die Schlacht unter dem Schutz des Zeichens des
Christengottes schlagen.

Am 28. Oktober 312 stießen Konstantins und Maxentius' Truppen
in einer weiten Ebene vor der Milvischen Brücke aufeinander. Maxentius hatte ursprünglich in der Stadt bleiben wollen, doch im Vertrauen
auf die von seinen Priestern verkündeten guten Vorzeichen wagte auch
er sich zusammen mit seinen Männern über die behelfsmäßige Holzbrücke über den Tiber. Beim Anblick zahlreicher Eulen, die sich auf
der Stadtmauer niederließen, war es allerdings mit seinem Mut sofort
wieder vorbei.[25] Dies war ein passendes Omen für die Ereignisse, die
ihn nun erwarteten. Die weiträumige Ebene begünstigte Konstantins
Kavallerie. Durch einen Sturm auf die Flanken des Feindes brachten
sie Maxentius' Soldaten völlig durcheinander. Für ihren Feldherrn hatten sie sich sowieso noch nie besonders ins Zeug gelegt. Diejenigen,
die dann doch den Kampf aufnahmen, wurden von den Pferden niedergetrampelt oder von der nachsetzenden Infanterie in die Flucht ge

schlagen. Langsam, aber sicher drängte Konstantins Heer die Verteidiger Roms immer weiter zurück in Richtung Tiber.

In einer plötzlich auftretenden kollektiven Panik machten Maxentius' Truppen kehrt und flohen, wobei sich ihr Feldherr am schnellsten aus dem Staub machte. Zumindest könnte es ihnen gelingen, so trösteten sie sich wohl, sich bis zu ihrer Behelfsbrücke durchzuschlagen und sich dann in der Stadt zu verschanzen. Doch Maxentius und seine Heerführer hatten die Durchführbarkeit ihres Planes B völlig falsch eingeschätzt. Die provisorische Brücke konnte das Gewicht derer, die aus dem riesigen Heer überlebt hatten und sich nun in Sicherheit bringen wollten, nicht tragen, die Ingenieure, die die Eisenklammern entfernen sollten, gerieten in Panik und lösten deshalb, ob aus Angst oder aus schierer Inkompetenz, die Halterungen viel zu früh.

Die gesamte Konstruktion brach auf spektakuläre Weise zusammen. Die Soldaten fielen übereinander, stürzten in den reißenden Fluss und ertranken. Andere versuchten im verzweifelten Kampf um ihr Leben die alte Brücke zu überqueren. Doch da sie zu schmal war, erdrückten sie sich gegenseitig. Als sich das Chaos gelegt hatte, waren die Ufer des Tibers mit Tausenden namenloser Leichname übersät. Einen Mann konnte man jedoch aufgrund der auf seinen hohen Rang hinweisenden Kleidung identifizieren. Sie gehörte dem toten Maxentius.

Der General Konstantin hatte seinen größten militärischen Sieg errungen. Er war nun der alleinige Herrscher des Westreichs, und er hatte den entscheidenden Schlag mit Hilfe des christlichen Gottes geführt, der ihm seine Gunst und seinen Schutz geschenkt hatte. Ihm hatte er ganz offensichtlich seinen Erfolg zu verdanken. Konstantins persönliche Bekehrung – falls er damals wirklich bereits bekehrt war – stellte kein Problem dar. Wie aber konnte er die Welt der römischen Politik, die Kaiser des Ostens und die heidnische römische Mehrheit überall im Imperium für seine neue Religion gewinnen? Das stand auf einem ganz anderen Blatt. Konstantin befand sich, als er um göttlichen Beistand bat, erst am Beginn seines Weges. Durch seinen neuen Glauben sollten sich ihm noch ungeahnte Möglichkeiten erschließen.

Licinius, ein Waffenbruder

Als Konstantin als Befreier in Rom Einzug hielt, wurde er auf höchst angenehme Weise empfangen: Weihrauchschwaden, Blumenregen, strahlende Mienen von Männern, Frauen und Kindern, die seinen Namen riefen. Die Leute drängten sich zu Tausenden zu seiner Begrüßung und feierten, »wie wenn man sie aus dem Gefängnis frei gelassen hätte«.[26] Konstantin fuhr in einem Wagen, und in dem ihm folgenden Zug zeigte man den auf einer Lanze aufgespießten Kopf des Maxentius. Das Volk bedachte den Tyrannen mit wüsten Beschimpfungen, während die Soldaten – sie verteilten Geld an die eifrig zugreifenden Römer – bejubelt wurden. Bei all der Begeisterung, die seine Siegesparade auslöste, war sich der erfolgreiche General dennoch bewusst, dass dies kein gewöhnlicher Triumphzug war.

Sein Einzug in Rom glich in Wahrheit einem politischen Drahtseilakt. Er verdankte seinen Sieg dem christlichen Gott. Die Anhänger dieses Gottes würden nun erwarten, dass er dies auch angemessen zum Ausdruck brächte. Doch gleichzeitig betrat er die alte Stadt der traditionellen heidnischen Gottheiten, den Sitz des römischen Senats, der an diesen überlieferten Glaubensüberzeugungen festhielt. Für die Senatoren waren die Christen ebenso wie für die Mehrzahl der Römer nur eine Schar seltsamer Fremdlinge, deren Verhalten äußerst suspekt war. Sie waren gegen Sklaverei; sie führten ein demütiges, asketisches und freudloses Dasein; sie glaubten an ein Leben nach dem Tode; und aus einem unerfindlichen Grund priesen sie sexuelle Enthaltsamkeit als Tugend. Es war für den Kaiser des Westens nicht leicht, beide gesellschaftlichen Gruppen zufriedenzustellen. Sowohl die heidnischen Senatoren wie auch die Christen würden jede seiner Handlungen sehr genau beobachten.

Die Traditionalisten fühlten sich von Beginn an vor den Kopf gestoßen. So dürften viele Senatoren beim Anblick der ganz anderen militärischen Feldzeichen, die bei der Prozession auf das Forum mitgeführt wurden, empört und entsetzt gewesen sein. Diese Standarten trugen das Symbol Christi. Doch dies war noch nicht die unangenehmste Überraschung. Nachdem Konstantin den Brustpanzer und das

Schwertgehänge eines Feldherrn gegen die purpurne Toga, das Rutenbündel und den Lorbeerkranz eines Kaisers ausgetauscht hatte, wartete
die Menge voller Spannung auf die üblichen Opfer für Jupiter. Die
Priester bereiteten das Opfertier vor, doch Konstantin zögerte. Er
fürchtete, seine Soldaten gegen sich aufzubringen, falls er sich der Zeremonie entzöge, andererseits war ihm klar, dass es nicht dieser Gott
war, dem er seinen Dank schuldete. Schließlich blieb er dem Kapitol
fern und verzichtete auf eine Teilnahme an den Opferfeierlichkeiten.
Weder hängte er im Jupiter-Tempel einen Lorbeerkranz auf noch bezeugte er dem heidnischen Gott seine Verehrung.[27] Nach diesem Verstoß gegen die altrömischen Traditionen sollte er jeden Funken seines
politischen Verstandes brauchen, um die nächste Hürde zu nehmen:
eine Sitzung im Senatsgebäude.

Konstantin brach das Eis, indem er seinen Vorgänger als Ungeheuer
schilderte. Das Regime des Maxentius, begann er taktisch klug, sei das
eines Tyrannen und einiger weniger Gefolgsleute gewesen. Rom als
Ganzes trage dafür nicht die Verantwortung. Auf diese Weise entlastete
der Kaiser die Senatoren, die mit Maxentius zusammengearbeitet hatten. Auch gegenüber dessen Armee verhielt er sich sehr geschickt: Die
in Misskredit geratenen Prätorianer sollten an den Grenzen Roms eine
neue Chance erhalten. Im Kampf mit den barbarischen Feinden würden sie die Treue zu ihrem Kaiser gewiss wieder unter Beweis stellen
können. Doch Konstantin ließ es mit einer Rehabilitierung der Senatoren und Soldaten noch nicht bewenden: Er kündigte an, dass er ihnen auch wieder zu ihrem alten Ansehen verhelfen wolle. Sein neues
Regime werde dem Senat seine Autorität und Verantwortung zurück-
geben. Die Senatoren müssten sich nicht länger mit den Lorbeeren
ihrer Ehrenstellung begnügen. Sie selbst, und nicht irgendwelche militärischen Aufsteiger, könnten sich wieder aktiv an der Politik beteiligen – als Provinzstatthalter, als römische Präfekte, Richter und Amtsträger.[28] Dieser Prozess sollte mehrere Jahrzehnte in Anspruch nehmen.
Für den Augenblick hatte Konstantin allerdings genau den richtigen
Ton getroffen.

Mit einem einzigen Schlag hatte er die Erinnerung an Maxentius
ausgelöscht, und indem er die aristokratischen Grundbesitzer des Wes-

tens zu seinen Partnern machte, das Zusammengehörigkeitsgefühl gestärkt. Die Senatoren erwiderten sein Vertrauen: Konstantin wurde
zum alleinigen Kaiser des Westreichs ausgerufen. Als Befreier Italiens
erhielt er einen Schild und eine Krone aus Gold, und in der Kurie wurde ihm zu Ehren eine Victoria-Statue errichtet. Als besondere Huldi-
gung wurde die unter Maxentius begonnene große Basilica Nova am
Forum vollendet und Konstantin zugeeignet. In dieser Basilika kam
auch sein Bekenntnis zum Christentum deutlich zum Ausdruck: In der
westlichen Apsis sollte sich eine Kolossalstatue seiner Person erheben,
die die Standarte mit dem Symbol Christi trug.

Konstantin blieb noch einige Monate in Rom. Es war eine kritische
und höchst wichtige Zeit. Vielleicht begann er damals darüber nachzudenken, was bei der Schlacht an der Milvischen Brücke eigentlich
geschehen war und was die Gunst Gottes für ihn bedeuten könnte.
Möglicherweise versuchte er jetzt auch mehr über die Christen zu erfahren, indem er sie in ihren Gemeinden besuchte und sich über ihre
Lebensweise informierte. Wir wissen, dass er in jenen Monaten christliche Priester und Bischöfe an seine Tafel lud. Vermutlich gehörten
auch Laktanz und Ossius zu seinen Gästen. Im Winter 312/313 wurden die Christen, die ihn zuvor als Privatleute auf seinen Feldzügen
begleitet hatten, nun wohl auch in offizielle Ämter berufen und fungierten als kaiserliche Berater in kirchenpolitischen und -praktischen
Fragen. Es sollte nicht lange dauern, bis die Ergebnisse ihrer privaten
Diskussionen in aller Öffentlichkeit bekannt wurden.

Als sich Konstantin Mitte Januar 313 anschickte, von Rom nach
Mailand zu reisen, konnte er voller Stolz auf einige erfolgreiche Monate in der alten Reichshauptstadt zurückblicken. Bis dato hatte er den
klugen Balanceakt zwischen Heiden und Christen mit Bravour und
dem notwendigen Fingerspitzengefühl bewältigt. Rom war nun wieder zu Glanz und Ansehen gelangt, alle Streitereien waren beigelegt,
und der Kaiser hatte seine Macht im Westen gefestigt. Jetzt wollte er
auch im Osten für Frieden und Eintracht sorgen und schickte deshalb
einen Brief an den östlichen Kaiser Maximinus Daia. Es war ein Schuss
vor den Bug, da Konstantin seinen Kollegen nicht nur über seinen vom
Senat verliehenen neuen Status im Westen informierte, sondern sich

auch zu seinem neuen Glauben bekannte: Er rief Daia dazu auf, die Christenverfolgungen in seinem Herrschaftsgebiet einzustellen. Um ihn an die Kandare zu nehmen, brauchte er allerdings Hilfe. Er hatte eine neue Allianz im Sinn, die aber auf traditionelle Weise besiegelt werden sollte. Der Kaiser machte sich mit seinem Gefolge auf den Weg nach Mailand, um dort an einer Hochzeitsfeier teilzunehmen.

Die Zeremonie fand, von Konstantin höchstpersönlich sorgfältig inszeniert und kontrolliert, im Februar im Mailänder Kaiserpalast statt. Die 18-jährige Braut war Constantia, die Schwester des westlichen Kaisers. Wie viele andere aristokratische Frauen des frühen 4. Jahrhunderts war sie Christin. Der Glaube war für sie von großer Bedeutung und ein wesentlicher Teil ihrer Persönlichkeit. Doch eben diese Persönlichkeit sträubte sich gegen das, was ihr Bruder von ihr forderte: Sie sollte einen deutlich älteren Mann heiraten, einen Mann, den sie nicht kannte, den sie nicht liebte und den sie nur aus politischem Kalkül ehelichen sollte. Um dieser Aufgabe gewachsen zu sein, musste man sehr viel unsensibler sein, als es Constantia vermutlich war. Dennoch ließ man ihr keine Wahl. Der westliche Kaiser bestand darauf, dass sie einen Mann heiratete, der in seinen Plänen für den Osten eine entscheidende Rolle spielte. Der Name des Bräutigams war Valerius Licinianus Licinius. Auch er trug den Kaisertitel.

Als Sohn von Bauern in Dakien (dem heutigen Rumänien) geboren, war Licinius schon über 60, als er Constantia zum Traualtar führte. Wie viele der anderen Tetrarchen hatte er sich als fähiger und tüchtiger Soldat hochgedient. Während des Grenzkrieges an der Donau hatte er mit Galerius enge Freundschaft geschlossen. Durch ihn erhielt er, gerade als Diokletians System der Tetrarchie auseinanderbrach, seine größte Chance: Im Jahre 308 wurde er auf einer Konferenz in Carnuntum als Nachfolger des verstorbenen Severus zum kaiserlichen Kollegen Konstantins im Westreich ernannt. Nachdem der Ostkaiser Galerius 311 gestorben war, handelte Licinius mit Daia einen Friedensvertrag aus und übernahm die Kontrolle über einen Teil der östlichen Territorien des verstorbenen Kaisers. Doch jetzt sollte sich zeigen, wie fragil der Frieden zwischen Daia und Licinius war. Die Allianz zwischen Konstantin und Licinius, die durch die diplomatische Vernunftehe in Mailand besiegelt worden war, spiegelte die neue Situation in der politischen Landschaft Roms: Das Reich sollte nur zwischen diesen beiden Männern aufgeteilt werden. Für Daia war kein Platz mehr.

Nach den Hochzeitsfeierlichkeiten wurde hinter verschlossenen Türen das Bündnis besiegelt. Über den Inhalt des Gesprächs kann man nur Mutmaßungen anstellen, doch die Grundzüge der Vereinbarung sind klar: Licinius sollte den Osten, Konstantin den Westen regieren. Jeder würde dem anderen militärische Hilfe leisten. Alles wurde so geregelt, wie man es von zwei Kaisern, die die Karte des Römischen Reiches neu zeichneten, erwarten konnte. Nur führte Konstantin eine neue, umstrittene Klausel in ihre Allianz ein: Toleranz gegenüber allen in der römischen Welt vertretenen Religionen. Licinius, ein Anhänger der heidnischen Götter, hatte sich an der Christenverfolgung nicht beteiligt. Nun aber wurde er aufgefordert, seinen Namen unter eine radikal neue Politik zu setzen, nach der jeder Römer frei entscheiden konnte, welchen Gott er verehren wollte. Er muss völlig überrascht gewesen sein. Sollte Licinius nicht zustimmen wollen, wusste Konstantin bereits, wie er ihn überzeugen konnte.

Daia war für seine Christenverfolgungen im Ostreich berüchtigt. Mit Hilfe der Toleranzpolitik ließe sich, so könnte Konstantin ihm zu verstehen gegeben haben, die Unterstützung der Christen im Kampf gegen den Ostkaiser gewinnen. Es ist gut vorstellbar, dass Konstantin, ermutigt von seinen neuen christlichen Beratern, die Bedeutung dieser neuen Strategie seinem heidnischen Schwager klar machen konnte. Konstantins Glaube an den christlichen Gott war allem Anschein nach echt, doch dieser Glaube konnte auch höchst nützlich und politisch ratsam sein. Nun war Licinius offenbar einverstanden.

Bald darauf wurde das Toleranzedikt von Mailand – so sein späterer Name – verkündet, und zwar von beiden Männern. Es war das erste offizielle Regierungsdokument des Westens, in dem die Glaubensfreiheit anerkannt wurde. Von nun an galten Christenverfolgungen als moralisch verwerflich. Doch das Edikt hatte auch ganz unmittelbare positive Auswirkungen: Alles konfiszierte Kircheneigentum musste den Christen zurückgegeben werden. Das Edikt – und das war ein sehr wichtiger Punkt – bevorzugte nicht die Christen vor den Heiden, sondern betonte lediglich ihr gleiches Recht auf Religionsausübung und gewährte beiden Gruppen die volle gesetzliche Anerkennung ihres Glaubens, »für welchen auch immer sie sich entscheiden sollten.« Da Licinius den Glauben seines Schwagers nicht teilte, hatte er vielleicht auf dieser Klausel bestanden. Möglicherweise wollte er auch sicherstellen, dass das Edikt ihn nicht persönlich zum Christentum verpflichtete. Mit der Formulierung »welche Gottheit auch immer im Himmel wohnen mag« war das Problem geschickt gelöst.[29] Vor allem aber stärkte das Edikt die Einheit des neuen Reiches und verlieh der Regierung von Konstantin und Licinius eine gemeinsame und damit umso gewichtigere Stimme.

Das Abkommen schweißte zwei sehr unterschiedliche Männer zusammen: Konstantin stammte aus vornehmer Familie, war jünger als Licinius und, wie wir von Eusebius wissen, charismatisch, charmant und gut aussehend. Bei der Eroberung des Westens hatte er sich als begabter Feldherr und gewiefter Politiker bewiesen. Trotz all seiner militärischen Erfolge stand Licinius ein wenig im Schatten des brillanten westlichen Kaisers. Er hatte in der Tat gute Gründe, um auf den jungen Thronfolger eifersüchtig zu sein. Ursprünglich war er selbst als Seniorkaiser des Westens vorgesehen, doch durch seinen Sieg über Maxentius hatte sich Konstantin dieses Amt gesichert. Für Ressentiments war jetzt allerdings nicht die Zeit: Es galt einen Aggressor abzuwehren. Noch vor Ende der Mailänder Konferenz traf aus dem Osten die Nachricht ein, dass Daia den Kampf gegen die Verbündeten eröffnet habe: Er war über den Bosporus gegangen, in Licinius' Territorien in Kleinasien eingefallen und belagerte nun Byzanz. Der Krieg war erklärt.

Innerhalb weniger Monate hatte Licinius eine Armee formiert, Daias Soldaten verfolgt und sie in eine Ebene nicht weit von Adrianopolis (dem heutigen Edirne in der Türkei) getrieben. Vor der Schlacht am 30. April 313 zeigte er, dass er sich Konstantins Botschaft von Mailand zu Herzen genommen hatte: Er befahl seinen Truppen, ein Gebet zu sprechen, das zwar nicht an den christlichen, aber doch an einen einzigen Gott gerichtet war.[30] Dies schien sofort Früchte zu tragen. Denn obwohl Licinius mit seinen 30 000 Soldaten dem 70 000 Mann starken

Feind zahlenmäßig deutlich unterlegen war, errangen er und seine Männer einen überwältigenden Sieg. Daia floh ins Taurusgebirge (in der heutigen Türkei), wo er sich, um der Schmach einer Kapitulation zuvorzukommen, mit Gift das Leben nahm. Gestärkt durch seinen strahlenden Sieg hielt sich Licinius an den mit Konstantin geschlossenen Vertrag und gab durch Briefe an die Provinzstatthalter den Römern des Ostens die neuen Regierungsprinzipien bekannt.

Wer geglaubt hatte, dass er neuerdings mit dem Christentum sympathisiere, wurde durch seine nächste Aktion rasch eines Besseren belehrt. Um mögliche Rivalen im Kampf um das Ostreich auszuschalten, befahl Licinius ein Blutbad: Alle Anhänger, Berater und Familienangehörigen Daias wurden hingerichtet. Außerdem wurden alle noch lebenden Frauen und Kinder der früheren Tetrarchen Diokletian, Severus und Galerius überall im römischen Osten aufgespürt und umgebracht. Obwohl einige christliche Autoren der damaligen Zeit mit dem Tod der Verfolger völlig einverstanden waren, waren sie vielleicht doch über die Brutalität der Säuberungsaktion schockiert. Jetzt übernahm Licinius, der Mann, der nur aus politischem Kalkül das Christentum tolerierte, die alleinige Macht in der Osthälfte und ließ sich mit seiner jungen Frau in seiner Reichshauptstadt Nikomedia nieder, um von dort aus die Regierungsgeschäfte zu führen. Für eine Weile hatte das römische Imperium unter Führung von Konstantin und Licinius zu einem neuen Zusammenhalt gefunden. Doch während Licinius das Christentum gleichgültig war und seine Toleranz mit der Verkündung und Inkraftsetzung des Edikts von Mailand begann und auch endete, gab es für Konstantin, der seine Arbeit von seinem Sitz in Trier aus in Angriff nahm, noch viel zu tun.

In der Öffentlichkeit steuerte Konstantin weiterhin einen klugen unverfänglichen Kurs. Obwohl er es vermied, an heidnischen Opfern teilzunehmen, hatte er als *Pontifex Maximus* (›Hoher Priester‹) noch immer – wie jeder Kaiser seit Augustus – das höchste Amt der heidnischen Religion inne. Die unter seiner Herrschaft geprägten Münzen zeigten lange keine christlichen Symbole. Stattdessen trugen sie noch viele Jahre den Namen des heidnischen monotheistischen Gottes »Unbesiegbarer Sonnengott«. Eine 313 in Trier gehaltene Rede ist auf die

Nachwelt gekommen. Sie ist ein Meisterwerk der Mehrdeutigkeit, ein Balanceakt, mit dem Konstantin seine Frömmigkeit betont, aber die Frage, welchem Glauben er angehört, geschickt offen lässt. In Wirklichkeit hatte er sein Leitmotiv für die Einigung des Imperiums längst gefunden. Jetzt begann er voller Eifer, auch die Regierung und die Verwaltung entsprechend umzugestalten.

Ein Brief aus dem Jahre 313 bezeugt seine erste Maßnahme: Die Christen seien von allen staatlichen Dienstleistungen befreit. Zu diesen gehörten beispielsweise die Tätigkeiten als Geschworene, die Überwachung der Steuererhebungen, die Organisation von Bauvorhaben, Festen und Spielen. Früher waren nur diejenigen freigestellt, die aufgrund ihres Berufs – z. B. als Arzt oder Lehrer – dem Staat auf andere Weise dienten. Jetzt erklärte Konstantin, dass die Christen für das Gemeinwesen genauso nützlich seien. Wenn sie mehr Zeit für die Verehrung des christlichen Gottes hätten, würden sie, so der Herrscher, »einen ungeheuren Beitrag zur Wohlfahrt des Staates leisten«.[31] Wie die kaiserliche Botschaft klarstellte, war das Christentum für das Reich von existenzieller Bedeutung. Außerdem wurde der Klerus besoldet, und den ranghohen Christen mit speziellen Funktionen wurden die Steuern erlassen. Die Bischöfe übernahmen nicht nur am Hof, sondern überall im Reich auch administrative Aufgaben: Christen, die in Zivilgerichtsverfahren verwickelt waren, hatten das gesetzlich verbriefte Recht, ihren Streit statt vor einem weltlichen Richter auch vor einem Bischof zu verhandeln. Doch diese beispiellosen Veränderungen schlugen sich nicht nur in Form von hochrangigen Positionen und Privilegien nieder, sondern hatten auch ganz materielle Auswirkungen.

So stellte Konstantin großzügig Mittel aus der Staatskasse zur Verfügung, mit denen überall in der Westhälfte Kirchen gebaut, renoviert oder aufwändig ausgeschmückt werden konnten. Das Vermächtnis seiner Freigebigkeit ist heute noch in Rom zu sehen, wo er den Bau von nicht weniger als fünf oder sechs Kirchen finanzierte. Deren bedeutendste war die riesige Lateranbasilika. Das heutige Gotteshaus stammt aus späterer Zeit, doch die Maße der ursprünglichen Basilika sind bekannt. Sie war mindestens 100 m lang und 54 m breit. Ebenso wie andere Kirchen Konstantins hatte sie eine ganz neue Architektur. Mit

»Basilika«, heute ein religiöses Bauwerk, war zur Zeit Konstantins ein säkulares öffentliches Gebäude gemeint, das von den Römern als Gerichtshof, Markthalle oder öffentlicher Versammlungsraum genutzt wurde. Jetzt wurde diese Hallenarchitektur für die wichtigste Kirche Roms übernommen und diente später als Vorbild für christliche Kirchen.[32]

In Rom befanden sich die Gotteshäuser normalerweise vor den Stadtmauern, an Stätten, an denen Apostel und Märtyrer verehrt wurden. Die Lateranbasilika erhob sich ausnahmsweise im Herzen Roms, weil sie auf einem Grundstück neben einem alten Kaiserpalast errichtet worden war, den Konstantin dem Bischof von Rom (so der offizielle Titel des Papstes) schenkte. Die Petrus-Basilika, eine weitere Stiftung Konstantins, erinnerte ihrerseits an einen frühchristlichen Kult. Am Vatikanischen Hügel, wo man den Apostel Petrus verehrte, wurde eine riesige Terrasse angelegt. Bei den Erdarbeiten stieß man auf einen alten Friedhof mit sowohl heidnischen als auch christlichen Grabstätten. Genau hier wurde die monumentale erste Basilika des heiligen Petrus errichtet. Im modernen, aus dem 16. Jahrhundert stammenden Petersdom gibt es noch heute einen Zugang zu dem unterirdischen Friedhof.

Die neuen Kirchen sahen nicht nur anders aus als die heidnischen Tempel – sie hatten auch eine andere Funktion. Letztere waren lediglich die Wohnstätten der Gottheit. Demgegenüber waren die christlichen Kirchen nicht nur Gotteshäuser, sondern dienten auch als Versammlungsräume für die Gläubigen. Jeden Sonntag – Konstantin machte ihn später (im Jahre 321) zum allgemeinen Feiertag – konnte man hier Soldaten sehen, denen der Kaiser für den Besuch des Gottesdienstes freigegeben hatte. Auch Sklaven genossen innerhalb der Kirchenmauern einen völlig neuen Status: Sie waren vorübergehend frei. Allein die Existenz und Majestät dieser Bauwerke kam einer Revolution gleich: Das Christentum war wichtig und die Christen waren etwas Besonderes.[33]

Zu jener Zeit verdeutlichte insbesondere ein Ereignis, welche Bedeutung Konstantin dem Christentum für den Zusammenhalt zwischen seinem Westreich und Licinius' Ostreich beimaß. Im Jahre 313 erreichte den Kaiser die Nachricht von einem Streit in der christlichen Kirche Nordafrikas. Er ging um die Frage, wer der rechtmäßige Bischof der Provinz sei: Caecilian oder Donatus. Zu dieser Kontroverse war es gekommen, weil einige Leute Caecilian nicht anerkennen wollten. Er sei, so ihre Erklärung, von einem Bischof ordiniert worden, der sich an den Christenverfolgungen Diokletians beteiligt habe, indem er die heiligen Schriften an die römischen Behörden ausgeliefert habe. Daraufhin wurde sein Rivale Donatus zum Bischof geweiht. Frühere Kaiser hätten eine solche Auseinandersetzung als Sache der Gemeinde abgetan und ihr keinerlei Aufmerksamkeit geschenkt. Nicht so Konstantin.

»Ich halte es für völlig unvereinbar mit dem göttlichen Gesetz, dass wir derartige Streitigkeiten und Kontroversen ignorieren, durch die der höchste Gott nicht nur gegen alle Menschen in Zorn gebracht werden könnte, sondern auch gegen mich, den er nach seinem göttlichen Willen mit der Leitung aller irdischen Dinge betraut hat.«[34]

Die Botschaft war klar: Während sich in der Vergangenheit die Kaiser mit Petitionen und mit zivilrechtlichen und sonstigen juristischen Fragen, die ihnen von den Provinzbewohnern vorgelegt wurden, zu befassen pflegten, beruhte Konstantins Autorität als Herrscher des Römischen Reiches in gleichem Maße auf seiner Fähigkeit, Streitigkeiten innerhalb der Kirche zu schlichten.[35] Unstimmigkeiten unter den Christen waren ein – unter dem neuen Regime nicht statthafter – Angriff auf den Zusammenhalt des Imperiums. Seit den Verfolgungen unter Diokletian war sich Konstantin immer bewusst gewesen, dass die ausschließliche Verehrung des einen christlichen Gottes, neben dem alle anderen keinen Platz hatten, die Einheit des Imperiums unmöglich machte. Sollte er jetzt seine Neutralität aufgeben und sein Schicksal mit dem der Christen verbinden, könnte es politisch nur von Nachteil sein, wenn er und seine Glaubensgenossen untereinander zerstritten wären. Als sich der nordafrikanische Disput bis in den Winter 315/316 hineinzog, schrieb der Kaiser den Beteiligten einen Brief. Er drohte, sie höchstpersönlich zu besuchen und endlich zur Vernunft zu bringen. Zu jener Zeit hatte Konstantin allerdings andere und weitaus dringlichere Dinge im Kopf.

Im Sommer 315 steckte die Stadt Rom inmitten der Vorbereitungen für einen großen kaiserlichen Empfang. Der Herrscher des Westreichs hatte seine Kaiserstadt Trier verlassen und war zusammen mit seiner Familie, Bischöfen und Hofleuten in die Stadt zurückgekehrt, die er drei Jahre zuvor befreit hatte. Wagenrennen im Zirkus und öffentliche Spiele dienten der Unterhaltung des Publikums. Das Fest wurde anlässlich seiner *decennalia* – seines zehnjährigen Thronjubiläums – veranstaltet, und wenn Konstantin zurückschaute, hatte er wahrlich viel zu feiern: Er hatte gegen die Germanen Krieg geführt und die Rheingrenze gesichert. Er hatte für Frieden und Stabilität gesorgt, und das Reich, das zu zerfallen drohte, erlebte eine neue Blüte. Der römische Senat war wieder an der Regierung beteiligt und ging fleißig seinen Geschäften nach. Konstantin hatte den Senatoren die Sorge genommen, sie und damit auch Rom könnten in der Bedeutungslosigkeit versinken: Er erhöhte ihre Zahl und die Männer, die er zu Senatoren ernannte, mussten nicht in Rom leben und die dortigen Senatssitzungen besuchen. Nicht nur in Rom, sondern überall im Imperium konnte man nun den Posten eines Senators bekleiden.[36]

Für die christliche Elite gab es ebenfalls viel zu feiern. Mittlerweile nahm sie am Hof Konstantins eine privilegierte einflussreiche Stellung ein. In gelehrten Gesprächen mit Laktanz und dem Bischof Ossius lernte der Kaiser vermutlich immer mehr über seinen göttlichen Beschützer, und sein Glauben wurde, zumindest konnte man den Eindruck haben, zunehmend gefestigt. Der starke Einfluss der Christen lässt sich vielleicht an den eigens für das Jahr 315 geprägten Gedenkmünzen ablesen, die verdienten Hofbeamten feierlich überreicht wurden. Auf ihnen ist Konstantin mit dem Monogramm Christi, dem Chi-Rho, abgebildet. Priester, Anhänger und Verfechter der traditionellen römischen Religionen profitierten ebenfalls von dieser Blütezeit: Im neuen Geiste der Toleranz erlebten auch ihre Kulte eine Renaissance. Anlässlich des Thronjubiläums wurde jetzt ein Denkmal enthüllt und geweiht, das Konstantins ausgewogene Politik angemessen würdigte.

Der Konstantinsbogen ist noch heute auf dem Forum zu sehen. Das bedeutende Monument markiert den stilistischen Übergang von der Klassik zur sogenannten »Spätantike«. Die in diesem neuen Stil gearbeiteten Reliefs erzählen von der Befreiung Italiens durch Konstantin: Eine Szene zeigt die Niederlage des Tyrannen Maxentius, eine andere seine im Tiber ertrinkenden Soldaten und eine dritte den Einzug des Kaisers in Rom. Es gibt keine christlichen Symbole. Ganz im Gegenteil. Einige der Skulpturen stammen aus hadrianischer Zeit. Sie wurden hier wieder verwendet und entsprechend umgestaltet. Anstelle des klassischen Kaisers Hadrian sind nun Konstantin und Licinius zu sehen: Sie sind auf der Jagd und bringen den römischen Göttern Opfer dar. Dies ist das letzte Mal, dass ein Kaiser bei solch heidnischen Tätigkeiten dargestellt wird. Ungeachtet all seiner Maßnahmen zur Förderung des Christentums konnte sich Konstantin noch immer nicht öffentlich bekennen.

Er wollte das Reich einen und hatte nun herausgefunden, wie sich dieses ehrgeizige Projekt durchführen ließ. Doch vorläufig hielt er sich noch zurück. Ihm war klar, dass er sich, wenn er sich offen für das Christentum einsetzte, politisch angreifbar machte. Die Senatoren, Gouverneure und Regierungsbeamten, die an den traditionellen Göttern festhielten, könnten ihn noch immer attackieren und aus taktischen Gründen behaupten, dass er die Heiden verfolge. Wenn er die Christen vor aller Augen begünstigte, würde er zweifellos diejenigen, die dem althergebrachten Glauben anhingen, nicht nur vor den Kopf stoßen, sondern auch ihre geschwächte Position offenbaren, indem er ihnen das Gefühl vermittelte, im neuen Reich benachteiligt zu sein. Und da die Mehrzahl der römischen Bürger weiterhin Heiden waren, hätten seine Gegner mit deren breiter Unterstützung rechnen können. Konstantins größte Furcht galt allerdings nicht den heidnischen Senatoren, sondern einem heidnischen Kaiser.

In eben dem Monat (Juli 315), in dem das Thronjubiläum in Rom gefeiert wurde, schenkte Constantia, die Frau des Licinius, einem Sohn das Leben. Gut ein Jahr später, am 7. August 316, gebar Konstantins Frau Fausta ebenfalls einen Sohn. Doch die Freude über die Geburt dieser Kinder war nicht ungetrübt, da es nun zwei legitime Erbfolgelinien gab. Konstantin und Licinius sahen sich nun mit einer ganz neuen Frage konfrontiert: Wem gehörte das Reich eigentlich? Seitdem sie ihre Allianz geschlossen hatten, schien alles zunehmend auf Konstantin hinauszulaufen.

Konstantins eifrige Reformbemühungen zugunsten der Christen waren vielleicht von echtem Glauben getragen, vielleicht aber auch Ausdruck eigennützigen Kalküls. Sie dienten nicht nur der Einheit des Reiches, sondern trugen ihm auch in Licinius' Territorium, wo die Mehrheit der römischen Reichschristen lebte, sehr viele Anhänger ein. Der ihm zu Ehren errichtete Triumphbogen zeigte die beiden Kaiser harmonisch vereint. Das von ihnen gemeinsam bekleidete Konsulamt und die aus jener Zeit stammenden Münzen mit ihrem Doppelporträt verstärkten noch den Eindruck ihres Einvernehmens. Doch Konstantins neuer Regierungsstil stand im Widerspruch zu diesem schönen Schein. Wenn es nur einen Gott und nur ein Reich gab, dann gab es logischerweise auch nur einen Kaiser.

Als Licinius und Konstantin bald darauf ihre Karten aufdeckten, wurden sie zu Konkurrenten und beschworen einen neuen Krieg herauf: Den Parteigängern Konstantins und den Anhängern der revolutionär neuen Religion, zu der er sich bekannte, standen diejenigen gegenüber, die die römischen Traditionen bewahren wollten. Das würden die beiden Seiten zumindest behaupten. In Wahrheit ging es bei diesem Konflikt, auch wenn er in der Form eines heiligen Krieges auftrat, um ein altehrwürdiges Ziel, nämlich um die Macht im Reich.

Krieg der Religionen

Wie aus den beiden Verbündeten erbitterte Rivalen werden konnten, ist im Einzelnen schwer nachzuvollziehen. Gewiss hatte Licinius allen Grund, über seinen Kollegen verärgert, ja sogar auf ihn eifersüchtig zu sein.[37] Konstantin hatte die Kontrolle über den Reichsteil an sich gerissen, den Licinius als seinen rechtmäßigen Herrschaftsbereich betrachtete. Was für den östlichen Kaiser noch kränkender war: Er brauchte sich nur in seiner Reichshälfte umzusehen, um festzustellen, dass Konstantins Popularität die seine bei weitem übertraf. Die Christen des Ostens beteten für Konstantin. Sie hofften, dass dieselben großzügigen Wohltaten, die er ihren Brüdern im Westen zukommen ließ, eines Tages auch auf sie niederregnen würden. Und da sie bereit waren, für ihren Glauben zu sterben, waren sie auch bereit, für Konstantin in den Tod zu gehen. Sie wussten, dass Licinius weder ihr Retter noch ihr Fürsprecher war. Möglicherweise war es auch schon die ganze Zeit über Konstantins Absicht gewesen, Licinius in die Schranken zu weisen: Zu Beginn benutzte er ihn, um das Ostreich zu befrieden, und nachdem das gelungen war, wollte er seine Position mit Hilfe des Christentums schwächen. Licinius beneidete Konstantin um seine Popularität, doch er hatte einen noch viel gewichtigeren Grund für seinen Groll – etwas, was ihn schließlich zum Äußersten treiben würde.

Den Ostkaiser empörte am meisten, wie sein neugeborener Sohn von der Thronfolge ausgeschlossen werden sollte. Im Jahre 315 verheiratete Konstantin seine Halbschwester Anastasia mit dem angesehenen Senator Bassianus. Alsdann ließ er Licinius durch einen Boten vorschlagen, Bassianus zum Stellvertreter des Westkaisers zu ernennen. Licinius war tief gekränkt. Vermutlich war ihm jetzt klar, dass Konstantin bloß seinen jugendlichen Sohn Crispus zu seinem, Licinius', Stellvertreter zu machen brauchte, um das gesamte Imperium unter die Kontrolle der eigenen Familie zu bringen. Vielleicht beschloss der Ostkaiser deshalb, seine Freundschaft mit Konstantin auf eine ganz unmissverständliche Weise zu beenden: durch die Ermordung seines Rivalen.

Jetzt brauchte Licinius außer einem Vorwand nur noch ein paar Helfer. Glücklicherweise stellte beides kein Problem dar. So konnte er den geplanten Sturz seines kaiserlichen Kollegen mit dessen Bruch des Ediktes von Mailand rechtfertigen: Konstantin hatte begonnen, die Christen den Heiden vorzuziehen. Sollte dies als Grund nicht ausreichen, dann konnte er, so ein heidnischer Historiker, darauf verweisen, dass Konstantin im Herbst 315 die Grenzen des Ostreichs verletzt habe.[38] Und um einen Helfershelfer für das Attentat auf den Westkaiser zu finden, brauchte Licinius nicht weit zu suchen: Er musste sich nur im römischen Senat umsehen.

Im Jahre 316 waren einige heidnische Senatoren trotz all der Vergünstigungen, die ihnen Konstantin versprochen hatte, im Stillen sehr unzufrieden. Sie missbilligten die großzügigen Ausgaben aus der kaiserlichen Schatztruhe für den Bau christlicher Kirchen. Zudem hatten sie den Eindruck, dass nur Bischöfe beim Kaiser Gehör fanden und bevorzugt zu seinen Dinners in den Palast eingeladen wurden. Es sei sinnlos, sich mit Ambitionen zu tragen, klagten sie, da man unter dem neuen Regime nur als Christ zu Amt und Würden kommen könne.

Licinius wusste, dass die Zeit reif war zum Handeln. In Nikomedia forderte er seinen Hofbeamten Senecio auf, in Rom nach jemandem zu suchen, der bereit wäre, den Anschlag auszuführen. Ideal war jemand, der einen hohen Rang bekleidete, leichten Zugang zum Kaiser hatte und über jeden Verdacht erhaben war. Senecio hatte einen besonders geeigneten Kandidaten im Sinn, nämlich seinen eigenen Bruder und Schwager Konstantins: den Senator Bassianus. Als er das Attentat in Auftrag gab, hatte Licinius vermutlich seine eigene Schwachstelle übersehen. Er hatte zwar in Konstantins engerem Kreis jemanden gefunden, der gegen diesen vorgehen wollte, doch vergessen, dass der westliche Kaiser auch im Osten eine treue Verbündete hatte. Vielleicht war sie es, die Konstantin nun eine heimliche Warnung zukommen ließ.

Constantia könnte von einem Gerücht gehört haben, das in den Korridoren des nikomedischen Palastes kursierte, oder hatte zufällig das Gespräch zwischen Licinius und Senecio mit angehört. Wahrscheinlich hat sie, als sie von dem Komplott erfuhr, ihrem Bruder sofort einen entsprechenden Brief geschrieben, den sie durch vertrauenswürdige christliche Boten zustellen ließ. Jedenfalls wurde Bassianus, als er Konstantin umbringen wollte, sogleich überrumpelt. Der Kaiser hatte ihn bereits erwartet. So wurde in dieser Nacht nicht der von Gott geliebte Kaiser, sondern der Mann, der ihm nach dem Leben trachtete, ermordet. Als Licinius davon erfuhr, ließ er die Statuen und Büsten Konstantins in Nikomedia zerstören. Damit war der Krieg erklärt.

Zu den ersten Gefechten zwischen den beiden Heeren kam es 316 in Cibalae und Serdica auf dem Balkan. Konstantin war zwar in beiden Schlachten siegreich, es gelang ihm aber nicht, den entscheidenden letzten Schlag zu führen. Infolgedessen schlossen die beiden Männer ein neues Bündnis: Die Balkanländer sowie Griechenland fielen an Konstantin, während Thrakien, Kleinasien, Ägypten und der römische

Osten unter Licinius' Kontrolle blieben. *Nolens volens* kamen die beiden Verbündeten auch in der schwierigen Frage der Thronnachfolge
zu einer Lösung: Am 1. März 317 ernannte Konstantin in seinem neu-
en Regierungssitz in Serdica (heute Sofia in Bulgarien) seine beiden
Söhne (den kleinen Knaben, den ihm Fausta geboren hatte, und Flavius Julius Crispus) und den Sohn des Licinius und der Constantia zu
Caesaren – sie sollten die nächsten Kaiser sein. Die beiden Augusti beschlossen außerdem, 317 gemeinsam das Konsulat zu bekleiden. Anschließend sollten sich in jeder Reichshälfte Vater und Sohn nach jeweils einem Jahr in diesem Amt abwechseln. Doch hinter der zur
Schau gestellten Harmonie verbargen sich tiefe Risse. Günstigstenfalls
war der Frieden eine äußerst instabile Angelegenheit, ungünstigsten-
falls aber handelte es sich um einen zynischen diplomatischen Akt vonseiten Konstantins. In Wirklichkeit war der Krieg einfach nur vertagt
worden.

Zwischen 317 und 321 hielt Licinius an der Tolerierung des Christentums fest. Vielleicht wurde er von seiner Frau oder dem an seinem
Hof lebenden Bischof Eusebius dazu angehalten. Aber dies war eine
Rolle, die der frühere »Befreier« des Ostens, der ehemalige Retter der
Christen, zunehmend hasste. Er hatte, ohne selbst gläubig zu sein, nur
aus kurzfristigen Nützlichkeitserwägungen die Christen toleriert, und
das merkte man jetzt. Im Westen hingegen wurde Konstantin zu einem
immer fanatischeren Christen. Er liebte es, bis spät in die Nacht aufzu-
bleiben und leidenschaftliche Reden zu entwerfen, die er dann seinem
Hofstaat vortrug. In diesen Laienpredigten verbreitete er sich über seine göttlich inspirierte Vision des Imperiums und inszenierte eine re-
gelrechte Show. Wann immer er auf das Gericht Gottes zu sprechen
kam, wurde sein Gesicht ganz ernst, er senkte die Stimme und deutete gen Himmel. Er redete seinen Zuhörern so sehr ins Gewissen, dass
einige Hofleute ihre Köpfe beugten, »wie wenn sie sich von seinen
Worten tatsächlich getroffen fühlten«. Andere klatschten laut Beifall,
konnten aber die Inbrunst des Kaisers nicht teilen und nahmen seine
christlichen Belehrungen nicht weiter zur Kenntnis.[39]

Und doch konnte der Kaiser bei all seiner öffentlich bezeugten Got-
tesfurcht weiterhin repressiv, ja sogar gewalttätig sein. Im Jahre 317 gab

es im afrikanischen Donatisten-Streit noch immer keine Lösung. Konstantin verlor die Geduld und versuchte dem Konflikt ein Ende zu setzen, indem er einige der Beteiligten ins Exil schicken oder hinrichten ließ. In den nächsten Jahren wurden außerdem einige heidnische Tempel geschlossen – das erste Indiz dafür, dass im Westen die pluralistischen heidnischen Kulte allmählich ausgerottet wurden. An ihre Stelle trat eine wachsende neue gemeinsame Identität.

Schenkungen von Grund und Boden, das starke Engagement der Bischöfe und Wohltätigkeitsspenden in Form von Kleidern und Nahrungsmitteln an die Bedürftigen, Waisen und notleidenden Witwen und geschiedenen Frauen ließen die Kirchen rasch zu lokalen Macht- und Verwaltungszentren in allen Provinzen des westlichen Reiches aufsteigen.[40] Um das Jahr 321 wurde die richterliche Gewalt der Bischöfe ausgeweitet und die Vermächtnisse an die Kirchen legalisiert. Die Eliten der Provinzen hatten keine Mühe, sich auf die neue Religion einzulassen. Die oberen Schichten überall im Imperium wurden ständig wohlhabender und selbstbewusster; archäologische Funde belegen, dass in jener Zeit XP, Chi-Rho, das Zeichen Christi, auf Objekten der Begüterten immer häufiger auftaucht und dass überall in der Westhälfte herrliche Villen aus dem Boden schossen.[41] Ein Wechsel der Religion war durchaus von Vorteil: Er führte zu einer neuen Würde des Imperiums, einem neuen Patriotismus und der Überzeugung, dass das Reich blühen und gedeihen werde, solange sich Konstantin nicht auf die altrömische *Pax Deorum* berufe, sondern unter dem Schutz des christlichen Gottes stehe.

In einer seiner wenigen erhaltenen Reden, die unter dem Namen »Rede an die Versammlung der Heiligen« (*Oratio ad sanctorum coetum*) bekannt ist und an einem Karfreitag zwischen 321 und 324 vor einer christlichen Zuhörerschaft gehalten wurde, erläuterte Konstantin seine Position: Gott sei der Urheber seines Erfolgs. Aufgrund dessen müsse er, Konstantin, seine Untertanen dazu bringen, Gott zu verehren, er müsse die Sünder und Ungläubigen auf den rechten Weg führen und die Verfolgten befreien. Diese Haltung hatte weitreichende politische Konsequenzen: Licinius wurde in die Enge getrieben und die Daumenschrauben wurden langsam, aber sicher immer fester angezogen. Bald darauf lieferte er Konstantin das, wonach dieser vielleicht schon lange gesucht hatte, etwas, das in sein religiöses Konzept genau hineinpasste – eine Rechtfertigung für die Wiederaufnahme des Krieges.

In Nikomedia wurde der Kaiser des Ostens immer argwöhnischer, ja sogar paranoid. Waren seine Hofbeamten, fragte er sich, Agenten Konstantins? Waren sie christliche Spione? Er nahm sie beiseite und ließ sie verhören, konnte ihnen aber keine Schuld nachweisen. Einen Mann unterzog er einem Treuetest: Er wies Auxentius, einen Justizangestellten in seiner Regierung, an, ihm in einen Hof seines Palastes, in dem sich ein Brunnen, eine Dionysos-Statue und ein üppiger Weinstock befanden, zu folgen. Licinius befahl Auxentius, die üppigste Traube, die er finden könne, abzuschneiden. Danach forderte er ihn auf, die Früchte Dionysos zu opfern. Als dieser sich weigerte, stellte ihm der Kaiser ein Ultimatum: Wenn er die Trauben der Statue nicht zu Füßen lege, müsse er seinen Hof für immer verlassen. Auxentius entschied sich für Letzteres; später wurde er Bischof von Mopsuestia, einer Stadt in der heutigen Türkei.[42] Licinius beschränkte sich im Übrigen nicht auf diesen einen Test, sondern ließ noch viele andere folgen. Die Angst sollte ihn zu noch weitaus drastischeren Maßnahmen veranlassen.

Im Jahre 323 zwang Licinius alle Mitglieder seiner Verwaltung, den heidnischen Göttern zu opfern oder aber den Dienst zu quittieren. Demselben Konformitätstest mussten sich seine Soldaten ebenso unterziehen wie, auf den Rat fanatischer heidnischer Beamter, die Zivilbevölkerung. Am 24. Dezember desselben Jahres erfuhr Konstantin, dass Bischöfe bei der Feier von Licinius' 15-jährigem Thronjubiläum Opfer darbringen und im Falle einer Weigerung mit Strafe rechnen mussten. Bischöfliche Konzile und Versammlungen wurden verboten: Da Licinius nicht wollte, dass sich die Kleriker organisierten, vereinten und ihn unter Druck setzten, durften sie ihre Städte nicht verlassen. Christliche Gottesdienste konnten nur noch unter freiem Himmel abgehalten werden und den christlichen Geistlichen wurden alle Steuerbefreiungen gestrichen. Der Einfluss seiner frommen Frau und die Liebe zu ihr hinderten ihn vielleicht daran, noch weiter zu gehen. Andere Leute in seiner Regierung hatten weniger Skrupel. Kurzum, Licinius ließ im Ostreich zu, dass die heidnische Reaktion scharf zurückschlug: Römischen Gouverneuren stand es frei, christliche Dissidenten zu bestrafen, Kirchen zu schließen oder zu zerstören und, wie im Fall der Bischöfe in der Provinz Pontus-Bithynien südlich des Schwarzen Meeres, Galionsfiguren des christlichen Klerus umzubringen. Laut Eusebius wurden ihre Körper in Stücke gehackt und den Fischen im Meer zum Fraß vorgeworfen.[43]

Im Kaiserpalast in Serdica wurde Konstantin von Laktanz, seinem Ratgeber und Erzieher seines Sohnes, gedrängt, »der gerechten Sache in anderen Teilen der Welt« zum Sieg zu verhelfen. Als Konstantin, wahrscheinlich wohlüberlegt, in Licinius' Territorien in Thrakien eindrang, um angeblich einen Angriff der Goten abzuwehren, ergriffen beide Parteien die Gelegenheit zum Krieg. Konstantins Gründe, seinen Schwager und früheren Verbündeten zu bekämpfen, waren vielfältiger, als es die Situation vermuten ließ: Es war ein Krieg zur Verteidigung der Unterdrückten, ein Befreiungskrieg, ein Krieg gegen einen Christenverfolger.[44]

Nun war die Bühne für eine der letzten großen Auseinandersetzungen in der Geschichte Roms bereitet. Beide Parteien mobilisierten in aller Eile ihre Truppen – schon dies war eine außergewöhnliche militärische Leistung. Angeblich standen auf jeder Seite mehr als 100000 Fußsoldaten und 10000 Berittene. Selbst wenn man berücksichtigt, dass antike Quellen gerne übertreiben, war das Truppenaufgebot gewaltig. Ägypter, Phönizier, Karier, Griechen aus Kleinasien, Bithynier und Afrikaner kämpften im Heer des Licinius, während Konstantin, der den größeren Teil des Römischen Reiches beherrschte, weniger auf Hilfstruppen als vielmehr auf stehende Einheiten der regulären römischen Legionen zurückgreifen konnte. Als Eusebius die beiden Armeen verglich, ließ er seiner schöpferischen Fantasie freien Lauf: Konstantins Truppen waren natürlich christliche Soldaten Gottes, wohingegen es sich bei Licinius' Männern um einen bunt zusammengewürfelten Haufen von Anhängern der traditionellen Götter und der östlichen Mysterienkulte handelte: Zauberer, Wahrsager, Giftmischer, Seher und heimtückische Hexenmeister.[45]

Kurz bevor die beiden Heere aufeinandertrafen, forderte Licinius seine Priester auf, Omina einzuholen. Die Auguren beobachteten den Flug der Vögel und begutachteten die Eingeweide der Opfertiere. Das Ergebnis ihrer Prüfung? Die Vorzeichen verhießen Licinius den Sieg. Während die Zeremonien noch andauerten, führte Licinius seinen engsten Stab in einen schattigen heiligen Hain, wo sich zwischen Bäumen und Quellen, die aus bemoosten Felsen hervorsprudelten, heidnische Statuen erhoben. Nach den üblichen Opfern hielt Licinius eine Ansprache. Die ausgeprägte Rhetorik ist typisch für die Art, wie prochristliche Autoren den Konflikt darzustellen pflegten:

»Freunde und Kameraden! Dies sind unsere heimischen Götter, die wir verehren und die wir von unseren ältesten Vorvätern übernommen haben. Der Feldherr der gegen uns aufgebotenen Truppen hat mit der Religion unserer Ahnen gebrochen, sich für die Gottlosigkeit entschieden und betet nun in seiner Verblendung zu einem fremdartigen und völlig unbekannten Gott. Mit dem verabscheuungswürdigen Zeichen dieses Gottes bringt er Schande sogar über sein eigenes Heer. Im Vertrauen auf ihn rückt er vor, er erhebt die Waffen nicht gegen uns, sondern zuallererst gegen eben die Götter, die er beleidigt hat. Die bevorstehende Schlacht wird zeigen, wer einem falschen Glauben anhängt, und sie wird zwischen den von uns verehrten Göttern und denen unserer Gegner eine Entscheidung fällen.«[46]

Am 3. Juli 324, in der ersten Schlacht bei Adrianopolis in Thrakien (dem heutigen Edirne in der Türkei), zerschlugen sich alle seine Hoffnungen, dass er siegreich aus diesem Gefecht hervorgehen werde.

Die beiden Heere hatten auf den gegenüberliegenden Seiten des Flusses Hebrus Stellung bezogen. Tagelang beäugten sie sich voller Missmut. Immer wenn Licinius' Soldaten Konstantins Standarte mit dem auffälligen Zeichen Christi erblickten, durchbrachen sie mit höhnischen Beschimpfungen die sonst herrschende Stille. In diesem merkwürdigen Schwebezustand ergriff Konstantin schließlich die Initiative. Er ließ seinen Feind glauben, dass er über den Fluss, der sie trennte, eine Brücke bauen wolle, und trieb die Farce sogar soweit, dass er seine Soldaten zum Holzholen auf einen Berg schickte. Insgeheim hatte Konstantin jedoch bereits eine Stelle ausgemacht, wo der Fluss weniger

breit war. Als seine Kavallerie dort ihren Angriff vortrug, war Licinius'
Heer völlig überrascht. In dem jetzt einsetzenden Chaos wurden zahllose Soldaten des Licinius brutal niedergemetzelt. Einige ergaben sich,
andere wurden in die Flucht geschlagen. Unter diesen befand sich auch
Licinius.[47]

Der Kaiser und die Soldaten, die die Schlacht überlebt hatten, zogen im Eilmarsch an die Küste, stürmten auf ihre Schiffe und versuchten sich durch eine Flucht über den Bosporus in Sicherheit zu
bringen. Konstantin hatte bereits damit gerechnet: Er befahl seinem
ältesten Sohn Crispus, die Verfolgung aufzunehmen. Der gerade einmal 17-jährige Kommandant einer aus 200 Schiffen bestehende Flotte befolgte die väterlichen Anweisungen. Mittlerweile war Licinius'
Admiral angewiesen worden, sich dem Kampf zu stellen. Die beiden
Flotten begegneten sich in der schmalen Wasserstraße des Hellesponts.
Crispus beschloss, sein Glück zu wagen, ließ den Großteil seiner Flotte hinter sich und ging mit seinen achtzig schnellsten Schiffen zum
Angriff über. Dies erwies sich als Geniestreich. Denn während er seine Attacke geordnet und wohlüberlegt vortrug, drängte sich Licinius'
größere Flotte ohne Plan in die Meerenge und hatte keinen Platz zum
Manövrieren. Angesichts der verwirrenden Masse von Segeln und des
lauten Getöses der Ruder verlor er völlig die Orientierung. Nachdem
mehrere seiner Schiffe versenkt worden waren, setzte der Einbruch
der Nacht der Seeschlacht ein Ende. Am nächsten Tag vollendete ein
steifer Südwind Crispus' Werk: Licinius' Flotte wurde gegen die Felsen geschmettert und erlitt weitere schwere Verluste. Dennoch konnte der Ostkaiser innerhalb weniger Wochen seine Truppen neu organisieren: Er hatte in Asien eine neue Armee rekrutiert. Bei Chrysopolis traf er ein weiteres Mal auf seinen Feind. Noch war er nicht
geschlagen.

Am 18. September 324 kam es zur letzten Auseinandersetzung zwischen Licinius und Konstantin. Die beiden Kaiser führten ihre gewaltigen Heere in eine Ebene auf halbem Wege zwischen Chrysopolis
(einem Stadtteil des heutigen Istanbuls) und der Stadt Chalkedon. Wieder schmückte sich Konstantins Armee mit ihrer herrlichen christlichen Standarte. Auf der an der Querstange hängenden reich ge-

schmückten Fahne leuchtete das aus Edelsteinen und Goldfäden gefertigte Zeichen Christi. Der Kaiser war sich über die enorme Bedeutung dieses symbolträchtigen Feldzeichens völlig im Klaren und unterstellte es deshalb dem Schutz einer eigenen Abteilung, Männern, die aufgrund ihres Mutes und ihrer Körperkraft für diese Aufgabe ausgewählt worden waren. Nun prangte die Standarte über den dicht gedrängt stehenden Truppen, die auf den Befehl zum Angriff warteten. Doch Konstantin nahm sich Zeit, bevor er die Feindseligkeiten eröffnete. Er war wohl noch wie üblich in seinem Zelt, betete still zu Gott und wartete inbrünstig auf eine Offenbarung. Als er Gottes Willen erkannt zu haben glaubte, verließ er eilig sein Zelt, sprach seinen Soldaten Mut zu und befahl ihnen, die Schwerter zu ziehen.[48]

Licinius' Soldaten starteten den ersten Angriff. Vielleicht sahen sie diesmal in dem hoch erhobenen christlichen Feldzeichen ihres Feindes ein schlechtes Omen, sodass sie ihr Geschrei sofort einstellten. Laut Eusebius warnte Licinius seine Männer, der Standarte zu nahe zu kommen oder sie auch nur anzuschauen. Als Konstantins Truppen auf den Feind zu rückten und in dem Geschosshagel viele ihr Leben ließen, blieben nach Eusebius' Darstellung die Standartenträger wunderbarerweise unverletzt.[49] Vielleicht waren der Mut und die Kraft, die von diesem Zeichen ausgingen, ansteckend, denn in Windeseile waren sich Konstantins Soldaten ihres Sieges völlig gewiss. In der sich anschließenden monumentalen Schlacht zeigten seine Legionäre ungeheuren Schwung und Elan und echte Kampfbereitschaft.

Angesichts des unglaublich massiven Angriffs verloren Licinius' Männer sogleich allen Mut. Die Schlacht von Chrysopolis entwickelte sich zu einem ungeheuren Massaker, dem angeblich über 100 000 Soldaten des Licinius zum Opfer fielen. Konstantin und das Christentum hatten einen überwältigenden Sieg errungen. Ein Mann indes war dem Blutbad entronnen: Licinius hatte mit einigen Berittenen das Schlachtfeld heimlich verlassen. Als Konstantin die Stätte der katastrophalen Niederlage inspizierte, war sein erschöpfter, geschlagener Feind bereits auf dem Weg gen Osten, wo seine treue Frau und sein neunjähriger Sohn im Kaiserpalast von Nikomedia auf ihn warteten. Konstantin setzte ihm nach und belagerte die Stadt.

Licinius mochte daran gedacht haben, seine Ehre auf traditionelle Weise – indem er das Schwert gegen sich selbst richtete – zu retten. Doch als er erschöpft in seinem Palast zusammenbrach, änderte er beim Anblick seiner Familie vielleicht seine Meinung. Wie ein antiker Autor berichtet, versuchte Constantia ihren Mann in der Nacht seiner Heimkehr davon zu überzeugen, dass es besser sei, am Leben zu bleiben und sich Konstantin zu ergeben. Nachdem er sich dazu bereit erklärt hatte, stahl sich Constantia aus dem Palast und begab sich in das Hauptquartier ihres Bruders.

Es war das erste Mal seit fast zehn Jahren, dass Konstantin seine Schwester wiedersah, die Frau, die er als 18-Jährige mit seinem Feind verheiratet hatte und deren Ehemann er zwischenzeitlich immer wieder aus dem Weg zu räumen versucht hatte, um als Alleinherrscher das Römische Reich zu regieren und wieder zu einen. Jetzt stand sie zwischen schmutzigen, erschöpften Soldaten und blutbefleckten Kriegsgefangenen, die »nach den Gesetzen des Krieges« bestraft werden sollten. Licinius' Oberbefehlshaber war festgenommen worden und wartete auf seine Hinrichtung. Die in Gefangenschaft geratenen Soldaten mussten ihren heidnischen Glauben widerrufen und anschließend Konstantins Gott als »als den wahren und einzigen Gott anerkennen«.[50] Es muss für die Geschwister schwierig gewesen sein, sich unter solch grässlichen Umständen in die Augen zu sehen. Dennoch nahm sich Constantia ein Herz und flehte ihren Bruder um Erbarmen an. Sie appellierte an seine christliche Tugend der Vergebung und bat ihn, Licinius am Leben zu lassen. Konstantin willigte ein.

Die kaiserliche Prachtentfaltung stand in krassem Widerspruch zu dem jämmerlichen Anklagezeremoniell, das am nächsten Tag stattfand. Gehüllt in prächtige Gewänder, saß Konstantin, der nun als alleiniger Kaiser das gesamte römische Imperium beherrschte, auf einem Podium, das in seinem Lager vor der Stadt errichtet worden war. Er war von Bischöfen und Hofbeamten umringt. Unter ihnen befanden sich möglicherweise auch Laktanz und Ossius, überglücklich über den Sieg ihres Gottes. Licinius ging langsam auf Konstantin zu, vorbei an seinen früheren Feinden, die den langen erniedrigenden Weg vom Palast zum Lager des Siegers säumten. Vielleicht mussten auch Constantia und ihr

Sohn die Schmach auf sich nehmen und den besiegten Heerführer begleiten. Als Licinius vor Konstantin stand, fiel er zum Zeichen seiner Unterwerfung vor dem Kaiser auf die Knie. Die purpurnen Gewänder, die Insignien seines früheren Amtes, hatte er mitgebracht und überreichte sie nun, den Kopf gesenkt, seinem Bezwinger. Vielleicht streute dieser noch Salz in die Wunde, indem er den früheren Kaiser aufforderte, sich zum Christentum zu bekehren. Schließlich unterwarf sich Licinius seiner größten Demütigung: Er pries Konstantin als »Kaiser und Herrn und verband damit die Bitte um Verzeihung für alles Vergangene.«[51] Anschließend wurden Licinius und seine Familie offiziell nach Thessaloniki geschickt, wo sie in Frieden und Sicherheit würden leben können.

Beide Männer wussten vermutlich, dass trotz des denkwürdigen Zeremoniells und des höflichen Applauses keine wirklichen Veränderungen eingetreten waren. Ein Jahr nach Licinius' Unterwerfung und Abdankung traf eine Abteilung kaiserlicher Soldaten in Griechenland ein. Bei ihrem Anblick wusste Licinius wahrscheinlich sofort, dass Konstantin seine Entscheidung zurückgenommen hatte, dass er mögliche Rivalen und deren Erben niemals verschonen würde und zur Vergebung unfähig war. Er und sein Sohn wurden von den Soldaten beiseite genommen und erdrosselt.[52]

Epilog

Constantia überlebte ihren Mann und ihre Kinder. Der Kaiser verlieh ihr den Titel »Erlauchteste Dame« (*Nobilissima Femina*) und sie blieb eine wichtige Persönlichkeit am Hofe ihres Bruders, zu dem sie eine gespannte Beziehung voller bitterer gegenseitiger Schuldzuweisungen gehabt haben muss. Als sie im Jahr 330 starb, war sie wahrscheinlich nicht älter als 35. Constantia war jedoch nicht die einzige Verwandte, die mit der kaiserlichen Autorität ihres Bruders in Konflikt geriet.

Im Jahre 326 ließ Konstantin seinen ersten Sohn Crispus (den er zum Caesar ernannt hatte) sowie seine Frau Fausta, die ihm drei Söhne geboren hatte, umbringen. Die ganze Angelegenheit ist geheimnisumwoben. Am Hof verdächtigte man Crispus einer Affäre mit seiner Stiefmutter. Nach einem anderen Gerücht hatte sich Fausta in Crispus verliebt, war aber von ihm zurückgewiesen worden. Wie dem auch sei, ein solch unmoralisches Verhalten durfte den Ruf der christlichen kaiserlichen Familie auf keinen Fall beschmutzen – Konstantins rigide Gesetze zur Sexualmoral ließen dies nicht zu. Crispus' kurze brillante Karriere endete mit seiner Hinrichtung, und Fausta wurde angeblich in einem überhitzten Dampfbad erstickt.

Konstantins außergewöhnliche und ganz unsentimentale Entschlossenheit zeigte sich auch in der Religionspolitik seiner späteren Jahre. Nach seinem Sieg über Licinius ließ der Kaiser im Ostreich mehrere Edikte verkünden. Die verfolgten Christen sollten aus den Gefängnissen entlassen werden, sie sollten ihr Eigentum zurückbekommen und dieselben Privilegien wie ihre Glaubensgenossen im Westen erhalten. Die Bischöfe wurden aufgefordert, Kirchen zu restaurieren und neue zu erbauen. Diese Edikte waren in einem deutlich predigthafteren Ton abgefasst als das Edikt von Mailand. In den zugehörigen Begleitbriefen versuchte Konstantin zwar nicht, seine Untertanen zur Aufgabe des Heidentums und zum Übertritt zum Christentum zu zwingen, legte es ihnen aber dringend nahe. Der christliche Gott sei, so schrieb er, vollkommen. Gott habe die Christenverfolger vernichtet und den rechten Umgang mit dem Glauben ermöglicht. Konstantin sei nur sein Werkzeug gewesen.[53] Die Botschaft war klar: Das Christentum war nun die offiziell favorisierte Religion der römischen Welt. Aber was war mit den heidnischen Religionen?

Die Edikte scheinen darauf hinzuweisen, dass Konstantin aktiv gegen das Heidentum zu Felde zog. Etliche traditionelle Tempel wurden geschlossen und insbesondere den römischen Provinzstatthaltern und Präfekten wurden Opfer und Orakelbefragungen verboten.[54] Doch das von Eusebius entworfene Bild ist irreführend. Gewiss wollte Konstantin Magie und Aberglauben aus der Welt schaffen: Er verbot Privatleuten, Wahrsager zu konsultieren, Liebeszauber zu verwenden oder mit Hilfe magischer Rituale jemandem nach dem Leben zu trachten. Die Verehrung der traditionellen Götter stand jedoch auf einem anderen Blatt. Diese Form des Heidentums sollte nur sehr langsam aussterben. Noch gab es keine massenhaften Bekehrungen zum Christentum.

Der über die heidnischen Opfer verhängte kaiserliche Bann konnte niemals durchgesetzt werden. In Italien wurde weiter geopfert und in Griechenland hob der Kaiser den Bann sogar wieder auf, damit ein bestimmter Kult, die sogenannten Eleusinischen Mysterien, nicht davon betroffen wäre. Konstantin erlaubte außerdem den Bau eines neuen heidnischen Tempels in Italien und weihte ihn gegen Ende seiner Regierungszeit der kaiserlichen Familie. Die Tempel in Rom unterstanden dem Schutz des Kaisers, und im 4. und 5. Jahrhundert war es noch immer Aufgabe des Stadtpräfekten, sich um die Restaurierung und Pflege der Gebäude, Statuen und Zentren der althergebrachten römischen Kulte zu kümmern. Allerdings würden spätere Kaiser deutlich rigoroser gegen die paganen Praktiken vorgehen und damit das Ende des römischen Heidentums einläuten.

Zwar war die Kirche zu der Institution geworden, die Konstantins christliches Reich einte, doch ein dogmatisches Problem verdarb das schöne Bild. Als Konstantin den Osten von Licinius »befreite«, musste er feststellen, dass die dortige Kirche noch zerstrittener war als die afrikanische. Bei dieser Auseinandersetzung ging es nicht um die rechtmäßige Ernennung eines Bischofs, sondern der größte Streitpunkt war die philosophische Frage nach der Beziehung zwischen Gott und Jesus Christus. Waren Gottvater und der Sohn Gottes identisch oder war der Sohn dem Vater unterlegen? Ein Priester namens Arius argumentierte wie folgt: Wenn Gottvater ewig und unteilbar sei, müsse der Gottessohn nach dem Vater erschaffen worden sein, um als sein Werkzeug die Menschheit zu erlösen. Trotz seiner Vollkommenheit sei er deshalb nicht ewig und dürfe nicht als »Gott« bezeichnet werden. Arius' Lehre löste einen ungeheuren Skandal aus und gefährdete ein weiteres Mal die Einheit der Kirche. Nun griff Konstantin ein.

Im Jahre 325 berief er das erste ökumenische Treffen der Kirche ein, das sogenannte Konzil von Nicäa, an dem er auch persönlich teilnahm. Es muss ein ganz spektakuläres Ereignis gewesen sein. Zum ersten Mal kamen über 300 Bischöfe aus allen Teilen der römischen Welt zusammen, um über den von Arius bestrittenen Glaubenssatz ausführlich zu diskutieren. Am Morgen des ersten Tages betrat Konstantin, gehüllt in sein prächtiges, mit Gold und Edelsteinen besetztes Purpurgewand, die große Halle des nicäischen Palastes. Er bewegte sich elegant und bescheiden. Niemand sprach ein Wort. Vor den Reihen der Bischöfe stand ein niedriger goldener Stuhl. Die Begeisterung der Geistlichen erreichte einen neuen Höhepunkt, als der Kaiser ihnen seinen Respekt bezeugte und nach ihnen Platz nehmen wollte. Erst als sie ihm ein entsprechendes Zeichen gaben, setzte er sich und alle Anwesenden taten es ihm nach.[55] Konstantin begnügte sich im Übrigen nicht mit der Rolle des stillen Beobachters, sondern griff selbst aktiv und energisch in das Verfahren ein.

So erhielt er beispielsweise den Auftrag, eine Formulierung zu finden, die dem Streit ein Ende setzen könne. Diese lautete dann, dass der Sohn »von einer Substanz« mit Gottvater sei. Diese Formulierung bedeutete, dass Arius im Unrecht war. Trotz seiner Beteiligung an der Diskussion war Konstantin, der große Soldat, der Feldherr, der den Bürgerkrieg zu seinen Gunsten entschieden hatte, an den komplizierten Feinheiten der dogmatischen Debatte nicht sonderlich interessiert. Er wollte lediglich die Kontroverse aus der Welt schaffen und die Diskussion beenden. Indem er bald schmeichelte, bald drohte und bei seinen Bemühungen, die widerspenstigen Bischöfe zu überzeugen, zwischen Latein und Griechisch hin und her sprang, schüchterte Konstantin die meisten so sehr ein, dass sie ihre Namen unter die vorgeschlagene Formulierung setzten, mit der das Zerwürfnis beigelegt werden sollte. Während die Mehrheit nachgab, verweigerten Arius und zwei seiner Anhänger ihre Unterschrift und wurden in die Verbannung geschickt. Auch wenn es ein paar Andersdenkende gab – die Einheit der Kirche war gerettet. Das große Konzil war ein triumphaler Erfolg gewesen. Jedenfalls hatte man diesen Eindruck.

Natürlich hatte man Beachtliches erreicht. Zum ersten Mal hatte der römische Kaiser, der mächtigste Mann der Welt, seine Autorität genutzt, um eine christliche Orthodoxie zu begründen. In vielen Fragen hatte er die Zustimmung der großen Mehrheit der in Nicäa erstmalig versammelten Bischöfe gefunden. Obwohl Konstantin ihnen sehr demonstrativ seinen Respekt bezeugte, waren sie doch unter seiner Ägide

zusammengekommen und die von ihnen getroffenen Entscheidungen
waren allgemein bindend. Wie die Verbannung des Arius und seiner
Gefolgsleute zeigte, fiel die Behandlung von »Häretikern« nicht mehr in
die Kompetenz der Bischöfe, sondern unter die vom Kaiser erlassenen
Strafgesetze.[56] Religiöse und staatliche Macht waren nun identisch.

Die Streitigkeiten waren aber noch längst nicht beigelegt. In seinem
Bericht über das Konzil von Nicäa verschleiert Eusebius die sehr realen
Meinungsdifferenzen, die dort immer wieder zu Tage traten. Arius
kehrte später aus dem Exil zurück und hielt in seiner Stadt Nikomedia,
von der viele Impulse ausgingen, weiterhin seine Predigten. Vor seinem Tod distanzierte sich sogar Konstantin selbst von dem Glaubenssatz, den er den Bischöfen aufgezwungen hatte. Erst im Laufe der Zeit
würde die Einheit, um die sich der Kaiser in Nicäa bemüht hatte,
schließlich doch noch Wirklichkeit werden. Das Konzil verabschiedete
das »Glaubenskenntnis von Nicäa«, die offizielle Zusammenfassung des
christlichen Glaubens, das mit den Worten beginnt: »Ich glaube an
Gott, den Vater, den Allmächtigen, den Schöpfer des Himmels und der
Erde.« Bis auf den heutigen Tag wird dieses Bekenntnis von den
Christen an jedem Sonntag abgelegt, und noch heute beruht das ein-
heitliche Kredo der Kirche auf Konstantins Formulierung.

Inspiriert von seinem christlichen Glauben, erfüllte Konstantin sein
Imperium auch noch auf andere Weise mit neuem Leben. So machte
er Jerusalem zur Heiligen Stadt, in der sowohl Christen wie auch Juden
leben konnten. Doch sein Ehrgeiz war damit noch nicht befriedigt. Als
er am 8. November 324 mit einem Speer den Platz für eine neue Stadt
in der Nähe des alten Byzanz (des heutigen Istanbuls) bezeichnete,
gründete er ein, wie er es nannte, »Neues Rom«. Gab es, wenn er ein
neues christliches Reich erschaffen wollte, ein besseres Mittel als die
Gründung einer neuen Kaiserstadt an der Stelle, wo er Licinius besiegt
hatte? Und gab es dafür einen geeigneteren Platz als die strategisch günstig gelegene Schnittstelle zwischen Europa und Asien? Mit seinem üblichen Talent der Eigenwerbung nannte er die neue Stadt nach sich
selbst. Am 11. Mai 330 wurde Konstantinopel offiziell eingeweiht.

Während Rom durch seine altehrwürdige Vergangenheit, seine
früheren Kaiser und traditionellen Götter definiert war, markierte

Konstantinopel den Beginn einer neuen Ära. Ein gewaltiges Bauprogramm wurde aufgelegt: Innerhalb von gerade einmal sechs Jahren erstanden neue Stadtmauern, neue Foren, ein neues Hippodrom und ein
neuer Kaiserpalast. Außerdem gab es ein neues Senatsgebäude für die
frisch ernannten christlichen Senatoren. An christlichen Gebäuden
konnte die Stadt auf Konstantins Mausoleum verweisen, und möglicherweise wurde unter diesem Kaiser auch der Grundstein für die berühmte Hagia Sophia, die Kirche der heiligen Sophia, gelegt. Doch,
anders als von Eusebius beschrieben, war die nach Konstantin benannte Stadt nicht ausschließlich christlich geprägt. Der Kaiser schmückte
seine neue Stadt mit Kunstwerken aus der klassischen Welt und machte
sie zum Schaufenster seines neuen Reiches. Bezeichnenderweise verlegte er die Hauptstadt des Imperiums nicht nach Konstantinopel.
Rom wurde nicht heruntergestuft, sondern die Senatoren der Ewigen
Stadt waren weiterhin an der Regierung des Imperiums beteiligt. Konstantinopel war nur, ähnlich wie Trier und Mailand, ein weiteres Kaiserzentrum, allerdings eines, das dem Kaiser sehr wichtig war. Dort
verbrachte er den größten Teil seiner letzten sieben Jahre.[57]

Konstantin starb am 22. Mai 337. Seit Augustus, dem allerersten
Kaiser, hatte niemand mehr so lange regiert. Einige Zeit vor seinem
Tod hatte er sich taufen lassen, ein Zeichen für die Ernsthaftigkeit seines Glaubens. Danach verzichtete er auf den kaiserlichen Purpur und
trug nur noch weiß, die traditionelle Farbe derer, die in die Gemeinschaft der Christen neu aufgenommen worden waren. An seinem Totenbett stand der Mann, den er durch seinen Sieg über Licinius vor gut
13 Jahren befreit hatte und mit dem er seitdem oft zusammen gewesen
war: der Bischof von Nikomedia.

Das Christentum setzte auf dem von Konstantin vorgezeichneten
Weg seinen Siegeszug fort. Nur einer seiner kaiserlichen Nachfolger
war Heide. Zwischen 360 und 363 versuchte Julian Apostata mit aller
Kraft, doch letztlich vergeblich, die Zeit noch einmal zurückzudrehen.
Am Ende des 4. Jahrhunderts gab es allein in Rom 70 Priester und 25
Kirchen. Der prächtige Ausbau der Peterskirche spiegelte die außerordentlich großzügige Gönnerschaft der römischen Elite, der kirchlichen
Würdenträger und des Kaisers persönlich, und Rom sollte zu einer der

bedeutendsten Pilgerstätten werden. Doch dem wiederhergestellten und neu geeinten Römischen Reich war nicht derselbe Erfolg wie dem Christentum beschieden.

Konstantins Nachfolger waren seine drei Söhne. Bei seinem Tod waren sie übereingekommen, sich die Macht zu teilen, doch fast umgehend begann man zu streiten und sich gegenseitig umzubringen. Die Risse im römischen Imperium, die Konstantin vorübergehend gekittet hatte, sollten rasch wieder aufbrechen. In den nächsten 50 Jahren taten sich immer tiefere Abgründe auf. Im Jahre 364 begründete Valentinian I. eine neue Dynastie. Das von ihm noch einmal geteilte Reich wurde wieder von einem Ost- und einem Westkaiser regiert. Doch letztlich war es nicht die interne Führungsschwäche, die den Fortbestand des Imperiums bedrohte, sondern eine Gefahr, die sich an den Grenzen zusammenballte. Die Barbaren waren im Anmarsch.

Untergang

Das Ende der Westhälfte des römischen Imperiums wird offiziell auf das Jahr 476 datiert. Sein Untergang war weder von einem dramatischen Fanfarenstoß noch von einer tosenden Feuersbrunst, einem Bildersturm, von Krieg oder Revolution begleitet. Stattdessen hörte man ein leises rhythmisches Pferdegetrappel und vielleicht das Surren und Rattern der Räder eines einzelnen kaiserlichen Wagens. Diese Geräusche kamen von einem Boten, der über die römischen Reichsstraßen nach Osten, nach Konstantinopel, eilte und die Gewänder, das Diadem und den Purpurmantel des römischen Westkaisers mit im Gepäck hatte. Er war von Odoaker, dem germanischen König in Italien, auf die Reise geschickt worden und sollte diese Insignien dem Kaiser Ostroms überbringen. Odoaker war zu der Erkenntnis gekommen, dass man sie nicht mehr brauchen werde.

Odoaker, ein Mann aus dem germanischen Volksstamm der Skiren, hatte in der Mitte des 5. Jahrhunderts n. Chr. als sehr erfolgreicher General im römischen Heer gedient. Bis zum Jahre 476 hatte er sich, gestützt auf römische Soldaten und italische Grundbesitzer, eine so verlässliche Machtbasis geschaffen, dass er nach einem Staatsstreich praktisch die gesamte Halbinsel kontrollierte. Doch er konnte seine Macht noch nicht voll ausüben: Es gab noch einen römischen Westkaiser. Dieser – ein 16-jähriger Knabe, dazu Sohn eines Usurpators – war zwar nur dem Namen nach Kaiser und stellte, da er außerhalb Italiens keinen Einfluss besaß, für Odoaker überhaupt keine Bedrohung dar. Dennoch war es jetzt an der Zeit, für klare Verhältnisse zu sorgen und ein paar Dinge zu regeln.

Odoaker teilte Zeno, dem römischen Kaiser des Ostreichs, schriftlich mit, dass er den Westkaiser absetzen wolle. Diese Entscheidung war vielleicht weniger bedeutend als die darauf folgende. Odoaker stellte auch klar, dass er nicht die Absicht habe, einen Nachfolger zu ernennen. Das alte Amt, das Augustus vor 500 Jahren ins Leben gerufen hatte, war so bedeutungs- und einflusslos geworden, dass es wirklich abgeschafft werden konnte. Zeno stimmte indirekt zu. Obwohl der Ostkaiser ein Lippenbekenntnis zur verfassungsmäßigen Ordnung ablegte, indem er dem König antwortete, dass Odoakers Status vom Vorgänger des Westkaisers bestätigt werden müsse, gab es an den wahren Verhältnissen keinen Zweifel: Zeno war mit Odoakers Machtübernahme einverstanden. Daraufhin schickte der König dem Ostkaiser ganz offiziell die Kleidung, das Diadem und den Purpurmantel des nun verwaisten westlichen Throns.

Den antiken Quellen lässt sich über den Charakter des Königs Odoaker kaum etwas entnehmen. Sie werfen nur Fragen auf, wie z. B. die, ob er wohl Sinn für Ironie gehabt habe. Der jugendliche Kaiser, den er gerade abgesetzt hatte, hieß Romulus Augustulus. Die Namen – Romulus war der legendäre Gründer Roms und Augustulus bedeutet ›kleiner Augustus‹ – zeigen, dass sich der Kreis geschlossen hatte: Beginnend mit dem ersten Herrscher der Frühzeit, führte die römische Geschichte über den ersten Kaiser, der das Zeitalter der Caesaren begründet hatte, und endete bei einem machtlosen, abgesetzten Kind. Das Römische Reich war im Westen aufgestiegen, hatte fast 700 Jahre lang die Mittelmeerwelt dominiert und war nun, in von »Barbaren« regierte Königreiche zerfallend, wieder untergegangen. Während das römische Ostreich mit seiner Hauptstadt Konstantinopel noch weitere 1000 Jahre als Byzantinisches Reich überlebte, versank die Westhälfte – Rom, Italien und Westeuropa – im Mittelalter. Wie konnte das größte und mächtigste Reich der Antike zusammenbrechen und was hatte seinen Untergang herbeigeführt?

Die Antworten auf diese langlebigste Frage der Alten Geschichte dürften in die Hunderte gehen. Als Erklärungsversuche herangezogen wurden: Malaria; Bleivergiftung; Tumorerkrankungen, ausgelöst durch zu viele heiße Dampfbäder; Bodenerosion; Klimawandel; Kinderlosigkeit; Entvölkerung; ineffektive Verwaltungsstrukturen; Staatsbankrott; Verdrossenheit der Provinzeliten; Zusammenbruch der moralischen Werte; Schwinden der traditionellen Religionen; Zerfall der militärischen Disziplin. Im 18. Jahrhundert suchte Edward Gibbon in drei Bänden seines Werks *Decline and Fall of the Roman Empire* (deutsch:

Verfall und Untergang des römischen Imperiums) nach Antworten auf ebendiese Frage. Mit Blick auf die Zeit, in der er schrieb, befasste sich der
Autor mit den fast 300 Jahren des römischen Westreichs (von 180 bis
476 n. Chr.) und machte das Christentum als Hauptschuldigen aus. Der
Glaube an ein Leben nach dem Tod machte es für die Römer über-
flüssig, mit eisernem Willen und leidenschaftlicher Disziplin die Strapazen für die Verteidigung des Imperiums weiterhin auf sich zu nehmen. Gibbons Sicht – für ihn war der Niedergang ein unvermeidlicher,
langsam fortschreitender, komplexer Prozess – beeinflusste in hohem
Maße die Wissenschaft der nachfolgenden Jahrhunderte. Die heutigen
Historiker sind jedoch anderer Ansicht: Der Zusammenbruch des Römischen Reiches vollzog sich nicht kontinuierlich, sondern in Schü-
ben; und er war auch nicht unvermeidlich, sondern die Folge spektakulärer Erschütterungen, von denen das Imperium in seinen letzten
100 Jahren heimgesucht wurde; und Auslöser dieser Krisen waren die
Invasionen barbarischer Völker.[1]

Dieses Kapitel befasst sich mit einem der Momente, die das Schicksal des Reiches besiegelten: Die Rede ist von der Plünderung Roms
im August 410 und davon, wie die größte Stadt der Antike, der Stadtstaat, der über 700 Jahre ein riesiges Imperium regierte, von den Barbaren erobert und nach Kriegsbrauch geplündert wurde. Dieses Jahr
stellt einen aufschlussreichen Wendepunkt dar, denn die Kräfte, die
die alte Stadt zerstörten, sind kennzeichnend für die Erschütterungen,
denen das römische Westreich zwischen den Jahren 378 und 476 ausgesetzt war. Dabei bargen die Motive der Barbaren vielleicht das
größte Zerstörungspotential. Für ihre Invasionen gab es nur einen
einzigen Grund, nämlich die Überzeugung, dass das Römische Reich
ein Eldorado sei, das ihnen die Chance auf ein besseres Leben einräu-
me. Sie kamen nicht, um Rom zu vernichten, sondern um Teil des
Imperiums zu werden. Aber ihre Versuche, akzeptiert zu werden, einen Friedensvertrag auszuhandeln und am allgemeinen Wohlstand
teilzuhaben, mündeten in einer Katastrophe: der Zerstörung des Imperiums.

Der Mann, der Roms Plünderung befahl, war ein Gote namens Alarich. Fast alles an ihm und an seinen zahlreichen Gefolgsleuten wider-

sprach der Vorstellung, die sich die Römer von einem »Barbaren«
machten. Alarich war kein hirnloser, irrationaler Schläger, sondern ein
Christ, auf dessen Wort man sich verlassen konnte. Er befehligte keine
hitzköpfige marodierende Horde, sondern eine straff organisierte,
schlagkräftige Armee. Seine Soldaten belagerten Rom nicht, um in
einem Blitzangriff Gold und Schätze an sich zu raffen, sondern sie hatten, einen langfristigen Plan verfolgend, die Zukunft im Blick. Kurzum, Alarich, der Gote, der Barbar, der Plünderer Roms, wirkte eher
wie ein Römer. Er hatte, was ungewöhnlich war, im römischen Heer
gekämpft und trainiert und zeigte mit seinem strategischen Denken,
seiner Entschlossenheit und nüchternen Besonnenheit Eigenschaften,
die nicht an barbarische Invasoren, sondern an die größten Feldherren
Roms erinnerten – an einen Caesar oder Augustus, einen Vespasian
oder Konstantin. In einer Hinsicht war er jedoch sehr unrömisch: Die
Plünderung einer Stadt wertete er nicht als Erfolg oder Sieg, sondern
als Beweis dafür, dass er auf ganzer Linie versagt hatte.

Die Geschichte Alarichs erzählt davon, wie Ehrgeiz, Verrat und interne Konflikte die größte Stadt der antiken Welt zu Fall brachten.
Dieselben Probleme, mit denen Romulus zu tun hatte, als er etwa 1200
Jahre zuvor die Stadt Rom gründete, würden sie auch bei ihrem Untergang verfolgen.

Die Verletzlichkeit des Imperiums

Wir schreiben das Jahr 376 n. Chr. Seit über einem Jahrzehnt ist das
Römische Reich inoffiziell in zwei Hälften geteilt. Kaiser Valens regiert von Konstantinopel aus den Osten, der Westkaiser Gratian resi-
diert in seiner Hauptstadt Mailand. In diesem Jahr hatte Valens jedoch
seinen östlichen Regierungssitz verlassen und versuchte an der römischen Ostgrenze, in Antiochia, einen Flächenbrand zu verhindern:
Schapur, der Anführer des sich erhebenden Perserreiches, bedrohte
den römischen Osten. Um diese Gefahr abzuwehren, mobilisierte Valens alle verfügbaren Kräfte. Er zog gewaltige Truppenverbände aus
seiner östlichen Armee zusammen, und um sie unterhalten zu können,

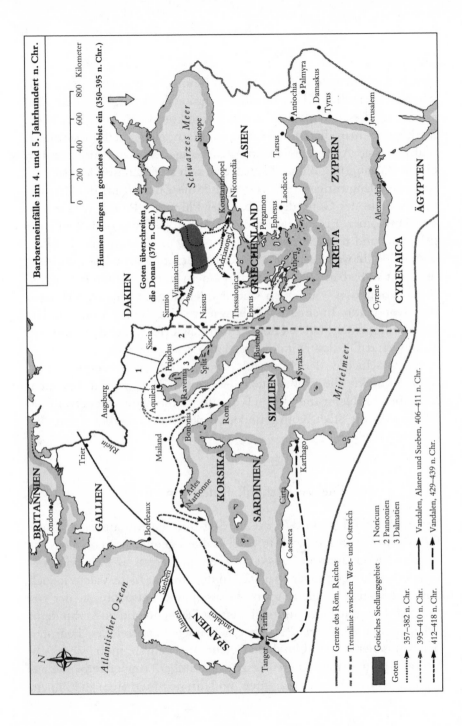

Barbareneinfälle im 4. und 5. Jahrhundert n. Chr.

beanspruchte er einen größeren Teil aus der Agrarsteuer. In der Mitte
des 4. Jahrhunderts waren die Wirtschaft und das Leistungspotential des
Römischen Reiches stark genug, um solchen Forderungen standzuhalten. Nicht vorbereitet war das Imperium allerdings auf eine dramatische Verkettung von Ereignissen an seiner Nordostgrenze. An der
Donau, irgendwo zwischen dem heutigen Bulgarien und Rumänien,
sollte es Zeuge der größten Flüchtlingskatastrophe der Antike werden
und dabei auch selbst in tödliche Gefahr geraten.

An der Nordgrenze des Römischen Reiches hatten sich auf der anderen Seite der reißenden Donau möglicherweise bis zu 200 000 Goten
zusammengefunden. Es waren keine Soldaten, die das Land überfallen
wollten, sondern gotische Familien – Männer, Frauen und Kinder, die
allesamt um Asyl nachsuchten. Sie waren in ihren Wagen gekommen
und hatten ihr Vieh, ihre Pflüge und ihre gesamte bewegliche Habe
mitgebracht – Stühle, Felle, selbstgefertigte Töpferwaren, silberne
Trinkgefäße und Gerätschaften aus Bronze und Eisen. Nach Erreichen
der Grenze hatten sie sich am Nordufer des breiten Stromes niedergelassen, und ihre Anführer hatten einen Gesandten zu Kaiser Valens geschickt. Sie baten ganz bescheiden um die Erlaubnis, die Grenze überschreiten zu dürfen, um sich dann in seinem Herrschaftsgebiet niederzulassen.[2] Sie waren nicht freiwillig gekommen, sondern weil das Leben
jenseits der nördlichen Reichsgrenzen zu gefährlich geworden war.
Man hatte sie aus ihren Ländereien an der Nordwestküste des Schwarzen Meeres und südlich der Karpaten vertrieben (vgl. Karte, S. 372).
Sie hatten diese Gebiete besetzt, weil sie dort sesshaft werden, Landwirtschaft betreiben und von der Wirtschaft der römischen Klientelstaaten profitieren konnten – den Bürgerschaften an den Grenzen des
Imperiums, die mit den Römern Handel trieben. Doch im Jahre 376
richteten andere Völker ihre neidvollen Blicke auf die reichen Ländereien, die sich die Goten angeeignet hatten, und wollten ihren Anteil.

Bei dem Volksstamm, der die Krise an der Donau ausgelöst hatte
und der »die Saat des ganzen Verderbens und der Ursprung der verschiedenen Katastrophen« waren, handelte es sich um die Hunnen. Der
verlässlichste römische Historiker dieser Zeit, Ammianus Marcellinus,

sagt von ihnen, sie lebten »im Zustand unbeschreiblicher Wildheit«; sie hätten »gedrungene und starke Glieder und einen muskulösen Nacken« und seien »so entsetzlich entstellt und gekrümmt, dass man sie für zweibeinige Bestien halten könnte«.[3] Die Hunnen waren, wie sie sich heute aus einer weniger voreingenommenen Sicht darstellen, Nomaden und vorzügliche Bogenschützen. Sie kamen aus den Steppen Eurasiens, einem von der Mongolei bis zu den östlichen Rändern Europas reichenden Gebiet. Schlechte Bodenqualität und ungünstige klimatische Bedingungen zwangen ihnen ein Vagabundenleben auf. Vielleicht vom Reichtum der Schwarzmeergegenden verlockt, hatten sie auf ihrem Weg gen Westen die gotischen Territorien überfallen und destabilisiert. Dies war der »Urknall« – der Augenblick, der die Goten dazu zwang, ihre Ländereien zu verlassen und sich den Grenzen des Römischen Reiches zu nähern.

Doch damit gingen die Goten, ein Volk von Bauern, ein ungeheures Wagnis ein. Sie hatten lange darüber nachgedacht, ob sie um Asyl nachsuchen sollten. Natürlich bot das römische Imperium mit seiner stabilen, hochentwickelten Wirtschaft die Aussicht auf eine bessere und sicherere Zukunft. Das alte Leben außerhalb der Reichsgrenzen war jetzt von den ständigen Bedrohungen durch die Hunnen überschattet. Andererseits: Wenn sie die Grenze überschritten, würden sie ihr ganzes Volk auf Gedeih und Verderben den Römern ausliefern und sich möglicherweise neuen Gefahren aussetzen – Versklavung oder Tod. Schließlich trafen die gotischen Anführer eine Entscheidung: Ein Leben unter römischer Herrschaft wäre das kleinere Übel. Als sie dann allen Bedenken zum Trotz Kaiser Valens ihr Aufnahmegesuch unterbreiteten, hatten sie keine Ahnung, dass sie nicht die Einzigen waren, die sich um eine diplomatische Lösung der Krise bemühten.

Der Ostkaiser hätte über die Nachricht vom Kommen der Goten entzückt sein müssen, da er nun neue Truppen würde ausheben können. Wenn man die Reihen der römischen Armee mit ihnen auffülle, sagten die Schmeichler an Valens' Hof, könne das Reich die Provinzen verstärkt zur Kasse bitten: Statt die üblichen Truppenkontingente zu stellen, sollten sie die entsprechende Summe in Gold zahlen. Die Wirk-

lichkeit sah jedoch ganz anders aus. Wahrscheinlich gerieten Valens
und seine Ratgeber angesichts der Situation an der Donau total in Panik. Da der Hauptteil der römischen Armee an die Ostgrenze verlegt
war, standen an den nördlichen Grenzen des Westens nur wenige
Truppen. Deshalb waren die Römer keineswegs Herr der Lage und
außerstande, das Flüchtlingsproblem zu regeln. Dennoch gab Valens
einem der gotischen Stämme die Erlaubnis, den Fluss zu überqueren.
Tag und Nacht wurden die Thervingen in römischen Schiffen über die
gefährlichen Stromschnellen gebracht und ergossen sich über die Grenze »wie Asche vom Ätna«. Währenddessen überwachten alle verfügbaren römischen Soldaten den Fluss, um den Stamm der Greuthungen
am Übersetzen zu hindern. Die Goten aber, die Einlass gefunden hatten, mussten bald feststellen, wie wenig die Römer auf ihre Ankunft
vorbereitet waren.[4]

Während im Winter 376/377 die römischen Generäle an der Grenze darauf warteten, dass Valens endlich Truppen von der Ostgrenze
abkommandierte, die ihnen bei der Bewältigung des Flüchtlingspro-
blems helfen würden, begann für die Goten eine lange, qualvolle Zeit
des Wartens. Das Meer von Zelten und selbstgebauten Hütten auf der
römischen Seite der Donau konnte nicht darüber hinwegtäuschen, dass
sie jenen trostlosen eisigen Winter unter entsetzlichen Umständen zu-
bringen mussten. Schlechte Hygienebedingungen und eine katastrophale Versorgungslage machten ihnen das Leben zur Hölle. Die römischen Heerführer waren nicht geneigt, Abhilfe zu schaffen, sondern
taten im Gegenteil alles, um die Lage noch unerträglicher zu machen.
Sie betätigten sich als Schwarzmarkthändler und nutzten die Gelegenheit, sich an den leidenden »Barbaren« auf die Schnelle zu bereichern. Im Austausch gegen Sklaven und manchmal sogar gegen die
Kinder mittelloser Goten stellten sie einigen hungernden Flüchtlingen
frische Lebensmittel zur Verfügung. Die Goten, die sich auf diesen
Handel eingelassen hatten, müssen doppelt aufgebracht gewesen sein,
als sie feststellten, dass sie ihre Kinder gegen Hundefleisch eingetauscht
hatten.[5]

Die Spannungen zwischen den Römern und Barbaren erreichten
schnell den Siedepunkt. Damit die Krise nicht außer Kontrolle geriet,

befahl der oberste römische General den Goten, nach Marcianopolis, der Hauptstadt der römischen Provinz Thrakien, weiterzuziehen. Er ließ die Thervingen von Soldaten begleiten, hatte dann aber nicht mehr genügend Mann für die Grenzbewachung. Als die gotischen Greuthungen dessen gewahr wurden, setzten sie in selbstgebauten Flößen und Kanus aus ausgehöhlten Baumstämmen heimlich über den Fluss und drangen unbemerkt in römisches Territorium. Die Thervingen erreichten zusammen mit den Greuthungen, die ihnen in großem Abstand gefolgt waren, Marcianopolis. Dort jedoch erwartete sie eine weitere böse Überraschung.

Während die römischen Soldaten den meisten Goten den Zutritt verwehrten, luden die römischen Generäle die Anführer der »Barbaren« zu einem üppigen Gastmahl in die Stadt ein. Vielleicht um unter den Goten Panik zu verbreiten und auf diese Weise Herr der Lage zu werden, versuchten sie, allerdings vergeblich, ihre Gäste umzubringen. Dies brachte nach all den Monaten des Elends das Fass zum Überlaufen. Die Nachricht vom Attentatsversuch versetzte die Leute vor den Mauern von Marcianopolis in Weißglut. Als ihre Anführer das zornige Toben hörten, reagierten sie blitzschnell und erklärten den Römern, dass, wenn man sie nun umbrächte, ein Krieg unvermeidlich sei. Dieser könne nur durch ihre Freilassung verhindert werden.

Da sie zu wenig Soldaten hatten, waren die Römer gezwungen, die gotischen Chefs ziehen zu lassen. Aber es kam dennoch zu einer Katastrophe: Die Flüchtlingsmassen waren nicht nur am Verhungern, sondern schäumten jetzt auch vor Wut und Empörung. Gleich nach der Rückkehr ihrer erzürnten, desillusionierten Anführer überfielen sie die zu ihrer Bewachung abgestellten römischen Soldaten und plünderten Marcianopolis. Der Krieg war erklärt.

Der von 377 bis 382 dauernde Krieg wurde auf dem Balkan ausgetragen. In aller Eile schloss Valens Frieden mit dem Perserkönig, kommandierte alle verfügbaren Truppen von der Ostgrenze ab und wollte sofort zum Angriff übergehen. Obwohl der Konflikt in seiner Hälfte des Römischen Reiches ausgetragen wurde, rief er dennoch den westlichen Kaiser zu Hilfe. Gratian sagte ihm seine Unterstützung zu, war aber nicht in der Lage, seine Armee sofort in Marsch zu setzen, da er die mittlere Donau vor dem Ansturm der Alemannen sichern musste, eines germanischen Stammes, der ebenfalls die Reichsgrenze durchbrechen wollte. Während Valens auf Gratian wartete, zogen die Goten, ohne auf Widerstand zu treffen, plündernd durch die Lande, und die Thraker waren die Hauptleidtragenden der römischen Untätigkeit. Bald jedoch würde man den Goten wieder Einhalt gebieten, und es sollte nicht mehr lange dauern, bis sie sich der vollen Streitkraft der römischen Armee gegenübersahen.

Am 9. August 378 nahm der Krieg zwischen den Goten und Valens' Truppen eine neue Wendung. Die Schlacht wurde bei Adrianopolis (dem heutigen Edirne in der Türkei) ausgetragen und stand für die Römer von Anfang an unter einem schlechten Stern. Da der Sommer ins Land ging und Gratians Heer noch immer nicht aus Gallien eingetroffen war, wurden Valens' Soldaten immer mutloser. Als die Römer die Zeit für eine Schlacht mit den Goten für günstig hielten, beriefen sie einen Kriegsrat ein, der sich als verhängnisvoll erweisen sollte. So schätzten Valens' Heerführer die feindliche Armee sehr viel schwächer ein, als sie in Wirklichkeit war. Während außerdem einige Offiziere zur Vorsicht rieten, wollten andere unbedingt den Kampf. Sie wussten, wie sie mit dem Kaiser umgehen mussten, um ihre Absichten durchzusetzen. Da Valens auf Gratians militärische Erfolge im Westen eifersüchtig war, gaben sie ihm zu verstehen, dass er jetzt Gelegenheit habe, die Stärke des Ostreichs zu demonstrieren. Valens hatte schon lange keine Lust mehr, auf Gratians Ankunft zu warten. Von seinen militanten Generälen aufgereizt und gedrängt, beschloss er nun, allein vorzugehen und die Goten ein für alle Mal zu erledigen. Seiner Meinung nach hatten seine Ratgeber Recht: Er war wirklich nicht auf Gratian angewiesen.[6]

Auch nach einem durch raues Gelände führenden achtstündigen Gewaltmarsch unter der brennenden Augustsonne wurden Valens' Soldaten weder verpflegt noch durften sie sich ausruhen, sondern erhielten lediglich den Befehl, weiter vorzurücken. Beim Aufeinandertreffen der beiden Armeen mussten Valens und seine Männer mit Schrecken feststellen, dass sie es nicht mit einer heruntergekommenen Horde von Barbaren zu tun hatten, sondern mit einem straff organi-

sierten, disziplinierten und bestens ausgerüsteten 20 000 Mann starken
Heer. Die Flügel der gotischen Kavallerie konnten den linken Flügel
der Römer sofort kampfunfähig machen. Dann richteten die Goten
ihre volle Angriffswucht gegen das römische Zentrum. Mit ihren erhobenen Schilden standen die Römer so dicht, dass sie ihre Schwerter
nicht ziehen und wirkungsvoll einsetzen konnten. Hinzu kam, dass
dort, wo der Kampf am erbittertsten tobte, so viel Staub aufgewirbelt
wurde, dass die Römer die Lanzen und Speere, die auf sie niederhagelten, kaum sehen konnten und reihenweise fielen.

Erschöpft und orientierungslos hieben die römischen Soldaten ohne
Ziel und Plan mit ihren Schwertern um sich und töteten dabei manch-
mal auch ihre eigenen Kameraden. Schließlich gab die römische
Schlachtreihe nach und das Massaker erreichte seinen Höhepunkt. Bei
Einbruch der Dunkelheit lag sogar die Leibwache des Kaisers erschlagen da und Valens selbst war einer tödlichen Verwundung erlegen.
Was die Römer für undenkbar gehalten hatten, war eingetreten: Ein
Heer der Barbaren hatte der zahlenmäßig weit überlegenen oströmischen Armee den Todesstoß versetzt. Der kommandierende General und nicht weniger als 35 Militärtribunen sowie schätzungsweise
13 000 Soldaten waren gefallen. Die Schlacht von Adrianopolis war die
schwerste Niederlage der Römer seit der Katastrophe von Cannae, wo
Hannibal vor fast 600 Jahren die römischen Truppen vernichtend geschlagen hatte. Als Gratian endlich auf der Bildfläche erschien, sah er
nur noch ein blutgetränktes, mit den Leichen der Römer übersätes
Schlachtfeld.

Die Niederlage erschütterte die gesamte römische Welt. Adrianopolis hatte den Glauben an die Unbesiegbarkeit des Römischen Reiches zerstört. Das Imperium hatte sich als verletzlich erwiesen und
würde sich von diesem Schlag niemals mehr erholen. Die Goten waren
nun die Herren des Balkans, konnten frei umherziehen und sich niederlassen, wo immer sie wollten. Abgesehen davon, dass das Reich eine
Provinz verloren hatte, stellte allein die Tatsache, dass eine gotische
Völkerschaft auf römischem Territorium ihr Lager aufgeschlagen hatte,
eine große Bedrohung dar. Sechs weitere Jahre führten die Goten mit
den Römern Krieg: Das Land wurde verwüstet, die landwirtschaftliche

Produktion kam zum Erliegen und die kaiserlichen Steuereinnahmen sanken in den Keller. Aufgrund des verminderten Steueraufkommens mussten die Ausgaben für die kaiserliche Armee gekürzt werden – schlechte Nachrichten angesichts dessen, dass zwei Drittel der Gelder, die in die kaiserliche Staatskasse flossen, gewöhnlich für das Militär ausgegeben wurden. Unterm Strich war die Situation wirklich trostlos: Ausgerechnet als die römischen Kaiser die Armee am meisten brauchten, befanden sie sich in den größten Finanzschwierigkeiten. Man musste dringend etwas unternehmen.

Valens' Nachfolger auf dem östlichen Kaiserthron war Theodosius I. Er stellte ein neues Heer auf, das allerdings ebenfalls geschlagen wurde. Nachdem es ihm nicht gelungen war, die Goten militärisch zu besiegen, musste er am 3. Oktober 382 Friedensverhandlungen führen. Der mit ihren Anführern geschlossene Vertrag erlaubte den Thervingen und Greuthungen, sich auf dem Balkan niederzulassen, zwar nicht als römische Bürger, aber quasi als autonome Verbündete Roms. In Konstantinopel gab ein Regierungssprecher des Theodosius dem Friedensabkommen eine positive Deutung und stellte es als Sieg dar. Nach seinen Worten hatten die Goten den Krieg zugunsten der Landwirtschaft aufgegeben. Die Wirklichkeit sah aber ganz anders aus. In der römischen Geschichte hatten immer die Römer selbst entschieden, ob sie Immigranten aufnehmen wollten oder nicht. Wenn sie es taten, dann deshalb, weil sich die Barbaren ausreichend erniedrigt und demütig darum gebeten hatten, Teil des Imperiums werden zu dürfen. Die Römer hatten alsdann im Bewusstsein ihrer Macht dem Gesuch gnädig stattgegeben.[7] Im Jahre 382 waren es jedoch die gotischen Einwanderer, die den Römern weitgehend die Bedingungen diktiert hatten. Die Machtverhältnisse hatten sich verschoben, doch sie sollten sich bald ein weiteres Mal verschieben.

Trotz der römischen Versuche, die Goten mit Fairness und als gleichberechtigte Partner zu behandeln, hatten diese den Verdacht, dass die Römer nicht an einer dauerhaften Verbesserung ihrer Lage interessiert waren. Sie waren überzeugt, dass die Römer insgeheim bereits nach einer Rechtfertigung suchten, um das Friedensabkommen zu unterlaufen. Ihr Argwohn gründete auf die eine Vertragsklausel, die den Frieden so prekär machte: Sollte der Kaiser sie um Hilfe anrufen, müssten große Teile der gotischen Armee im römischen Heer ihren Dienst versehen. Würden die Römer diese Bestimmung nutzen, um die mit ihnen verbündeten Barbaren zu schwächen? Anfang September 395 sollte sich diese von vielen Goten gehegten Befürchtungen tatsächlich bewahrheiten.

Anfang September des Jahres 394 hatte Theodosius I. am Fluss Frigidus im heutigen Slowenien ein gewaltiges römisches Heer zusammengezogen. Die Soldaten waren in Reih und Glied angetreten und sahen sich den Rebellentruppen des Eugenius gegenüber, eines Mannes, der Anspruch auf den weströmischen Kaiserthron erhob. Vor dem Angriff postierte Theodosius eine mehrere Tausend Mann starke Abteilung der Goten an die vorderste Front. Infolgedessen hatten diese am ersten verheerend verlaufenden Gefechtstag die höchsten Verluste zu beklagen. Obwohl Theodosius die Schlacht schließlich gewann, war dies für die Goten ein ausgesprochener Pyrrhussieg: Angeblich waren etwa 10 000 aus ihren Reihen gefallen. Gab es, fragten sie sich, einen klareren Beweis für die bittere Wahrheit, dass die Römer sie nicht brauchten und nur als Bürger zweiter Klasse betrachteten?

Einer der gotischen Anführer, der die weit verbreitete Unzufriedenheit zur Sprache brachte, war, als die Goten im Jahre 376 zum ersten Mal über die Donau gingen, noch ein Junge gewesen. 394, bei der Schlacht am Frigidus, kommandierte der junge Feldherr die gotischen Verbündeten der Römer. Ein Jahr später, im Todesjahr von Theodosius I., wurde er zum Chef der vereinigten Thervingen und Greuthungen berufen. Sein Name war Alarich und seine Botschaft unmissverständlich. Die Goten würden für ihre katastrophalen Verluste am Frigidus Rache nehmen und nichts unversucht lassen, um eine Revision des Vertrages von 382 durchzusetzen. Sie würden für eine bessere und sicherere Zukunft kämpfen.

Dieselbe Streitmacht, die früher Rom gedient und der die Römer ihre wichtigsten Siege am Ende des 4. Jahrhunderts zu verdanken hatten, war nun dabei, sich gegen sie zu wenden. Doch es gab einen Mann, der Alarich im Wege stand: ein römischer General, der ebenfalls an der Schlacht am Frigidus teilgenommen hatte – als Alarichs Kollege.

Interessanterweise sollte Flavius Stilicho jedoch nicht nur zu seinem großen Widersacher, sondern auch zu seinem Retter und schließlich sogar zu seinem Verbündeten werden.

Ein Bündnis zwischen Feinden

Vor seinem Tod zu Beginn des Jahres 395 wollte Kaiser Theodosius I. noch eine neue Herrscherdynastie begründen und machte seine beiden Söhne zu Kaisern: Arcadius sollte den Osten, Honorius den Westen regieren. Beide waren sehr jung: Arcadius war 17, während Honorius gerade einmal zehn Jahre alt war. Auf seinem Totenbett wandte sich Theodosius an seinen erfolgreichsten und bedeutendsten Feldherrn, Flavius Stilicho, und bat ihn, die Vormundschaft für Honorius zu übernehmen, obwohl er kein waschechter Römer war.

Zwar war Stilichos Mutter Römerin, sein Vater aber, ein Befehlshaber der Kavallerie, war Vandale. Die Vandalen waren ein germanischer Volksstamm, der wahrscheinlich aus dem Przeworsk-Kulturraum (im heutigen Polen) kam. Dank seiner außergewöhnlichen militärischen Erfolge war Stilicho unter Theodosius in die höchsten politischen Ämter aufgestiegen, war Chefberater des Kaisers geworden und hatte dessen Nichte geheiratet. Sein offizieller Titel war *magister militum* – Oberbefehlshaber der römischen Armee. Am Ende des 4. Jahrhunderts waren die größten Militärs auch die führenden Politiker und einflussreichsten Persönlichkeiten am Kaiserhof. So wurde Flavius Stilicho, ein Soldat vandalischer Herkunft, nach Theodosius' Tod zum mächtigsten Mann des gesamten römischen Imperiums und zum eigentlichen Herrscher sowohl des Ostens wie auch des Westens.

Obwohl wir über seinen Charakter nicht viel wissen, deutet eine Episode darauf hin, dass er sehr hartnäckig und ehrgeizig war. Zwar war seine Vormundschaft über Honorius, den Westkaiser, anerkannt, doch er beanspruchte auch die Regentschaft für den Ostkaiser Arcadius – gemäß dem Wunsch des sterbenden Kaisers. Da Stilicho als Einziger am Totenbett des alten Kaisers gewesen war, haben wir nur seine Aussage.[8] Vielleicht hatte er dies einfach nur erfunden, um die Einheit des Reiches aufrechtzuerhalten, die Theodosius auf brillante Weise, wenn auch nur für kurze Zeit, wiederhergestellt hatte. Wie dem auch sei, die Einheit sollte nicht lange währen. Denn sobald sich Arcadius in Konstantinopel niedergelassen hatte, weigerten sich die kaiserlichen Hofbeamten, von einem einfachen Vandalen im Westreich entmachtet zu werden, und spielten sich gegenseitig aus, um den jungen Kaiser unter ihre Kontrolle zu bringen. Stilicho musste seine Ambitionen im Osten begraben und sich zunächst auf die Vormundschaft des Honorius und die Regierung des Westens beschränken. Wenige Jahre nach der Thronbesteigung seines Schützlings verheiratete er diesen mit seiner Tochter und kümmerte sich in den nächsten 13 Jahren wie ein Vater um den jungen Kaiser. Und dieser brauchte auch die feste Hand Stilichos, um sich auf dem Thron zu halten. Wieder einmal drohte Krieg. Das Säbelrasseln wurde immer lauter. Alarich hatte sich erhoben.

Unter seiner Führung wollten die Goten zunächst einmal das Ostreich zu einem neuen Abkommen zwingen. Um Arcadius' Hofbeamte an den Verhandlungstisch zu bringen, beschloss Alarich, Druck auszuüben. Die Goten verließen ihr bulgarisches Basislager, plünderten die Balkanländer, fielen in Griechenland ein und setzten ihren Weg an der Adriaküste fort. Ihre Strategie der Gewalt hatte den gewünschten Erfolg, und es kam rasch zu einem neuen Vertrag, der allerdings nicht lange Bestand hatte. Als der kaiserliche Rat, der das Abkommen mit Alarich ausgehandelt hatte, von militanteren Kollegen entmachtet wurde, wurde die Vereinbarung wieder annulliert. Daraufhin beschloss Alarich, da er so nicht weiterkam, die Teilung des Römischen Reiches auszunutzen und die eine Seite gegen die andere auszuspielen. So richtete er nun die volle Kampfkraft seiner Armee gegen den Westen und drang 402 in Italien ein. Mit Gewalt, so Alarichs Gedanke, könnte er dort vielleicht mehr erreichen.

Alarichs Forderung war simpel: eine dauerhafte rechtliche Anerkennung seines Volkes, die er auf zweierlei Weise durchsetzen wollte. Der erste Schritt war seine Ernennung zum *magister militum*. Gestützt auf dieses hohe militärische Amt würde er, so seine Hoffnung, die Goten zu legalen und gleichberechtigten Partnern innerhalb der römischen Armee machen können. Der zweite Schritt war die Versorgung mit

Lebensmitteln. Stilicho, sein früherer Waffenbruder, sollte den Goten einen Teil der landwirtschaftlichen Produkte, die in den von ihnen besiedelten Gebieten erwirtschaftet wurden, überlassen. Sie sollten als eine Form der Steuer gelten, die dann den Goten zugute käme. Stilicho jedoch hatte andere Vorstellungen und lehnte diese Forderungen ab. Er war nicht bereit, seine Karriere für einen Frieden mit den Goten aufs Spiel zu setzen, bloß weil diese dem Westreich das Messer an die Kehle setzten. Er wollte kein politisches Risiko eingehen.

Daraufhin trafen Stilichos und Alarichs Heere in zwei Schlachten aufeinander, ohne dass eine endgültige Entscheidung fiel. Mit kriegerischen Mitteln schien man nicht weiterzukommen. Von der Lebensmittelversorgung abgeschnitten und ohne einen Sieg errungen zu haben, war Alarich nun gezwungen, Norditalien zu verlassen und den beschwerlichen und kläglichen Rückzug ins gotische Basislager südlich der Donau im heutigen Bulgarien anzutreten. Sein Versuch, mit den Römern bessere Bedingungen auszuhandeln, war offenkundig gescheitert. Damals konnte er nicht ahnen, dass sich innerhalb weniger Jahre alles ändern sollte. 406 war Stilicho bereit, einen Pakt mit dem Teufel zu schließen.

Stilicho ließ Alarich durch seinen Unterhändler Jovius eine Nachricht überbringen. Ganz offensichtlich waren dem Regenten des Westens die Goten nun nicht mehr ein Dorn im Auge, sondern er glaubte, mit ihrer Hilfe seine eigenen Pläne durchsetzen zu können. Er war gewillt, gleich drei Fliegen mit einer Klappe zu schlagen. Zuerst wollte er den Goten einen Rechtsanspruch auf die von ihnen besetzten Gebiete garantieren. Damit würde er sein zweites Ziel erreichen: Er könnte das gotische Heer einsetzen, um die nordöstliche Grenze vor weiteren Invasionen zu schützen. Dabei gab es allerdings ein Problem: Die Regionen, in denen Alarich und die Goten siedelten – Dakien und Makedonien (das östliche Illyricum) – gehörten nicht zum West-, sondern zum Ostreich. Sollte es Stilicho gelingen, diese Provinz, indem er seine Muskeln spielen ließ, dem östlichen Kaiserhof zu entwinden, hätte er einen dritten Vorteil – ein hervorragendes und dringend benötigtes Rekrutierungsfeld für die westliche Armee. So unterbreite Jovius in Stilichos Auftrag den Goten folgendes Angebot: Man würde Alarichs Bedingungen erfüllen, wenn die Goten bereit wären, sich Stilicho anzuschließen und mit ihm zusammen Ostrom anzugreifen. Alarich war einverstanden.[9] Doch gerade als zwischen den Römern und Goten endlich Frieden in Sicht war, zerschlugen sich wieder einmal alle Hoffnungen.

Alarich wartete auf Stilichos Heer, das aber auch nach einem Jahr noch immer nicht eingetroffen war. Der Vandale war durch Ereignisse aufgehalten worden, auf die er keinerlei Einfluss hatte. Eine zweite schwere Welle der Erschütterung hatte das Römische Reich erfasst und nichts als Chaos hinterlassen. Im Jahr 406/407 stand das römische Westreich zum zweiten Mal am Rande des Zusammenbruchs.

Innerhalb von ungefähr zwölf Monaten musste Stilicho nicht weniger als drei Krisensituationen bewältigen. Auslöser für alle drei war eine zweite Invasionswelle der Hunnen, die die Länder im Nordosten des römischen Imperiums überrannten. Zuerst führte ein weiterer gotischer König, Radagaisus, ein riesiges Heer über die Donau und drang in Italien ein. Er kam bis nach Florenz, wo er auf Stilicho traf, der ihn mit dem erstbesten Heer, das er auf die Beine stellen konnte, besiegte. Radagaisus wurde getötet und Tausende seiner Soldaten in die römische Armee eingegliedert. Sehr viel bedrohlicher war allerdings die zweite Krise, deren sich Stilicho annehmen musste: Die Nordgrenze des Reiches wurde erneut von barbarischen Völkerschaften überrollt.

Vandalen, Alanen (Nomaden vom Schwarzen Meer) und Sueben (ein germanisches Volk, das lange in der ungarischen Tiefebene gelebt hatte) überquerten zusammen bei Worms den Rhein, zerstörten die alte Kaiserhauptstadt Trier, verwüsteten Gallien und zogen schließlich über die Pyrenäen bis nach Spanien. So hatten zum zweiten Mal riesige Heerscharen von Barbaren die römische Grenze überwunden und römisches Territorium ausgeplündert. Und sie hatten nicht die Absicht, in ihre Heimat zurückzukehren.

Die dritte Krise nahm ihren Ausgang bei den in Britannien stationierten Soldaten. Damals bestand das Heer Westroms aus Besatzungstruppen an den Grenzen, großen Feldarmeen in Gallien und Italien und kleineren Verbänden in Nordafrika und Britannien. Im Jahre 407 rief die römische Armee in Britannien den Usurpator Konstantin III.

zum rechtmäßigen Kaiser des Westreiches aus. Als dieser nach Gallien übersetzte und versuchte, sich den nach Westen vordringenden Vandalen, Alanen und Sueben in den Weg zu stellen, wuchs seine Popularität, und er konnte auch die gallischen Truppen für sich gewinnen. So sicherte er sich die Kontrolle über die Provinzen Britannien, Gallien und Spanien. Damit hatte er nun eine starke Machtbasis, von der aus er Italien angreifen konnte.

Diese drei Gefahrenherde führten die Armee des Westens an den Rand des Zusammenbruchs. Stilicho hatte noch das Kommando über die große Feldarmee in Italien, mit der er den Überfall des Radagaisus abgewehrt hatte. Seine Truppen waren zwar in der Lage, das Land vor Männern wie Radagaisus zu schützen, aber nicht stark genug, um den Usurpator Konstantin oder die vereinten Vandalen, Alanen und Sueben zu bekämpfen. Und erst recht konnte er sich nicht Alarichs Goten in den Balkanländern anschließen. Plötzlich musste der große *Generalissimo* des Westens einsehen, dass ihm die Hände gebunden waren. Jetzt trat das ganze Ausmaß der Krise so langsam zu Tage.

Um neue Truppen für den Abwehrkampf zu rekrutieren, brauchte man Geld. Und genau daran fehlte es dem römischen Westreich zu Beginn des 5. Jahrhunderts. Als sich das Reich im Jahre 406/407 mit Zehntausenden feindlicher Barbaren konfrontiert sah und Britannien, Gallien und Spanien an den Usurpator verloren hatte, blieben die Steuereinnahmen aus diesen Provinzen zunächst einmal aus. Noch nie waren die finanziellen Mittel so knapp gewesen: Nur Italien, Sizilien und Nordafrika zahlten noch in die kaiserliche Kasse. Die Situation wurde noch kritischer, als es die Goten, von Stilicho und seinem Friedensangebot auf die Folter gespannt, nicht länger in ihrer Provinz hielt.

Nachdem er über ein Jahr auf Stilicho gewartet hatte, um, wie geplant, zusammen mit ihm den Osten anzugreifen, wusste Alarich ganz genau, dass das Bündnis mit dem römischen Westreich wieder in weite Ferne rückte. Dennoch erwartete er eine Aufwandsentschädigung für das Heer, das er zwischenzeitlich für Stilicho bereitgehalten hatte. Daher schickte er ihm eine Rechnung über 1800 kg Gold, eine Summe, die sich der Westen aber kaum leisten konnte. Um seiner Forderung mehr Nachdruck zu verleihen, rückte Alarich mit seinem Heer

näher an Italien heran und schlug im Noricum (dem heutigen Öster-
reich) sein Lager auf. Nachdem Stilicho Alarichs Nachricht erhalten
hatte, reiste er nach Rom, um sich mit Kaiser Honorius und dem Senat
über das weitere Vorgehen zu beraten. Alarichs Forderung löste eine
heftige, äußerst leidenschaftlich geführte Diskussion aus.

Die Mehrheit der Senatoren wies die Rechnung des Gotenführers
kategorisch zurück. Die einzige angemessene Antwort sei eine Kriegserklärung – und mit diesem Krieg würde man die verdammten Goten
ein für alle Mal erledigen! Stilicho jedoch riet zu Zurückhaltung: Man
müsse, erklärte er, der Forderung nachkommen und mit den Goten
Frieden halten. Durch seinen Widerspruch versetzte er die anderen erst
recht in Aufruhr. Weshalb um Himmels willen, wollten die Senatoren
wissen, sollte Rom die Schmach und Schande auf sich nehmen, diesen
elenden Barbaren eine so hohe Summe zu zahlen? Stilichos Antwort
war unmissverständlich: Er hatte schließlich mit den Goten einen Vertrag geschlossen mit dem Ziel, die wichtige Provinz Illyricum vom
Ostreich abzutrennen und dem Reich des Honorius zuzuschlagen. Er
erinnerte die ehrenwerten Herren Senatoren daran, dass man außerdem beabsichtigt habe, die Goten sesshaft zu machen, die nordöstliche
Grenze zu sichern und die dezimierte Armee durch frische Rekruten
aufzufüllen.[10]

In Jahre 406 hatte sich Stilicho für diese Politik stark gemacht. Jetzt
in der Krise des Westreichs musste er an ihr festhalten. Rom hatte keine Wahl. Die Diskussion drohte in eine Sackgasse zu geraten. Während
die meisten Senatoren für Krieg plädierten, wusste Stilicho nur allzu
gut, dass der Westen nicht genügend Soldaten hatte, um den Kampf
mit den Goten aufzunehmen. Allmählich wurde klar, dass er Recht
hatte, sich für die Bezahlung Alarichs einzusetzen. Ein Vertreter der
»Falken«, ein Mann namens Lampadius, stimmte zwar Stilicho zu,
zeigte sich aber als schlechter Verlierer: »Dies ist«, rief er aus, »kein
Frieden, sondern ein Pakt der Versklavung!«[11] Im Senat war indes ein
weiterer Mann zugegen, der schon auf weite Sicht plante.

Der Senator Olympius war ein heimtückischer Mann, ein überaus
ehrgeiziger Höfling und der inoffizielle Anführer der Falken in Honorius' Regierung. Als er sah, dass die Diskussion in Stilichos Sinne ver-

lief, tröstete er sich damit, dass nach einem Sieg über Konstantin III.
die weströmischen Armeen Britanniens, Galliens und Italiens wieder
verfügbar wären und, neu formiert, die Goten zu einem späteren Zeitpunkt bekämpfen könnten. Wieso Olympius' Gedanken in die Zukunft schweiften, ist leicht nachvollziehbar: Kaiser Honorius war jung,
schwach und leicht manipulierbar. Bisher kannte er nur die Schmei-
cheleien und Annehmlichkeiten des Hoflebens, von der wirklichen
Welt wusste er nichts. Stilichos Einfluss auf ihn wurde täglich schwächer. Der große General hatte zwar die Senatsdebatte gewonnen, doch
dabei all sein politisches Kapital verspielt. In Olympius' Augen glich
Stilichos Gotenpolitik einem äußerst riskanten Drahtseilakt. Es war nur
eine Frage der Zeit, bis der Vandale das Gleichgewicht verlöre. Olympius sollte schnell Recht bekommen.

Als Honorius' Bruder Arcadius, der Kaiser Ostroms, im Jahre 408
starb, überwarf sich Stilicho mit seinem jungen Schützling. Honorius
erklärte, dass er als Westkaiser nach Konstantinopel reisen wolle, um
Arcadius' Sohn Theodosius die Nachfolge auf den Kaiserthron zu sichern. Stilicho war dagegen. Vielleicht hielt er Honorius für zu uner-
fahren, um eine so große Verantwortung zu übernehmen. Möglicherweise aber war er auch einfach nicht gewillt, die Macht abzugeben, an
die er sich als Vormund des jungen Kaisers gewöhnt hatte. Der General bestand darauf, selbst nach Konstantinopel zu gehen. Die Begründung? Die Staatskasse könne die Reise des kaiserlichen Gefolges in den
Osten nicht finanzieren. Darüber hinaus sei, wie Stilicho erklärte, die
Lage im Westen zu bedrohlich. Da Konstantin III. bereits bis Arles
vorgedrungen sei, könne Italien Honorius nicht entbehren. Gekränkt
und verbittert, gab dieser schmollend nach. Aber gleich nach Stilichos
Abreise witterte Olympius seine Chance und holte zum tödlichen
Schlag aus.

Olympius gab sich betont bescheiden und als rechtschaffener Christ,
sprach aber mit gespaltener Zunge. Auf der gemeinsamen Reise ins
militärische Hauptquartier nach Ticinum (dem heutigen Pavia), wo sie
das Heer inspizieren wollten, machte sich Olympius an Honorius heran. Vielleicht erinnerte er den Kaiser an die Krise, in der sich der Westen befand. Konstantin war in Gallien und stand damit praktisch schon

vor den Toren Italiens. Die Vandalen, Alanen und Sueben richteten
sich in Spanien häuslich ein. Und Alarich und sein Gotenheer hatten
nichts zu tun und stellten, da sie noch immer im Noricum herumlun-
gerten, eine Bedrohung dar. Dies alles, so könnte er dargelegt haben,
sei die Schuld eines einzigen Mannes: Stilicho. Zu allem Unglück wolle dieser Mann in seinem Ehrgeiz jetzt ein weiteres Mal sowohl den
Osten wie auch den Westen unter seine Kontrolle bringen, so wie er
es seit Honorius' Thronbesteigung immer versucht habe. Stilicho sei
in den Osten gereist, erklärte Olympius, nicht um die Situation dort
zu regeln, sondern »um auf tückische Weise den jungen Theodosius
[den designierten Nachfolger des Arcadius] zu töten und dann die
Herrschaft des Ostens seinem Sohn Eucherius zu übergeben.«[12]

Stilicho war für Honorius fast wie ein Vater gewesen, und der Kaiser war darüber hinaus mit dessen Tochter verheiratet. Dennoch schien
Olympius den jungen Mann auf seine Seite ziehen zu können. Falls
Honorius noch etwas für seinen früheren Vormund empfand, dann hat
er es, verunsichert und verärgert wie er war, vermutlich nicht gezeigt.
Jetzt sollte Olympius noch einen letzten Trumpf aus dem Ärmel ziehen
und Stilicho den Todesstoß versetzen. Und lass uns nicht vergessen,
könnte Olympius gesagt haben, dass Stilicho selbst einer von »ihnen«
ist – ein Barbar.

Vermutlich war es für einen Mann wie Olympius ganz normal, jemanden auf diese Weise zu verunglimpfen. Das alte, tief verwurzelte
Vorurteil der Römer gegenüber den Barbaren fußte auf der aristote-
lischen Sicht der menschlichen Natur, derzufolge alle Menschen rationale und animalische Anteile hatten. Bei den Römern war das rationale
Element vorherrschend und versetzte sie in die Lage, im Krieg und in
der Politik Weitsicht zu beweisen, Druck auszuhalten und ein ange-
strebtes Ziel trotz zwischenzeitlicher Misserfolge äußerst beharrlich zu
verfolgen. Bei den Barbaren hingegen hatte das animalische Element
die Oberhand. Daher waren sie unüberlegt, furchtsam und chaotisch,
gerieten schnell in Panik, verloren bei Schwierigkeiten leicht den Kopf
und ließen sich von der kleinste Laune des Schicksals aus der Bahn
werfen.[13] Vor allem aber waren sie, so wird Olympius zweifellos betont
haben, nicht vertrauenswürdig.

Honorius blieb vier Tage in Ticinum, zog Truppen zusammen und schwor sie auf den Kampf gegen den Rebellen Konstantin ein. Während der Musterung der Truppen hielt Olympius die Fassade christlicher Frömmigkeit aufrecht und besuchte die Kranken und die Soldaten, die in den letzten militärischen Auseinandersetzungen mit dem Usurpator verwundet worden waren. In Wirklichkeit ging es ihm um etwas ganz anderes. Gegenüber den Offizieren, denen er vertrauen konnte, machte er dieselben Andeutungen wie gegenüber Honorius: Die Römer, flüsterte er ihnen zu, müssten die Barbaren ein für alle Mal loswerden – und am besten fange man gleich bei Stilicho an. Dies alles war Teil eines heimlichen, sorgfältig durchdachten Plans, mit dem Olympius Stilichos Politik einer pragmatischen Toleranz gegenüber den Barbaren zu Fall bringen und seinen Rivalen entmachten wollte. Die Subtilität, mit der er die römische Armee unterwanderte, kaschierte die Brutalität seiner Absichten.

Am letzten Tag von Honorius' Aufenthalt in Ticinum gab Olympius das Zeichen. Die Soldaten, die in den Plan eingeweiht waren, stürzten sich auf Stilichos Anhänger im Heer und am Kaiserhof und metzelten sie nieder. Zum allgemeinen Entsetzen war aus dem Nichts ein blutiger Militärputsch entstanden und verlangte immer mehr Opfer. Ahnungslose Kommandanten der Kavallerie und Infanterie, Hofpräfekten, Magistrate, Kämmerer, Herolde und Bedienstete des Kaisers wurden umgebracht, nur weil sie mit Stilicho in Verbindung standen. Wenn sie zu fliehen versuchten, wurden sie sofort zur Strecke gebracht. Honorius konnte nichts dagegen unternehmen. Er eilte, nur mit einer Tunika und einem kurzen Mantel bekleidet, aus dem Palast, rannte ins Stadtzentrum und versuchte vergeblich dem Wüten Einhalt zu gebieten. Ticinum war in Aufruhr. Doch dies war erst der Beginn.[14]

Auf seiner geplanten Reise gen Osten war Stilicho nur bis Bononia (Bologna) gekommen, 160 km südlich von Ticinum. Aus uns unbekannten Gründen hatte er vielleicht niemals beabsichtigt, tatsächlich nach Konstantinopel zu gehen.[15] Die Nachricht von der Meuterei in Ticinum erschütterte ihn zutiefst. Er rief sofort einige Soldaten aus seinem Gefolge – frisch rekrutierte Goten aus dem Heer des Radagaisus – zu einer Beratung zusammen. Bezeichnenderweise waren nun gerade diese »Barbaren« fest entschlossen, Stilicho und dem römischen Kaiser die Treue zu halten. Sollte der Kaiser bei dem Aufruhr umgekommen sein, würden sie, so kamen sie überein, das aus 12 000 Goten bestehende Heer Stilichos nach Ticinum rücken lassen und die für dieses Verbrechen verantwortlichen römischen Soldaten bestrafen. Als bekannt wurde, dass der Kaiser am Leben war, ließ man den Plan wieder fallen. Der Feldherr war sich bewusst, dass entweder Alarich oder Konstantin III. von einer Schwächung der Militärführung in Norditalien profitieren würden. Stilicho, der pflichtbewusste Offizier, der am Status quo festhalten und die Einheit des römischen Westreichs nicht aufs Spiel setzen wollte, war nicht gewillt, das empfindliche Gleichgewicht zwischen Römern und Barbaren durcheinanderzubringen, indem er seine überwiegend gotischen römischen Soldaten gegen ihre Kameraden, gebürtige Römer, aufhetzte. Das wäre nicht ehrenhaft gewesen. Er hatte sich sein ganzes Leben lang für deren gleichberechtigtes Nebeneinander eingesetzt und würde davon jetzt nicht abgehen.

Schließlich entschied er sich, nach Ravenna, Honorius' bevorzugter Reichshauptstadt, zurückzukehren und sich der neuen Situation zu stellen.[16] Auf dem Weg dorthin hatte er vielleicht schon vermutet, dass er sich auf Honorius' Freundschaft nicht länger verlassen konnte. Allerdings hatte er nicht mit einem so kühlen Empfang gerechnet. Olympius, dem jetzt die Zuneigung des Kaisers galt, hatte den Soldaten in Ravenna befohlen, Stilicho bei der ersten sich bietenden Gelegenheit festzunehmen. Als dieser am Abend seiner Ankunft davon erfuhr, suchte er in einer Kirche Zuflucht. Dort wusste er sich in Sicherheit und konnte vor allem auch mit den Verbündeten und Freunden, die ihn begleiteten, in Ruhe die nächsten Schritte beraten.

Am nächsten Morgen klopften Olympius' Soldaten an die Kirchentür. Sie zeigten dem Bischof einen Brief des Honorius, der sie autorisierte, Stilicho festzunehmen. Sie schworen ihm, dass man Stilicho nicht töten werde. Doch kaum hatte dieser gegen den Rat seiner Vertrauten die Kirche verlassen, wurde ein zweites Schreiben präsentiert: Stilicho sei wegen seiner Verbrechen gegen das Westreich zum Tode verurteilt. Dessen zahlreiche Anhänger tobten vor Wut und versprachen, alles zu tun, um ihn zu retten. Doch Stilicho erboste sich und verbot ihnen mit drohender Stimme, so zu reden. Das mache die Situation nur noch schlimmer. Dann beugte er in aller Ruhe gewissermaßen selbst den Nacken unter das Schwert und wurde am 23. August 408 enthauptet.[17]

Stilichos Tod hatte für seine Anhänger und seine Familie verheerende Folgen: Sie wurden eiskalt aus dem Weg geräumt. Olympius tilgte jede positive Erinnerung an seinen Vorgänger, indem er unter der Folter falsche Anschuldigungen gegen ihn erpresste. Am liebsten ließ er seine Opfer dabei zu Tode prügeln. Auf diese Weise gelang es ihm, angebliche Beweise dafür zu erbringen, dass Stilicho »nach der Kaiserwürde getrachtet habe«.[18] Stilichos Sohn, einige seiner Verwandten und sämtliche noch in der Armee und Regierung verbliebenen Vertrauten wurden ermordet. Seine Tochter, die Frau des Kaisers, hatte Glück. Sie wurde kurzerhand von Honorius' Hof entfernt und zu ihrer Mutter zurückgeschickt. Selbst in Rom wurden Säuberungsaktionen durchgeführt. Olympius ließ das gesamte Eigentum derer, die unter Stilicho ein Amt bekleidet hatten, konfiszieren. Die Soldaten werteten dies als Freibrief, ja als Auftrag, ihrer unterdrückten Wut freien Lauf zu lassen. In Rom und in den Städten Italiens plünderten sie die Häuser, stürzten sich auf alle Barbaren – Männer, Frauen, Kinder – und brachten sie zu Tausenden um. Der Säuberungsprozess endete in einem Massaker, einem antiken römischen Pogrom.

In seiner abschließenden Würdigung sagt ein zeitgenössischer Historiker von dem toten General, er sei »von fast allen Gewalthabern jener Zeit der maßvollste« gewesen.[19] Vielleicht war er übertrieben machthungrig, aber sein Ehrgeiz galt der Erhaltung des Westreichs. Stilichos herausragender Charakterzug war seine Treue – gegenüber dem Kaiser und gegenüber Rom. Er war nicht nur der bedeutendste Feldherr der römischen Spätantike, sondern mit ihm stand und fiel auch eine tragfähige Beziehung zwischen Römern und Barbaren. Er hatte erkannt, dass die Aufnahme und Romanisierung der Goten die Voraussetzung war für die Zukunft und militärische Stärke des weströmischen Reiches. Mit seinem Tod geriet auch dieses politische Ziel aus dem Blick. Olympius' Falken verlangten lauthals den Krieg.

Nicht alle Goten wurden Opfer des Massakers. Etwa 10 000 Soldaten aus Radagaisus' Armee waren dem Pogrom entronnen und wandten sich nun an die einzige Person, die ihnen Zuflucht gewähren konnte – an Alarich, der sich noch immer in den Bergen des Noricums
aufhielt. Als sie ihm von den schrecklichen Ereignissen in Italien berichteten, wusste er, dass sich das Blatt erneut gewendet hatte. Ihm war
klar, dass er mit Stilichos Tod nicht nur seinen ehemals größten Gegner, sondern auch seinen wichtigsten Bündnispartner und – da am
weströmischen Hof nun andere Leute am Ruder waren – auch seine
größte Hoffnung auf Frieden verloren hatte. Als das neue Regime sein
anfängliches Verhandlungsangebot zurückwies, wird ihn Honorius' eisige Ablehnung noch zusätzlich vor den Kopf gestoßen haben.

Angesichts dieser festgefahrenen Situation sah Alarich nur noch eine
Möglichkeit, allerdings eine, die ihm am wenigsten gefiel: Er musste
zur Gewalt greifen – das gotische Heer war mittlerweile auf 30 000
Soldaten angewachsen – und dem römischen Westreich das Messer an
die Kehle setzen. Am Ende des Katastrophenjahres 408 fiel Alarich in
Italien ein. Diesmal aber würde er das Land erst verlassen, wenn er seine Ziele durchgesetzt hätte.

Der Frieden Alarichs

Im Herbst 408 eroberte Alarich in rascher Folge die norditalischen
Städte Aquileia, Concordia, Altinum, Cremona, Bononia, Ariminum
und das Picenum. Nur die Kaiserstadt Ravenna ließ der gotische Anführer aus: Sie war eine natürliche Festung, weshalb sich Honorius
auch dorthin und nicht nach Mailand, dem Regierungssitz des Westreiches, zurückgezogen hatte. Da Ravenna kaum zu nehmen war, verzichtete Alarich trotz seines schlagkräftigen Heeres darauf, den Kaiser
direkt zu bekämpfen. Rom, die altehrwürdige Hauptstadt des Römischen Reiches, war leichter anzugreifen und als Unterpfand viel
attraktiver. Im November hatte Alarichs Heer die Stadt eingekesselt:
Vor jedem der 13 Tore standen Soldaten, und da Roms Hafen Ostia
über den Tiber nicht mehr erreicht werden konnte, war die Stadt von

den Getreidelieferungen aus Nordafrika abgeschnitten. Eine hermetische Blockade dieser alten Metropole mit ihren wertvollen Schätzen würde, wie Alarich glaubte, Honorius am stärksten treffen.

Innerhalb weniger Wochen wurde der Stadtstaat, der die bekannte Welt beherrscht hatte, die Heimstätte der antiken Götter, des christlichen Gottes und des Senats, zu einem Friedhof, zu einer trostlosen, morbiden Geisterstadt. Schiffe der Goten patrouillierten auf dem Fluss, Wachposten beobachteten jeden Zentimeter der Stadtmauer. In Rom wurden die täglichen Lebensmittelrationen um zwei Drittel gekürzt und die Menschen wurden zu Tausenden hinweggerafft. Da die Leichen nicht aus der Stadt gebracht werden konnten, türmten sie sich in den Straßen und ihr Gestank schwebte über allem wie eine giftige Dunstglocke. Als der Winter nahte, wurden einige der Eingeschlossenen vor Hunger zu Kannibalen. Nur die Begüterten konnten auf heimliche Nahrungsvorräte zurückgreifen. Während die einen das, was sie noch hatten, verzweifelt horteten, verteilten die Frau und die Schwiegermutter des früheren Westkaisers Gratian mildtätig Lebensmittelspenden.[20] Unter den Wohlhabenden, die Alarich ausgeliefert waren, befand sich mit Galla Placidia niemand Geringeres als die Schwester des Kaisers. Obwohl die Blockade der Stadt schon ihretwegen in Ravenna hätte Eindruck machen müssen, rührte der halsstarrige Honorius keinen Finger, um Rom zu Hilfe zu eilen. Die ersten Abgesandten, die von den gotischen Anführern empfangen wurden, kamen dann auch nicht aus Ravenna, sondern aus Rom: Die beiden Männer, angesehene Senatoren, zeigten sich durch die Belagerung keineswegs gedemütigt, sondern plusterten sich geradezu auf.

Sie hatten Alarich eine einfache Mitteilung zu machen: Rom sei gewappnet und zum Kampf bereit. »Dichteres Gras lässt sich leichter mähen als dünneres!«, antwortete Alarich und schüttelte sich vor Lachen. Er war nicht der Einzige, der sich über das armselige, aufgeblasene Getue der Senatoren amüsierte. Sobald er vor Rom stand, hatte Alarich nämlich Verstärkung angefordert, und sein Schwager Athaulf war mit zusätzlichen Abteilungen von Goten und Hunnen seinem Ruf gefolgt. Vielleicht musste auch er jetzt über Alarichs Scherz lachen.

Als die römischen Delegierten merkten, dass ihre Art der Diplomatie kontraproduktiv war, änderten sie ihre Taktik. Sie befleißigten sich
eines gemäßigteren Tons und suchten nach einem Weg, der erdrü-
ckenden Belagerung ein Ende zu setzen. Die beiden Gotenführer
hielten Rat. Ja, die Römer könnten etwas tun, um ihre Lage zu verbessern: Sie müssten alles Gold und Silber, das es in der Stadt gebe,
ausliefern, ferner alle bewegliche Habe sowie die Sklaven barbarischer
Herkunft. »Wenn du all dies bekommen solltest, was läßt du dann noch
den Stadtbewohnern übrig?« »Das Leben!«, war Alarichs kurze, unge-
rührte Antwort.[21]

Einen solch eindrucksvollen Wagenzug wie der, der ein paar Tage
später die Stadt verließ, hatte man noch nie gesehen: Er war beladen
mit 2250 kg Gold, 135000 kg Silber, 4000 Seidengewändern, 3000
scharlachrot gefärbten Fellen und 1350 kg Pfeffer. Da die kaiserliche
Kasse in Rom völlig leer war, mussten die Senatoren alle Hebel in Bewegung setzen und auf jede erdenkliche Weise Druck ausüben, damit
alles Erforderliche zusammenkam. Sogar wertvolle Statuen aus den antiken Tempeln wurden eingeschmolzen.[22] Dafür hoben Alarich und
Athaulf die Belagerung auf, wenn auch nur für drei Tage. Nach der
Öffnung der Häfen und Märkte gab es in der Stadt wieder ausreichend
Lebensmittel und das Volk seufzte erleichtert auf.

Doch während sich Athaulf vermutlich über die Schätze freute und
wohlgefällig zusah, wie Rom von den Goten die Quittung bekam, war
Alarich an dem Gold und all den Kostbarkeiten gar nicht interessiert.
Er wusste natürlich, dass er diese Mittel kurzfristig unbedingt brauchte,
um die frisch ausgehobenen Rekruten und seine altgedienten 20000
Soldaten bei Laune zu halten und sich ihre Loyalität zu sichern. Er
musste sie belohnen und ihnen Ansehen verschaffen. Doch langfristig
wollte Alarich, dass sich das Prestige der Goten auf etwas ganz anderes
gründete – auf etwas, das sehr viel beständiger war als der vergängliche
Glanz des schnöden Mammons. Deshalb wandte er sich erneut an die
römischen Senatoren und gab ihnen einen kleinen Auftrag.

Alarich legte ihnen nahe, während der vorübergehenden Aussetzung der Belagerung ihre Zeit klug zu nutzen: Sie sollten sich als seine
Gesandten nach Ravenna begeben und Kaiser Honorius an den Ver-

handlungstisch bringen. Alarich wollte über die Bedingungen für die eine Sache sprechen, um deretwillen er die Stadt belagerte: ein dauerhaftes Friedensbündnis mit Rom. Also machten sich die Senatoren auf den Weg.

Im Kaiserpalast von Ravenna trafen die Senatoren auf einen unglücklichen, unter Olympius' Fuchtel stehenden Hofstaat. Honorius hatte sich von seiner Frau (Stilichos Tochter) scheiden lassen und so das letzte Band zum Regime seines verstorbenen Schwiegervaters durchschnitten. Jetzt, da Stilicho für immer gegangen war, wurde dem Kaiser vermutlich bewusst, wie wertvoll dieser gewesen war. Es waren genau seine militärischen und politischen Führungsqualitäten, deren man nun bedurfte. Ohne Stilicho war man bei keinem Problem des Westreichs einer Lösung nähergekommen; im Gegenteil, man trat auf der Stelle und die Schwierigkeiten waren sogar noch größer geworden. Infolgedessen wollte der Kaiser, als die Senatoren in seinen Palast kamen, Alarichs Verhandlungsangebot nicht länger ausschlagen.

Im Prinzip hatte Honorius gegen ein militärisches Bündnis mit Alarich nichts einzuwenden. Die Einzelheiten der Landzuweisung und der Existenzsicherung der Goten standen vorläufig nicht zur Debatte. In jedem Fall war das kaiserliche Angebot ein wichtiger Schritt in die richtige Richtung – zumindest konnte es so scheinen. Bei näherer Betrachtung zeigte Honorius' Antwort jedoch die Handschrift des einflussreichen Olympius. Vielleicht hatte der Chefberater den Kaiser darauf aufmerksam gemacht, dass die Zuteilung neuen Siedlungsgebietes zu noch mehr Problemen führen würde: Die Steuereinnahmen aus Rom und Italien waren infolge Alarichs Plünderungen der Halbinsel bereits deutlich zurückgegangen, und jede weitere Landzuteilung an die Goten musste die Lage weiter verschlimmern: Ohne Land keine Steuern. Ohne Geld keine Armee. Und ohne Armee, könnte Olympius, auf seinen wichtigsten Punkt kommend, erklärt haben, kein Imperium. Letzten Endes bestand der größte Vorteil eines unverbindlichen Abkommens darin, dass der Kaiser wertvolle Zeit gewann. Währenddessen könnte man versuchen, römische Truppen zu mobilisieren und Alarich militärisch zu bekämpfen, sodass man sich sowieso niemals an den Vertrag halten müsste. Somit war Honorius' Angebot, das so verheißungsvoll schien, im Grunde völlig nichtssagend. Honorius schickte die Senatoren nach Rom zurück: Nun war Alarich wieder am Zug.

Der Gote war über die Nachricht hocherfreut. Nun war, wie er glaubte, der Frieden in Sicht. Da sich seine Belagerung Roms offenkundig gelohnt hatte, zog er sein Heer von Rom ab und rückte nach Norden. Allerdings hatte er eine Lektion, die er schon vor langer Zeit hätte lernen müssen, noch immer nicht verinnerlicht: Er war zu einem Bündnis mit einem Volk bereit, das in ihm nichts weiter sah als einen ungehobelten Barbaren, den Anführer eines unzivilisierten Gesindels. In Wahrheit war Honorius an einem Abkommen überhaupt nicht interessiert. Als Alarich in Norditalien geduldig auf den eigentlichen Vertragsabschluss wartete, musste er schmerzlich erfahren, dass der westliche Kaiserhof ein doppeltes Spiel getrieben hatte.

Um Roms Verteidigung zu stärken, hatte Honorius, die Pause nutzend, eine Eliteeinheit von 6000 Soldaten, die Crème de la Crème der in Italien stationierten römischen Armee, in Marsch gesetzt. Doch sie wurden, noch bevor sie die Stadt erreicht hatten, von Alarichs Männern gesichtet. Daraufhin zog der Gotenführer sofort seine gesamte Streitmacht zusammen, nahm die Verfolgung auf und metzelte im Handumdrehen alle 6000 Römer nieder. Später mussten die kaiserlichen Truppen noch weitere Demütigungen hinnehmen. Athaulf und ein Trupp Goten standen in der Nähe von Pisa. Der massive Angriff eines von Olympius persönlich befehligten Heeres traf sie völlig überraschend und sie verloren über 1000 Mann. Doch sobald sie eine neue Streitmacht zusammengezogen hatten, ließen sie, nun zahlenmäßig überlegen, ihre volle Wut an den Römern aus. Olympius' Armee zog sich, ein Bild des Jammers, in Schimpf und Schande nach Ravenna zurück.[23]

Als die Überlebenden auf ihrer überstürzten schmachvollen Flucht durch das Goldene Tor von Ravenna stürmten, schaute Honorius ihnen vielleicht von einem Fenster seines Palastes zu. Dieser klägliche Anblick brachte den Unterschied zwischen Olympius und Stilicho sehr deutlich zum Ausdruck. Kurze Zeit später sahen einige Eunuchen am Hofe die Chance für eine umfassende blutige Säuberungsaktion, wie sie für alle autokratischen Regime in der Geschichte der Menschheit charakteristisch ist. Sie beschuldigten Olympius vor dem Kaiser, den Staat immer weiter ins Unglück zu stürzen. Dieser hatte absolut keinen Grund, ihnen zu widersprechen, und es dauerte nicht lange, bis die Enttäuschung in Zorn umschlug. Vielleicht konnte er, wie aus einem Drogenrausch erwacht, endlich die Wirklichkeit wahrnehmen. Möglicherweise wechselte er aber auch nur, einer Laune nachgebend, von einer unüberlegten Strategie zur nächsten. Die Quellen geben darüber keine Auskunft. Wie dem auch sei, der junge Honorius rang sich schließlich zu einer Entscheidung durch. Ebenso schnell wie der durchtriebene Olympius einst zum Chefberater des Kaisers geworden war, so schnell wurde er kurzerhand auch wieder entlassen.[24]

In einer finsteren Winternacht zu Beginn des Jahres 409 gab es in Italien an drei Stellen gleichzeitig Anzeichen dafür, dass die Zukunftsaussichten für das Westreich wieder einmal äußerst düster waren. Irgendwo nördlich von Ravenna war der entlassene skrupellose Höfling Olympius in einem verzweifelten Versuch, sein Leben zu retten, auf der Flucht nach Dalmatien (dem heutigen Kroatien), wo er untertauchen wollte. Weiter im Süden verlor Alarich keine Zeit, seiner unsäglichen Wut Luft zu machen. Vielleicht gelobte er sich, dass er sich von den Römern niemals mehr zum Narren halten, niemals mehr so demütigen und kränken lassen werde, und gab seinem Heer den unmissverständlichen Befehl, nach Rom zurückzukehren, die Belagerung wieder aufzunehmen und die Stadt erneut unter Druck zu setzen. Währenddessen war Honorius in seinem Kaiserpalast in Ravenna allein auf sich gestellt und völlig verzweifelt: Sein verhasster Feind Alarich würde Rom langsam die Luft abdrehen, und während in Italien die römische Armee, an der Grenze ihrer Leistungsfähigkeit, mit den Goten immer noch nicht fertig wurde, konnte der Usurpator und selbsternannte Kaiser Konstantin III. in Gallien von Tag zu Tag mehr Ansehen und Macht gewinnen. Honorius war so deprimiert, dass er seinem Thronrivalen damals sogar seine purpurfarbenen Kaisergewänder schickte und seinen Machtanspruch formal anerkannte. Der amtierende Herrscher des Westens war zu dem niederschmetternden Schluss gekommen, dass er die unter dem Kommando seines Kontrahenten stehenden Heere Britanniens und Galliens vielleicht noch brauchen werde. Die Lage war zwar düster, aber Honorius hatte noch nicht alle Hoffnungen verloren.

Sie galten dem Präfekten seiner Prätorianer, einem Mann namens Jovius, sowie seinem dienstältesten General Sarus, einem sehr erfahrenen Befehlshaber, der unter Stilicho und Olympius seine Qualitäten unter Beweis gestellt hatte. Noch verfügte die italische Armee über insgesamt 30 000 Soldaten, und Honorius konnte sich auf ihren Kommandanten Sarus verlassen. Dieser hatte aber noch einen anderen wichtigen Vorzug: Er war gebürtiger Gote und gehörte wie Alarich dem gotischen Adel an. Die beiden Männer kamen aus rivalisierenden Familien, und es ist gut möglich, dass Alarich im Jahr 395 beim Kampf um die Führerschaft über die Goten seinen Konkurrenten Sarus aus dem Feld geschlagen hatte. Jener Kampf hatte nichts gemein mit einer klar geregelten politischen Wahl, wie wir sie kennen, sondern war eher so etwas wie eine blutige Stammesfehde, in deren Folge der Unterlegene vielleicht nicht nur seinen Führungsanspruch, sondern – weil der Sieger mögliche Rivalen ausmerzte – auch seine Familie verlor. Der von seinem Kontrahenten zurückgewiesene Sarus hatte daraufhin seine militärischen Fähigkeiten in den Dienst des Kaisers und des Imperiums gestellt.[25] Ein Gote, der einen alten, tiefverwurzelten Groll gegen den Feind des Kaisers hegte – konnte es für Honorius einen geeigneteren Mann geben, um Alarich auszutricksen? Jovius aber war für die Zukunft des Kaisers sogar noch wichtiger.

Als Stilichos höchster Verwaltungsoffizier in Dalmatien war Jovius für die Versorgung von Alarichs Goten mitverantwortlich gewesen und hatte diese auf den geplanten gemeinsamen Angriff auf den Osten im Jahre 406 vorbereitet. Er war der Mann, der jenes frühere Abkommen zwischen Alarich und Stilicho ausgehandelt, der sich einige Zeit bei den Goten in Epirus (dem heutigen Albanien) aufgehalten hatte und der Alarich fast als seinen Freund bezeichnen konnte. Honorius wandte sich nun an Jovius und machte ihn zu seinem Chefberater. Vielleicht, so dachte der junge Kaiser, gab es doch noch einen Ausweg aus der Misere.

Die Plünderung Roms

Nach Darstellung des Historikers Zosimus zeichnete sich Jovius durch
»feine Bildung und andere treffliche Eigenschaften« aus.[26] Jetzt nutzte
er seine Weisheit, sein Taktgefühl und diplomatisches Geschick, um
Honorius die einzige Möglichkeit für die Bewältigung der sich zuspitzenden Krise näher zu bringen: Frieden mit Alarich.

Jovius wusste, dass Alarich das westliche Reich genau da hatte, wo
er es haben wollte: Das Gotenheer war durch übergelaufene Sklaven
jetzt auf die ungeheure Zahl von 40 000 Mann angewachsen. Diese
gewaltige Streitmacht belagerte Rom, ohne dass Honorius etwas daran
zu ändern vermochte. Zwar konnte man die in Italien stehende römische Armee gegen sie einsetzen, doch da sie der gotischen nicht einmal zahlenmäßig überlegen war, barg ein Kampf ein viel zu hohes Risiko − für einen römischen Sieg gab es keinerlei Garantie. Obwohl
Honorius aufgrund seiner Anerkennung Konstantins III. von dieser
Seite einstweilen nichts zu befürchten hatte, waren weder er noch Jovius gewillt, das gesamte Westreich dem Usurpator zu überlassen. Im
Frühjahr 409 hatte Konstantin III., indem er seine Söhne zu Caesaren
ernannte, eine neue Dynastie begründet und außerdem das südgallische
Arles zu seiner kaiserlichen Residenz gewählt. Die Herrschaft über Italien war für ihn in greifbarer Nähe. Sollten Honorius' Truppen durch
Alarich geschwächt werden, wäre Konstantin III. zum Angriff bereit:
Er würde die Alpen überschreiten und die restlichen Teile des Westreiches zu seinen bereits annektierten kaiserlichen Territorien hinzu-
fügen.[27] Honorius war mit seinem Latein am Ende.

All das war auch Alarich bekannt. Als Jovius eine Delegation nach
Rom schickte, ihn über die römische Kehrtwendung informierte
und Alarich und Athaulf zu Friedensverhandlungen nach Ariminum
(Rimini) unweit von Ravenna einlud, war der Anführer der Goten
wahrscheinlich überhaupt nicht überrascht.[28] Obwohl das kaiserliche
Wort deutlich an Wert verloren hatte und der sogenannten Ehre
und Gerechtigkeit der Römer nicht mehr allzu viel Bedeutung
beizumessen war, ließ sich Alarich dennoch für den Vorschlag gewinnen.

Zwar belagerte er Rom und traf damit ein weiteres Mal das Westreich in seinem Lebensnerv, aber er hatte trotzdem nicht die Absicht,
seine Drohung wahr zu machen und die Stadt zu erobern. Das wäre
sinnlos und würde seinen Interessen zuwiderlaufen: Die Chance auf
einen dauerhaften Frieden wäre verspielt – zugunsten kurzfristiger
Vorteile. Eine Plünderung Roms würde nur dazu führen, dass er nicht
mehr zur Ruhe käme, ständig auf der Hut sein müsste und dass sein
Volk noch mehr Unsicherheiten ausgesetzt wäre. Das wäre so, als wolle er mit dem Kopf durch die Wand. Langsam gewann er seine Fassung
zurück und bat seinen enttäuschten Schwager, ihn bei den anstehenden
Verhandlungen zu unterstützen. Missmutig machten sich die beiden
Männer auf den Weg nach Norden, um Jovius zu treffen. Alarich würde jetzt versuchen, den Römern möglichst viele Zugeständnisse abzuringen.

Der Gote legte seine Bedingungen auf den Tisch: Er verlangte die
jährliche Zahlung einer bestimmten Menge Gold, jährliche Getreidelieferungen und ein Abkommen, das den Goten erlaubte, sich in den
römischen Provinzen der beiden Venetien (der Gegend um Venedig),
im Noricum und in Dalmatien niederzulassen. Als Letztes forderte er
für sich die Stelle eines Oberbefehlshabers im römischen Heer, um auf
diese Weise seinen Einfluss am Hofe sicherzustellen und die Interessen
seines Volkes vertreten zu können. Die Bedingungen wurden Honorius schriftlich mitgeteilt. Jovius, Alarich und Athaulf blieben derweil
in Ariminum und warteten auf dessen Reaktion. Das kaiserliche Antwortschreiben wurde laut verlesen und klang zunächst ganz verhei
ßungsvoll. Honorius war mit den Getreide- und Goldlieferungen einverstanden, äußerte sich aber nicht zur Siedlungsfrage. Und was das
Feldherrnamt angehe: Er solle einem Barbaren ein hohes Regierungsamt übertragen? Das komme überhaupt nicht in Frage![29]

Alarich tobte vor Zorn. Mit der Faust auf den Tisch schlagend,
drohte er, Rom sofort in Brand zu stecken, zu plündern und zu zerstören, und verließ umgehend den Raum. Auch Jovius reiste ab. In der
Befürchtung, dass der Deal ins Auge gegangen sei, begab er sich wieder
nach Ravenna. Alarich brauchte einige Tage, bis er seine Selbstbeherrschung wiedergefunden hatte. Schließlich bat er einige Bischöfe, als

seine Unterhändler zu fungieren, und ließ dem Kaiser ein völlig neues
Angebot zukommen: Er wolle weder Geld noch Amt und brauche
auch nicht Venetien oder Dalmatien. Das Einzige, worauf er Wert
lege, sei die schäbige Provinz Noricum, ein »Gebiet, das irgendwo weit
draußen an der Donau liege, dauernden Einfällen ausgesetzt sei und der
Staatskasse nur geringe Abgaben liefere«.[30]

Was für ein unglaublicher Moment! Ein Mann, der alle Macht und
sämtliche Trümpfe in Händen hielt und mit einem Fingerschnipsen das
Westreich vernichten konnte, war bereit, für einen dauerhaften Frieden, einen festen Wohnsitz und das Ende der Leiden seines Volkes auf
diese Macht zu verzichten. Schließlich wollte er das Römische Reich
am Leben erhalten, solange es seinem Volk eine Heimat böte. Selbst
Honorius konnte es nicht fassen. Als die Bischöfe Alarichs Angebot
verlasen, staunten »alle zusammen über sein maßvolles Verhalten«.[31]
Unbegreiflicherweise ging aber der unreife, launische Kaiser auf Alarichs Angebot nicht ein. Über die genauen Gründe geben die Quellen
keine klaren Auskünfte. Letzten Endes wollte er vielleicht lieber die
Stadt, in der seine Schwester als Geisel gefangen war, opfern als die
Demütigung erleiden, die Goten auf römischem Grund und Boden zu
Partnern machen zu müssen.

Also zog Alarich zum dritten Mal nach Rom. Zornschnaubend und
voller Hass auf Honorius und das Westreich haben Athaulf und seine
Generäle ihren Anführer wahrscheinlich heftig bedrängt, seine Drohung endlich wahr zu machen. Alarich aber wollte die Stadt noch immer nicht angreifen. Er setzte zwar nicht mehr auf den römischen Kaiser des Westens, war aber entschlossen, das weströmische Reich nicht
fallen zu lassen. Im Sommer 409 kam er darauf, wie er Druck ausüben
konnte, ohne zur Gewalt zu greifen. In Rom sicherte er sich die Unterstützung eines ehrgeizigen patrizischen Senators, dem Roms antike
Vergangenheit am Herzen lag und der sich zu Höherem berufen fühlte. Der Gote befahl dem Senat, diesen zum Kaiser zu ernennen, und
schuf auf diese Weise ein neues Machtzentrum in der alten Hauptstadt,
das zu dem des Honorius in Ravenna in Konkurrenz trat. Somit gab
es im Sommer 409 im Westen sage und schreibe drei »Kaiser«: Honorius, Konstantin III. und jetzt noch Attalus. Endlich hatte Alarich,

wenn auch nur für kurze Zeit, auch einen Posten im weströmischen
Staat: Er war Attalus' Oberbefehlshaber.

Honorius war über Alarichs kühne Vorgehensweise sicherlich entsetzt. Als dessen Armee auch noch Norditalien für Attalus gewonnen
hatte, geriet der Kaiser völlig in Panik. Er dachte sogar daran, das Westreich zu verlassen, und ließ einige Schiffe bereitstellen, um sich nach
Konstantinopel abzusetzen. Den Mut, sich gegen den Feind zur Wehr
zu setzen, brachte er erst auf, als eine 4000 Mann starke Verstärkungs-
truppe rechtzeitig aus dem Ostreich eintraf und Ravenna verteidigte.
Kurz danach hatte er, vielleicht von Jovius gedrängt, eine Idee, wie er
Alarichs Plan durchkreuzen könne.

Die Provinz Nordafrika, von deren Getreide Roms Versorgung abhängig war, hielt Honorius noch die Treue, deshalb ließ der einzige
legitime Kaiser des Westens einfach die Lieferungen einstellen. So geriet Attalus' schwaches Regime rasch in Misskredit. Sogar Alarich, der
ihn auf den Thron gebracht hatte, war zunehmend enttäuscht und hatte von diesem lästigen und jämmerlichen Möchtegernkaiser bald genug. Er nahm ihm seine kaiserlichen Gewänder und schickte sie Honorius, um seinen erneuten Sinneswandel unter Beweis zu stellen.
Zum Schluss nahm Alarich Galla Placidia, Honorius' Schwester, als
Geisel. Doch der Kaiser hatte sich in Ravenna eingeigelt und blieb un-
gerührt, noch immer blind für die katastrophale Lage der alten Hauptstadt. Und noch immer griff der Gote Rom nicht an.

Alarichs Entschlossenheit, seine Weitsicht und die Unbeirrbarkeit,
mit der er an seiner Vision festhielt, sind umso erstaunlicher, als jetzt
mehr auf dem Spiel stand als je zuvor. Er hatte einen neuen Kampf
auszufechten – diesmal mit seinen eigenen Leuten. Seine Politik – er
wollte nicht Rom dafür bestrafen, dass Honorius die auf italischem
Boden stehenden Goten so schändlich behandelte – war höchst un-
populär. Nicht nur Athaulf wird ihm seine Meinung klar gesagt haben:
Ein Vertrag mit den Römern war völlig unrealistisch. Man konnte ja
nicht einmal darauf vertrauen, dass sie ihr Wort hielten! Athaulf und
die Stabsoffiziere gaben keine Ruhe, und sie hatten vollkommen
Recht. Eine Politik, die statt auf Gewalt auf Verhandlungen setzte, ließ
sich jetzt so schwer vermitteln, dass Alarichs Führerschaft in Frage

stand. Dennoch wollte dieser, obwohl alles gegen ihn sprach, seinen gesamten noch vorhandenen politischen Einfluss nutzen und einen letzten Versuch wagen.

Als er eine letzte Delegation nach Ravenna schickte, hätte er kaum gedacht, dass Honorius endlich doch zu einem Friedensabkommen bereit war. Ein Vertrag lag auf dem Tisch. Falls Honorius und Alarich damit rechneten, das große Problem der Goten auf dem Verhandlungsweg zu lösen, wurden ihre Hoffnungen auf ganz unerwartete und tragische Weise wieder zunichte gemacht. Als Alarich, Athaulf und eine Abteilung gotischer Soldaten auf ihrem Zug nach Norden sich bis auf 12 km Ravenna genähert hatten, wurden sie von dem römischen General Sarus überfallen. Alarich war völlig fassungslos.

Ohne Wissen des Kaisers hatte Sarus von sich aus die Initiative ergriffen. Er wusste, dass jedes Abkommen zwischen Alarich und den Römern seine hart erkämpfte Position in der römischen Hierarchie erheblich gefährden würde. Sollte man zu einer Einigung kommen, wollte er zumindest daran beteiligt sein. Andernfalls wäre es um seine Macht und vermutlich auch um sein Leben geschehen. Außerdem konnte er mit seinem Überfall eine alte Rechnung mit seinem Rivalen begleichen. Genau in dem Augenblick, als ein Frieden zwischen Römern und Goten in greifbare Nähe gerückt war, setzte Sarus alles daran, ihn zu verhindern. So war es letztlich kein Römer, sondern ein Gote, der aus Böswilligkeit und Rache eine gütliche Einigung verhinderte.

Als Honorius von dem Anschlag erfuhr, fand er vielleicht seine alte Voreingenommenheit bestätigt: Einem Barbaren, sogar einem romanisierten wie Sarus, war niemals zu trauen. Auf dem Weg nach Süden leckten auch Alarich und Athaulf, die gerade noch mit dem Leben davongekommen waren, ihre Wunden und sahen ihr Vorurteil schmerzlich bewiesen: Honorius war und blieb ein feiger Betrüger. Sie würden sich nicht noch einmal täuschen lassen. An einem heißen Augusttag des Jahres 410 kehrten die gotischen Anführer ein letztes Mal nach Rom zurück.

Es war ein höchst spektakulärer Anblick: Eine 40 000 Mann starke Armee, so groß wie acht römischen Legionen, war in Reih und Glied angetreten und umstellte die Stadtmauer. 390 v. Chr. war Rom, und

zwar von den Kelten, zum letzten Mal geplündert worden. Jetzt, ungefähr 800 Jahre später, hatte sich eine neue Streitmacht eingefunden.
Die Adligen und ranghöheren Kommandanten trugen Helme, Brust-
harnische und kurze Umhänge aus Wolfs- oder Schafsfell. Ihre
Schwerter, mit feinem Fischgrätenmuster zieliert, steckten in pelzbe-
setzten Scheiden aus Holz oder Leder. Die einfachen gotischen Soldaten, nur mit kurzen Tuniken und Hosen bekleidet, waren mit Schilden, Speeren mit Widerhaken, Pfeil und Bogen und Wurfäxten be-
waffnet.

Der große, gut aussehende Athaulf fühlte sich bestätigt. Nun, da die
Vernunftpolitik seines Schwagers auf ganzer Linie gescheitert war,
fühlte er sich in Kampfstimmung und feuerte die Soldaten, die mit ihren Waffen gegen die Schilde schlugen, weiter an. Als Alarich sein Zelt
verließ, um das Kommando zu übernehmen, steigerte sich das Begrü-
ßungsklappern zu einem nicht enden wollenden, ohrenbetäubenden
Lärm. Rom lag auf den Knien und war wie gelähmt. Vor fast zwei
Jahren hatte der Gotenführer zum ersten Mal sein Schwert gegen die
Stadt erhoben. Jetzt würde er zustoßen. Aber als er am 24. August 410
den Befehl zum Angriff gab, war sich der stolze, ehrgeizige Alarich seines Scheiterns bewusst.[32]

Die Stadt ließ sich leicht überwältigen. In der Nacht des Angriffs
öffnete jemand das Salarische Tor. Nach einer späteren Quelle hatte
eine Patrizierin, die dem langen Elend der Stadt unbedingt ein Ende
machen wollte, den Goten Einlass verschafft. Mit größerer Wahr-
scheinlichkeit war es aber jemand, der von den Goten bestochen worden war.[33] In der Stadt selbst gab es kaum Widerstand: Rom besaß
keine Armee, sondern nur ein kleines, schwaches Garderegiment. Es
gibt keinen ausführlichen Bericht über die Geschehnisse der nächsten
drei Tage. Fest steht aber, dass sich die Goten in all dem Chaos erstaunlich diszipliniert und zurückhaltend verhielten. Die Eroberung Roms
war, anders als man vermuten könnte, kein brutaler Akt, begangen von
Horden unzivilisierter Barbaren.

Alarich war nicht nur Christ, sondern ein Christ, der in den vergangenen zwei Jahren auch stets von Bischöfen unterstützt worden
war. Aus Achtung vor ihnen und aus seinem eigenen christlichen

Glauben heraus machte er die Basiliken des heiligen Petrus und heiligen Paulus zu Freistätten. Man vergriff sich zwar an einem von Konstantin gestifteten Eucharistiekelch aus massivem Silber, ansonsten aber wurden die christlichen Kostbarkeiten und die Kirchen, die sie beherbergten, nicht angetastet.[34] Im Gegensatz zu den unrühmlichen Eroberungen Karthagos und Korinths durch die Römer im Jahre 146 v. Chr. – die Städte wurden völlig zerstört, es kam zu Massakern und Plünderungen, die Bewohner wurden versklavt – verlief die Einnahme Roms sehr unrömisch. Dennoch: Alarich und seine Goten waren zwar Christen, Heilige aber waren sie nicht. Sie waren gekommen, um die Stadt zu plündern und Rache zu nehmen.

Vielleicht geführt von Sklaven, die zu Alarich übergelaufen waren, suchten gotische Trupps die Straßen nach den Häusern der Reichen ab. Wenn sie fündig geworden waren, bedrohten sie ihre Opfer mit ihren scharf geschliffenen Äxten und forderten all ihr Gold, Silber und ihre sonstigen Wertsachen. Aus den heidnischen Tempeln entwendete man Statuen und andere Kostbarkeiten, und die Schätze aus dem Tempel von Jerusalem, die vor etwa 350 Jahren den Römern in die Hände gefallen waren, wechselten ein weiteres Mal den Besitzer. Manche Römer konnten sich in den Freistätten in Sicherheit bringen, doch sehr viele Bürger, die Widerstand leisteten oder nicht fliehen konnten, wurden getötet, gefoltert oder zusammengeschlagen. Die (von Orosius, Sozomen und Hieroymus bezeugten) Geschichten von aufsässigen Frauen, die sich gegen eine Vergewaltigung heroisch wehrten oder sich, wenn sie geschlagen wurden, gegenseitig schützten, legen nahe, dass für die Mehrzahl der Witwen, verheirateten Frauen und Jungfrauen genau das Gegenteil zutraf.[35]

Nachdem sie ihr grausames Werk vollendet hatten, kamen die gotischen Soldaten am dritten Tag wieder zusammen. Einige prachtvolle Häuser und öffentliche Bauten – insbesondere die Villa Sallusts, die Basilica Aemilia und das alte Senatsgebäude – wurden in Brand gesteckt. Während über dem Salarischen Tor noch dicke schwarze Rauchwolken hingen, verließen die Goten das Schlachtfeld, auf dem sie die Römer »besiegt« hatten. Das Heer war reich mit Beute beladen, Alarich aber stand – ohne Land und ohne Frieden – mit leeren Händen da.

Epilog

Der Schock über diese Katastrophe erschütterte die gesamte römische Welt. In Jerusalem klagte der heilige Hieronymus, dass »in einer einzigen Stadt die ganze Welt untergangen sei«.[36] Heiden versuchten ebenso wie Christen, aus der Zerstörung der Ewigen Stadt Kapital zu schlagen. Für die Heiden war der Untergang Roms der Beweis dafür, dass die althergebrachten Götter, von den Menschen verstoßen, die Stadt verlassen hatten und sie somit auch nicht mehr schützten. In Nordafrika zog der heilige Augustinus aus dem Schicksal Roms eine ganz andere Lehre. Er traf Augenzeugen, die vor den Goten in seine Provinz geflohen waren, und was er von ihnen erfuhr, bestätigte vor allem eines: Mit der Zerstörung Karthagos im Jahre 146 v. Chr. hatte der moralische Verfall der Römer begonnen, und ohne die Furcht vor jener Macht im Mittelmeerraum, die ihnen Grenzen setzte, konnten sie ihren egoistischen Neigungen, ihrer Habsucht und Machtgier, freien Lauf lassen. Jetzt, mit der Plünderung Roms, hatte dieser Prozess sein logisches, revolutionäres Ende gefunden. Daraus zog Augustinus nun den Schluss, dass alle Städte auf Erden – selbst das neue christianisierte Rom Konstantins – ephemer und vergänglich seien.[37] Nur der himmlische Gottesstaat sei ewig und vollkommen. Die natürliche Ordnung der Welt, der alte Weltenplan, der in der Stadt, die Hunderte von Jahren die mediterrane Welt beherrscht hatte, fest verankert war, war nun völlig auf den Kopf gestellt.

Die Invasion der Goten in Italien, die in der Plünderung Roms gipfelte, und die totale Unfähigkeit des westlichen Kaisers, dieser Krise Herr zu werden, hatten dem römischen Westreich einen beinahe tödlichen Schlag versetzt. Doch noch lag es nicht am Boden. Die Wirklichkeit sah allerdings trübe aus. Die Barbaren – Vandalen, Alanen und Sueben – besetzten noch immer Territorien in Spanien. Konstantin III. hatte seine Ambitionen noch immer nicht aufgegeben und kontrollierte weiterhin Britannien, Gallien und das übrige Spanien. Und Alarichs Goten hielten sich weiterhin in Italien auf. Dennoch war das römische Imperium noch längst nicht am Ende.

Entgegen allen Erwartungen sollte sich das weströmische Reich noch einmal erholen. Der Architekt dieser außergewöhnlichen Renaissance war ein brillanter General und Politiker, der die Doppelfunktion des von Stilicho geschaffenen Amtes eines *magister militum* übernahm. Er war der Oberbefehlshaber der römischen Westarmee und, da Kaiser Honorius so schwach war, der eigentliche Regent des Westreiches. Flavius Constantius, ein rücksichtsloser Berufssoldat aus Naissus (dem heutigen Niš in Serbien), war einer der letzten großen Führer der römischen Welt, geschnitzt aus demselben Holz wie Julius Caesar, ein Mann, der allein aufgrund seiner Existenz den Lauf der Geschichte verändern konnte.

Zuerst einmal hatte Constantius, nachdem die Goten endlich Italien verlassen hatte, völlig freie Hand. Nachdem es zu keinen Friedensverhandlungen mit Honorius gekommen war, wollte Alarich sich mit seinen Goten in Nordafrika ansiedeln. Doch bevor es so weit war, fand der Mann, auf den man so große Hoffnungen gesetzt hatte, ein ganz banales Ende. Im Jahre 410 erlag Alarich, wahrscheinlich noch nicht einmal vierzigjährig, einem Fieberanfall. Er wurde so bestattet, wie es sich für einen gotischen König geziemte: In Cosenza (im heutigen Kalabrien) wurde der Busento umgeleitet und Alarich wurde in einem Grab, das man im Flussbett ausgehoben hatte, beigesetzt. Dann wurde der Damm geöffnet und sein Leichnam versank in den Fluten. Die römischen Gefangenen, die das Begräbnis durchgeführt hatten, wurden später umgebracht, weil man den genauen Ort des Grabes für immer geheim halten wollte. Jetzt wurde Athaulf der Nachfolger seines Schwagers, gab den Plan, nach Nordafrika zu ziehen, auf, zog plündernd durch Italien und führte die Goten 412 ins südliche Gallien. In der Hoffnung, ein Bündnis mit dem westlichen Kaiserhof erzwingen zu können, hatte er als Trumpfkarte die römische Prinzessin Galla Placidia, die die Goten noch immer als Geisel hielten, mitgebracht. Sie sollte bald darauf Athaulfs Frau werden und ihm einen Sohn gebären. Wenn es Athaulf gelänge, sich am Kaiserhof zu etablieren, wäre sein Sohn ein möglicher Anwärter auf den Thron.

Seinen strategischen Spielraum nutzend, führte Flavius Constantius schließlich die römische Armee in Italien gegen Konstantin III. und besiegte ihn. Der Usurpator wurde gefangen genommen und getötet,

sein Kopf zu Honorius nach Ravenna gebracht. Mit den wieder vereinten Heeren Britanniens, Galliens, Spaniens und Italiens war Constantius nun militärisch stark genug, um mit den Goten einen dauerhaften Frieden zu schließen – aber nach seinen Bedingungen. Insbesondere weigerte er sich, Athaulf als gleichberechtigten Partner an der
römischen Regierung zu beteiligen. Daraufhin lehnte dieser einen
Vertragsabschluss ab. Als Constantius zur Gewalt griff und versuchte,
die Goten zu einem Abkommen zu zwingen, indem er sie bei Narbonne (Südwestfrankreich) einkesselte und aushungerte, zog sich
Athaulf durch seine Sturheit den Zorn seiner Landsleute zu. Schließlich
stürzten die Goten ihren Anführer, und ein gemäßigter Nachfolger
konnte sich mit Constantius einigen. Im Jahre 418 war Alarichs Traum
von einer Heimat für sein Volk Wirklichkeit geworden. Die Goten
ließen sich schließlich im südwestgallischen Aquitanien (in der Nähe
des heutigen Bordeaux) im Tal der Garonne nieder. Da Rom nun wieder das Sagen hatte, musste Galla Placidia an Honorius zurückgegeben
werden. Gegen ihren Willen wurde sie dann mit Flavius Constantius
verheiratet, dem sie – Athaulfs Sohn war früh gestorben – noch zwei
Kinder gebären sollte.

Nun blieben noch die Vandalen, Alanen und Sueben. Constantius
nutzte den Frieden mit den Goten, verstärkte seine römische Armee
mit gotischen Verbündeten und zog nach Süden. In Spanien besiegte
er die oben genannten Völkerschaften und brachte die iberischen Provinzen wieder unter römische Kontrolle. In gerade einmal zehn Jahren
hatte Constantius auf eindrucksvolle Weise das römische Westreich aus
seiner lebensbedrohlichen Krise wieder herausgeführt. In den westlichen Herrschaftsgebieten, in denen die Situation noch vor einem
Jahrzehnt hoffnungslos verfahren schien, hatte er wieder für Ordnung
gesorgt und hielt nun die Zügel erneut fest in der Hand. Für diese
Glanzleistung hatte er einen hohen Preis zahlen müssen.

Die Plünderungen und Verheerungen, die der jahrelange Krieg
überall im Westen mit sich brachte, führten zum Niedergang der landwirtschaftlichen Produktion und damit zum Absinken der staatlichen
Einkünfte. Da die Goten nun in Gallien siedelten, war das den Römern
verbliebene Provinzgebiet viel kleiner geworden, sodass von dort we-

niger Steuern in die kaiserliche Kasse flossen. Während er sich darauf konzentriert hatte, die Feuer in Gallien und Spanien zu löschen, hatte sich Constantius nicht mehr um Britannien gekümmert. Die Insel hatte sich vom Westreich abgespalten und war für immer verloren. Von nun an konnte sie nicht mehr mit dem Schutz der weströmischen Streitkräfte rechnen. Infolge all dieser Veränderungen gab es nur noch wenige Gebiete, in denen Soldaten für das westliche Heer, das sich in den kritischen Jahren von Honorius' Herrschaft (395–420) in den Kriegen gegen die Barbaren fast halbiert hatte, rekrutiert werden konnten. Der Kaiser glich die riesigen Verluste seiner Armee zwar durch die Eingliederung weiterer Verbände aus, doch diese waren in der Mehrheit keine neuen Heereseinheiten, sondern untergeordnete Hilfstruppen, die man aufgewertet und neu strukturiert hatte. Das Geld reichte sozusagen nur für kosmetische Korrekturen.[38]

Eine letzte negative Folge der Invasionsjahre war eine weitverbreitete Unzufriedenheit der provinzialen Großgrundbesitzer. Diese Eliten bildeten die lokalen autonomen Machtzentren, die die Steuern eintrieben, worauf der westliche Kaiserhof sich verlassen können musste. Sie waren nicht glücklich und ihre Verdrossenheit hatte einen einfachen Grund: Kaiser Honorius war nicht imstande gewesen, seinen Teil der Abmachung einzuhalten – er hätte dafür, dass sie sich um die Steuern kümmerten, ihren Grund und Boden militärisch schützen müssen. Nach den jahrelangen Unruhen und den stets wachsenden Gefährdungen wurde es offenkundig, dass der alte Vertrag zwischen dem Kaiser und der örtlichen Elite immer brüchiger wurde.[39]

Die Unzufriedenheit konnte leicht in offenen Widerstand umschlagen. Diese Großgrundbesitzer mochten etwa so gedacht haben: Wenn das Leben unter einem König der Goten oder Vandalen sicherer wäre, wenn sie also von Kriegen verschont blieben und ihre Lebensweise beibehalten könnten, warum sollten sie dann überhaupt noch zum Römischen Reiches gehören? Zu Beginn des 5. Jahrhunderts kam es nur vereinzelt vor, dass sich lokale Eliten von der Zentralregierung lossagten, aber mit der Zeit wurden es immer mehr. Die Barbareneinfälle hatten somit schwerwiegende Folgen: Da 5 % der weströmischen Bürger 80 % des Landes besaßen, war das Wegbrechen dieses alten

Eckpfeilers des römischen Imperiums ein weiterer schwerer Schlag gegen die Existenz des westlichen Reiches.

Trotz Constantius' Erfolg waren dieselben Kräfte, die mit dem Erscheinen von Alarichs Goten Italien erschüttert hatten, wieder am Werk und hatten in den Jahren, in denen Constantius die Kontrolle zurückgewann, verheerende Auswirkungen auf das Westreich. Wie jemand, der sich von einer schweren Operation erholt, war das Westreich jetzt zwar wieder genesen, aber nur noch ein Schatten seiner selbst. Bald musste es weitere Schläge verkraften, den verhängnisvollsten in der reichen römischen Provinz Afrika, der Kornkammer des westlichen Reiches.

Im Jahre 421 erlag Constantius, inzwischen zum Mitkaiser ernannt, ganz überraschend einer Krankheit. Als Honorius zwei Jahre später starb, setzten im Westreich endlose Machtkämpfe ein, in deren Folge es ständig zu gewaltsamen Regimewechseln kam. Schließlich wurde Valentinian III., der sechsjährige Sohn des Constantius und der Galla Placidia, zum Augustus erhoben. Der wirkliche Herrscher, der Mann, der 431 den Kampf um die Macht gewonnen hatte, war ein würdiger Nachfolger des Constantius und der letzte bedeutende Feldherr Roms. Als Flavius Aetius zum Oberbefehlshaber der römischen Truppen ernannt wurde, hatte er alle Hände voll zu tun. Während der Auseinandersetzungen um die Thronfolge hatten die Vandalen, die sich neu organisiert hatten und zu frischen Kräften gekommen waren, das südspanische Tarifa verlassen, waren im Mai 429 in Afrika gelandet und dann nach Osten gezogen. Sowohl mit kriegerischen wie auch diplomatischen Mitteln brachten sie im Laufe der Zeit das heutige Marokko und Algerien in ihre Gewalt. Im Jahr 439 hatten sie die drittgrößte Stadt des Imperiums, Karthago, eingenommen. Mit der Eroberung dieser Provinz hatten die Vandalen dem Westen das Messer an die Kehle gesetzt.

Zu Beginn des 5. Jahrhunderts war Afrika Roms und Italiens wichtigster Getreidelieferant und Steuerzahler. Unter Julius Caesar kamen pro Jahr 50 000 t Getreide aus Karthago und seit dieser Zeit wurden dort von dem riesigen römischen Hafen ständig neue Lieferungen verschifft. Afrika war also lebenswichtig für das Westreich, und diese

Quelle wollte Aetius nun wieder erschließen. In den 30er Jahren des 5. Jahrhunderts hatte er nicht gegen die Vandalen vorgehen können, da es erneut zu Barbareneinfällen gekommen war und in den westlichen Provinzen immer wieder Rebellionen ausbrachen. Im Jahr 440 hatte er diese wieder niedergeschlagen, hatte sich dank einer hervorragenden Diplomatie die Unterstützung des Ostreichs gesichert und vor Sizilien eine massive Flotte zusammengezogen. Das Ziel der vereinigten Streitkräfte des römischen Ost- und Westreichs war die Wiedereroberung der wichtigen Provinz Afrika. Doch als Aetius den 1100 Schiffen bereits den Befehl zum Aufbruch geben wollte, wurde die Aktion plötzlich abgebrochen. Die östlichen Truppen, erklärte der Ostkaiser, müssten dringend in seine Reichshälfte zurückkehren, da Konstantinopel von einem gewaltigen Invasionsheer bedroht werde. Der Verzicht auf den Angriff auf Nordafrika sollte letztlich den Zusammenbruch des Westreichs herbeiführen. Der Mann, der für diese entscheidende Wende verantwortlich war, kam aus eben dem Volk, das im Jahre 376 dem Westen den ersten lebensbedrohlichen Schlag versetzt hatte und das als Erstes über die nördlichen Reichsgrenzen ins römische Imperium eingefallen war. Der Name dieses Mannes war Attila der Hunne.

Mit den Hunnen begann und endete der Untergang des weströmischen Reiches. Bei seinen Feldzügen der 430er Jahre hatte Aetius zeitweise hunnische Söldnertruppen angeworben. Doch mittlerweile waren die Hunnen unter der Führerschaft Attilas vereint und ihr aufstrebendes Reich erstreckte sich vom Schwarzen Meer bis zum Baltikum und von Germanien bis zu den zentralasiatischen Steppen. Als sie jetzt im Jahre 440 zurückkamen, ging es ihnen um mehr als nur eine lukrative militärische Partnerschaft. In zwei verheerenden Sturmläufen durch die Balkanländer in den Jahren 441 und 447 überfiel Attila das Ostreich und ließ den Widerstand des römischen Heeres zur Farce werden. Die enorme Schlagkraft seiner Truppen war nicht nur auf ihren geschickten Umgang mit Pfeil und Bogen zurückzuführen, sondern die Hunnen waren auch die ersten Barbaren, denen es gelang, Festungsstädte mit mächtigen Verteidigungsanlagen zu erstürmen. Das Geheimnis ihres Erfolges lag im klugen Einsatz von Belagerungsmaschinen, Rammböcken und Sturmleitern – diese Taktik hatten sie einfach von den Römern übernommen. Indem er auf diese Weise das Ostreich ausplünderte, konnte sich Attila unglaubliche Mengen Gold aneignen. Im Jahre 451 bot sich ihm die Chance auf neue Reichtümer. Angeblich durch das Eheversprechen der aufmüpfigen Schwester des Kaisers Valentinian verlockt, wandte Attila sein Interesse dem Westen zu.

In der vielleicht letzten großen Feldschlacht in der Geschichte Westroms konnte Aetius eine Armee aus Römern, Goten, Franken, Burgundern und Kelten aufbieten. Mit ihr brachte er auf den in Gallien gelegenen Katalaunischen Gefilden (in der Nähe des heutigen Châlons-sur-Marne) seinem Feind eine vernichtende Niederlage bei. Dem zweiten Angriff der Hunnen im Jahre 452 konnte Aetius jedoch kaum Widerstand entgegensetzen. Attila drang in Italien ein und plünderte mehrere Städte im Norden. Sein größter Triumph war die erfolgreiche Belagerung der Kaiserstadt Mailand. Außerdem zwang er, einen moralischen Sieg davontragend, Valentinian III. dazu, Ravenna fluchtartig zu verlassen und nach Rom zu eilen. Doch eine am Fluss Po ausbrechende Seuche und unzureichende Nachschublieferungen verhinderten einen weiteren Vormarsch der Hunnen und veranlassten sie schließlich zum Rückzug. Attila starb noch im selben Jahr. Nach einer Quelle wurde er nicht im Kampf getötet, sondern kam merkwürdigerweise in seiner Hochzeitsnacht ums Leben. Als er sich nach einem üppigen Festschmaus anlässlich seiner Hochzeit mit der schönen gotischen Prinzessin namens Hildico in die Brautgemächer zurückgezogen hatte, bekam der große Hunnenführer Nasenbluten und erstickte an seinem eigenen Blut.

Dem raschen Aufstieg von Attilas Reich folgte nach dem Tod des Herrschers ein ebenso rascher Verfall. Damals hatte der Westen jedoch bereits seinen Todesstoß empfangen. Aetius hatte zwar Attila vertrieben, besaß aber nicht die militärische Schlagkraft, den Vandalen Nordafrika zu entreißen. Den Beweis für diese nackte Tatsache erlebte er nicht mehr. Zum Dank dafür, dass er das Westreich vor den mörderischen Angriffen Attilas bravourös verteidigt hatte, ließ Valentinian III. im Jahr 454 Aetius, den »letzten Römer«, umbringen. Der Kaiser fürchtete den Feldherrn und neidete ihm seine Macht. Über zehn Jahre nach Aetius' Tod, im Jahre 468, machte das Ostreich einen letzten Versuch, Nordafrika zurückzugewinnen. Doch in einer Seeschlacht vor der Küste des heutigen Libyens wurde die byzantinische Flotte von den Vandalen vernichtend geschlagen.

Nach dem Verlust von Afrika musste sich das Westreich mit den Einkünften aus Italien und Sizilien begnügen. Diese Mittel reichten indes bei weitem nicht aus, um eine ausreichend große Armee zu unterhalten, die die zahlreichen Barbarenstämme, die sich im Westen niedergelassen hatten, in die Schranken weisen konnte: die Goten, Burgunder und Franken in Gallien, die Goten und Sueben in Spanien und die Vandalen in Nordafrika. Das Gleichgewicht der Kräfte zwischen der römischen Armee und den Heeren der Barbaren, zwischen den westlichen Kaisern und den Königen der Barbaren hatte sich auf verhängnisvolle Weise immer weiter verschoben. Wie es um die wahren Machtverhältnisse bestellt war, zeigte sich mit aller Deutlichkeit, als im Jahr 455 Avitus auf den Kaiserthron nachrückte: Er verdankte seinen Aufstieg zur »Macht« einzig und allein einem Militärbündnis mit Theoderich II. – einem König der Barbaren. Im Laufe der Zeit wurden zwischen dem Kaiserhof in Ravenna und den Goten und Vandalen weitere Verträge abgeschlossen. Die Reichsregierung erkannte sie nun als legitime Eigentümer, Erben und Partner im Westen an. Von den restlichen römischen Territorien entzog sich eines nach dem anderen der Kontrolle durch die Zentralregierung. Seinen letzten Atemzug tat das Westreich jedoch in Italien.

Im Jahre 476 war die Zentralregierung in Italien finanziell und militärisch so schwach und ausgelaugt, dass sie sich nicht mehr behaupten und erst recht keine Eindringlinge in Schach halten konnte. Römer und Barbaren waren kaum mehr auseinanderzuhalten und das Schicksal der Reichsbürger verschmolz immer mehr mit dem der Invasoren. Dennoch waren noch einige Unterschiede zu sehen und spielten eine gewisse Rolle. Odoaker z.B. vollzog, als er seine römischen Soldaten in Italien ansiedelte, eine fast unmerkliche Wandlung vom römischen General zum germanischen König. In dem kümmerlichen römischen Rumpfheer in Italien dienten im Übrigen auch kaum noch Römer, sondern überwiegend germanische Söldner, die, wie ihr Anführer, dem Stamm der Skiren angehörten. Da Odoaker sie nicht bezahlen konnte, entlohnte er sie in Form von Landzuweisungen, Land, von dem man die früheren römischen Besitzer vertrieben hatte – vermutlich ein Drittel der Fläche Italiens war davon betroffen. Dies war der deutlichste Hinweis darauf, wer jetzt die Nachfolge des alten Westreichs angetreten hatte.

So wurde Odoaker praktisch zum Alleinherrscher über Italien. Gestützt auf die Loyalität seiner angesiedelten skirischen Soldaten hatte er jetzt auch seine persönliche Machtbasis gefestigt.

Nur musste er noch mit einer Schwierigkeit fertig werden, mit einem kleinen Schönheitsfehler: Romulus Augustulus. In dem langen Erstarrungsprozess, dem das Reich unterlag, war das Amt des weströmischen Kaisers ohnehin nur noch ein kurioses Relikt, da der Herrscher von irgendeinem Heerführer oder König der Barbaren ernannt wurde. Bei Klein-Romulus aber nahm dieser Trend eine neue Dimension an: Er war 16 Jahre jung und Sohn eines rebellischen Heermeisters, den Odoaker vor kurzem gestürzt hatte. Außerhalb von Italien hatte er nichts zu sagen, in Italien selbst hatte Odoaker das Sagen. Falls überhaupt jemand Legitimität besaß, dann der Mann, den Romulus und sein Vater vom Thron gestoßen hatten, Julius Nepos, der letzte Kaiser, der vom oströmischen Herrscher formal anerkannt worden war. Warum also sollte man an Romulus festhalten? Und warum überhaupt nach einem Ersatz suchen? Sicher wäre es besser, ihn mit einer anständigen Pension zu seiner Familie nach Kampanien zurückzuschicken, wo er in Frieden und Abgeschiedenheit leben konnte.

Vorsichtshalber schickte Odoaker eine Gesandtschaft zu Zeno, dem Kaiser Ostroms, und schlug ihm vor, die Herrschaft über die westliche Reichshälfte mit zu übernehmen. Odoaker würde sich als germanischer König dann um die täglichen Geschäfte in Italien kümmern. Dieses Angebot brachte Zeno in ein peinliches Dilemma: Romulus' Absetzung stellte für ihn kein Problem dar – Konstantinopel hatte ihn sowieso niemals anerkannt. Das Problem war Nepos, *den* hatte er ja offiziell anerkannt. Obwohl Nepos keine Macht mehr besaß, wollte Zeno dennoch nicht derjenige sein, der die Thronbesteigung eines

germanischen Königs sanktionierte und damit auch formal das Ende
des Westreichs herbeiführte. Da kam ihm der Zufall zu Hilfe.

Zeno hatte nämlich von Nepos einen Brief erhalten. Der entthronte
Westkaiser hatte seinen Kollegen darum gebeten, ihn bei dem Versuch, die Macht über den weströmischen Staat doch noch zurückzugewinnen, zu unterstützen. Nach einigem Nachdenken verfasste Zeno
zwei Antwortschreiben, in denen er sich um eine Entscheidung geschickt herumdrückte. Odoaker teilte er mit, dass der König sich Nepos gegenüber loyal verhalten müsse, da der letzte formal anerkannte
Kaiser Westroms der Einzige sei, der Odoakers Status legitimieren
könne. Nepos aber ließ er eine Entschuldigung zukommen: Er könne
ihm bei der Rückeroberung des Westens nicht helfen. Ein solcher Versuch wäre, wie er indirekt zu verstehen gab, sowieso zum Scheitern
verurteilt. Damit hatte Zeno, ohne es auszusprechen, akzeptiert, dass
die westliche Reichshälfte verloren war und Odoaker die Macht übernommen hatte.

Nach Romulus' Absetzung startete Odoaker in Italien noch eine
letzte Aufräumaktion. Was sollte mit den Amtskleidern des weströmischen Kaisers geschehen? Er, Odoaker, würde sie gewiss nicht tragen. Er war kein souveräner Augustus – dies war weder seine Rolle
noch seine Machtbasis. Er war mit dem Titel eines Königs vollauf zu-
frieden. Die kaiserlichen Gewänder wären im Osten bei Kaiser Zeno
vielleicht am besten aufgehoben. Deshalb ließ er sie zusammen mit
dem Diadem und dem Purpurmantel durch einen Boten nach Konstantinopel bringen.

Falls Odoaker versucht war, diesen Schritt für zu gewagt oder ir-
gendwie bedenklich zu halten, beruhigte er sich vielleicht damit, dass
es in Zukunft durchaus noch einmal einen Kaiser geben könne. Eines
Tages mochte sich eine Situation ergeben, wo man einen solchen
Herrscher brauchte, momentan aber war in Odoakers Italien an ihm
kein Bedarf. Die altrömische Autorität eines Augustus, die Macht, die
ein Imperium geschaffen und viele Jahrhunderte lang regiert hatte und
die in jenen kaiserlichen Amtsinsignien zum Ausdruck kam, verließ
einstweilen den Westen.

Anhang

Anmerkungen

Rom, die Stadt der sieben Hügel

1 Vergil, *Georgica* 4,8 ff.
2 Ebd. 4,73 f.
3 Peter Jones / Keith Sidwell (Hrsg.), *The World of Rome: An Introduction to Roman Culture*, Cambridge 1997, S. 7.
4 Polybios, *Geschichte* 6,52. Übers. K. F. Eisen.
5 Livius, *Römische Geschichte* 1,32.

Revolution

1 Polybios, *Geschichte* 6,54. Übers. A. Haack (Orthographie modernisiert).
2 Ebd. 6,53.
3 Ebd. 1,1.
4 Ebd. 1,20 und 59.
5 Livius, *Römische Geschichte* 21,35.
6 Ebd. 26,11.
7 Peter Jones / Keith Sidwell (Hrsg.), *The World of Rome: An Introduction to Roman Culture*, Cambridge 1997, S. 20 f.
8 Appian, *Römische Geschichte* 8,116.
9 Polybios, *Geschichte* 36,9. Übers. H. Drexler.
10 Sallust, *Die Verschwörung des Catilina* 10. Übers. K. Büchner.
11 Appian, *Römische Geschichte* 8,69; W. V. Harris, »Roman Expansion in the West«, in: A. E. Astin / F. W. Walbank / M. W. Frederiksen / R. M. Ogilvie (Hrsg.), *Cambridge Ancient History*, Cambridge 1989, Bd. 8, S. 154.
12 Livius, *Periochen* 47; Harris (wie Anm. 11), S. 149.
13 Appian, *Römische Geschichte* 8,81–83. Übers. O. Veh.
14 Polybios, *Geschichte* 36,2. Übers. H. Drexler.
15 Ebd. 32,9. Übers. H. Drexler.
16 Plutarch, *Tiberius Gracchus* 2.
17 Isidor von Sevilla, *Etymologien* 2,21,4; Jones/Sidwell (wie Anm. 7), S. 106.

18 Appian, *Römische Geschichte* 8,128.

19 Ebd. 8,129 f.

20 Ebd. 8,130 f.

21 Homer, *Ilias* 6,448 f. Übers. Johann Heinrich Voß.

22 Appian, *Römische Geschichte* 8,132. Übers. O. Veh.

23 Plutarch, *Tiberius Gracchus* 4; Appian, *Römische Geschichte* 8,133.

24 Appian, ebd. 8,134.

25 Plutarch, *Tiberius Gracchus* 8; Mary Beard / Michael Crawford, *Rome in the Late Republic: Problems and Interpretations*, London 1999, S. 55.

26 Beard/Crawford (wie Anm. 25), S. 14.

27 Sallust, *Die Verschwörung des Catilina*, Vorwort, passim.

28 Appian, *Bürgerkriege* 1,7. Übers. O. Veh.

29 Beard/Crawford (wie Anm. 25), S. 68.

30 Livius, *Periochen* 55.

31 Plutarch, *Tiberius Gracchus* 8.

32 Ebd. 5. Übers. W. Ax.

33 Ebd.; Appian, *Römische Geschichte* 6,80.

34 Cassius Dio, *Römische Geschichte* 24,83; Cicero, *De haruspicum responsis* 43.

35 Plutarch, *Tiberius Gracchus* 8. Übers. W. Ax.

36 Ebd. 9. Übers. W. Ax.

37 Appian, *Römische Geschichte* 1,44. Übers. O. Veh.

38 Cicero, *Rede für P. Sestius* 103; Appian, *Bürgerkriege* 1,10.

39 Plutarch, *Tiberius Gracchus* 12. Übers. W. Ax.

40 Ebd. 14.

41 Ebd. Übers. W. Ax.

42 Ebd. 16.

43 Ebd. 17. Übers. W. Ax.

44 Ebd. 18 f.

45 Ebd. 19. Übers. W. Ax.

Caesar

1 Cassius Dio, *Römische Geschichte* 43,44.

2 Mary Beard / Michael Crawford, *Rome in the Late Republic: Problems and Interpretations*, London 1999, S. 5.

3 Plutarch, *Caesar* 4; Sueton, *Caesar* 45. Übers. A. Lambert.

4 Plutarch, *Caesar* 4.

5 Sueton, *Caesar* 10.

6 Cicero, *Atticus-Briefe* 2,1. Übers. H. Kasten.

7 Plutarch, *Caesar* 13.

8 Sueton, *Caesar* 18.

9 Ebd. 22.

10 Cicero, *Atticus-Briefe* 2,19. Übers. H. Kasten.

11 Cicero, *Über die konsularischen Provinzen* 33.

12 Caesar, *Der Gallische Krieg* 1,14.

13 Ebd. 1. Übers. G. Dorminger.

14 Ebd. 4,17.

15 Ebd. 7,1; Cassius Dio, *Römische Geschichte* 39,53.

16 Sueton, *Caesar* 26.

17 Sallust, *Der Jugurthinische Krieg* 86. Übers. L. Rumpel.

18 Plutarch, *Pompeius* 52. Übers. W. Ax.

19 Ebd. 53.

20 Sallust, *Historien* 4,69,18: »Nur wenige geben den Vorzug der Freiheit, die meisten wollen einfach nur gerechte Herren.«

21 Plutarch, *Pompeius* 54.

22 Cicero, *Briefe an die Freunde* 8,1 (Caelius an Cicero).

23 Caesar, *Der Gallische Krieg* 7,1.

24 Ebd. 7,4. Übers. G. Dorminger.

25 Ebd. 7,8.

26 Plutarch, *Caesar* 25.

27 Caesar, *Gallischer Krieg* 7,71.

28 Plutarch, *Caesar* 15.

29 Caesar, *Gallischer Krieg* 7,86. Übers. G. Dorminger.

30 Plutarch, *Caesar* 27. Übers. W. Ax.

31 Caesar, *Gallischer Krieg* 7,88.

32 Sueton, *Caesar* 25.

33 Plutarch, *Caesar* 27.

34 Sueton, *Caesar* 26.

35 Caesar, *Gallischer Krieg* 3,10. Übers. G. Dorminger.

36 Cicero, *Briefe an die Freunde* 8,5 (Caelius an Cicero).

37 Plutarch, *Pompeius* 55.

38 Cicero, *Briefe an die Freunde* 8,8 (Caelius an Cicero).

39 Plutarch, *Pompeius* 57. Übers. W. Ax.

40 Ebd. Übers. W. Ax.

41 Cicero, *Briefe an die Freunde* 8,14 (Caelius an Cicero).

42 Appian, *Bürgerkriege* 2,30.

43 Ebd. 2,31. Übers. O. Veh. Cicero, *Atticus-Briefe* 7,8.

44 Caesar, *Bürgerkrieg* 1,2.

45 Appian, *Bürgerkriege* 2,33.

46 Ebd. 2,33.

47 Plutarch, *Caesar* 32. Übers. W. Ax.

48 Ebd. 32; Appian, *Bürgerkriege* 2,35.

49 Sueton, *Caesar* 32.

50 Cicero, *Atticus-Briefe* 9,7 C 1 (Caesar an Cicero). Übers. H. Kasten.

51 Ebd. 8,13. Übers. H. Kasten.

52 Cassius Dio, *Römische Geschichte* 41,5.

53 Plutarch, *Caesar* 33.

54 Lukan, *Pharsalia* 2,20 ff.

55 Plutarch, *Pompeius* 61.

56 Cicero, *Atticus-Briefe* 8,2; 9,18.

57 Plutarch, *Caesar* 34; Cicero, *Briefe an die Freunde* 14,18; Cassius Dio, *Römische Geschichte* 41,9.

58 Caesar, *Bürgerkrieg* 1,26.

59 Ebd. Übers. G. Dorminger.

60 Ebd. 1,26–28.

61 Ebd. 1,29; Plutarch, *Caesar* 35.

62 Lukan, *Pharsalia* 3,110 ff.

63 Caesar, *Bürgerkrieg* 1,32 f.

64 Plutarch, *Caesar* 35. Übers. W. Ax.

65 Caesar, *Bürgerkrieg* 3,3.

66 Sueton, *Caesar* 58.

67 Caesar, *Bürgerkrieg* 3,48.

68 Plutarch, *Caesar* 41.

69 Ebd. 41.

70 Caesar, *Bürgerkrieg* 3,85; Plutarch, *Pompeius* 68.

71 Lukan, *Pharsalia* 7,257 ff.; Plutarch, *Caesar* 42.

72 Lukan, *Pharsalia* 7,320 ff.

73 Caesar, *Bürgerkrieg* 3,91. Übers. G. Dorminger.

74 Plutarch, *Caesar* 45. Übers. W. Ax.

75 Plutarch, *Pompeius* 72.

76 Caesar, *Bürgerkrieg* 3,99; Plutarch, *Caesar* 46; Sueton, *Caesar* 75.

77 Plutarch, *Pompeius* 80; *Caesar* 48.

78 Plutarch, *Caesar* 67.

Augustus

1 Sueton, *Augustus* 79.
2 Sueton, *Caesar* 88.
3 Sueton, *Augustus* 10.
4 Cassius Dio, *Römische Geschichte* 47,3; Appian, *Bürgerkriege* 4,5. Von weiteren Akten der Grausamkeit berichtet Sueton, *Augustus* 15.
5 Cassius Dio, *Römische Geschichte* 51,1.
6 Sueton, *Augustus* 35; Cassius Dio, *Römische Geschichte* 54,18.
7 Sueton, *Augustus* 101. Übers. A. Lambert.
8 Keith Hopkins, »Taxes and Trade in the Roman Empire (200 BC to AD 400)«, in: *Journal of Roman Studies* 70 (1980) S. 101–125.
9 Sueton, *Augustus* 23. Übers. A. Lambert.
10 Augustus, *Tatenbericht* 26.
11 Sueton, *Augustus* 28.
12 Ebd. 29.
13 Ebd. 30. Übers. A. Lambert.
14 Sueton, *Claudius* 21.
15 Sueton, *Augustus* 69.
16 Ebd. 99. Übers. A. Lambert.
17 Strabo, *Geographie* 5,3,9.

Nero

1 Peter Jones / Keith Sidwell (Hrsg.), *The World of Rome: An Introduction to Roman Culture*, Cambridge 1997, S. 60.
2 Miriam Griffin, *Nero: The End of a Dynasty*, London 1984, S. 189 ff.
3 David Shotter, *Nero*, London 2005, S. 5.
4 Seneca, *Apocolocyntosis* 10,3; 14,1.
5 Tacitus, *Annalen* 12,68. Übers. W. Sontheimer.
6 Sueton, *Nero* 28.
7 Tacitus, *Annalen* 13,14. Übers. W. Sontheimer.
8 Ebd. 13,16. Übers. W. Sontheimer.
9 Tacitus, *Annalen* 14,1. Übers. W. Sontheimer.
10 Ebd. 14,52. Übers. W. Sontheimer.
11 Seneca, *Über die Güte* 1,1,2. Übers. K. Büchner.
12 Griffin (wie Anm. 2), S. 66.
13 Sueton, *Nero* 26. Übers. A. Lambert.

14 Ebd. 20. Übers. A. Lambert; Plinius der Ältere, *Naturgeschichte* 19,108; 28,237.

15 Cornelius Nepos, *Biographien berühmter Männer*, Vorwort; Tacitus, *Annalen* 14,20; Griffin (wie Anm. 2), S. 41.

16 Cassius Dio, *Römische Geschichte* 62,17.

17 Ebd. 62,13.

18 Tacitus, *Annalen* 14,56. Übers. W. Sontheimer.

19 Cassius Dio, *Römische Geschichte* 62,28.

20 Tacitus, *Annalen* 14,60. Übers. W. Sontheimer.

21 Cassius Dio, *Römische Geschichte* 62,15.

22 Sueton, *Nero* 31. Übers. A. Lambert; Tacitus, *Annalen* 15,42.

23 Sueton, *Nero* 31.

24 Martial, *Buch der Schauspiele* 2,4; Sueton, *Nero* 39; *Vespasian* 9.

25 Tacitus, *Annalen* 15,44.

26 Ebd. 15,45. Übers. W. Sontheimer.

27 Sueton, *Nero* 31. Übers. A. Lambert.

28 Griffin (wie Anm. 2), S. 205 ff.

29 Tacitus, *Annalen* 15,58. Übers. W. Sontheimer.

30 Ebd. 15,64. Übers. W. Sontheimer.

31 Ebd. 15,66.

32 Ebd. 16,5.

33 Cassius Dio, *Römische Geschichte* 62,28.

34 Ebd. 63,1.

35 Griffin (wie Anm. 2), S. 205.

36 Cassius Dio, *Römische Geschichte* 63,28. Übers. O. Veh.

37 Tacitus, *Historien* 2,8. Die Stelle zeigt, dass Nero auch noch nach seinem Tod beim einfachen Volk überall im Reich sehr populär war. Eine Reihe von Männern, die sich als Nero ausgaben, wurde begeistert gefeiert.

38 Cassius Dio, *Römische Geschichte* 63,12. Übers. O. Veh.

39 Ebd. 63,18.

40 Ebd. 63,13. Übers. O. Veh; Sueton, *Nero* 28.

41 Mary Beard, *The Parthenon*, London 2002, S. 108.

42 Cassius Dio, *Römische Geschichte* 63,21. Übers. O. Veh.

43 Sueton, *Nero* 41.

44 Ebd. 44.

45 Plinius der Ältere, *Naturgeschichte* 18,35.

46 Sueton, *Nero* 47. Übers. A. Lambert.

47 Tacitus, *Historien* 1,72.

48 Sueton, *Nero* 48. Übers. A. Lambert.
49 Ebd. 49. Übers. A. Lambert.
50 Tacitus, *Historien* 1,16. Übers. W. Sontheimer.
51 *Lex de imperio Vespasiani*, in: Hermann Dessau (Hrsg.), *Inscriptiones Latinae Selectae* (ILS), Berlin 1892–1916. No. 244, ad 69/70.
52 Griffin (wie Anm. 2), S. 207.

Rebellion

1 Martin Goodman, *The Ruling Class of Judaea: The Origins of the Jewish Revolt Against Rome, A.D. 66–70*, Cambridge 1987, S. 115.
2 *Apostelgeschichte* 25,22 ff.; Greg Woolf (Hrsg.), *The Cambridge Illustrated History of the Roman World*, Cambridge 2003, S. 350.
3 Josephus, *Geschichte des Judäischen Krieges* 2,13,7.
4 Barbara Levick, *Vespasian*, London 1999, S. 25; Josephus, ebd. 2,10,4.
5 Cicero, *Rede über den Oberbefehl des Cn. Pompeius* 65. Übers. O. Schönberger.
6 Woolf (wie Anm. 2), S. 350.
7 Neil Faulkner, *Apocalypse: The Great Jewish Revolt Against Rome, ad 66–73*, Stroud 2002, S. 47–50. Faulkner schätzt, dass die jüdischen Bauern nicht weniger als 15 % ihres Jahreseinkommens an die Römer zu zahlen hatten (S. 61).
8 Cassius Dio, *Römische Geschichte* 63,22; Plinius der Ältere, *Naturgeschichte* 18,35.
9 Josephus, *Geschichte des Judäischen Krieges* 2,14,2.
10 Ebd. 2,15,5.
11 Ebd. 2,17,1.
12 Ebd. 2,19,9; Fergus Millar, *The Roman Near East, 31 bc – ad 337*, Cambridge (Mass.) / London 1993, S. 71.
13 Josephus, *Geschichte des Judäischen Krieges* 2,20,3.
14 Goodman (wie Anm. 1), S. 177.
15 Sueton, *Vespasian* 10 und 4.
16 Ebd. 1 und 4; Tacitus, *Historien* 1,10.
17 Sueton, *Titus* 3 und 8.
18 Josephus, *Geschichte des Judäischen Krieges* 2,21,1. Übers. H. Clementz.
19 Ebd. 2,21,6.
20 Tacitus, *Historien* 5,11.
21 Josephus, *Geschichte des Judäischen Krieges* 3,7,1.

22 Ebd. 3,6,2. Übers. H. Clementz.
23 Ebd. 3,7,2.
24 Ebd. 3,7,23. Übers. H. Clementz.
25 Ebd. 3,8,6. Übers. H. Clementz.
26 Ebd. 3,8,7. Übers. H. Clementz.
27 Ebd. 3,8,9.
28 Ebd. 3,10,10. Übers. H. Clementz.
29 Ebd. 4,3,1 ff.
30 Ebd. 4,5,2.
31 Goodman (wie Anm. 1), S. 180.
32 Tacitus, *Historien* 1,4. Übers. W. Sontheimer.
33 Sueton, *Vitellius* 16 f.
34 Goodman (wie Anm. 1), S. 231 ff.
35 Josephus, *Geschichte des Judäischen Krieges*, Bücher 5–7. Sie geben einen detaillierten Bericht über die Belagerung Jerusalems (März bis September 70 n. Chr.).
36 Ebd. 5,11,1.
37 Ebd. 5,9,3. Übers. H. Clementz.
38 Ebd. 5,11,4 f.
39 Ebd. 5,12,2. Übers. H. Clementz.
40 Ebd. 6,2,1. Übers. H. Clementz.
41 Ebd. 6,4,3.
42 Ebd. 6,6,1.
43 Ebd. 6,6,2. Übers. H. Clementz.

Hadrian

1 Plinius der Jüngere, *Panegyricus* 4.
2 Cassius Dio, *Römische Geschichte* 68,29.
3 Ebd. 69,2.
4 Danny Danziger / Nicholas Purcell, *Hadrian's Empire: When Rome Ruled the World*, London 2005, S. 15. Eine zeitgenössische Darstellung von Hadrians Charakter.
5 *Historia Augusta, Hadrian* 11.
6 Danziger/Purcell (wie Anm. 4), S. 178.
7 Ebd., S. 177.
8 Plinius, *Sämtliche Briefe* 1,10,9. Übers. H. Philips, M. Giebel.
9 *Historia Augusta, Hadrian* 19.

10 Tacitus, *Agricola* 21.

11 Cassius Dio, *Römische Geschichte* 69,8.

12 Robin Lane Fox, *The Classical World: An Epic History from Homer to Hadrian*, London 2005, S. 595.

Konstantin

1 Plinius, *Sämtliche Briefe* 10,96. Übers. H. Philips, M. Giebel.

2 Ebd. Übers. H. Philips, M. Giebel.

3 Peter Brown, *The Rise of Western Christendom*, Oxford 2002, S. 18 ff.; Keith Hopkins, *Journal of Early Christian Studies* 6 (1998) S. 185–226.

4 Mary Beard, / John North / Simon Price, *Religions of Rome*, Cambridge 1998, Bd. 1, S. 365.

5 Laktanz, *Von den Todesarten der Verfolger*, 5.

6 Averil Cameron, *The Later Roman Empire*, London 1993, S. 33–37.

7 Ebd., S. 42.

8 Peter Jones / Keith Sidwell (Hrsg.), *The World of Rome: An Introduction to Roman Culture*, Cambridge 1997, S. 172–174.

9 Eusebius, *Kirchengeschichte* 8,2; Cameron (wie Anm. 5), S. 44.

10 Cameron (wie Anm. 5), S. 32.

11 Laktanz, *Die Todesarten der Verfolger* 24; Zosimus, *Neue Geschichte* 2,8; zu Konstantins äußerem Erscheinungsbild vgl. Eusebius, *Das Leben Konstantins* 1,19.

12 Laktanz, *Die Todesarten der Verfolger* 44; Zosimus, *Neue Geschichte* 2,14.

13 Eusebius, *Kirchengeschichte* 8,16.

14 Inschrift auf dem Konstantinsbogen in Rom; Eusebius, *Das Leben Konstantins* 1,27.

15 Eusebius, *Das Leben Konstantins* 1,34–36.

16 Cameron (wie Anm. 5), S. 7; Beard/North/Price (wie Anm. 4), Bd. 1, S. 364.

17 *Panegyrici Latini* 9(12),3,3 und 5,1 f.; Zosimus, *Neue Geschichte* 2,15, nennt sogar noch höhere Zahlen. Nach ihm standen auf der Seite des Maxentius 170 000 Fußsoldaten und 18 000 Berittene, während Konstantin 90 000 Infanteristen und 8000 Kavalleristen aufbieten konnte.

18 Laktanz, *Göttliche Unterweisungen* 1.

19 Eusebius, *Das Leben Konstantins* 1,37; Laktanz, *Die Todesarten der Verfolger* 44.

20 Zosimus, *Neue Geschichte* 2,15; Eusebius, *Das Leben Konstantins* 1,38.

21 Eusebius, *Das Leben Konstantins* 1,28; Sozomen(os), *Kirchengeschichte* 1,3.

22 Zu modernen Interpretationen des Zeichens vgl.: Averil Cameron / Stuart G. Hall, *Eusebius: Life of Constantine*, Oxford 1999, S. 207–210.

23 *Panegyrici Latini* 7(6),21.

24 Eusebius, *Das Leben Konstantins* 1,30.

25 Zosimus, *Neue Geschichte* 2,16.

26 Eusebius, *Das Leben Konstantins* 1,39. Auf den Reliefs des Konstantinbogens wird gezeigt, wie die Soldaten Geld an die römische Bevölkerung verteilen.

27 *Panegyrici Latini* 12(9),19; Zosimus, *Neue Geschichte* 2,29; laut Eusebius (*Das Leben Konstantins* 1,48) war es im Jahr 315 (in dem der Kaiser zur Feier seines zehnjährigen Thronjubiläums nach Rom zurückkehrte) und nicht im Jahr 312, als Konstantin in Rom keine heidnischen Opfer darbrachte.

28 Timothy Barnes, *Constantine and Eusebius*, Cambridge (Mass.) / London 1981, S. 44 ff.

29 Laktanz, *Die Todesarten der Verfolger* 48.

30 Ebd. 46.

31 Eusebius, *Kirchengeschichte* 10,7.

32 Beard/North/Price (wie Anm. 4), Bd. 1, S. 369.

33 Ebd., S. 368 f.

34 *Corpus Scriptorum Ecclesiasticorum Latinorum* (CSEL), Bd. 26, S. 206.

35 Beard/North/Price (wie Anm. 4), Bd. 1, S. 370.

36 Cameron (wie Anm. 5), S. 8.

37 Eusebius, *Das Leben Konstantins* 1,49 f.

38 Zosimus, *Neue Geschichte* 2,18–20.

39 Eusebius, *Das Leben Konstantins* 4,29; Cameron (wie Anm. 5), S. 57.

40 Eusebius, *Das Leben Konstantins* 4,28.

41 Peter Heather, »Senators and Senates«, in: Averil Cameron / Peter Garnsey (Hrsg.), *Cambridge Ancient History*, Cambridge 1997, Bd. 13, S. 184–210.

42 Philostorgius, *Kirchengeschichte* 5,2.

43 Eusebius, *Das Leben Konstantins* 2,2.

44 Laktanz, *Göttliche Unterweisungen* 1; Eusebius, *Das Leben Konstantins* 2,3.

45 Eusebius, *Das Leben Konstantins* 2,4.

46 Ebd. 5.

47 Ebd. 4; Zosimus, *Neue Geschichte* 2,22.

48 Eusebius, *Das Leben Konstantins* 2,12.

49 Ebd. 16.

50 Ebd. 18.

51 Zosimus, *Neue Geschichte* 2,28. Übers. O. Veh.

52 Ebd.

53 Eusebius, *Das Leben Konstantins* 2,24–42.

54 Beard/North/Price (wie Anm. 5), Bd. 1, S. 372–375, 382; Naphtali Lewis / Meyer Reinhold (Hrsg.), *Roman Civilization: Selected Readings*, New York 1990, Bd. 2, Nr. 180; Cameron (wie Anm. 4), S. 57.

55 Eusebius, *Das Leben Konstantins* 3,10.

56 Beard/North/Price (wie Anm. 5), Bd. 1, S. 371.

57 Cameron (wie Anm. 4), S. 63f.

Untergang

1 Diese Ansicht wurde kürzlich sehr überzeugend vertreten von Peter Heather, *The Fall of the Roman Empire*, London 2005.

2 Hauptquelle für die Geschichte der Goten, die im Jahre 376 im römischen Imperium Zuflucht suchten, ist Ammianus Marcellinus, *Römische Geschichte*, Buch 31. Ihm verdanken wir die ausführlichste und anschaulichste Darstellung der Jahre 354–376 n. Chr.

3 Ammianus Marcellinus, *Römische Geschichte* 31,2. Übers. W. Seyfarth.

4 Ebd. 31,4; Heather (wie Anm. 1), S. 158.

5 Ammianus Marcellinus, *Römische Geschichte* 31,4.

6 Ebd. 31,12.

7 Heather (wie Anm. 1), S. 72f.

8 Claudian, *Gegen Rufinus* 2,4–6; Heather (wie Anm. 1), S. 217.

9 Zosimus, *Neue Geschichte* 5,29; Heather (wie Anm. 1), S. 215f.

10 Zosimus, *Neue Geschichte* 5,29. Zosimus, ein oströmischer Historiker des 6. Jahrhunderts, gibt in den Büchern 5 und 6 seiner *Neuen Geschichte* einen sehr umfassenden Bericht von den Ereignissen, die zur Plünderung Roms im Jahre 410 führten. Dabei stützt er sich vor allem auch auf die zeitgenössischen historischen Werke des Eunapius und Olympiodorus, die heute nur noch in Fragmenten vorliegen.

11 Ebd. Übers. O. Veh.

12 Ebd. 5,32. Übers. O. Veh.

13 Heather (wie Anm. 1), S. 67–72.

14 Zosimus, *Neue Geschichte* 5,14.

15 Ebd. 5,33.

16 Ebd. 5,34.

17 Ebd.
18 Ebd. 5,35.
19 Ebd. 5,34 (im Anschluss an Olympiodorus, Frgm. 17). Übers. O. Veh.
20 Ebd. 5,39.
21 Ebd. 5,40. Übers. O. Veh.
22 Ebd. 5,41.
23 Ebd. 5,45.
24 Ebd. 5,46.
25 Heather (wie Anm. 1), S. 227.
26 Zosimus, *Neue Geschichte* 6,1. Übers. O. Veh.
27 Heather (wie Anm. 1), S. 222.
28 Zosimus, *Neue Geschichte* 5,48.
29 Ebd. 5,48 f.
30 Ebd. 5,50. Übers. O. Veh.
31 Ebd. 5,51. Übers. O. Veh.
32 Heather (wie Anm. 1), S. 228 f.
33 Sozomen(os), *Kirchengeschichte* 9,9; eine andere Geschichte erzählt Prokop(ios), *Kriege* 3,2,7–39.
34 Heather (wie Anm. 1), S. 227.
35 Die Quellen, die sich mit Alarichs Plünderung der Stadt Rom befassen, sind zusammengestellt in Pierre Courcelle, *Histoire littéraire des grandes invasions germaniques*, Paris 1964, S. 45–55.
36 Hieronymus, *Kommentar zum Buch des Propheten Ezechiel*, Buch 1, Vorwort.
37 Augustinus, *Gottesstaat* 2,29; Heather (wie Anm. 1), S. 229–232.
38 Heather (wie Anm. 1), S. 246–248.
39 Ebd. S. 138–140.

Literaturhinweise

Vorwort

Woolf, G. (Hrsg.): The Cambridge Illustrated History of the Roman World. Cambridge 2003.

Cornell, T. J.: Beginnings of Rome: Italy and Rome from the Bronze Age to the Punic Wars. London 1995.

Woolf, G.: Et Tu Brute? The Murder of Caesar and Political Assassination. London 2006.

Wyke, M.: Projecting the Post: Ancient Rome, Cinema and History. New York / London 1997.

Hopkins, Keith / Beard, Mary: The Colosseum. London 2005.

Bowman, A. K.: Life and Letters on the Roman Frontier: Vindolanda and its People. London 2003.

Bengtson, H.: Grundriß der römischen Geschichte mit Quellenkunde. Republik und Kaiserzeit bis 284 n. Chr. München ³1982.

Antike Quellen

Cicero: Epistulae ad Atticum / Briefe an Atticus. Lat./Dt. Ausw., Übers. und hrsg. von D. Schmitz. Stuttgart 1992.

– Atticus-Briefe. Hrsg. und übers. von H. Kasten. Darmstadt ⁴1990.

– An seine Freunde. Lat./Dt. Hrsg. und übers. von H. Kasten. Darmstadt ⁵1997.

Tacitus: Annalen I–VI. Übers. von W. Sontheimer. Stuttgart 1991.

– Annalen XI–XVI. Übers. von W. Sontheimer. Stuttgart 1991.

– Historien. Übers. von W. Sontheimer. Einl. von V. Pöschl. Stuttgart 1968.

– Historien. Lat./Dt. Übers. und hrsg. von H. Vretska. Stuttgart 1984.

Seneca: Apocolocyntosis / Die Verkürbissung des Kaisers Claudius. Lat./Dt. Übers. und hrsg. von A. Bauer. Stuttgart 1990.

Sueton: Leben der Caesaren. Übers. und hrsg. von A. Lambert. München 1972.

Plutarch: Römische Heldenleben. Coriolan. Die Gracchen. Sulla. Pompeius. Cäsar. Cicero. Brutus. Übertr. und hrsg. von W. Ax. Stuttgart 1953.

– Alexander. Caesar. Übers. und hrsg. von M. Giebel. Stuttgart 1980.

Caesar: Der Bürgerkrieg. Übers. von M. Deißmann. Stuttgart 2004.

Flavius Josephus, Geschichte des Judäischen Krieges. Aus dem Griech. von
H. Clementz. Leipzig ⁷2003.

Rom, die Stadt der sieben Hügel

Jones, Peter / Sidwell, Keith (Hrsg.): The World of Rome: An Introduction
to Roman Culture. Cambridge 1997.
Woolf, G. (Hrsg.): The Cambridge Illustrated History of the Roman World.
Cambridge 2003.
Hopkins, Keith: Conquerors and Slaves. Cambridge 1978.
Griffin, Jasper: Virgil. London 2001.
Jenkyns, Richard: Virgil's Experience: Nature and History, Times, Names,
and Places. Oxford 1998.
Christ, Karl: Die Römer. Eine Einführung in ihre Geschichte und Zivilisation.
München ³1994.
Suerbaum, Werner: Vergils »Aeneis«. Epos zwischen Geschichte und Gegen-
wart. Stuttgart 1999.
Holzberg, Niklas: Vergil. Der Dichter und sein Werk. München 2006.

Antike Quellen

Polybios, Historien. Ausw., Übers.: K. F. Eisen. Stuttgart 2001.
Des Polybios Geschichte. II. Übers. von Adolf Haack. Berlin/Stuttgart ⁴1855–
1911.
Polybios: Geschichte. Eingel. und übertr. von H. Drexler. 2 Bde. Zürich/
Stuttgart 1961/63.
Livius: Ab urbe condita / Römische Geschichte. Lat./Dt. 1. Buch. Übers. und
hrsg. von R. Feger. Stuttgart 1995.
– Ab urbe condita / Römische Geschichte. Lat./Dt. 2. Buch. Übers. und
hrsg. von M. Giebel. Stuttgart 1996.
– Ab urbe condita / Römische Geschichte. Lat./Dt. 3.–5. Buch. Übers. und
hrsg. von L. Fladerer. Stuttgart 1988–93.
– Römische Geschichte. Lat./Dt. 4.–6. Buch. Übers. und hrsg.: H. J. Hillen.
München 1991.
– Römische Geschichte. Lat./Dt. 7.–10. Buch. Fragmente der zweiten De-
kade. Übers. und hrsg. von H. J. Hillen. München 1994.

Vergil, Georgica / Vom Landbau. Lat./Dt. Übers. und hrsg. von O. Schönberger. Stuttgart 1994.
– Aeneis. Lat./Dt. Übers. und hrsg. E. und G. Binder. 6 Bde. Stuttgart 1994–2005.

Revolution

Richardson, Keith: Daggers in the Forum: The Revolutionary Lives and Violent Deaths of the Gracchus Brothers: London 1976.
Astin, A. E.: Scipio Aemilianus. Oxford 1967.
Stockton, David: The Gracchi. Oxford 1979.
Astin, A. E. / Walbank, F. W. / Frederiksen, M. W. / Ogilvie, R. M. (Hrsg.): Cambridge Ancient History. Bd. 8: Rome and the Mediterranean to 133 BC. Cambridge 1989.
Beard, Mary / Crawford, Michael: Rome in the Late Republic. Problems and Interpretations. London 1999.
Brunt, P. A.: Italian Manpower. Oxford 1971.
Bleicken, J.: Geschichte der römischen Republik. München ⁶2004.

Antike Quellen

Zur römischen Eroberung des Mittelmeerraums:
Polybios: Geschichte. Eingel. und übertr. von H. Drexler. 2 Bde. Zürich/Stuttgart 1961/63.
– Historien. Ausw. und Übers. von K. F. Eisen. Stuttgart 2001.
Livius: Der Punische Krieg. Übers. und hrsg. von H. A. Gärtner. Stuttgart 1968.
– Ab urbe condita / Römische Geschichte. Lat./Dt. Liber XXI / 21. Buch – Liber XXVI / 26. Buch. Übers. und hrsg. von U. Blank-Sangmeister. Stuttgart 1999–2006.
– Römische Geschichte. Lat./Dt. Buch 27–41. Übers. und hrsg. von H. J. Hillen. München 1982–97.
Appian von Alexandria: Römische Geschichte. 2 Bde. Übers. von O. Veh. Stuttgart 1987/89.

Zu den Biographien des Tiberius Gracchus und Gaius Gracchus:
Plutarch: Römische Heldenleben. Coriolan. Die Gracchen. Sulla. Pompeius. Cäsar. Cicero. Brutus. Übertr. und hrsg. von W. Ax. Stuttgart 1953.

Eine nützliche Zusammenstellung der Primärliteratur über die Gracchen findet sich in:
Stockton, David, From The Gracchi To Sulla: Sources for Roman History, 133–80 BC. London 1981.

Caesar

Die verständlichste Darstellung über den Untergang der römischen Republik, gut recherchiert und spannend geschrieben, ist:
Holland, Tom: Rubicon: The Triumph and Tragedy of the Roman Republic. London 2003.

Zwei Standardwerke zur Biographie Caesars:
Gelzer, Matthias, Caesar: Der Politiker und Staatsmann. Wiesbaden [6]1983.
Meier, Christian: Caesar. Berlin 1982. München 1997. Sonderausg.: Darmstadt 2004.

Weitere wichtige Werke über die späte Republik:
Beard, Mary / Crawford, Michael: Rome in the Late Republic. Problems and Interpretations. London 1999.
Weinstock, Stefan: Divus Julius. Oxford 1971.
Crook, J. A. / Lintott, Andrew / Rawson, Elizabeth (Hrsg.): Cambridge Ancient History. Bd. 9: The Last Age of the Roman Republic, 146–43 BC. Cambridge 1989.
Bringmann, Klaus: Krise und Ende der römischen Republik (133–42 v. Chr.). Berlin 2003.
Christ, Karl: Caesar. Annäherungen an einen Diktator. München 1994.
– Krise und Untergang der römischen Republik. Darmstadt [4]2000.
Canfora, Luciano: Caesar. Der demokratische Diktator. München 2001.
Fuhrmann, Manfred: Cicero und die römische Republik: eine Biographie. Düsseldorf 2005.

Antike Quellen

Für diese Periode der römischen Geschichte gibt es eine Fülle antiker Quellen.

Caesars Schriften:
Caesar: Der Gallische Krieg. Übers. und hrsg. von M. Deißmann. Stuttgart 1983.
– Der Bürgerkrieg. Übers. von M. Deißmann. Stuttgart 2004.

Korrespondenz und Schriften Ciceros:

Cicero, Epistulae ad Atticum / Briefe an Atticus. Lat./Dt. Ausw., Übers. und hrsg. von D. Schmitz. Stuttgart 1992.

– Atticus-Briefe. Hrsg. und übers. von H. Kasten. Darmstadt [4]1990.

– An seine Freunde. Lat./Dt. Hrsg. und übers. von H. Kasten. Darmstadt [5]1997.

– De imperio Cn. Pompei ad Quirites oratio / Rede über den Oberbefehl des Cn. Pompeius. Lat./Dt. Übers. und hrsg. von O. Schönberger. Stuttgart 1979.

Antike Biographien von Pompeius und Caesar:

Plutarch: Römische Heldenleben. Coriolan. Die Gracchen. Sulla. Pompeius. Cäsar. Cicero. Brutus. Übertr. und hrsg. von W. Ax. Stuttgart 1953.

Sueton: Leben der Caesaren. Übers. und hrsg. von A. Lambert. München 1972.

– Caesar. Lat./Dt. Übers. und hrsg. von D. Schmitz. Stuttgart 1999.

Weitere antike Darstellungen der letzten Jahrzehnte der Republik:

Appian von Alexandria: Römische Geschichte. 2 Bde. Übers von O. Veh. Stuttgart 1987/89.

Marcus Annaeus Lucanus, Der Bürgerkrieg. Hrsg. und übers. von G. Luck. Berlin 1983.

Sallust: De coniuratione Catilinae. Die Verschwörung des Catilina. Lat./Dt. Übers. und hrsg. von K. Büchner. Stuttgart 1993.

– Der Jugurthinische Krieg. Aus dem Lateinischen übers. und eingel. von L. Rumpel. Stuttgart 1963.

Augustus

Wallace-Hadrill, Andrew: Augustan Rome. Bristol 1993.

Zanker, Paul: Augustus und die Macht der Bilder. München 1987.

Beard, Mary / North, John / Price, Simon: Religions of Rome: Bd. 1: A History. Cambridge 1998.

Galinsky, Karl (Hrsg.): The Cambridge Companion to the Age of Augustus. Cambridge 2005.

Bowman, A.K. / Champlin, Edward / Lintott, Andrew (Hrsg.): Cambridge Ancient History. Bd. 10: The Augustan Empire, 43 BC – AD 69. Cambridge 1996.

Syme, Ronald: The Roman Revolution. Oxford 1939.

Price, S. R. F.: Rituals and Power: The Roman Imperial Cult in Asia Minor. Cambridge 1984.

Jones, Peter / Sidwell, Keith (Hrsg.): The World of Rome: An Introduction to Roman Culture. Cambridge 1997.

Barchiesi, Alessandro: The Poet and the Prince: Ovid and Augustan Discourse. Berkeley 1997.

Bringmann, Klaus / Schäfer, Th.: Augustus und die Begründung des römischen Kaisertums. Berlin 2002.

Kienast, Dietmar: Augustus, Prinzeps und Monarch. Darmstadt ³1999.

Antike Quellen

Die wichtigsten antiken Schriften zum Leben und der Herrschaft des Augustus sind:

Sueton: Leben der Caesaren. Übers. und hrsg. von A. Lambert. München 1972.

– Augustus. Lat./Dt. Übers. und hrsg. von D. Schmitz. Stuttgart 1988.

Cassius Dio: Römische Geschichte. Bd. 5.: Epitome der Bücher 61–80. Übers. von O. Veh. Zürich/München 1987.

Augustus' Tatenbericht:

Augustus: Res gestae / Tatenbericht (Monumentum Ancyranum). Lat./Gr./ Dt. Komm. und hrsg. von M. Giebel. Stuttgart 1995.

Nero

Eine ausgezeichnete Studie über Neros krisenreiche Herrschaft ist:
Griffin, Miriam T.: Nero, The End of a Dynasty. London 1984.

Zwei kurze Einführungen in die Regierungszeit Neros:
Shotter, David: Nero. London 2005.
Malitz, Jürgen: Nero. München 1999.

Weitere wichtige Werke:
Grant, Michael: Nero. London 1970.
Champlin, Edward: Nero. Cambridge (Mass.) / London 2003.
Beacham, Richard C.: The Roman Theatre and its Audience. London 1991.

– Spectacle Entertainments of Early Imperial Rome. New Haven / London 1999.

Fuhrmann, Manfred: Seneca und Kaiser Nero. Eine Biographie. Darmstadt 1998.

Waldherr, Gerhard H.: Nero. Eine Biographie. Regensburg 2005.

Antike Quellen

Tacitus' Werke über diese Epoche:
Tacitus: Annalen I–VI. Übers. von W. Sontheimer. Stuttgart 1991.
– Annalen XI–XVI. Übers. von W. Sontheimer. Stuttgart 1991.
– Historien. Übers. von W. Sontheimer. Einl. von V. Pöschl. Stuttgart 1968.
– Historien. Lat./Dt. Übers. und hrsg. von H. Vretska. Stuttgart 1984.

Suetons Nero-Biographie:
Sueton: Leben der Caesaren. Übers. und hrsg. von A. Lambert. München 1972.
– Nero. Lat./Dt. Übers. und hrsg. von M. Giebel. Stuttgart 1978.

Cassius Dios Bericht über Neros Herrschaft:
Cassius Dio: Römische Geschichte. Bd. 5: Epitome der Bücher 61–80. Übers. von O. Veh. Zürich/München 1987.

Senecas Schriften:
Seneca: Apocolocyntosis / Die Verkürbissung des Kaisers Claudius. Lat./Dt. Übers. und hrsg. von A. Bauer. Stuttgart 1990.
– De clementia / Über die Güte. Lat./Dt. Übers. und hrsg. von K. Büchner. Stuttgart 1986.

Rebellion

Die überzeugendsten Darstellungen über die Ursprünge und den historischen Kontext des Krieges der Römer gegen die Juden (66–70 n. Chr.) sind:
Goodman, Martin: The Ruling Class of Judaea: The Origins of the Jewish Revolt Against Rome, AD 66–70. Cambridge 1987.
– The Roman World 44 BC – AD 180. London 1997.

Sein neues – für ein breites Publikum geschriebenes – Geschichtswerk über die Beziehungen zwischen den Römern und Juden vom 1. bis zum 4. Jahrhundert erscheint im Januar 2007:
Goodman, Martin: Rome and Jerusalem: The Clash of Ancient Civilizations. London 2007.

Empfehlenswert außerdem:
Millar, Fergus: The Roman Near East, 31 BC – AD 337. Cambridge (Mass.) / London 1993.
Levick, Barbara: Vespasian. London 1999.
Sanders, E. P.: Judaism: Practice and Belief. London 1992.
Faulkner, Neil, Apocalypse: The Great Jewish Revolt Against Rome AD 66–73. Stroud 2002.
Woolf, G. (Hrsg.): The Cambridge Illustrated History of the Roman World. Cambridge 2003.
Baltrusch, Ernst: Die Juden und das Römische Reich. Darmstadt 2002.
Bringmann, Klaus: Geschichte der Juden im Altertum. Vom babylonischen Exil bis zur arabischen Eroberung. Stuttgart 2005.

Zum militärischen Aspekt des jüdischen Aufstandes (und zur römischen Armee im Allgemeinen):
Peddie, John: The Roman War Machine. Stroud 1994.
Gilliver, Catherine: The Roman Art of War. Stroud 1999.
Goldsworthy, Adrian: The Complete Roman Army. London 2003.
Connolly, Peter: Greece and Rome At War. London 1998.

Antike Quellen

Die wichtigste Primärquelle ist:
Flavius Josephus: Geschichte des Judäischen Krieges. Aus dem Griech. von H. Clementz. Leipzig [7]2003.

Josephus' eigener Lebensbericht:
Josephus Flavius: Aus meinem Leben (= Vita). Griech./Dt. Übers. und hrsg. von F. Siegert, H. Schreckenberg und M. Vogel. Tübingen 2001.

Zum römischen Bürgerkrieg 68–69 n. Chr. (»Vierkaiserjahr«):
Tacitus: Historien. Übers. von W. Sontheimer. Einl. von V. Pöschl. Stuttgart 1968.
– Historien. Lat./Dt. Übers. und hrsg. von H. Vretska. Stuttgart 1984.

Die von Sueton verfassten Biographien Vespasians und Titus' sowie der Kaiser von 68/69 n. Chr., Galba, Otho und Vitellius:

Sueton: Leben der Caesaren. Übers. und hrsg. von A. Lambert. München 1972.

– Vespasian, Titus, Domitian. Lat./Dt. Übers. und hrsg. von H. Martinet. Stuttgart 1991.

Hadrian

Eine solide und gut verständliche neuere Darstellung der Regierung Hadrians:

Danziger, Danny / Purcell, Nicholas: Hadrian's Empire. When Rome Ruled the World. London 2005.

Andere wichtige Werke, die sich mit dieser Epoche befassen:

Birley, Anthony: Hadrian: The Restless Emperor. London 1997.

Salway, Peter: A History of Roman Britain. Oxford 2001.

Bowman, A. K.: Life and Letters on the Roman Frontier: Vindolanda and its People. London 2003.

Lane Fox, Robin: The Classical World: An Epic History from Homer to Hadrian. London 2005.

Scarre, Christopher: The Penguin Historical Atlas of Ancient Rome. London 1995.

Jones, Peter / Sidwell, Keith (Hrsg.): The World of Rome: An Introduction to Roman Culture. Cambridge 1997.

Mortensen, Susanne: Hadrian. Eine Deutungsgeschichte. Bonn 2003.

Schall, Ute: Hadrian. Ein Kaiser für den Frieden. Tübingen 1986.

Die Tafeln von Vindolanda sind auch im Internet zugänglich: http://vindolanda.csad.ox.ac.uk

Antike Quellen

Die Werke Plinius' des Jüngeren:

Plinius: Sämtliche Briefe. Übers. und erl. von A. Lambert. Zürich/Stuttgart 1969.

– Sämtliche Briefe. Übers. und hrsg. von H. Philips und M. Giebel. Stuttgart 1998.

– Panegyrikus: Lobrede auf den Kaiser Trajan. Hrsg. und übers. von W. Kühn. Darmstadt 1985.

Cassius Dios Darstellung der Herrschaft Hadrians:
Cassius Dio: Römische Geschichte. Bd. 5: Epitome der Bücher 61–80. Übers.
  von O. Veh. Zürich/München 1987.

Die *Historia Augusta* mit der Vita Hadrians:
Historia Augusta. Übers. von E. Hohl. Hrsg. von E. Merten, A. Roesger und
  J. Straub. München 1976–85.

Tacitus' Bericht über das römische Britannien:
Tacitus: Agricola. Übers. und hrsg. von R. Feger. Stuttgart 1990.

Konstantin

Eine gute, zuverlässige Einführung in diese Epoche der römischen Geschichte bietet:
Cameron, Averil: The Later Roman Empire, AD 284–430. London 1993.

Andere wichtige Werke sind:
Brown, Peter: The Rise of Western Christendom: Triumph and Diversity AD
  200–1000. Oxford 2002.
– Macht und Rhetorik in der Spätantike. Der Weg zu einem »christlichen
  Imperium«. München 1995.
Odahl, Charles: Constantine and the Christian Empire. London 2004.
Barnes, Timothy: Constantine and Eusebius. Cambridge (Mass.) / London
  1981.
Drake, H. A.: Constantine and the Bishops: The Politics of Intolerance. Bal-
  timore (Md.) / London 2000.
Digeser, Elizabeth DePalma: The Making of a Christian Empire: Lactantius
  and Rome. Ithaca (N. Y.) / London 1999.
Southern, Pat: The Roman Empire from Severus to Constantine. London
  2001.
Beard, Mary / North, John / Price, Simon: Religions of Rome. Bd. 1: A
  History. Cambridge 1998.
Lenski, Noel (Hrsg.): The Cambridge Companion to the Age of Constantine.
  Cambridge 2006.
Bowman, Alan / Cameron, Averil / Garnsey, Peter (Hrsg.): Cambridge Ancient
  History. Bd. 12: The Crisis of Empire, AD 193–337. Cambridge 2005.
Christ, Karl: Von Caesar zu Konstantin. München 1996.
Fuhrmann, Manfred: Rom in der Spätantike. Zürich 1994.

Antike Quellen

Die Werke des Eusebius:
Des Eusebius Pamphili Vier Bücher über das Leben des Kaisers Konstantin und
des Kaisers Konstantin Rede an die Versammlung der Heiligen. Aus dem
Griech. von J.M. Pfättisch. Kempten [u. a.] 1913.
Eusebius von Caesarea: Kirchengeschichte. Hrsg. und eingel. von H. Kraft.
Die Übers. von Philipp Haeuser wurde neu durchges. von H.A. Gärtner.
Darmstadt 1984.

Die Schriften des Laktanz:
Laktanz: De mortibus persecutorum / Die Todesarten der Verfolger. Übers.
und eingel. von A. Städele. Turnhout 2003.
– Göttliche Unterweisungen in Kurzform. Eingel., übers. und erl. von
E. Heck und G. Schickler. München/Leipzig 2001.

Zosimus' *Neue Geschichte*:
Zosimos: Neue Geschichte. Übers. von O. Veh. Stuttgart 1990.

Untergang

Eine verständliche und zuverlässige aktuelle Darstellung vom Untergang
Roms bietet:
Heather, Peter: The Fall of the Roman Empire. London 2005.

Außerdem empfehlenswert:
Heather, Peter: Goths and Romans 332–489. Oxford 1991.
– The Goths. Oxford 1996.
Matthews, John: Western Aristocracies and Imperial Court, AD 364–425.
Oxford 1975.
Ward-Perkins, Bryan: The Fall of Rome and the End of Civilization. Oxford
2005.
Cameron, Averil / Garnsey, Peter (Hrsg.): Cambridge Ancient History.
Bd. 13: The Late Empire, AD 337–425. Cambridge 1997.
Bellen, Heinz: Grundzüge der römischen Geschichte. Tl. 3: Die Spätantike
von Konstantin bis Justinian. Darmstadt 2003.

Antike Quellen

Die Geschichtsschreibung des Ammianus Marcellinus:
Ammianus Marcellinus: Römische Geschichte. Lat./Dt. und mit einem
  Komm. vers. von W. Seyfarth. Tl. 4: Buch 26–31. Berlin 1971.

Zosimus' *Neue Geschichte*:
Zosimos, Neue Geschichte. Übers. von O. Veh. Stuttgart 1990.

Die Fragmente von Olympiodorus:
Blockley, R. C. (Hrsg.): The Fragmentary Classicising Historians of the Later
  Roman Empire: Eunapius, Olympiodorus, Priscus and Malchus. Bd. 2.
  Liverpool 1983. [Mit griech. Text, engl. Übers. und Anm.]

Dank

Allen, die am Zustandekommen dieses Buches beteiligt waren, bin ich zu großem Dank verpflichtet. Beim Serienteam der BBC danke ich dem geschäftsführenden Produzenten Matthew Barrett und dem Produzenten der Serie Mark Hedgecoe für ihre Beratung und für das große Vergnügen, mit ihnen zusammenzuarbeiten und von ihnen lernen zu können. Mein Dank gilt ferner den Regisseuren der Serie Chris Spencer, Nick Green, Nick Murphy, Andrew Grieve, Tim Dunn und Arif Nurmohamed, deren Drehbücher mir bei der Ausgestaltung der Hauptkapitel eine große Hilfe waren. Bedanken möchte ich mich auch bei Christabelle Dilks, der Dramaturgin des Serien-Drehbuchs, ebenso wie bei den wissenschaftlichen Mitarbeiterinnen Rebecca Snow, Sarah Jobling und Annelise Freisenbruch für ihre hervorragenden Recherchen, auf die dieses Buch ständig zurückgreifen konnte. Annelise sei außerdem herzlich dafür gedankt, dass sie sich die Zeit nahm, die zweite Hälfte des Manuskripts durchzusehen und für das Augustus-Kapitel zu recherchieren. Ich möchte auch Ann Cattini und Anna Mishcon meinen Dank aussprechen, dass sie mir großzügig Zeit eingeräumt haben, das Buch zu schreiben, und insbesondere Laurence Rees, der mich unermüdlich unterstützt und immer wieder ermutigt hat.

Bei BBC Books gilt mein aufrichtiger Dank dem verantwortlichen Redakteur Martin Redfern für sein Vertrauen, seine Geduld und seine Hilfestellung bei der Niederschrift dieses Buches; Eleanor Maxfield, die das Projekt so freundlich und engagiert betreut hat; Trish Burgess, die den Text redigiert und immer wieder verbessert hat; Sarah Hopper für das wunderbare Bildmaterial und Martin Hendry für das Design, an dem er rund um die Uhr gearbeitet hat.

Das Buch wäre nicht möglich gewesen ohne die großzügige Unterstützung der Wissenschaftler, die das Projekt als Berater begleitet haben. Martin Goodman und Averil Cameron bin ich für ihre Kommentare und Korrekturen der Kapitel IV bzw. V zu großem Dank verpflichtet. Von Peter Heathers Ratschlägen und seinem kürzlich erschienenen Werk *The Fall of the Roman Empire* habe ich bei Kapitel VI wichtige Impulse beziehen können. Am meisten aber bin ich Mary Beard verpflichtet, ihr gilt mein innigster Dank: Sie hat meine Arbeit inspiriert, mir wertvolle Denkanstöße gegeben, das Manuskript einer kritischen Durchsicht unterzogen, auf E-Mails in Rekordzeit geantwortet und zahllose äußerst hilfreiche Korrekturen angemerkt. Auf ihren Fachkenntnissen beruht ein beträchtlicher Teil dieses Buches.

Darüber hinaus möchte ich mich auch sehr herzlich bedanken bei meinen Lehrerinnen und Lehrern Simon Price, Laetitia Edwards, Peta Fowler, James Morwood und Bruce McCrae; bei meinem Bruder Matthew, der, als wir die römischen Überreste im Mittelmeerraum erkundeten, ein wunderbarer Gefährte war; und schließlich danke ich allen, die mich bei der Abfassung dieses Buches so liebevoll unterstützt haben: meiner Mutter Patsy, Martyn und Kate und meinen Freundinnen und Freunden, vor allem Kari Lia, Sam Sim, Paula Trybuchowska, Mark Williams, Helen Rumbelow, Tony Pritchard, Carl Siewertz und Helen Weinstein.

Abbildungsnachweis

BBC Books dankt den folgenden Personen und Institutionen für die Bereitstellung und Abdruckgenehmigung des Bildmaterials. Obwohl größte Sorgfalt auf die Ermittlung der Rechtsinhaber verwendet wurde, bittet der Verlag, etwaige Fehler oder Versäumnisse zu entschuldigen.

Abbildungen im Farbtafelteil **1 o.** Luisa Ricciarini Photoagency **1 r.** DeA Picture Library **2 o.** DeA Picture Library **2 l.** The British School at Rome Photographic Archive / 682 Squadron Royal Air Force **3 o.** National Gallery, London **3 u.** Luisa Ricciarini Photoagency **4 o. l.** akg-images, London **4 o. r.** DeA Picture Library **4 u.** Musée Crozatier, Le Puy-en-Velay, Frankreich, Giraudon / The Bridgeman Art Library **5 o.** DeA Picture Library **5 u. l.** akg-images, London **5 u. r.** Photo Scala, Florenz; **6 o.** Luisa Ricciarini Photoagency **6 u.** Ancient Art and Architecture Collection **7** Werner Forman Archive **8 o.** Ancient Art and Architecture Collection **8 u.** Museo Archeologico Nazionale, Neapel / The Bridgeman Art Library **9 o.** Werner Forman Archive **10 o.** Bildarchiv Preußischer Kulturbesitz **10 u.** DeA Picture Library **11 o.** Ancient Art and Architecture Collection **11 u.** akg-images, London **12 o.** © Zev Radovan **12 u.** Ancient Art and Architecture Collection **13 o.** The Art Archive / Bardo Museum Tunis / Dagli Orti **13 u.** DeA Picture Library **14 o.** Adam Woolfitt / Corbis **14 u.** Luisa Ricciarini Photoagency **15 o. l.** DeA Picture Library **15 o. r.** Dorset County Museum, Großbritannien / The Bridgeman Art Library **15 u.** Luisa Ricciarini Photoagency **16 o.** DeA Picture Library **16 u.** Collection of the New York Historical Society, USA / The Bridgeman Art Library.

Register